D1584962

BEAR GRYLLS

LET DUCHŮ

JOTA/2017

Tuto knihu věnuji svému zesnulému dědečkovi,
brigádnímu generálovi Williamu Edwardu Harveymu
Gryllsovi, držiteli Řádu britského impéria,
příslušníkovi 15./19. pluku královských husarů
a veliteli jednotky Target Force.

Zesnulému, nikoli však zapomenutému.

PODĚKOVÁNÍ

Chci poděkovat zvláště následujícím lidem: literárním agentům z agentury PFD Caroline Michelové, Annabel Merullové a Timu Bindingovi za jejich neochvějnou podporu a bystré komentáře k prvním konceptům knihy. Jako vždy děkuji Lauře Williamsové, pomocné agentce PFD, za její herkulovské úsilí. Také Jonu Woodovi, Jemimě Forresterové a všem lidem z nakladatelství Orion – Susan Lambové, Sophii Painterové, Malcolmu Edwardsovi, Marku Rusherovi, Gaby Youngové a všem členům „týmu Grylls".

Hamishovi de Bretton-Gordonovi z oddělení Avon Protection děkuji za rady a odborný výklad o chemických, biologických a jaderných zbraních i obranných a ochranných opatřeních. Chrisi Danielsovi a všem zaměstnancům firmy Hybrid Air Vehicles děkuji za jejich rady a vynikající vedení týkající se Airlanderu. Děkuji dr. Jacqueline Borgové, přední odbornici na poruchy mozkových funkcí včetně poruch autistického spektra. Anne a Paulovi Sherratovým děkuji za jejich podnětné informace a kritické postřehy k tematice nacismu i východního bloku.

A konečně, můj největší dík patří tobě, Damiene Lewisi, že jsi mi pomohl vystavět příběh na tom, co jsme spolu objevili ve vojenském kufru mého dědy pod označením „přísně tajné". To, jak jsi těmto dokumentům opět vdechl život, je skutečně brilantní.

POZNÁMKA AUTORA

Můj dědeček, brigádní generál William Edward Harvey Grylls, držitel Řádu britského impéria a příslušník 15./19. pluku královských husarů, působil jako velitel Target Force, tajné jednotky zřízené ke konci druhé světové války na příkaz Winstona Churchilla. Šlo o jednu z nejtajnějších skupin, jakou ministerstvo války sestavilo, a do náplně její práce patřilo převážně vyhledávání a ochrana tajných technologií, zbraní, vědců a vysoce postavených nacistických činitelů. Cílem bylo zapojit je do služby v boji proti nové světové supermocnosti a nepříteli Spojenců – Sovětům.

O jeho utajené funkci velitele T Force neměl nikdo z naší rodiny ponětí. Dozvěděli jsme se to až mnoho let po jeho smrti, kdy byly tyto informace po sedmdesáti letech odtajněny podle zákona o státních tajemstvích. A tohle odhalení posléze vedlo až k napsání této knihy.

Můj dědeček toho moc nenamluvil, ale já si na něj stále uchovávám krásné vzpomínky z dětství. Tajemný pán, který pokuřuje z dýmky, pověstný svým suchým humorem… A taky milovaný velitel.

Ačkoli pro mě to byl vždycky prostě děda Ted.

Harper's Magazine, říjen 1946

TAJEMSTVÍ TISÍCŮ

C. Lester Walker

Na leteckou základnu Wright Field nedávno kdosi napsal, že prý tato země shromáždila poměrně objemnou sbírku válečných tajemství nepřítele a zda by mu nemohly být zaslány všechny podklady k německým tryskovým motorům. Oddělení letecké dokumentace královského letectva odpovědělo:

„Je nám líto – ale to by vydalo na padesát tun."

Navíc oněch padesát tun představovalo jen malou část toho, co je dnes nepochybně největší sbírkou ukořistěných válečných tajemství nepřítele, jaká kdy vznikla. Pokud jste si vždycky mysleli, že válečná tajemství jsou taková hromada bez ladu a skladu (a kdo by si to nemyslel?), mohlo by vás zajímat, že v této sbírce jdou ona válečná tajemství do tisíců, dokumenty se vrší jako hora a že nikdy předtím tu nebylo nic srovnatelného.

Daily Mail, březen 1988

KONSPIRACE PAPERCLIP

Tom Bower

Konspirační akce Paperclip byla vyvrcholením ohromující bitvy, do níž se Spojenci pustili hned po válce s cílem zmocnit se ohromné kořisti z nacistického Německa. Pouhých pár týdnů po Hitlerově porážce si vysoce postavení činitelé Pentagonu vybírali muže z kategorie „horliví nacisté", aby z nich udělali počestné americké občany.

Zatímco plánům zapojit obviněné Němce do programu hospodářské obnovy stály v Británii v cestě politické rozepře, Francouzi a Rusové brali každého bez ohledu na jeho zločiny. Američané pomocí složitých podvodů dosáhli toho, že byly záznamy nacistických vědců s jejich vražednou historií vymazány.

Jednoznačný důkaz o německé technické zdatnosti poskytují stovky zpráv spojeneckých vyšetřovatelů, kteří se nebojí popisovat „ohromující výsledky" a „skvělou vynalézavost" Němců. Hitler nakonec svým nepřátelům skutečně vytřel zrak.

The Sunday Times, prosinec 2014

OBJEV ROZLEHLÉ UTAJENÉ LOKALITY S NACISTICKÝMI „HROZIVÝMI ZBRANĚMI" V RAKOUSKU

Bojan Pancevski

V Rakousku byl objeven tajný podzemní komplex vybudovaný nacisty koncem druhé světové války, jenž možná sloužil k vývoji zbraní hromadného ničení včetně jaderné bomby.

Toto obrovské zařízení bylo odhaleno minulý týden poblíž města St. Georgen an der Gusen. Má být údajně propojeno s nedalekou podzemní továrnou B8 Bergkristall, kde se vyráběl Messerschmitt Me-262, první akceschopná proudová stíhačka, která v závěrečných fázích války nakrátko ohrozila převahu spojeneckého letectva. Odtajněné zpravodajské dokumenty spolu s výpověďmi svědků pomohly kopáčům nalézt ukrytý vchod.

„Byl to obrovský průmyslový komplex a s největší pravděpodobností i největší výrobna tajných zbraní na území Třetí říše," prohlásil Andreas Sulzer, rakouský dokumentarista, který vykopávky řídí.

Sulzer shromáždil tým historiků a vypátral tak další důkazy o vědcích, kteří na projektu pracovali. Řídil ho generál SS Hans Kammler, který měl na starost Hitlerovy raketové programy, kam spadala i balistická střela V-2, kterou Němci v závěrečných etapách války použili proti Londýnu.

Kammler proslul jako vynikající, avšak krutý velitel, který byl podepsán pod plány plynových komor a krematorií v koncentračním táboře Osvětim na jihu Polska. Stále přetrvávají zvěsti o tom, že po válce skončil v zajetí Američanů a obdržel od nich novou totožnost.

Minulou středu byly Sulzerovy vykopávky ukončeny místními orgány, které požadovaly povolení k průzkumu na historickém nalezišti. Filmař nicméně věří, že příští měsíc budou vykopávky opět obnoveny.

„K práci na tomto monstrózním projektu byli na základě svých zvláštních dovedností pečlivě vybíráni vězni z koncentračních táborů v celé Evropě – fyzikové, chemikové a další experti. A naší povinností vůči obětem je odkrýt konečně naleziště a odhalit světu pravdu," řekl Sulzer.

1

Pomalu, pomaloučku otevíral oči.

Řasy se neochotně odlepovaly jedna od druhé v zaschlé krustě krve, která je držela pohromadě. Štěrbinky mezi víčky se zvětšovaly jen postupně, jako kdyby mu nad bulvami podlitými krví pukalo sklo. Jeho sítnici spalovala záře – jako by mu někdo svítil do očí laserem. Ale kdo? Kdo je ten nepřítel… kdo jsou jeho trýznitelé? A kam se proboha poděli?

Vůbec na nic si nemohl vzpomenout.

Co je dnes za den? A jaký je vůbec rok? Jak se sem dostal – a kde to kruci vlastně je?

Sluneční světlo mu působilo pekelnou bolest, ale aspoň se mu pomalu vracel zrak.

První konkrétní předmět, který vzal Will Jaeger na vědomí, byl šváb. Rozmazaný vplul do jeho zorného pole a celé ho vyplnil. Vypadal obludně a cize.

Jaeger měl pocit, že leží tváří na nějaké podlaze. Z betonu. Pokryté nějakým hustým nahnědlým slizem bůhví z čeho. V té podivné poloze se zdálo, že blížící se šváb mu vleze rovnou do levého oka.

Brouk proti němu vystrčil tykadla a v příští chvíli zmizel. Jaeger slyšel, jak cupitá kolem nosu – vzápětí ucítil, že mu leze po tváři nahoru.

Šváb se zastavil někde u pravého spánku, na němž Jaeger cítil závan vzduchu, druhým spánkem spočíval na podlaze.

Přední nožky a kusadla mu začaly tápat po kůži.

Jako kdyby tam něco hledaly. Něco ochutnávaly.

Jaeger cítil, že brouk začíná žvýkat, že se zakusuje do masa.

Hmyzí čelisti se prokousávaly dovnitř. Vnímal šustivé, duté klapání zoubkovaných kusadel, odtrhávajících kousíčky shnilého masa. A najednou – s neslyšným výkřikem, jenž se vydral z jeho rtů – si uvědomil, že se mu rojí desítky dalších švábů všude po těle... Jako kdyby byl už dlouhou dobu po smrti.

Musel přemoci vlnu nevolnosti. Myslí mu prolétla naléhavá otázka: Proč neslyším vlastní křik?

S nadlidským úsilím pohnul pravou rukou.

Posunula se jen nepatrně, ale i tak měl dojem, jako by se pokoušel zvednout celý svět. Zatímco ruku zvedal, rameno a loket při každém centimetru zabolely. I ta sebemenší námaha mu působila hrozné křeče ve svalech.

Připadal si jako mrzák.

Co se to se mnou proboha stalo?

Co mi udělali?

Zatnul zuby a jen s vypětím vůle dokázal přiblížit ruku k hlavě. Přejel si prsty po uchu a horečně se poškrábal. Nahmatal totiž... nožičky. Šupinaté, ostnaté, divoce rejdící hmyzí nožičky. Škubaly sebou a pocukávaly, jak se šváb snažil vecpat hlouběji do ucha.

Dej je pryč! Dej je pryč! Dostaň je véééén!

Dělalo se mu špatně od žaludku, ale s vnitřnostmi nic neměl. To ten odporný suchý povlak smrti, který všechno pokrýval – stěny žaludku, hrdlo, jazyk a dásně, dokonce i nosní dírky.

A kruci! Nosní dírky. Pokoušejí se vlézt i tam!

Jaeger znovu zakřičel. Déle – a zoufaleji. Takhle se přece neumírá. Prosím tě, Bože, takhle ne...

Zas a znovu hmatal po všech tělních otvorech a odtrhoval sveřepé mrskající se šváby, kteří vztekle syčeli.

No sláva. Do jeho zkoprnělých smyslů začal konečně prosakovat zvuk. Nejprve se mu ve zkrvavených uších rozlehly vlastní výkřiky. A pak si uvědomil, že se s něčím mísí – s něčím ještě hrozivějším, než jsou desítky brouků, kteří si chtěli pochutnat na jeho mozku.

Lidský hlas.

Hluboký, hrdelní. Krutý. Hlas, který se vyžíval v bolesti. Jeho věznitel.

A ten hlas přihnal všechno zpátky jako povodeň. Věznice Black Beach. Žalář na samém konci světa. Místo, kam lidi posílali na strašlivé mučení a na smrt. Jaegera sem uvrhli za zločin, který nespáchal, na příkaz šíleného a vražedného diktátora – a potom začaly hrůzy všech hrůz.

Než tohle probuzení v pekle, to už mu byl milejší temný klid bezvědomí. Cokoli jiného než týdny, které trávil zavřený na tomto všemi zapomenutém místě, horším než věčné zatracení – ve své vězeňské cele. Ve vlastní hrobce.

Pokusil se v mysli znovu vyklouznout. Zpátky do těch měkkých, beztvarých, pohyblivých stínů šedi, které ho chránily, než jej cosi – co to jenom bylo? – vytáhlo do téhle příšerné přítomnosti.

Pohyby jeho pravé ruky stále více ochabovaly.

Znovu ji upustil na podlahu.

Jen ať si švábi pochutnají na jeho mozku.

I tohle mu připadalo lepší.

A vtom ho ta věc, jež ho prve probrala, udeřila zas – proud studené tekutiny přímo do obličeje, jako kdyby dostal facku od mořské vlny. Jenom pach to mělo jiný. Nebylo to ledově čisté, vzpružující aroma oceánu. Z tohohle vanul smrdutý puch, slaná pachuť pisoáru, o nějž léta nezavadil žádný dezinfekční prostředek.

Mučitel se znovu zachechtal.

Očividně se bavil.

Chrstnout vězni do tváře obsah kýblu, do něhož vykonává potřebu – co mohlo být lepšího?

Jaeger tu odpornou tekutinu vyplivl. Zamrkal, aby ho přestala pálit v očích. Aspoň že ta zahnívající sračka zapudila šváby. Začal v paměti lovit slova – ty nejšťavnatější nadávky, aby je vmetl tyranovi do obličeje.

Důkaz života. Známka odporu.

„Jdi do…"

Skuhravým hlasem ze sebe zkoušel vypravit urážku bez ohledu

na to, že si zas vykoleduje výprask ohebnou hadicí, jíž se po předchozích zkušenostech tak děsil.

Kdyby se však nevzpíral, znamenalo by to konec. Odpor bylo to jediné, co měl.

Tentokrát však větu nedořekl. Slova se mu zasekla v hrdle.

Náhle totiž promluvil ještě jeden hlas. Hlas tak důvěrně známý – tak bratrský –, že si Jaeger pomyslel: Tohle se mi určitě zdá. Zaklínání znělo zpočátku slabě, ale postupně sílilo a začínalo se rozléhat. Rytmické odříkávání, naplněné příslibem nemožného…

„Ka mate, ka mate! Ka ora, ka ora.

Ka mate, ka mate! Ka ora, ka ora!"

Ten hlas by poznal všude na světě.

Takavesi Raffara. Ale kde by se tady vzal?

Když spolu hrávali v britské armádě ragby za jeden tým, byl to Raff, kdo před zápasem vedl haka – tradiční maorský válečný tanec. Vždycky. Shodil košili, zaťal pěsti a vlnil se dopředu k soupeřovu týmu, aby každému hráči upřeně pohlédl do očí, při tom si bušil pěstmi do rozložité hrudi. Nohy měl jako statné kmeny, paže jako buchary. A spoluhráči včetně Jaegera stáli v tu chvíli po jeho bocích, neohrožení a nezastavitelní.

Oči vykulené, jazyk naběhlý, se strnulou grimasou válečníka pronášel vyzývavým hlasem ony starodávné verše.

„KA MATE, KA MATE! KA ORA, KA ORA!" Zemřu? Zemřu? Budu žít? Budu žít?

Na bojišti, kde stáli bok po boku, prokázal Raff stejnou nesmiřitelnost. Nejlepší, nejvěrnější spolubojovník. Původem Maor, řízením osudu příslušník komanda královských mariňáků, sloužil s Jaegerem ve zbrani ve čtyřech koutech světa. Stal se jedním z jeho nejbližších bratrů.

Jaeger teď přesunul pohled doprava, k místu, odkud se bojový zpěv ozýval.

Koutkem oka sotva rozeznával postavu stojící za mřížemi cely. Mohutného chlapa, vedle něhož i bachař vypadal jako trpaslík.

Úsměv jako paprsek čistého slunečního světla, které se prodralo z mraků po zdánlivě nekonečné temné bouři.

„Raff?" zasípěl Jaeger jediné slovo hlasem, v němž se mísila naděje s potlačovanou nevěřícností.

„Jo. Jsem to já." Ten úsměv. „Co vím, vypadals už hůř, kámo. Třeba když jsem tě tehdy táhl z toho amsterdamskýho baru. Ale i tak se budeš muset umejt. Přišel jsem si pro tebe, kámo. Vytáhnout tě z týhle díry. Letíme s British Airways do Londýna – první třídou."

Jaeger neodpovídal. Co na to taky říct? Jak může být Raff tady, na tomhle místě, tak blízko? Zdánlivě blízko…

„Měl bys jít," naléhal Raff. „Než si to tady tvůj kámoš major Mojo rozmyslí."

„No jasně, Bobe Marley!" Jaegerův trapič s přimhouřenýma očima ironicky napodobil bodrý tón. „Bobe Marley – ty seš ale vtipálek!"

Raff se zazubil od ucha k uchu.

Jaeger ještě neviděl nikoho, kdo by se uměl na člověka usmát s výrazem, z něhož tuhla krev v žilách. Narážky na Boba Marleyho se týkaly jeho vlasů – nosil je dlouhé a spletené do copánků tradičním maorským způsobem. A jak se mnozí ragbisté na vlastní kůži přesvědčili, Raff nenesl dobře, když jeho účes někdo znevažoval.

„Odemkni tu celu," zavrčel Raff. „Já a můj přítel pan Jaeger právě odcházíme."

2

Džíp se rozjel od věznice Black Beach. Raff shrbený nad volantem po chvíli Jaegerovi podal láhev vody.

„Napij se." Ukázal palcem na zadní sedadlo. „V chladicím boxu jsou další. Pij, co se do tebe vejde. Musíš se zavodnit. Čeká nás pernej den…"

Potom zmlkl. Soustředil se na cestu, která se odvíjela před nimi.

Jaeger nechal viset ve vzduchu nevyřčenou otázku.

Po týdnech strávených ve vězení ho pálilo celé tělo. Každý kloub křičel bolestí. Jako by uběhla celá věčnost od chvíle, kdy ho strčili do té cely. Už si ani nepamatoval, kdy jel naposledy někam autem nebo cítil na kůži žár tropického slunce, v jehož moci se ostrov Bioko nacházel.

Při každém poskočení vozu ucukl bolestí. Jeli po silnici lemující oceán – nebo spíš po úzkém pruhu asfaltu, který vedl do Malaba, hlavního města Bioka. Zpevněných vozovek bylo na tomto maličkém africkém ostrůvku opravdu poskrovnu. Většina ropného bohatství země šla na výstavbu nového prezidentova paláce, na další obří jachtu z jeho početné flotily či na další zvelebení jeho tučných švýcarských kont.

Raff ukázal na palubní desku. „Vezmi si sluneční brýle, brácho. Vypadá to, že máš potíže."

„Na slunci jsem už nějakej čas nebyl."

Jaeger otevřel přihrádku spolujezdce a vytáhl brýle, které vypadaly jako značka Oakley. Chvíli si je prohlížel. „Nejsou falešný? Tys byl přece vždycky hrozná držgrešle."

Raff se zasmál. „Odvážní vítězí."

Do Jaegerovy potlučené tváře se vetřel úsměv. A pekelně ho zabolel. Neusmíval se kdovíjak dlouho a najednou měl pocit, jako by mu úsměv rozpoltil obličej.

V uplynulých týdnech už věřil, že se z té všivé cely už nikdy nedostane. Z lidí, kteří něco znamenali, nikdo nevěděl, kde je. Jaeger tedy dospěl k přesvědčení, že v Black Beach umře, ztracený a zapomenutý, a jeho mrtvolu pak hodí žralokům jako už tolik nešťastníků před ním.

Teď pořád nějak nemohl uvěřit tomu, že je naživu a na svobodě.

Dozorce je vedl ven potemnělým suterénem – kde byly mučicí kóje – a beze slova se sunul podél zdí potřísněných krví. Sem vyhazovali odpadky a také těla těch, kteří v celách zemřeli, a měli tudíž skončit v moři.

Jaeger si zaboha nedovedl představit, jakou dohodu Raff vyjednal, aby ho nechali jít.

Z věznice Black Beach ještě nikdo na svobodu nevyšel.

Nikdy.

„Jak jsi mě našel?" řekl do ticha.

Raff pokrčil rameny. „Nebylo to lehký. Muselo se nás do toho navézt víc: Feaney, Carson, já." Zasmál se. „Seš rád, že jsme se obtěžovali?"

Jaeger pokrčil rameny. „Právě jsem se začal sbližovat s majorem Mojem. Prima chlap. Takovej, kterýho bys vybral pro svoji ségru." Zadíval se na urostlého Maora. „Ale jak jsi mě našel? A proč…"

„Přece jsem stál vždycky při tobě, kámo. A navíc…" Raffovi se v obličeji mihl stín. „V Londýně tě potřebujou. Mají úkol. Pro nás oba."

„Co je to za úkol?"

Raffův výraz potemněl ještě víc. „Zasvětím tě, až odsud vypadneme – do tý doby žádnej úkol nebude."

Jaeger si dlouze lokl vody. Ve srovnání s tím, co musel pít v Black Beach, chutnala jako nektar.

„A co dál? Dostal jsi mě z Black Beach, což ještě neznamená, že máme propustku z tohoto Pekelného ostrova. Takhle mu tady říkají všichni kolem."

„Slyšel jsem. Co se týče dohody, kterou jsem uzavřel s majorem Mojem – svou třetí splátku dostane až poté, co budeme my dva sedět v letadle do Londýna. Až na to, že my v tom letadle nebudeme. Letiště: tam si pro nás přijde. A uchystá nám pěkný přijetí. Bude tvrdit, že jsem tě z Black Beach unesl a on nás znova chytil. Tak bude mít výplaty hned dvě – jednu od nás a druhou od prezidenta."

Jaeger pokrčil rameny. Ostatně příkaz k jeho zatčení vydal sám prezident Bioka – Honore Chambara. Zhruba před měsícem zde došlo k pokusu o převrat. Žoldáci se zmocnili druhé, pevninské půlky Rovníkové Guineje, která má hlavní město na přilehlém ostrově Bioko.

Prezident Chambara nechal vzápětí na Bioku pozatýkat všechny cizince – ne že by jich bylo moc. Jaeger skončil mezi nimi a při prohlídce jeho podnájmu našli upomínku na staré časy, kdy býval vojákem.

Jakmile se to Chambara dozvěděl, usoudil, že Jaeger musí být do převratu zapletený – že je jejich člověk uvnitř. Což nebyla pravda. Jaeger na Bioko zavítal z úplně jiných – a zcela nevinných – pohnutek, jenomže Chambaru o tom nepřesvědčil. A tak Jaegera na prezidentův rozkaz zavřeli do věznice Black Beach, kde se ho major Mojo urputně snažil zlomit. A donutit k nějakému přiznání.

Jaeger si nasadil sluneční brýle. „Máš pravdu – přes letiště se odsud nikdy nedostaneme. Takže máš plán B?"

Raff po něm hodil pohledem. „Podle toho, co jsem slyšel, byls tady pracovně jako učitel. Učitel angličtiny. Ve vesnici na vzdáleném severním pobřeží ostrova. Tak jsem je tam navštívil. Ta partička rybářů si myslí, že jsi to nejlepší, co je na Pekelným ostrově potkalo. Naučil jsi jejich děcka číst a psát. Daleko líp, než to kdy svedl prezident Chambara." Odmlčel se. „Připravili pro nás kánoi, na který můžeme pláchnout do Nigérie."

Jaeger se nad tím na chviličku zamyslel. Na Bioku strávil skoro tři roky a místní rybářské komunity poznal opravdu dobře. Cesta kánoí přes Guinejský záliv byla – proveditelná. Snad.

„Je to třicet kilometrů nebo tak nějak," řekl. „Rybáři se tam občas vydávají, když je dobré počasí. Mapu máš?"

Raff ukázal na lehkou cestovní tašku u přítelových nohou. Jaeger se k ní obtížemi sklonil a přehraboval se v jejím obsahu. Našel mapu, rozložil ji a prohlížel si ji. Bioko ležel v samotném „podpaží" Afriky – maličký ostrůvek zarostlý džunglí, necelých sto kilometrů dlouhý a padesát široký.

Nejbližší africká země byla Kamerun. Rozkládala se severozápadně od ostrova, a ještě dále na západ ležela Nigérie. O dobrých dvě stě kilometrů jižněji se nacházelo území, které bylo až donedávna druhou půlkou panství prezidenta Chambary – pevninská část Rovníkové Guiney. Právě jí se zmocnili pučisté.

„Kamerun je nejblíž," poznamenal Jaeger.

„Kamerun? Nigérie?" krčil rameny Raff. „Líp než tady nám bude v tuto chvíli kdekoliv."

„Kolik času zbývá do setmění?" zeptal se Jaeger. Chambarovi gauneři mu sebrali hodinky hned na začátku, dávno předtím, než ho odvlekli do kobky v Black Beach. „Pod rouškou tmy by se to mohlo povést."

„Šest hodin. Na hotel ti dám maximálně jednu hodinu – vydrhneš ze sebe všechnu tu špínu a budeš se celou dobu prolejvat vodou. Bez pořádného zavodnění to nemáš šanci zvládnout. Jak už jsem řekl, to hlavní teprve přijde."

„Mojo ví, v kterém hotelu bydlíš?"

Raff si odfrkl. „Nemá smysl se na takhle malinkým ostrově skrývat – každej ví o všem, co se tady šustne. Když to tak vezmu, připomíná mi můj domov…" Ve slunečním světle se zaleskly jeho zuby. „Mojo nám nebude dělat žádný potíže – aspoň příštích pár hodin ještě ne. Půjde si omrknout, jestli mu přišly peníze – a do tý doby budeme už dávno v trapu."

Jaeger se napil balené vody – tlačil do vyprahlého hrdla lok za lokem. Problém byl v tom, že mezitím se mu smrskl žaludek do velikosti vlašského ořechu. Kdyby ho neumlátili a neumučili k smrti, brzy by se o to postarala mizerná vězeňská strava. Nepochybně by pošel hladem.

„Prej učil děcka," usmíval se významně Raff. „No tak kápni božskou, proč jsi tady doopravdy byl?"

„Učil jsem děcka."

„Jasně. Učil děcka. A s tím pučem nemáš vůbec nic společnýho, viď?"

„Prezident Chambara se mě ptal v jednom kuse na totéž. Mezi bitím. Chlápek jako ty by se mu hodil."

„Fajn, takže jsi učil děcka. Angličtinu. V malý rybářský vísce."

„Jo, učil jsem děcka." Jaeger vyhlédl oknem. Úsměv z tváře mu mezitím úplně zmizel. „A když už to chceš tak moc vědět, taky jsem se potřeboval někde zašít. Abych mohl přemýšlet. Bioko – taková prdel světa. Nikdy by mě nenapadlo, že mě tady někdo najde." Odmlčel se. „Dokázals mi, že jsem se spletl."

Krátká zastávka v hotelu Jaegerovi náramně prospěla. Osprchoval se – hned třikrát. A když se myl potřetí, voda mizející v odtoku byla už skoro čistá.

Vpravil do sebe pořádnou dávku rehydratačních solí. Ostříhal si pětitýdenní plnovous, ale úplně se neoholil. Ještě nepřišel čas.

Prohlížel se v zrcadle a počítal tržné rány. Nějakým zázrakem jich nebylo tolik, kolik čekal. Ve svých osmatřiceti si na ostrově udržoval dobrou kondici. Navíc si deset let odsloužil u elitního vojska – když ho pak strčili do té cely, byl prakticky na vrcholu fyzických sil. Snad právě díky tomu vyšel z Black Beach relativně bez újmy na zdraví.

Zjistil však, že má několik zlomených prstů na rukou i nohou. I to se časem spraví.

Rychle se převlékl do čistého oblečení a pak už s Raffem v SUV ujížděli z Malaba na východ, vstříc husté tropické buši. Nejprve se nad volantem hrbil jako nějaký stařík – a jel padesátkou. Pořád kontroloval zpětné zrcátko. Z těch několika šťastlivců, kteří na Bioku vlastnili auto, jezdili všichni jako ďas – jako kdyby utíkali z pekla.

Kdyby se na ně někdo nalepil, bylo by to široko daleko vidět.

Jakmile odbočili na úzkou škvárovou cestu vinoucí se k severovýchodnímu pobřeží, bylo jasné, že je nikdo nesleduje.

Major Mojo musel počítat s tím, že jejich cesta z ostrova povede přes letiště. Teoreticky odtud žádná jiná úniková trasa nevede – pokud člověk nechce vyloženě riskovat mezi tropickými bouřemi a žraloky, kteří hladově kroužili okolo ostrova Bioko.

A bylo skutečně jen málo lidí, kteří to někdy dokázali.

3

Náčelník Ibrahim ukázal směrem k pláži vesnice Fernao. Ležela dost blízko, takže k nim přes tenké hliněné zdi jeho chýše doléhal zvuk příboje.

„Připravili jsme kánoi. Je vybavená vodou a jídlem." Náčelník se odmlčel a jemně se dotkl Jaegerova ramene. „Nikdy nezapomeneme, hlavně děti ne."

„Děkuji vám," odpověděl Jaeger. „Ani já nezapomenu. Zachránili jste mě všichni ve více ohledech, ani to nemůžu pořádně vysvětlit."

Náčelník pohlédl na postavu stojící po jeho boku – mladého muže s vyrýsovanými svaly. „Můj syn je jeden z nejlepších námořníků na celém Bioku… Určitě nechcete, aby vás muži převezli na prámu? Přece víte, že by to pro vás moc rádi udělali."

Jaeger zavrtěl hlavou. „Až prezident Chambara zjistí, že jsem pryč, bude se mstít všemi způsoby. Pod jakoukoli záminkou. Rozloučíme se spolu tady. Je to opravdu jediná možnost."

Náčelník vstal. „Byly to tři krásné roky, Williame. Inšalláh, ať se dostanete přes záliv a odtud domů. A jednoho dne, až z nás bude Chambarova kletba konečně sejmuta, inšalláh, vy se vrátíte a navštívíte nás."

„Inšalláh," zopakoval po něm Jaeger. Potřásl si s náčelníkem rukama. „To bych moc rád."

Chvíli přejížděl pohledem po tvářích kolem chýše. Děti. Zaprášené, umouněné, polonahé – ale šťastné. Možná právě to mu zdejší děti daly – poučily ho o významu štěstí.

Znovu se podíval na náčelníka. „Řekněte jim za mě, proč jsem musel odejít, ale až poté, co budeme v bezpečí a pryč odsud."

Náčelník se usmál. „Řeknu. A teď už jděte. Vykonal jste tady mnoho dobrého. Kéž odcházíte s tímto vědomím a s lehkostí v srdci."

Jaeger s Raffem se pod ochranou hustého palmového háje vydali k pláži. Jejich cesta se klikatila mezi stromy. Čím méně lidí uvidí, že prchají, tím méně jich pak bude trpět při odvetných opatřeních.

Raff jako první porušil mlčení. Viděl na svém příteli, jak moc ho bolí, že své mladé svěřence opouští.

„Inšalláh?" zeptal se. „Ti zdejší vesničané – oni jsou muslimové?"

„Ano. A abys věděl, jsou taky jedni z nejsrdečnějších lidí, jaké jsem kdy potkal."

Raff si ho měřil pohledem. „Tři roky o samotě na ostrově Bioko – a nestačím zírat, on tady snad ten drsňák Jaeger změkl nebo co."

Jaeger se na kamaráda zašklebil. Možná má Raff pravdu. Možná fakticky změkl.

Blížili se k bělostnému písku pláže, když vtom za sebou uslyšeli supění. Někdo je dohonil. Byl to bosý klučina s holým hrudníkem, oblečený jenom v rozedraných šortkách. Vypadal, že mu není víc než osm let. Jeho panický výraz hraničil s hrůzou.

„Pane, pane!" chytil Jaegera za ruku. „Už jdou, muži prezidenta Chambary. Můj otec – někdo odvysílal varování. Oni se blíží! Jdou po vás! Chtějí vás odvléct zpátky!"

Jaeger se k němu skrčil a podíval se mu do očí. „Malý Mo, poslouchej: zpátky mě nikdo nedostane." Sundal si falešné oakleyky a vtiskl je chlapci do dlaně. Potom mu počechral zaprášené vlasy jako dráty. „No tak si je vyzkoušej," pobídl ho.

Malý Mo si sluneční brýle nasadil. Byly mu tak velké, že si je musel přidržovat.

Jaeger se na něj zazubil. „Seknou ti fakt parádně, kámo! Ale někam si je schovej – aspoň do doby, než vypadnou Chambarovi lidi." Odmlka. „A teď už mazej. Vrať se domů za tátou a nevystrkuj nos. A Mo, vyřiď mu ode mě, že děkuju za to varování."

Hošík Jaegera ještě naposledy objal, jako by se nechtěl rozloučit. Potom se slzami v očích odpelášil pryč.

Jaeger s Raffem zmizeli do nedaleké buše. Krčili se vedle sebe, aby slyšeli svůj šepot, a Jaeger chytil kamaráda za zápěstí. V rychlosti si vyjasnili, kolik mají času.

„Zhruba dvě hodiny do setmění," šeptal. „Dvě možnosti… První, vyrazíme hned, ještě za denního světla. Druhá, schováme se a vyplížíme se až po západu slunce. Pokud Chambaru znám dobře, vyšle na moře hlídkové čluny a ty ho budou pročesávat, a krom toho pošle jeden oddíl přímo do vesnice. Z Malaba je to člunem ani ne čtyřicet minut. Sotva bychom se dostali do vody, už by po nás šli. Což znamená…, že nemáme na výběr. Musíme počkat do setmění."

Raff přikývl. „Hele kámo, strávils tady tři roky. Znáš zdejší podmínky i lidi. My ale potřebujeme skrýš, kde nás nikdo nebude hledat."

Pátral pohledem v okolí, až se zastavil na tmavé a ponuře vyhlížející vegetaci, jež se prostírala na vzdáleném konci pláže. „Mangrovovej močál. Hadi, krokouši, moskyti, škorpioni, pijavice a zasraný bahno po pás. Poslední místo, kde by se chtěl duševně zdravej člověk schovat."

Raff zalovil hluboko v kapse a vytáhl nůž. Podal ho Jaegerovi. „Měj ho nachystanej, kdyby něco."

Jaeger nůž rozevřel a zlehka osahával dvanácticentimetrovou, na jedné straně zoubkovanou čepel, aby zjistil, jak je ostrá. „Další padělek?"

Raff se na něj zamračil. „Na zbraně jsem pedant."

„Chambarovi muži jsou na cestě sem," přemítal Jaeger, „nepochybně proto, aby nás odvlekli zpátky do Black Beach. A my dva máme všehovšudy jednu kudlu…"

Raff vytáhl druhý, úplně stejný nůž. „Věř mi, jenom protáhnout je přes letiště Bioko byl malej zázrak."

Jaeger se na něj chmurně usmál. „Fajn, jeden nůž pro každého. Teď jsme nezastavitelní."

Dva muži vyrazili palmovým hájem směrem ke vzdálenému močálu.

Zvenčí ta masa divoce propletených kořenů a větví vypadala jako neproniknutelná. Raff se nenechal odradit. Zalehl a po břiše se plížil vpřed. Dokázal se protáhnout i nemožnými skulinami a neviditelní tvorové se mu klidili z cesty. Nezastavil se, dokud nebyl aspoň dvacet metrů od kraje. Jaeger se plazil těsně za ním.

Na pláži Jaeger ještě v poslední chvíli sebral několik starých palmových listů, a jak běželi pískem, zametal za nimi stopy. Když se nasoukali do bludiště mangrovů, nikdo by nepoznal, že přes pláž někdo šel.

Pokračovali v cestě, ponoření v odporně zapáchajícím bahně, které tvořilo spodní vrstvu močálu. Nakonec jim z bahna čouhaly jen hlavy a i na nich ulpíval silný povlak bláta a špíny. Úplně s močálem splynuli – jediné, čím se odlišovali od okolí, byla bělma jejich očí.

Jaeger cítil, jak temná hladina bublá a jen se hemží životem. „Začíná se mi skoro stýskat po Black Beach," zamumlal.

Raff místo odpovědi zabručel a ve tmě se zaleskly jeho zuby.

Jaeger se rozhlížel po spleti mangrovů, které nad jejich hlavami utvářely jakousi hustě spletenou kupoli připomínající katedrálu. I ten největší z mangrovů nebyl silnější než mužské zápěstí a nedorůstal výš než do dvaceti metrů. Ale v místech, kde kořeny, denně omývané přílivem, vybíhaly z bahna, rostly v délce dobrého metru a půl rovně jako šíp.

Raff se natáhl po jednom z nich a přeřezal ho na úrovni země zoubkovanou čepelí nože. Další řez provedl o metr dvacet dále a podal hůlku Jaegerovi.

Jaeger se na něj tázavě zahleděl.

„Krav maga," zavrčel Raff. „Boj holí pod desátníkem Carterem. Pořád nic?"

Jaeger se usmál. Jak mohl zapomenout?

Vzal nůž a začal jeden konec tvrdého, nepoddajného dřeva seřezávat do špičky. Pod jeho rukama pomalu vznikalo krátké, ostré kopí.

Desátník Carter byl doyen, který to skvěle uměl se zbraněmi, nemluvě o boji muže proti muži. Spolu s Raffem učili Jaegerovu jednotku krav maga, hybridní bojové umění, které se zrodilo v Izraeli. Tato směs kung-fu a drsného pouličního boje vás naučí, jak přežít v reálných životních situacích.

Na rozdíl od většiny bojových umění krav maga usiluje o to, aby boj co nejrychleji skončil a aby nepřítel utrpěl maximální škody. Systémové škody, jak říkal vždycky Carter, škody, které mají být jedním slovem smrtelné. Neplatí zde žádná pravidla a všechny pohyby jsou vedeny s cílem zasáhnout nejzranitelnější části těla – oči, nos, krk, slabiny, kolena. A to tvrdě.

Zlatými pravidly krav maga jsou rychlost, agresivita, překvapení – je tedy třeba udeřit první a improvizovat se zbraněmi. Člověk bojuje se vším, co mu přijde pod ruku – s prkny, kovovými mřížemi, dokonce i s rozbitými lahvemi.

Nebo s naostřenou dřevěnou holí zhotovenou z mangrovového kořene.

Chambarovi muži se objevili krátce před setměním.

Přijeli na nákladním autě, byly jich asi dva tucty. Přesunuli se na zadní konec pláže a utvořili rojnici, aby ji pročesali z jednoho konce na druhý. U každé z vydlabaných kánoí se zastavovali a obraceli je, jako by čekali, že kořist se bude ukrývat vespod.

Bylo to tak očividné místo k zalehnutí, že Jaeger s Raffem ho předem vyloučili.

Vojáci z ozbrojených sil ostrova Bioko stříleli salvy z útočných pušek G3 a několika člunům provrtali dno. Jejich počínání však postrádalo jakýkoli řád a Jaeger si pečlivě uložil do hlavy, které kánoe neprostříleli.

Vojákům netrvalo dlouho, než našli kánoi naplněnou zásobami. Nad pískem se rozléhaly hlasité povely. Dvojice mužů v maskáčích se rozběhla do vesnice a po chvíli se vrátili s drobnou postavičkou přehozenou přes rameno.

Upustili ji do písku k nohám velitele.

Jaeger hned velitele poznal. Byl to urostlý, obtloustlý muž, který vykonával časté návštěvy v Black Beach, dozíral na výslechy a bití.

Nyní přistoupil k postavě ležící tváří v písku a botou ji dloubl do žeber.

Malý Mo přidušeně zaúpěl.

Jeho výkřik se žalostně nesl nad potemnělou pláží.

Jaeger zaťal zuby. Náčelníkův chlapec byl i pro něj jako syn. Bystrý žák s trochu potrhlým úsměvem, který dokázal Jaegera rozesmát. Navíc se ukázalo, že je eso plážového fotbalu, jejich oblíbené kratochvíle, které se věnovali po vyučování.

Ty dva však nespojoval jen fotbal. V mnoha ohledech malý Mo Jaegerovi připomínal jeho vlastního chlapce.

Přesněji syna, kterého kdysi měl.

4

„Pane Jaegere!" zaznělo nad pláží. Zvolání přerušilo Jaegerovy temné myšlenky.

„Pane Williame Jaegere. Ano, pamatuji si vás, vy zbabělče. A jak vidíte, mám tady toho kluka." Mohutná ruka sáhla dolů, chňapla za vlasy malého Moa a surově ho zvedla. Hoch balancoval na špičkách. „Zbývá mu minuta života. Jedna minuta! Ukažte se, vy bílý svině, hned! Nebo kluk koupí kulku mezi oči!"

Jaegerův pohled se střetl s Raffovým. Urostlý Maor zavrtěl hlavou. „Kámo, skóre přece znáš," zašeptal. „Jakmile se ukážeme, bude to ortel smrti pro celou vesnici – včetně nás i malýho Moa."

Jaeger beze slova stočil zrak zpět ke vzdáleným postavám. Raff měl pravdu. Ale obraz malého chlapce poskakujícího na špičkách v hromotlukových prackách se mu vypaloval do mozku. Vtom vyplavala na povrch jedna dávno pohřbená vzpomínka – odlehlý svah hory a rozcupované, nožem rozřezané plátno…

Jaeger na sobě ucítil mohutnou ruku, silnou, mírnící. „Klid, kamaráde, klid," šeptal Raff. „Myslím to vážně. Ukaž se a všichni jsme mrtví…"

„Minuta uběhla!" zakřičel velitel. „Polezte ven! No tak?!"

Jaeger uslyšel ostré kovové cvaknutí, jak se náboj zasunul do komory. Velitel prudce zvedl pistoli a přitlačil hlaveň ke spánku malého Moa. „Budu počítat od desíti do jedné. A pak, vy britský svině, to mi můžete věřit, vystřelím!"

Velitel stál naproti písečným dunám a přejížděl světlem baterky po trsech trávy. Doufal, že zahlédne Raffa s Jaegerem.

„Deset, devět, osm…"

Vtom nad potemnělou pláží zazněl nový hlas, dětské výkřiky protínající velitelova slova. „Pane! Pane! Prosím! Prosím!"

„Sedm, šest, pět… Správně, kluku, jen pros svýho bílýho kámoše, aby ti zachránil krk… Tři…"

Jaeger cítil, jak ho statný maorský přítel tlačí do bahna. V myšlenkách zděšeně těkal mezi vzdálenými vzpomínkami: divoký útok na temném a ojíněném úbočí hory, krev ulpívající na prvním zimním sněhu. Chvíle, kdy se celý jeho život zhroutil… A odtud rychle k přítomnosti, k malému Moovi.

„Dva! Jedna! Je konec!"

Velitel zmáčkl spoušť.

Záblesk z hlavně vrhl na pláž ostré světlo prolínající se se stejně ostrými stíny. Muž pustil chlapcovy vlasy a malá postavička se zhroutila do písku.

Jaeger v zoufalství odvrátil hlavu a přitiskl tvář ke kořenům mangrovů. Kdyby ho Raff nezadržel, vyrazil by z úkrytu s nožem a naostřenou holí – a s vražedným výrazem v očích.

A zemřel by.

No a co, stejně mu to bylo jedno.

Velitel vychrlil sled úsečných rozkazů. Maskované postavy se rozběhly na všechny strany, některé mířily zpět do vsi, jiné na druhý konec pláže. A jedna z nich se smykem zastavila na kraji močálu.

„Tak budeme pokračovat v naší malý hře," prohlásil velitel, zatímco světlo z jeho baterky stále rejdilo po okolí. „A přivedeme další dítě. Jsem trpělivý člověk. Mám všechen čas na světě. Dělá mi docela radost, že můžu vystřílet ty vaše žáčky do jednoho, pane Jaegere, jestli bude třeba. No? Ukažte se. Nebo jste ten ničemnej bílej zbabělec, za kterýho jsem vás vždycky měl? Dokažte mi, že se mýlím!"

Jaeger zahlédl, že se Raff pohnul. Potichu se kradl vpřed a břichem rozrážel kluzké bahno jako nějaký strašidelný obří had. Na chviličku se ohlédl přes rameno.

„Chceš stanout na výsluní slávy?" zašeptal.

Jaeger zasmušile kývl. „Rychlost. Agresivita…"

„Překvapení," dokončil mantru Raff.

Jaeger se začal plížit vpřed, v brázdě za Raffem. Musel velikého Maora obdivovat pro jeho schopnost lovit, v tichosti se pohybovat – jako zvíře, rozený predátor. Během let ho Raff mnohé z těch dovedností naučil: totální jistotu a soustředěnost, jichž je zapotřebí k vyslídění a usmrcení kořisti.

Přesto Raff stále zůstával mistrem, tím nejlepším, jakého znal.

Vyplul z močálu jako beztvarý stín, zrovna když vlekli na pláž další nešťastné dítě. Velitel ho začal kopat do břicha a muži se zubili při pohledu na kruté představení, které se před nimi odehrávalo.

Raff toho okamžiku využil. Pod pláštěm tmy se přikradl k osamělému strážnému, který stál nejblíž k močálu. Jedním rychlým pohybem levé ruky mu obemkl krk a ústa a v železném sevření ho přidusil, takže nemohl vykřiknout. Pak mu škubl bradou nahoru a do strany. Ve stejné chvíli se jeho pravá ruka ocitla na boku a zaryla muži čepel do hrdla až po jílec, načež prudkým škubnutím vpřed prořízla tepnu a průdušnici.

Držel ochromeného strážného několik vteřin a čekal, až se udusí vlastní krví a vypustí duši. Pak tělo v tichosti upustil do písku. Chvilku nato byl už zpátky v močále a v rukou třímal mužovu útočnou pušku pokrytou krví.

Přikrčil se a roztáhl Jaegerovi větve, aby se skulinou protáhl ven.

„Pojď!" zasyčel. „Jdeme!"

Jaeger zahlédl koutkem oka pohyb. Z ničeho nic se v soumraku zjevila postava a zvedala pušku k výstřelu. Mířila na Raffa.

Jaeger vrhl nůž.

Byl to ryze instinktivní pohyb. Rotující čepel zasvištěla vzduchem a zabodla se hluboko do mužova břicha.

Střelec vykřikl.

Zbraň spustila, ale výstřely šly v širokém rozptylu zcela mimo cíl. Když dozněly ozvěny střelby, Jaeger vstal a sprintem vyrazil vpřed. V jedné ruce držel vztyčenou hůl.

Právě střelce poznal.

Přiskočil k němu a vrazil mu kopí do hrudi. Tlačil vší silou a přitom zřetelně cítil, jak hrot roztahuje žebra a projíždí mezi svaly a šlachami. Když bral padlému muži útočnou pušku, viděl, že je doslova přišpendlený k zemi. Kopí čistě proniklo jednou stranou hrudi a ramenem.

Jaegerův někdejší trýznitel major Mojo řičel a svíjel se jako zapíchnuté prase – bylo jisté, že jim nikam neuteče.

Jaeger zvedl pušku jedním ladným pohybem. Odjistil ji a zahájil palbu. Hlaveň začala chrlit svítící střely, které prořízly tmu.

Jaeger mířil na trupy. Střely do hlavy si může člověk zkoušet, když je pěkný den na střelnici, ale když mu jde o život v boji, vždycky je třeba pálit nepříteli do střev. Je to největší terč, a zásah do břicha přežilo zatím jen málo lidí.

Zatímco kropil pláž, vyhledal postavu velitele. Kluk z vesnice se mu snažil vykroutit z pracek a utéct do bezpečí nedalekého palmového háje. Jaeger spustil salvu – a vzápětí vidí, že velitel se k němu otáčí zády a prchá. Se sveřepým výrazem přihlížel, jak jeho svítící střely cupují veliteli paty a zarývají se mu do trupu.

Jaeger vycítil, že řadami nepřítele se šíří nerozhodnost a strach – jejich velitel ležel na zemi a zděšeně křičel ve smrtelných mukách.

Byli teď jako had bez hlavy.

Dvěma přátelům se nabízela výhoda, které museli využít.

„Měním zásobník!" křikl Jaeger. Vyškubl plný zásobník z kapsy svého bývalého věznitele a zacvakl ho do zbraně. „Dělej! Dělej! Poběž!"

Raff nepotřeboval víc pobízet.

V tu ránu byl na nohou a s válečným pokřikem na rtech vyrazil vpřed, zatímco Jaeger spustil palbu, aby ho kryl. A viděl, že první nepřátelé se dávají před hrůzu nahánějícím maorským obrem na ústup.

Raff uběhl třicet metrů. Poté poklekl a začal nepřátele kosit sprškou dobře mířených střel. Do toho na Jaegera křičel: „Děleeeeeeeeej!"

Jaeger vstal z písku, pažbu zaklesnutou v rameni. Všechen potlačovaný hněv a zuřivost nyní soustředil do víru boje. Vyrazil přes otevřenou pláž a v rachotu střelby šlehal z jeho hlavně oheň. Byl obalený špínou z močálu od hlavy až k patě a v jeho tváři se bělaly jen oči a vyceněné zuby.

Během několika vteřin se nepřátelské řady zhroutily a poslední vojáci prezidenta Chambary se dali na panický útěk. Raff s Jaegerem je hnali palmovým hájem a postupně likvidovali, až nebylo široko daleko vidět jediného nepřítele.

Najednou se nad temným pruhem pláže rozhostilo ticho – přerušované pouze sténáním raněných a umírajících.

Dva muži na nic nečekali. Našli náčelníkovu kánoi a vlekli ji směrem k příboji. Velká kánoe z vydlabaného kmene byla na souši velmi neohrabaná a museli vynaložit všechny síly, aby ji dotáhli do vln. Raff se už už chystal odrazit, když vtom mu dal Jaeger signál, ať ještě počká.

Vyběhl z vln a utíkal přes pláž k místu, kde na zkrvaveném písku ležela postava přibitá k zemi. Vytrhl dřevěnou hůl, hodil si raněného muže na ramena a vracel se stejnou cestou zpět. Když došel, shodil polomrtvého dozorce doprostřed člunu.

„Změna plánu!" houkl na Raffa, zatímco naváděli loď do příboje. „Mojo pojede s námi. Navíc zamíříme na východ a poplujeme na jih. Chambarovi muži budou předpokládat, že jsme odrazili na sever, do Kamerunu nebo Nigérie. Ani na chvíli je nenapadne, že jsme se dali opačným směrem, zpátky do jejich země."

Raff skočil do kánoe a natáhl ruku k Jaegerovi, aby mu pomohl nastoupit. „Proč bychom se měli vracet do pekelné jámy prezidenta Chambary?"

„Zamíříme k pevnině. Vzdálenost je sice dvakrát větší, ale

36

jisté je, že oni se po téhle trase nikdy nedají. Navíc už to není Chambarovo území. Spojíme se s pučisty a zkusíme štěstí u nich."

Raff se zazubil. „*Ka mate, ka mate! Ka ora, ka ora.* Tak už doprdele pojeďme!"

Chopili se pádel a člun zamířil na moře. Jaeger se k pokřiku přidal a brzy je pohltila měsícem ozářená noc.

5

„Fajn, pánové, potěším vás zřejmě sdělením, že můžete jít. Stačilo pár telefonátů. Zdá se, že vás vaše pověst předchází."

Mluvil výrazným jihoafrickým přízvukem, podsaditý a zavalitý muž s masitou, zarudlou tváří Búra. Stál před nimi a jeho vzhled vypovídal o mládí stráveném na ragbyovém hřišti, tvrdým pitím a vojančením v africké buši, než si léta a dna vyžádaly svou daň.

Jenže Pieter Boerke zde nebyl proto, aby bojoval. Jako vůdce pučistů měl k dispozici sestavu mnohem mladších a zdatnějších mužů, kteří měli stát v čele útoku.

„Pořád máte v plánu obsadit Bioko?" poznamenal Jaeger. „Převrat v rukavičkách vlastně nikdy pořádně nezačal…"

Před pár lety došlo k prvnímu pokusu o sesazení prezidenta Chambary. Skončil debaklem a vysloužil si posměšnou přezdívku „převrat v rukavičkách".

Boerke si odfrkl. „Já řídím úplně jinou operaci. Tohle je převrat železná pěst. Chambara skončil. Mezinárodní společenství, ropné společnosti, obyvatelé Bioka – každý chce, aby šel od válu. A lze se tomu divit? Vždyť ten chlap je zvíře. Žere lidi – většinou své oblíbené vězně." Podíval se na Jaegera. „Vsadím se, že jste po čertech rád, že jste se z Black Beach dostal, nemám pravdu?"

Jaeger se usmál. Pořád to bolelo, zvlášť po posledních třech dnech, kdy je během plavby přes Guinejský záliv bičovaly tropické bouře a smáčela slaná vodní tříšť.

„Zatímco se tady bavíme, nakládají mi na C-130 zbraně," pokračoval Boerke. „Proudí sem po leteckém mostu z Nigérie. Připravujeme se na mohutný výpad. Když to tak vezmu, pár rukou navíc by mi přišlo vhod – chlapů jako vy, kteří se vyznají ve zdejší krajině." Přeměřil si oba muže pohledem. „Nechcete se k nám přidat?"

Jaeger se podíval na Raffa. „Podle toho, co říká tady můj statný maorský přítel, máme nějakou práci ve Spojeném království."

„Bohužel," zavrčel Raff. „Jen co jsem okusil pohostinnost prezidenta Chambary, strašně rád bych mu vykopl domovní dveře."

„To se vsadím." Boerke se hlasitě zařehtal. „Poslední možnost, hoši. Hodili byste se mi. Vážně. Ostatně, vyvázli jste z Black Beach. To se ještě nikomu nepovedlo. Probili jste se z ostrova s párátky a otvírákem na láhve. Zmákli jste třídenní plavbu na kánoi. Jak už jsem řekl, uplatnění bych pro vás měl."

Jaeger zvedl ruce. „Tentokrát to nepůjde. S Biokem jsem skončil."

„Chápu." Boerke vstal. Plný energie přecházel za svým pracovním stolem sem a tam. „Takže vás odsud můžu dostat na palubě další C-130. Přistanete v Nigérii a letem British Airways vás hodí přímo do Londýna, žádné otázky. Je to to nejmenší, co pro vás můžu udělat, když jste nám sem doručili toho hajzla."

Škubl palcem přes rameno. V rohu místnosti se hrbila mohutně ovázaná postava majora Moja. Po třech dnech na moři, se všemi zraněními, která utrpěl, byl sotva při vědomí.

Raff si ho opovržlivě přeměřil. „Ocenil bych, kdybyste mu dopřáli stejný zacházení, jaký on se zájmem dopřál tady mýmu příteli. Teda pokud přežije."

Boerkeho tvář zazářila úsměvem. „Žádný problém. Máme pro něj spoustu otázek. A pamatujte, jsme Jihoafričani. Nebereme zajatce. A teď, pánové, než se naše cesty rozejdou, můžu pro vás ještě něco vykonat?"

Jaeger se na okamžik zarazil. Instinkt mu říkal, že tomuhle Jihoafričanovi může věřit, navíc oba pocházeli z bratrstva bojovníků. V každém případě Boerke v tuto chvíli představoval jedinou možnost, chce-li v pořádku zaslat peníze náčelníku Ibrahimovi.

Vytáhl z kapsy kousek papíru. „Až obsadíte Bioko, můžete tohle doručit do vlastních rukou náčelníka vesnice Fernao? Je to číslo účtu v curyšské bance, i s přístupovými kódy. Leží tam pořádná suma peněz – to, co měl Raff zaplatit Mojovi, když mě nechá jít. O život kvůli nám přišel náčelníkův syn. Peníze mu ho nikdy nevrátí, ale snad bude mít něco do začátku.“

„Jako by se stalo,“ potvrdil Boerke. „Ale ještě něco. Když jste sem přivezli toho hajzla Moja, udělali jste fakt skvělou věc. Zná nazpaměť rozmístění Chambarovy obrany. Pokud kvůli získání těch cenných interních informací zahynulo jedno z dětí Bioka, je to politováníhodné. Doufejme jen, že jeho smrt přinese život mnoha dalším dětem.“

„Snad ano. Doufejme,“ přisvědčil Jaeger. „Přes to všechno to byl jeden z mých žáků, premiant…“

„Věřte mi, až potáhne Chambara k čertu, bude mít každé dítě na Bioku mnohem světlejší budoucnost. Hergot, pánové, ta země by měla být bohatá. Má ropu, plyn, minerály – tohle všecko. Prodat Chambarovy jachty, vyplenit jeho zahraniční konta – to bude docela dobrý začátek. Máte ještě něco?“

„Možná ještě jedna věc…,“ přemítal Jaeger. „Víte, prožil jsem tam tři roky. Na místě jako Bioko je to spousta času. Ale abych to zkrátil, trochu jsem se rýpal v historii ostrova. Druhá světová válka. Když se chýlila ke konci, Britové podnikli super tajnou operaci, sledování nepřátelského plavidla. Jmenovalo se *Duchessa*. Nákladní loď, co kotvila v malabském přístavu. Dali jsme si na tom tehdy hodně záležet. Otázka zní – proč?“

Boerke pokrčil rameny. „Mě se ptejte.“

„Vypadá to, že kapitán lodi vyplnil seznam lodního nákladu pro přístavní orgány Bioka,“ pokračoval Jaeger. „Až na to, že nebyl úplný. Obsahoval šest stran položek, ale sedmá chyběla. Povídalo se, prý je ta sedmá strana ukrytá v trezoru sídla malabské vlády. Všemožně jsem se k ní pokoušel dostat, ale bezvýsledně. Až obsadíte hlavní město, mohl byste mi pořídit kopii?“

Boerke přikývl. „Buďte bez obav. Nechte mi svůj e-mail a telefonní číslo. Jsem zvědavý, co myslíte, že převáželi? A proč to vyvolalo takový zájem?"

„Když jsem se za tím pustil, všechny ty zvěsti mě docela uchvátily. Diamanty. Uran. Zlato. Tohleto se povídá. Něco, co se dá těžit v Africe. Něco, co nacisti zoufale potřebovali, aby s tím vyhráli válku."

„Nejspíš uran," vyvodil Boerke.

„Možná," pokrčil Jaeger rameny. „Ale ta sedmá stránka – ta by přinesla důkaz."

6

Na Temži kotvila motorová loď *Global Challenger*. Nízko nad stěžněm těžce visely ponuré mraky. Černý taxík vezoucí Raffa s Jaegerem z letiště Heathrow přibrzdil u kraje chodníku a pneumatiky zůstaly stát v šedivé louži lesknoucí se olejem.

Jaegera ohromilo, že částka za jednu jízdu taxíkem by na Bioku stačila k vybavení celé třídy učebnicemi. A když Raff nedal taxikáři očekávané spropitné, muž beze slova dupl na plyn a rozjel se tak prudce, že jim voda z kaluže vystříkla na boty.

Londýn v únoru. Některé věci se holt nikdy nemění.

Jaeger ty dva lety skoro celé prospal – nejdřív z pevninské části Rovníkové Guineje do Nigérie v hlučném nákladním letadle C-130 Hercules a potom do Londýna. Z letiště Lagos do Heathrow letěli už v naprostém přepychu. Jenže Jaeger z vlastní zkušenosti věděl, že první třída obnáší určitá rizika.

Vždycky to tak bylo.

Účet za tyhle lety s British Airways někdo platil a sedm táců za místenku nebylo zrovna málo. Jaeger zatlačil na Raffa, ale urostlý a jindy tak pohodový Maor se choval nezvykle rezervovaně. Bylo jasné, že někdo moc chce mít Jaegera zpátky v Londýně a na peníze nehledí. Raff o tom však nechtěl mluvit.

Jaeger usoudil, že tohle mu prozatím stačí. Svému příteli bezvýhradně věřil.

Už během přistávání v Londýně na sobě začal pociťovat nastrádané účinky pětitýdenního vězení v Black Beach. Ani dramatický boj a únik, který pak absolvovali, mu dvakrát nepřidal. Když vystupoval po přístavním můstku na palubu čekající lodi, v kloubech mu vrzalo jako staříkovi, který se už chystá na onen svět.

Global Challenger byla bývalá polární průzkumná loď. Nyní sloužila jako hlavní sídlo firmy Enduro Adventures, kterou po odchodu z armády založil Jaeger spolu s Raffem a ještě jedním spolubojovníkem. Onen třetí muž – Stephen Feaney – stál na horním konci můstku, napůl zahalený hustým deštěm.

Podával mu ruku na pozdrav. „Myslel jsem, že tě snad už nikdy nenajdeme. Vypadáš fakt strašně. Asi to bylo jen o fous, co?"

„Ale, však to znáš," pokrčil Jaeger rameny. „To ten velkej maorskej parchant – prezident Chambara na něj dostal zálusk a chtěl si ho uvařit a sníst. Někdo ho musel dostat pryč."

Raff si odfrkl. „Prdlajs!"

Nad můstkem se rozlehl hlučný smích. Tři přátelé se po dlouhé době zase sešli. A zatímco se z toho radovali, do otevřené paluby okolo nich bušil déšť.

Bylo to dobré – tak sladké – být zase spolu.

Služba vojáka na elitní úrovni byla vždycky vyhrazena pro mladé. Jaeger, Raff a Feaney poznali místa, která jsou pro většinu lidí nedostupná, a dělali tam věci, které si jen málokdo dokázal představit. Byly to chvíle vrcholného dobrodružství, které si však vyžádaly daň.

Před pár lety, kdy ještě pořád byli na vrcholu sil, se rozhodli odejít. Schopnosti získané za peníze daňových poplatníků vložili do nového podniku. Výsledkem bylo Enduro Adventures, řídící se heslem: „Naše hřiště – planeta Země."

Enduro bylo Jaegerovo duchovní dítě. Agentura, která vozila bohaté lidi – byznysmeny, sportovce a sem tam i nějaké celebrity – do nejdivočejších oblastí světa za extrémními zážitky. Časem se vyvinula v lukrativní společnost, která přitahovala významné osobnosti pod příslibem těch nejfantastičtějších dobrodružství, jaké mohla planeta Země nabídnout.

Jenže pak, prakticky ze dne na den, se Jaegerovi zhroutil život. Zmizel ze scény a stal se v Enduro Adventures tichým společníkem. Ekonomických záležitostí se musel chopit Feaney a na Raffa připadl úkol organizovat a podnikat expedice – dlužno říci, že žádný z nich nebyl právě ve svém živlu.

S hodností kapitána byl mezi nimi jediným bývalým důstojníkem Jaeger. Ještě v armádě velel oddílu D, šedesátičlenné jednotce SAS. V této pozici úzce spolupracoval s vrchním velením a bez problémů se uměl pohybovat ve vysokých obchodních kruzích.

Feaney byl starší a každý krok na žebříčku hodností si musel tvrdě vydřít. Nakonec sloužil jako Jaegerův vrchní seržant. Pokud šlo o Raffa, služební postup mu dost komplikovalo pití a sklony ke rvačkám, ovšem nezdálo se, že by si to statný Maor bral nějak zvlášť k srdci.

Poslední tři roky znamenaly pro Enduro Adventures, firmu bez vůdčí osobnosti, dost těžké časy. Jaeger si uvědomoval, že Feaney mu má jeho útěk na Bioko v koutku duše za zlé. Kdyby však stejná hrůza postihla Feaneyho, asi by to také nesl špatně. Čas a zkušenosti poučily Jaegera o tom, že každý člověk má svůj kritický bod. A když do něho dospěl on, uprchl na poslední místo na zemi, kde by ho někdo hledal – Bioko.

7

Feaney je zavedl dovnitř. Zasedací místnost *Global Challengeru* byla svatyní celého podniku a její stěny se ztrácely pod suvenýry z nejodlehlejších koutů světa: vlajky poloviny armád světa, odznaky a barety elitních jednotek, o jejichž existenci téměř nikdo nevěděl, stojany s deaktivovanými zbraněmi – včetně pozlaceného AK-47, jenž pocházel z jednoho z paláců Saddáma Hussajna.

Zároveň však zasedačka vzdávala hold početným divům planety Země. Zdobily ji snímky nejdivočejších a nejextrémnějších biomů – vyprahlých, větrem bičovaných pouští, bleděmodrých zasněžených hor, tmavošedé klenby džungle propalované ostrým sluncem – spolu s desítkami fotek týmů, které Enduro Adventures na tato místa vyslala.

Feaney za barovým pultem zarachotil dveřmi ledničky. „Pivo?"

Raff zabručel: „Po Bioku bych pro pivo i vraždil."

Feaney mu podal láhev. „Jaegere?"

Jaeger zavrtěl hlavou. „Ne, díky. Na Bioku jsem abstinoval. První rok sice ne, ale ty další dva jo. Jedno pivo a budeš mě seškrabovat ze země."

Vzal si vodu a pak se všichni tři sesedli okolo jednoho z nízkých stolků. Chvíli si povídali o tom, co všechno se přihodilo ostatním během doby, kdy se neviděli. Pak Jaeger zavedl řeč na hlavní téma – důvod, proč Raff a Feaney proslídili všechny končiny země, jen aby ho našli a přivedli zpět domů.

„A co ta nová smlouva – povězte mi o ní. Raff už sice něco zmínil, ale známe Maora: ten je tak upovídanej, že by uspal i skleněný oko."

Raff postavil pivo na stůl, až to zazvonilo. „Jsem bojovník, ne řečník."

„Pijan, ne milenec," doplnil Jaeger.

Zasmáli se.

Po třech letech nepřítomnosti se Jaeger vrátil jako jiný člověk – už to nebyl mladý bojovník a účastník expedic. Nyní byl temnější. I klidnější. Uzavřenější. Ale chvílemi z něj vyzařoval ten nenucený humor a šarm, jimiž svého času oslňoval jako představitel Enduro Adventures.

„Dal už sis to asi dohromady sám," začal Feaney, „ale firma – Enduro – strádala, poté co ses takhle…"

„Měl jsem svoje důvody," přerušil ho Jaeger.

„Hele, já neříkám, žes neměl. Bůh ví, že jsme všichni…"

Raff zvedl mohutnou svalnatou ruku a vyžádal si ticho. „Feaney chce říct, že jsme všichni – v pohodě. Minulost je minulost. A budoucností – pro nás všechny – je tahle parádní nová smlouva. Až na to, že za posledních pár týdnů se taky obalila parádním sajrajtem."

„Přesně tak," přisvědčil Feaney. „Tohle byla ta krátká verze. Před měsícem nebo dvěma mě kontaktoval Adam Carson, kterého si budeš pamatovat z doby, kdy dělal ředitele speciálních sil."

„Brigádní generál Adam Carson? Jasně," kývl Jaeger. „Jak dlouho u nás byl? Dva roky. Schopný velitel, ale já jsem mu na chuť nikdy moc nepřišel."

„Ani já ne," souhlasil Feaney. „Každopádně po odchodu z armády se o něj přetahovala média. Skončil jako generální ředitel nějaké filmařské společnosti jménem Wild Dog Media. Nejsou tak diví, jak to možná zní. Zaměřují se na filmování v odlehlých částech světa – expedice, divočina, korporace a tak podobně. Zaměstnávají spoustu týpků, co dřív sloužili v ozbrojených silách. Zkrátka pro nás ideální partneři."

„Vypadá to tak," přisvědčil Jaeger.

„Carson pro nás měl návrh – a to dost lukrativní. Hluboko v Amazonii našli vrak letadla. Nejspíš z druhé světové války.

Objevila ho brazilská armáda při leteckém průzkumu jejich vzdálené západní hranice. Stačí říct, že je to úplná prdel světa, kde lišky dávají dobrou noc. No a Wild Dog se ucházela o příležitost prozkoumat, co přesně je to za vrak."

„V Brazílii?" podivil se Jaeger.

„Jo. I když vlastně ne. Je na samé hranici – kde sousedí Brazílie, Bolívie a Peru. Má prý jedno křídlo v Bolívii, druhé v Peru a půlka ocasu trčí ve směru pláže Copacabana. Řeknu to jinak: tomu, kdo ho tam nechal, byly mezinárodní hranice úplně ukradené."

„To mi připomíná naše staré dobré časy u pluku," suše poznamenal Jaeger.

„Ne tak docela. Na chvíli se kolem toho rozhořely územní spory, ale jediné vojsko, které má prostředky na to, aby s tím něco udělali, jsou Brazilci – a nakonec to bylo velké sousto i pro ně. A tak začali sondovat, jestli by nešlo dát dohromady mezinárodní tým, který by to tajemství odhalil. Nevím, co je to za letadlo, ale je obrovské," pokračoval Feaney. „Carson ti pak poví víc, ale prozatím stačí říct, že je to záhada obestřená tajemstvím uvnitř…, nebo jak se to říká. Carson navrhl, že tam pošle expedici, aby to celé nafilmovala. Bude to velká událost, kterou budou vysílat televize po celé zeměkouli. Sehnal na to taky pořádný rozpočet. Jenže vyskytly se i konkurenční nabídky a Jihoameričani se mezi sebou hádali."

„Příliš mnoho náčelníků…," poznamenal Jaeger.

„A málo indiánů," potvrdil Feaney. „Když už je o nich řeč, tak oblast, kde vrak leží, je taky domovem jednoho velmi nepřátelského amazonského kmene. Amahuakové nebo tak nějak. Do kontaktu s nimi ještě nikdy nikdo nepřišel. A oni jsou zatraceně rádi, že to tak furt je. S chutí budou střílet šípy a foukačkami po každém, kdo do jejich panství zabloudí."

Jaeger povytáhl jedno obočí. „S otrávenými hroty?"

„Ani se neptej. Mezi expedicemi je to skutečná lahůdka." Feaney se odmlčel. „Takže už víš, do čeho jdeš. Brazilci tomu šéfují.

Je to všechno o informacích, a tak přesnou lokalitu vraku udržují v utajení, aby si tam někdo nepospíšil. Jenže Bolívie je pro Brazílii něco jako Francie pro Británii a řekněme, že Peruánci jsou pro změnu Němci. Nikdo v té věci nikomu nevěří."

Jaeger se usmál. „Od jedněch máme rádi víno, od druhých auta, ale to je asi tak všecko?"

„Přesně." Feaney si lokl piva. „Jenže Carson je chytrá hlava. Podařilo se mu přiklonit si Brazilce na svou stranu se vším všudy, díky jedné věci. To tys vedl brazilské mise. Tys vycvičil jejich protidrogové oddíly – jejich speciální jednotky. Zdá se, žes tam fakt zanechal trvalý dojem, stejně jako Andy Smith, tvůj zástupce. Tobě důvěřují. Naprosto. A sám víš nejlíp proč."

Jaeger kývl. „Je u nich pořád ještě kapitán Evandro?"

„Plukovník Evandro, to je teď jeho hodnost. Nejenom že u nich pořád je, on je přímo ředitel brazilských speciálních sil. Tahals z brindy pár jeho nejlepších chlapů. To ti nikdy nezapomene. Carson slíbil, že to povedeš buď ty, nebo Smith. Nejlíp oba dva. Díky tomu se plukovník přiklonil k nám, a taky do věci zasvětil Bolívijce a Peruánce."

„Plukovník Evandro je správnej chlap," poznamenal Jaeger.

„Vypadá to tak. Přinejmenším nezapomíná. Proto ten kšeft dostal Carson – a Enduro. Proto jsme tě začali hledat. A podle všeho to vypadá, že jsme přišli akorát včas." Feaney se na Jaegera zadíval. „Je to každopádně velký kontrakt. Několik milionů dolarů. Dost na to, abychom se s Enduro odrazili ode dna."

„To je nadějné." Jaeger pohlédl na Feaneyho. „A není to až příliš nadějné?"

„Možná." Feaneyho výraz potemněl. „Carson zřídil náborový štáb. Mezinárodní. Rozdělil je na chlapy a ženský – ty mají mít na starost televizní práva. Přihlásily se desítky dobrovolníků. Carson byl zaplavený žádostmi. A po tobě pořád ani stopy. A tak Smithy souhlasil, že to povede sám, protože to vypadalo, že ses… no… vypařil z povrchu zemského."

Jaegerův výraz zůstával nečitelný. „Nebo odjel na Bioko učit angličtinu. Záleží na tom, jak se na to díváš."

„Jo. Každopádně…" Feaney pokrčil rameny. „Všecko bylo přichystané na Amazonii. Expedice, jaká se naskytne jednou za život, měla zelenou, všichni se těšili na epochální objev."

„A pak se do toho museli namontovat televizní manažeři," zavrčel Raff. „Pořád tlačili a tlačili – svině nenažraný."

„Hele Raffe, Smithy souhlasil," namítl Feaney. „Souhlasil, že je to rozumná věc."

Raff si šel pro další pivo. „Přesto to byl zatraceně dobrej chlap…"

„To právě nevíme!" přerušil ho Feaney.

Raff zabouchl dvířka ledničky. „Ale jo, sakra, víme."

Jaeger zvedl obě ruce. „Tak pr… Jen klid, kluci. Co se vlastně stalo?"

„Na jedné straně má Raff pravdu," navázal Feaney. „Lidi od televize chtěli extra díl, takovou epizodku předtím, než se půjde na věc. Andy Smith měl vzít rekruty na Skotskou vysočinu, aby si je proklepnul. Takovej výběrovej kurz SAS v malým: vyřadit slabší rekruty a všecko to nafilmovat."

Jaeger přikývl. „No tak jeli na Skotskou vysočinu. A o co jde?"

Feaney se podíval na Raffa. „On to neví?"

Raff velmi rozvážným pohybem odložil pivo. „Kámo, vytáhl jsem ho polomrtvýho z Black Beach, pak jsme se jen se dvěma kapesníma nožíkama probili z Pekelnýho ostrova, načež jsme čelili žralokům a tropickým bouřím během plavby po moři. Tak mi řekni, kdy podle tebe byla ta správná chvíle?"

Feaney si přejel dlaní po vojenském sestřihu a pak pohlédl na Jaegera. „Smithy odjel s týmem do Skotska. Na západní pobřeží, v lednu. Počasí bylo příšerné. Strašné. Policie našla jeho tělo na dně rokle Loch Iver."

Jaeger cítil, že mu vynechalo srdce. Smithy je mrtvý? Měl nějaký divný pocit, že se muselo stát něco špatného, ale tohle

nikdy. Ne Smithymu. Andy Smith, pevný jako skála, věrný spolu-
bojovník, který mu vždycky kryl záda. A nikdy, ani v té v se-
bevětší bryndě, nepokazil žádný vtip. Jaeger měl jen málo přátel,
se kterými se sblížil víc.

„Smithy se zabil při pádu?" zeptal se Jaeger nevěřícně. „To je
nemožné. Byl to nezničitelný chlap. Většího mistra by na horách
nenašel."

V místnosti zavládlo ticho. Feaney zíral na svou láhev s pivem
a jeho pohled zakalily rozpaky. „Policajti říkali, že měl dost vy-
sokou hladinu alkoholu v krvi. Prý vypil flašku Jacka Danielse, šel
potmě do hor, zakopl a zřítil se."

Jaegerovi zajiskřilo v očích. „Kecy. Smithy pil ještě míň než já."

„Kámo, přesně tohle jsme jim taky říkali. Myslím policii. Ale
oni bazírují na své verzi: smrt nešťastnou náhodou, s určitým
podezřením na sebevraždu."

„Na sebevraždu?" vybuchl Jaeger. „Proboha, kvůli čemu by se
měl Smithy asi tak zabíjet? Kvůli ženské, děckám a tak? Kvůli
téhle misi snů, kterou chtěl vést? Prý sebevražda – s tím se jděte
vycpat. Vezměte rozum do hrsti. Smithy měl všecky důvody žít."

„Měl bys mu to už říct, Feaney." Raffův hlas se chvěl stěží po-
tlačovaným hněvem. „Všecko."

Feaney se očividně snažil obrnit se před tím, co přijde. „Když
Smithyho našli, měl plíce z poloviny naplněné vodou. Policajti
tvrdí, že ležel celou noc uprostřed lijáku a vdechoval ji. A taky
říkají, že ten pád ho na místě zabil. Zlámal si vaz. Jenomže když
seš mrtvej, nemůžeš přece dýchat vodu. Ta voda se do něj musela
dostat, když ještě žil."

„Co se mi vlastně snažíte říct?" Jaegerův pohled střídavě pře-
skakoval z Feaneyho na Raffa. „Že na něj použili waterboarding?"

Raff sevřel láhev v prstech, až mu klouby zbělely. „Plíce
z poloviny naplněný vodou. Mrtví přece nedýchaj. To je ab-
surdní. A je tu ještě něco." Podíval se na Feaneyho a otáčel při-
tom lahví v ruce.

Feaney sáhl pod stůl a vytáhl plastovou složku. Vyjmul z ní fotografii a postrčil ji přes stůl k Jaegerovi.

„Tohle nám dala policie. Ale stejně jsme si to šli do márnice ověřit. Ta značka, ten symbol – Andy to měl vyřezané na levém rameni."

Jaeger upřeně hleděl na snímek a po zádech mu běhal mráz. Hluboko v kůži jeho bývalého zástupce byl vyrytý primitivně stylizovaný symbol orla. Stál na ocase, krutě zahnutý zobák natočený doprava, křídla roztažená do šířky. V pařátech držel podivný předmět ve tvaru kruhu.

Feaney se předklonil a bodl prstem do fotky. „Nemůžeme to zařadit. Symbol orla. Moc velký smysl to nikomu nedává. A věř mi, že jsme se ptali." Podíval se na Jaegera. „Policie tvrdí, že je to jen nějaký nahodilý pseudovojenský znak. Že si to Smithy udělal sám. Sebepoškozování. To je součást kauzy, ze které chtějí udělat sebevraždu."

Jaeger nemohl mluvit, Feaneyho slova téměř nevnímal. Nemohl od obrazu odtrhnout oči. Pohled na něj zastínil i hrůzy, které si vytrpěl ve věznici Black Beach.

A čím déle na ten temný symbol orla hleděl, tím víc se mu vypaloval do mozku. Vyvolával strašlivé vzpomínky, ukryté hluboko v jeho duši.

Připadal mu tak cizí a zároveň čímsi tak povědomý. Hrozilo, že všechny ty dávno pohřbené vzpomínky, křičící a kopající, vytáhne na povrch.

8

Jaeger popadl masivní pákové kleště a přelezl plot. Ještě že ostraha v přístavišti Springfield na východě Londýna to s horlivostí nikdy nepřeháněla. Z Bioka odjížděl ve stejném oblečení, v jakém tam běžně chodil. Určitě neměl čas na to, aby si před útěkem sbalil klíče – včetně těch, jimiž se otvírala brána do přístaviště.

Tak jako tak to byl jeho člun a on neviděl důvod, proč by se nemohl vlámat do vlastního domova.

Pákovky koupil v jednom místním obchodě. Před odchodem požádal Raffa a Feaneyho – a spolu s nimi Carsona, ředitele Wild Dog Media – o osmačtyřicet hodin. Potřeboval dva dny na rozmyšlenou, zda má navázat tam, kde Smithy skončil, a vést jeho na první pohled nešťastnou expedici do srdce Amazonie.

Čas si sice vyžádal, ale stejně předem věděl, jak to dopadne. Byl už jejich. Existovalo tolik důvodů, proč nemohl odmítnout.

Za prvé to dlužil Raffovi. Maorský hromotluk mu zachránil život. Pokud by žoldáci Pietera Boerka neosvobodili Bioko v rekordním čase, Jaeger by ve věznici Black Beach zcela jistě zahynul – a svět, z něhož se bez jediného slova stáhl do naprosté izolace, by se o jeho odchodu vůbec nedozvěděl.

Za druhé to dlužil Andymu Smithovi. A Jaeger své přátele nikdy neopouštěl. Ani po smrti. Ani na okamžik neuvěřil, že by si Smithy dobrovolně sáhl na život. Jaeger měl samozřejmě v úmyslu celý ten příběh ještě jednou prověřit. Potřeboval si být absolutně jistý. Cítil však, že kamarádova smrt musí nějak souviset se záhadným vrakem letadla ležícím hluboko v amazonské džungli. Jaký jiný důvod – jaký jiný motiv – by k ní mohl vést?

Jaeger instinktivně tušil, že Smithyho vrah byl součástí expedičního týmu. Musí se mezi ty grázly vetřít a odhalit je zevnitř.

A za třetí tu bylo to letadlo. To málo, co mu Adam Carson řekl narychlo v telefonu, znělo velice zajímavě. Neodolatelně. Jako ta citace Winstona Churchilla, o niž se pokusil Feaney – naprostá hádanka obestřená tajemstvím jako součást velké záhady.

Jaeger se přistihl, že podmanivé kouzlo té hádanky ho vtahuje do hry stále víc.

Ne. Byl už pevně rozhodnutý: jde na to.

Těch osmačtyřicet hodin si vyžádal ze zcela jiných důvodů. Hodlal totiž uskutečnit tři návštěvy, lépe řečeno tři průzkumy – a udělá to, aniž by se o tom komukoli slůvkem zmínil. Možná že poslední léta v něm zanechala hlubokou nedůvěru. Už nedokáže nikomu věřit.

Třeba z něj ty tři roky na Bioku udělaly samotáře a je nyní takový i doma mezi svými.

Jenže co když je to takhle lepší – bezpečnější? Díky tomu tohle dobrodružství přežije.

Jaeger se dal cestou, jež obcházela přístaviště. Podrážky jeho bot křupaly na kluzkém zmoklém štěrku. Bylo pozdní odpoledne, do přístavu se vkrádal soumrak a nad nehybnou zimní hladinou se nesly vůně vařených jídel.

Ten výjev – čluny natřené zářivými barvami, dým líně stoupající z lodních komínů – tak příkře kontrastoval s vybledlými únorovými odstíny šedi v neolistěné přístavní zátoce. Tři dlouhé roky. Jaeger měl pocit, jako by byl pryč celý život.

Zastavil se před kotvištěm, o dvě dále bylo jeho vlastní. Světla na Anniině říčním člunu svítila, stará kamna na dřevo sípavě bafala a dýmila. Vylezl na palubu a neohlášen strčil hlavu do otevřeného průlezu, který vedl do lodní kuchyňky.

„Ahoj, Annie. To jsem já. Máš moje náhradní klíče?"

Zvedla se k němu tvář s vytřeštěnýma, polekanýma očima.

„Will? Panebože… Ale kde proboha… Všichni jsme mysleli… Chci říct, dělali jsme si starosti, že jsi…"

„Zemřel?" Úsměv se mihl Jaegerovou tváří. „Nejsem duch, Annie. Byl jsem jenom pryč. Učil jsem. V Africe. Jsem zpátky."

Popletená Annie kroutila hlavou. „Bože… Věděli jsme, že jsi typ tichá voda břehy mele. Ale tři roky v Africe… Jeden den tady, druhý den pryč, aniž bys dal někomu vědět."

Její hlas nezněl jenom trochu dotčeně, spíš rozhořčeně.

Se svýma šedomodrýma očima a delšími tmavými vlasy byl Jaeger pohledný muž. Ostře řezané rysy, pohublý, něčím zkrátka připomínal vlka. V hustém porostu vlasů jen lehounce prosvítalo stříbro a vypadal mladší, než byl.

O podrobnosti svého života se s obyvateli přístaviště, Annie nevyjímaje, nikdy nedělil. Platil však za spolehlivého a oddaného souseda, navíc milovníka lodí, který se vždycky zajímal o stroje spolubydlících. Obyvatelé přístaviště Springfield se rádi pyšnili tím, jak je jejich komunita semknutá. Proto ho to sem taky přitáhlo. Zároveň ho lákala vidina domovské základny, kde bude jednou nohou v srdci Londýna a druhou na rozlehlém venkově.

Přístaviště leželo na řece Lee, v Lee Valley, které tvořilo zelenou stuhu vinoucí se na sever do širých luk a zvlněných kopečků. Po celodenní práci na *Global Challengeru* se Jaeger vracel sem a chodil na výlety po poříčních cestách, aby ze sebe dostal napětí a udržel si tolik potřebnou kondici.

Nikdy neměl moc velkou potřebu vařit: Annie ho průběžně zásobovala domácími dobrotami a nejraději měl její koktejly. Annie Stephensonová: svobodná, po třicítce, sympatická holka tím svým rozpustilým, hipísáckým způsobem – Jaeger už dlouho choval podezření, že na něj má zálusk. Ale on patřil jen jedné ženě.

Ruth a chlapec: ti byli jeho život.

Kdysi.

Annie se osvědčila jako báječná sousedka a Jaeger si ji často žertem dobíral pro její hipísácký styl – ale jinak nikdy neměla šanci.

Chvíli hledala a pak mu klíče podala. „Pořád nemůžu uvěřit, že jsi zpátky. Chci říct – je to skvělý, že ses vrátil. Takhle jsem to myslela. Abys věděl, Tinker George si právě chtěl vzít tvoji motorku a prohlásit ji za svou. Na každý pád mám roztopenou plotnu." Usmála se. Nervózně, ale s nádechem naděje. „Upeču koláč na oslavu tvýho návratu, mám?"

Jaeger se zazubil. V těch vzácných chvílích, kdy temnota v jeho duši trochu opadla, stále vypadal tak mladě a chlapecky. „Víš co, Annie – tvý vaření mi fakt moc chybělo. Ale pro tentokrát se dlouho nezdržím. Musím vyřešit ještě pár věcí. Pak bude spousta času na to, dát si koláč a poklábosit o životě."

Vystoupil na břeh a procházel kolem říčního člunu Tinkera George. Zašklebil se – pro toho drzého mizeru bylo jen typické, že pošilhával po jeho motorce.

Po chvilce už vstupoval na vlastní loď. Odkopal hromady spadaného listí a u vchodu se přikrčil. Masivní bezpečnostní řetěz a visací zámek pořád držely na místě. Byla to asi ta poslední věc, kterou před odjezdem z Londýna udělal, když spěchal na letadlo mířící na konec světa. Zajistil svůj člun řetězem.

Čelistmi pákovek ho sevřel, vší silou zabral bolavýma rukama a křup! – řetěz povolil a sklouzl. Pak vsunul do hlavního zámku náhradní klíč od Annie a směrem k sobě otevřel rozpraskané dveře, které vedly dovnitř. Tohle byl jeho obytný člun na Temži. Širší a hlubší než běžný úzký člun, tudíž nabízel víc prostoru, aby si člověk mohl dopřát trochu přepychu.

Ne však Jaeger.

Interiér byl až nápadně strohý. A dokonale funkční. Prostý všech zbytečností s výjimkou několika osobních věcí.

Jedna místnost sloužila jako provizorní tělocvična. Další jako spartánská ložnice. Byla tam i kuchyňka plus obývací prostor s několika ošoupanými koberečky a polštářky, rozesetými po dřevěné podlaze. Většina interiéru však byla vybavená jako kancelář, protože právě tady nejraději pracoval, kdykoli se mohl vyhnout hektickému dojíždění do své hlavní úřadovny na palubě *Global Challengeru.*

Nezdržel se dlouho. Popadl druhou sadu klíčů, pověšených na hřebíku, a vyšel ven. Na přídi člunu stál pevně přivázaný a plachtou důkladně zakrytý Triumph Tiger Explorer. Jeho starý přítel. Motocykl koupil před dobrými deseti či snad i více lety v bazaru na oslavu toho, že prošel výběrovým řízením a stal se příslušníkem SAS.

Odvázal plachtu a odmotal ji na stranu. Sklonil se nad druhým bezpečnostním řetězem, přeštípl ho a už se chtěl narovnat, když vtom náhle zaznamenal nějaký zvuk. Kroky těžkých bot na mokrém, kluzkém štěrku. V mžiku si omotal tlustý řetěz okolo dlaně a nechal asi půl metru volně viset dolů. Na spodním konci se pohupoval masivní zámek.

Prudce se otočil, provizorní zbraň připravenou k boji jako středověký mlat.

Ve tmě se rýsovala obří postava. „Myslel jsem, že tě tady najdu." Oči sklouzly po řetězu. „Ale čekal bych trochu vřelejší přivítání."

Jaeger povolil zaťaté svaly a ucítil, jak z nich vyprchává napětí. „No jo. Dáš si něco k pití? Můžu nabídnout tři roky starý mlíko a vyčpělý čajový pytlíky."

Vešli dovnitř. Raff se rozhlížel po interiéru člunu. „Záblesk minulosti, kámo."

„Jo. Strávili jsme tady pár hezkých chvil."

Jaeger se chvíli činil nad konvicí, pak Raffovi podal hrnek kouřícího čaje. „Cukr je tvrdej jako šutr. A sušenky zas měkký jako hovno. Předpokládám, že je vynecháš."

Raff pokrčil rameny. „Stačí mi čaj." Otevřenými dveřmi pohlédl na motorku. „Chystáš se na projížďku?"

Jaeger nechtěl nic prozradit. „Však to znáš: žij pro jízdu."

Raff zalovil v kapse a podal Jaegerovi proužek papíru.

„Smithyho rodina – jejich nová adresa. Na starý číslo nemá smysl chodit. Za poslední tři roky se dvakrát stěhovali."

Jaegerův výraz byl nehybný jako maska, ze které se nedá nic vyčíst. „Nějaký důvod? K tomu stěhování?"

Raff pokrčil rameny. „Když makal pro nás – pro Enduro –, vydělával slušný prachy. Životní úroveň stoupala. Potřeboval víc prostoru. Plánovali další dítě, povídal."

„To není zrovna sebevražedné chování."

„To teda ne. Mám ti s tou motorkou pomoct?"

„Jo, díky."

Po provizorním můstku stroj společně vymanévrovali až na nábřežní cestu. Jaeger cítil, že pneumatiky jsou po těch letech napůl prázdné. Potřebovaly řádně přifouknout. Vrátil se na loď a bral si motorkářskou výstroj. Nepromokavou bundu Belstaff. Boty. Silné kožené rukavice. Otevřenou závodní přilbu. Nakonec vzal šálu a staré brýle, které vypadaly jako pilotní brýle z druhé světové války.

Potom ještě otevřel zásuvku, obrátil ji dnem vzhůru a ze spodní strany odtrhl přilepenou obálku. Zkontroloval její obsah: tisíc liber v hotovosti, přesně tak, jak je tam zanechal.

Strčil si peníze do kapsy, zamkl za sebou a připojil se k Raffovi. Zapojil do zásuvky elektrický kompresor a dohustil obě pneumatiky. Při odjezdu nechal motorku připojenou k solární nabíječce. I uprostřed nevlídné anglické zimy se ukázalo, že slabý přítok proudu stačil baterii dobíjet. Motor se několikrát protočil a vzápětí se zaburácením ožil.

Jaeger si omotal šálu okolo úst a nosu, nasadil si přilbu a potom speciální brýle. Byly pro něj vzácností. Jeho dědeček Ted Jaeger je nosil za druhé světové války, když sloužil u nějaké velmi tajné jednotky. Téměř o tom nemluvil, ale z fotek, které zdobily zdi v domě, bylo jasné, že se svým džípem s otevřenou střechou často vyrážel na vzdálená místa, kde zuřily boje.

Jaeger pak mnohokrát litoval, že se nevyptal na podrobnosti, když děda Ted ještě žil, a nezjistil, co vlastně za války dělal. A během posledních několika hodin se přistihl, že toho lituje ještě mnohem víc.

Nasedl na triumph a vtom si všiml Raffova prázdného hrnku. „Buď té lásky a nech mi ho na lodi."

„Jasně." Raff zaváhal, potom však natáhl mohutnou tlapu a položil ji na řídítka. „Brácho, viděl jsem tvůj výraz, když sis prohlížel Smithyho fotku. Ať jedeš kamkoli a máš v plánu cokoli – buď opatrnej."

Jaeger se na Raffa upřeně zadíval. Bylo však vidět, že jeho pohled se v tu chvíli obrací dovnitř. „Já jsem vždycky opatrnej."

Raff sevřel v dlani řídítka. „Víš co – v určitý chvíli budeš muset začít někomu věřit. Nikdo z nás neví, čím sis prošel. Ani bychom si netroufali něco takovýho předstírat. Ale jsme tví kámoši. Tví bratři. Na to nezapomínej."

„Já vím." Jaeger se odmlčel. „Osmačtyřicet hodin. A přivezu odpověď."

Potom přidal plyn a rozjel se po temném štěrku. Motorka zrychlovala – a za chvilku byla pryč.

9

Cestou na západ udělal Jaeger jenom jednu zastávku – v obchodě Carphone Warehouse, kde si pořídil na splátky smartphone. Stabilní rychlostí sto třicet kilometrů v hodině ujížděl po M3, ale do jízdy se hlouběji ponořil až poté, co sjel po výpadovce na A303 a vedlejší wiltshirské cesty.

Během té dlouhé štreky po dálnici nechal volný průběh myšlenkám. Andy Smith. Takové přátele nepotkává člověk každý den. A Jaeger by ty svoje – včetně Raffa – spočetl na prstech jedné ruky. A najednou měl o jednoho míň. Ať se propadne do samotného pekla, jestli přesně nezjistí, jak a proč Smithy zemřel.

Ty brazilské protidrogové výcvikové mise byly jedny z posledních, kdy s Andym sloužili spolu. Jaeger krátce nato z armády odešel, aby založil Enduro Adventures. Smithy zůstal. Říkal, že musí živit manželku a tři děti a nemůže si dovolit přijít o pravidelný měsíční žold.

Na jejich třetí výcvikové misi v Brazílii vzaly události nečekaný obrat. Čistě teoreticky byli Jaeger a jeho muži pověřeni úkolem vycvičit brazilské speciální síly s názvem Brigada de Operações Especiais – Brazilskou brigádu pro speciální operace (B-BSO). Po čase se však vojáci na obou stranách sblížili a Britové začali nenávidět překupníky s drogami – obávané narkogangy – skoro stejně zarytě jako hoši z B-BSO.

Když přišla zpráva, že jeden z týmů B-BSO kapitána Evandra se pohřešuje, Jaeger a jeho muži vzali věci do svých rukou. Akce vešla ve známost jako nejdelší pěší hlídka v dějinách brazilských speciálních sil. Jaeger jí velel a doprovázel je stejný počet specialistů z B-BSO. Hluboko v džungli vypátrali skrýš narkogangu. Několik dní je sledovali a potom podnikli zdrcující útok.

V následující krvavé lázni byli padouši vyhlazeni. Osm z dvanácti mužů z B-BSO se podařilo zachránit – což byl za daných okolností úctyhodný výsledek. Jenže on sám při akci málem přišel o život a zachránila ho jen statečnost a obětavé počínání Andyho Smithe.

A Jaeger, tak jako kapitán Evandro, nikdy nezapomínal.

Na cestě značené jako odbočka na Fonthill Bishop Jaeger zpomalil. Přijel na kraj malebné vesničky Tisbury a sklouzl pohledem doprava, k domku stojícímu kousek stranou od cesty. V oknech poblikávalo slabě žluté světlo – truchlivé oči vykukující na hrozivý okolní svět.

Millside: tu adresu poznal hned, když mu ji Raff předal.

Doškové, mechem obrostlé venkovské stavení, tu a tam se po něm plazily popínavé rostliny. Slušný půlakrový pozemek s vlastním potůčkem. Smithy po tom místě neustále pošilhával od té doby, co se sem přestěhoval, aby byl blíž svému bývalému veliteli a nejlepšímu příteli Willu Jaegerovi. A dům svých snů nakonec očividně získal – až na to, že v té době uběhly od Jaegerova zmizení už dobré dva roky.

Vyjel z vesnice a dal se po klikaté úzké serpentině směrem na Tuckingmill a East Hatch. Projížděl zvolna pod železničním mostem, přes nějž vedla hlavní trať do Londýna – Jaeger tudy jezdíval vlakem, když zima a deštivé počasí nepřály dlouhé jízdě na motorce.

Jeho reflektor na chvilku ozářil směrovku na New Wardour Castle. Odbočil vpravo, vysupěl po krátkém rovném úseku nahoru a projel mezi skromnými kamennými sloupky.

Pneumatiky zarachotily na štěrku široké příjezdové cesty, po stranách lemované řadami kaštanů, které vypadaly jako přízračné stráže. Impozantní venkovské sídlo Wardour koupil jeden jeho kamarád ze školy ve velmi zchátralém stavu, téměř jako ruinu.

Nick Tattershall udělal kariéru v londýnské City a umínil si, že z nabytých peněz zrekonstruuje New Wardour Castle a vrátí mu jeho bývalou slávu.

Rozdělil objekt do několika apartmánů a ten největší si nechal pro sebe. Když se však práce chýlily ke konci, Británii zasáhla jedna z pravidelně se opakujících recesí a trh s nemovitostmi se propadl. Tattershallovi hrozilo, že přijde o všechno.

Jaeger převzal iniciativu a koupil si první, stále ještě nehotový apartmán. Sebevědomým rozhodnutím přilákal i další kupující. Pořídil ho přitom za stlačenou cenu, jinak by si koupi takové grandiózní nemovitosti nemohl nikdy dovolit.

Po čase se ukázalo, že pořídil ideální rodinné bydlení.

Zasazené v samém srdci překrásného a rozlehlého parku – měli tam naprosté soukromí a klid, a přitom od Londýna je dělilo jen pár hodin jízdy vlakem. Jaegerovi se podařilo rozdělit si pracovní dobu tak, že část trávil zde, část ve člunu na Temži a část na *Global Challengeru*. Díky tomu nebyl nikdy dlouho pryč od rodiny.

Zaparkoval motorku před honosnou fasádou z vápence. Zasunul klíč do společného zámku, prošel elegantním mramorovým vstupem a zamířil ke schodišti. Avšak už po prvních pár krocích na kamenných schodech se mu málem podlomila kolena pod tíhou hořkosladkých vzpomínek.

Tak krásné chvíle tady zažil.

Tolik štěstí.

Jak se mohlo všechno tak pokazit?

U dveří do svého bytu se zastavil. Věděl, co ho tam čeká. Obrnil se, otočil klíčem v zámku a vešel.

Rozsvítil světla. Většinu nábytku pokrývaly přehozy. Naštěstí sem jednou týdně chodila jeho věrná uklízečka paní Sampsonová, která utřela prach a vysála. Díky ní vypadal byt jako bez poskvrnky.

Jaeger se na okamžik zastavil. Na zdi přímo před ním zářila veliká malba – překrásný pták s oranžovým hrudníkem: skalník zpěvný. Jeden z národních symbolů Brazílie. Namaloval ji známý brazilský umělec, jako dar od kapitána Evandra – takhle on uměl vyjádřit mimořádný dík.

Jaeger ten obraz miloval. Právě proto ho pověsil na zeď naproti vchodu – měla to být první věc, kterou příchozí spatří.

Když odjížděl na Bioko, požádal paní Sampsonovou, aby obraz nezakrývala. Sám nevěděl přesně proč. Možná čekal, že se brzy vrátí, a chtěl vědět, že pták tam na něj bude čekat jako vždycky, aby ho pozdravil.

Zahnul vlevo a vešel do rozlehlého obývacího pokoje. Otvírat masivní dřevěné okenice nemělo smysl, venku stejně už dlouho byla tma. Jaeger tedy rozsvítil a jeho zrak spočinul na neurčitém tvaru zakrytého psacího stolu, stojícího u jedné zdi.

Přistoupil k němu a jemně odhrnul potah stranou.

Natáhl ruku a jeho prsty se dotkly tváře krásné ženy v rámečku na fotografie. Špičky prstů jako by ke sklu přimrzly. Jaeger si dřepl. Jeho oči se ocitly na úrovni psacího stolu.

„Jsem zpátky, Ruth," zašeptal. „Tři dlouhé roky, ale už jsem zpět."

Přejížděl prsty po skle a zastavil se na rysech chlapce, jenž stál ochranitelsky po mámině boku. Oba na sobě měli trička s nápisem „Zachraňte nosorožce", která si koupili na rodinné dovolené při návštěvě východoafrického národního parku Amboseli. Jaeger nikdy nezapomene na půlnoční procházku po safari, kterou tehdy všichni tři podnikli s masajskými průvodci. V měsíčním světle procházeli savanou mezi stády žiraf, pakoní, ale hlavně nosorožců, oblíbeného zvířete celé rodiny.

„Luku – táta je zpátky…," šeptal Jaeger. „A jenom bůh ví, jak moc jste mi oba chyběli."

Zarazil se – od zdí se odráželo jen tíživé ticho. „Ale víte – ani sebemenší náznak, ani ten nejnepatrnější náznak posmrtného života. Kdybyste mi tak mohli něco poslat, úplně obyčejné znamení. Cokoliv. Smithy byl na stráži a bdělý. Oči pořád na stopkách. Vždycky. Slíbil, že mi dá vědět."

Vzal fotografii ze stolu a choval ji v náručí. „Šel jsem až na samý konec světa, abych vás našel. Šel bych i na samý konec vesmíru. Nic by pro mě nebylo moc daleko. Ale za tři dlouhé roky – nic."

Přejel si rukou po tváři, jako by chtěl smést bolest těch dlouhých protruchlených let. Když polevila, jeho oči se leskly slzami.

„A říkám si, mám-li být upřímný – máme-li být jeden ke druhému upřímní –, možná je čas. Čas říci si opravdu sbohem… čas přijmout to, že jste skutečně… pryč."

Jaeger sklonil hlavu a rty se jemně dotkl fotografie. Políbil tvář své ženy. Políbil tvář svého syna. Potom vrátil snímek na stůl, něžně ho položil na potah.

Lícem nahoru, aby oba dva stále viděl – aby si je pamatoval.

10

Jaeger zlehka našlapoval přes obývák na druhou stranu, kde se dvojitými dveřmi vcházelo do místnosti, kterou si pokřtili jako hudební salonek. Celou jednu zeď lemovaly police se stojánky na CD. Jedno si vybral – Mozartovo *Requiem*. Vložil ho do přehrávače, pustil a hudba začala hrát.

Rytmické úvodní tóny vyvolaly další záplavu vzpomínek na rodinu. Už podruhé v pouhých několika minutách se Jaeger přistihl, že potlačuje slzy. Zhroucení byl přepych, který si nemohl dovolit. Nemohl truchlit, jak se patří. Ještě ne.

Bylo tu totiž ještě něco – něco velice, velice znepokojivého. Něco, kvůli čemu sem přišel.

Z místa pod hudebním stojanem vytáhl potlučený kovový kufr. Jeho pohled na okamžik ulpěl na iniciálách namalovaných přes šablonu na víku: W. E. J. – William Edward „Ted" Jaeger. Vojenský kufr jeho dědečka, který mu ho svěřil krátce předtím, než zemřel.

Requiem dospělo k prvnímu bouřlivému crescendu. Jaeger vzpomínal na doby, kdy ho děda Ted protáhl do své pracovny a nabídl mu šluka ze své dýmky – a také na pár drahocenných okamžiků, společnost dědečka s vnukem, kdy se kluk směl přehrabovat právě v této truhle.

Dýmka dědy Teda, kterou neustále svíral mezi zuby. Ta vůně: Player's Navy Cut a tabák napuštěný whisky. Úplně ten výjev viděl před sebou – občasné kolečko dýmu z úst dědečka pohupujícího se lehounce a nadpozemsky ve světle kancelářské lampy.

Jaeger rozepnul přezky a odklopil těžké víko kufru. Navrchu ležel jeden z jeho oblíbených suvenýrů: složka vázaná v kůži, s vyraženými vybledlými červenými písmeny. *PŘÍSNĚ TAJNÉ*. A pod tím: *Velitel styčné jednotky č. 206.*

Vždycky mu připadalo divné, že obsah složky nikdy zcela nenaplnil příslib hlásaný na obálce.

Uvnitř se nacházely brožurky rádiových frekvencí a kódů z druhé světové války, schémata hlavních bojových tanků, plánky turbín, okruhů a motorů. Pro dítě samozřejmě něco naprosto úžasného, ovšem jako dospělý si Jaeger uvědomil, že uvnitř není nic, co by dávalo za pravdu nadpisu složky nebo vyžadovalo tak striktní utajení.

Skoro jako kdyby děda poskládal obsah složky dohromady proto, aby ohromil a pobavil dospívajícího kluka. Nebyly tam skutečně žádné informace, které by se vyznačovaly jakoukoli citlivostí nebo hodnotou.

Po dědečkově smrti se Jaeger pokusil styčnou jednotku č. 206 vyhledat, aby lépe poznal její historii. Nenašel však nic. Národní archiv, Imperiální válečné muzeum, admiralita: žádný z archivů, který by měl obsahovat aspoň nějaký druh záznamu – i kdyby to byl jen deník –, nenabídl ani zmínku.

Skoro jako by styčná jednotka č. 206 nikdy neexistovala, jako kdyby to byla eskadra duchů.

Ale potom přece jen na něco připadl.

Nebo spíše Luke.

Ukázalo se, že jeho osmiletý syn je obsahem truhly fascinován stejně jako otec – obdivoval pradědečkův masivní nůž commando, odřený baret či potlučený železný kompas. A jednoho dne ručky Jaegerova synka zalovily hlouběji, až na samém dně kufru, a našly věc, která byla tak dlouho ukrytá.

Jaeger si teď počínal stejně a skládal obsah horečně na podlahu. Bylo tam tolik nacistických suvenýrů: esesácký odznak smrtihlava, lebky s tajuplným úsměvem, dýka Hitlerjugend s obrázkem Vůdce na rukojeti, kravata, jakou nosili werwolfové – zapřisáhlí nacisté, kteří kladli tuhý odpor i poté, co válku regulérně prohráli.

Jaeger si občas říkal, jestli se dědeček nesblížil až příliš s nacistickým režimem, když zjevně nashromáždil takové množství suvenýrů. Ať už dělal za války cokoliv, nedostal se nebezpečně blízko k zlu a temnotě? Neprosákla do něj, aby z něj učinila jednoho ze svých sluhů?

Jaeger tomu sice nevěřil, ale k rozhovoru na tohle téma nikdy nedošlo, protože dědeček jednoho dne nečekaně zemřel.

Zarazil se nad neobvykle vyhlížející knihou – už skoro zapomněl, že v kufru je. Byla to vzácná kopie Voynichova rukopisu, bohatě ilustrovaného středověkého textu napsaného naprosto záhadným jazykem. Zvláštní – ta kniha jeden čas zdobila stůl v dědově pracovně a pak se spolu s obsahem truhly dostala až k Jaegerovi.

Další otázka, kterou před dědečkem nikdy nenadnesl: proč taková fascinace obskurním a nesrozumitelným středověkým rukopisem?

Jaeger vytáhl z kufru těžkou knihu a odhalil falešné dřevěné dno. Nikdy nepřišel na to, zda tam děda nechal ten dokument omylem, či zda to udělal úmyslně v naději, že vnuk jednoho dne tajnou přihrádku objeví.

Tak či tak tam byla, schovaná pod haldou válečných suvenýrů, a tři dekády nebo snad i déle čekala, až bude nalezena.

Jaegerovy prsty zajely pod dřevo a tam našly západku, pomocí které přihrádku otevřely. Chvíli prsty tápal a pak vytáhl naditou, zažloutlou obálku. Podržel si ji před očima – ruce se mu viditelně třásly. Jedna jeho část se dovnitř vůbec dívat nechtěla, ale ta větší věděla, že to udělat musí.

Vytáhl dokument.

Potištěné, na jedné straně scvaknuté, přesně takhle si to lejstro pamatoval. V horní části obálky, tlustým švabachem, jenž se stal synonymem nacistické vlády, bylo velkými písmeny napsáno: *KRIEGSENTSCHEIDEND.*

Německy prakticky neuměl, ale pomocí německo-anglického slovníku se mu podařilo přelouskat několik slov z obálky dokumentu. *Kriegsentscheidend* byl nejvyšší stupeň utajení, jaký kdy nacisté něčemu přidělili. Nejbližší ekvivalent by zněl „tajnější než přísně tajné" – ultra tajné.

Pod tím bylo napsáno: *Aktion Werwolf* – „Operace Werwolf".

A ještě níže stálo datum, které nebylo třeba překládat: 12. 2. 1945.

A konečně: *Nur für Augen Sicherheitsdienst Standortwechsel Kommando* – „Pouze k rukám Sicherheitsdienst Standortwechsel Kommanda".

Sicherheitsdienst byla obávaná bezpečnostní služba SS a nacistické strany – vrchol všeho zla. Standortwechsel Kommando se překládá jako „přemísťovací komando", což Jaegerovi neříkalo prakticky nic. Na internetu si zadal oba záhadné odkazy, „operace Werwolf" a „přemísťovací komando", v angličtině i němčině.

Vyhledávač nahlásil nula nalezených výrazů.

Ani jediný odkaz v celém éteru.

Dál ve svém pátracím úsilí zatím nedošel, protože krátce nato se na jeho život snesla temnota a následoval odlet na Bioko. Tohle byl však očividně dokument, který se v době války vyznačoval extrémní citlivostí, dokument, který se nějak dostal do rukou jeho dědečka.

Avšak teprve následující stránka spustila příval vzpomínek a přinutila ho jet z Londýna do Wiltshiru, zpátky do jeho opuštěného domova.

Se zlověstnou předtuchou otočil obálku na titulní stránku.

A z ní na něj hleděl strohý obraz vytištěný v černi. Jaeger na něj zíral jako uhranutý a v myšlenkách se probíral z šoku. Přesně jak se obával – jeho paměť mu nelhala ani na něj nezkoušela žádné triky.

Byl to onen temný obraz stylizovaného orla stojícího na ocase, s roztaženými křídly pod krutě zahnutým zobákem. A v pařátech svíral jakýsi kruhový symbol s nečitelnými znaky.

11

Jaeger seděl u svého kuchyňského stolu s pohledem obráceným dovnitř.

Před sebou měl seřazené tři fotografie: na jedné bylo tělo Andyho Smithe, se symbolem orla vyrytým hluboko v levém rameni, druhá, pořízená smartphonem, zachycovala symbol orla na vnitřní straně obálky dokumentu Operace Werwolf.

A třetí byla fotografie jeho ženy se synem.

V dobách, když ještě sloužil v armádě, nebyl zrovna typ na ženění. Dlouhé a šťastné manželství a práce ve speciálních silách nešly jaksi dohromady. Každý měsíc nová mise – člověka poslali do sluncem sežehlé pouště, do parné džungle nebo na zasněženou horu. Na nějaké delší románky nezbýval prostě čas.

Jenže potom se stala ta nehoda. Při seskoku z velké výšky volným pádem nad africkou savanou Jaegerovi špatně zafungoval padák. Jen se štěstím to přežil. Dlouhé měsíce proležel v nemocnici se zlomenými zády, a i když pak napnul všechny síly a znovu se dostal do formy, jeho dny u SAS byly sečteny.

Právě v té době – během vleklého celoročního zotavování – potkal Ruth. Představil je jeden společný přítel a zpočátku spolu ani moc dobře nevycházeli. O šest let mladší Ruth byla absolventkou univerzity a zarputilou ochránkyní přírody a životního prostředí. Myslela si, že Jaeger je její přímý protiklad.

Pokud šlo o něj, předpokládal, že žena jako ona, která objímá stromy, bude elitním vojákem jeho druhu z hloubi duše pohrdat. Jen díky směsici jeho břitkého, škádlivého humoru a kurážného postoje Ruth, umocněného její oslnivou krásou, si postupně začali jeden druhého vážit, až se do sebe nakonec zamilovali.

Po nějaké době zjistili, že je k sobě váže jedno mocné pouto – žhavá láska ke všemu, co je divoké.

V den jejich svatby byla Ruth ve třetím měsíci, přičemž ženichovým svědkem byl právě Andy Smith. Po Lukeově narození a během následujících měsíců a let spolu prožívali zázrak – přivedli na svět zmenšenou verzi svých dvou já.

Každý den strávený s Lukem a Ruth představoval báječnou výzvu a dobrodružství. O to neúnosnější pak byla temná prázdnota, která se rozevřela po jejich odchodu.

Už skoro hodinu zíral na ty tři obrazy – rozpadající se, zažloutlý nacistický dokument a policejní snímek údajné oběti sebevraždy, oba se stejným symbolem orla, a fotografii Ruth s Lukem – ve snaze nalézt mezi nimi spojitost. Nemohl ze sebe setřást pocit, že onen symbol orla nějak souvisí se smrtí – ne: se zmizením jeho manželky a dítěte.

Nějakým nepoznatelným způsobem – který za nic na světě nedokázal pochopit a pojmout – za tím vším vnímal velice znepokojivý vztah příčiny a následku. Říkejte si tomu třeba šestý smysl vojáka, avšak on se během těch let naučil svému vnitřnímu hlasu důvěřovat. Anebo je to všechno totální blbost? Třeba ho ty tři roky na Bioku a pět týdnů v žaláři Black Beach natolik poznamenaly, že ho teď jako nějaká hrozná žíravina stravuje paranoia a rozežírá mu mozek.

Na tu noc, kdy žena a syn byli vyrváni z jeho života, neměl téměř žádné vzpomínky. Stalo se to jednoho tichého zimního večera, prodchnutého svěžestí, klidem a úchvatnou krásou. Utábořili se ve velšských kopcích a nad nimi se prostíralo široké hvězdné nebe bez hranic. Na takových místech byl vždy nejšťastnější.

Oheň dohořel a zbývaly z něj jenom uhlíky. Poslední vědomá myšlenka, kterou měl, byla, že si společně zalezli do stanu a zapnuli spacáky. Manželka a syn se k němu přitulili, aby se zahřáli. A pak tam zůstal sám a polomrtvý – do stanu někdo pustil jedovatý plyn, po němž byl naprosto bezbranný, takže se ani nelze divit absenci dalších vzpomínek. Když pak přišel k sobě, ležel na jednotce intenzivní péče a jeho žena a syn byli už mnoho dní pryč.

Co však nedokázal pochopit – a co mu nahánělo hrůzu –, bylo zlověstné tušení, jako by ten orel do těch dávno pohřbených vzpomínek zarýval své drápy.

Armádní cvokaři ho varovali, že vzpomínky tam někde jsou. A je velmi pravděpodobné, že jednoho dne začnou vycházet na povrch, podobně jako naplavené dřevo vyvržené na břeh rozbouřeným mořem.

Proč však ten temný symbol orla mohl zasáhnout tak hluboko a vytáhnout je zpátky na světlo?

12

O samotě strávil v bytě noc.

Znovu měl ten sen, který ho po zmizení Ruth a Lukea tak dlouho pronásledoval. A jako vždycky dovedl ho přesně do chvíle, kdy mu byli sebráni – ten obraz byl tak živý a jasný, jako kdyby se to stalo včera.

A ve chvíli, kdy udeřila temná hrůza, se zase probudil. Se zaúpěním se zmítal pod propocenou, zamotanou přikrývkou. Ta nemožnost dostat se tam a zapamatovat si to – i v relativním bezpečí vlastních snů – ho neskutečně trýznila.

Vstával brzy.

Z šatní skříně vytáhl běžecké boty a vyrazil poklusem na ojíněná pole. Zamířil na jih po pozvolném svahu, který klesal do mělkého údolí a na druhé straně se znovu zvedal, ověnčený lesíkem Grove Coppice. Narazil na stezku, která les zeširoka obcházela, a přidal do kroku. Vpravil se do důvěrně známého rytmu, kdy ukrajoval kilometry jako nic.

Tuto část trasy měl vždycky nejraději – hustý les ho chránil před zvědavými zraky a vysoké kmeny borovic tlumily jeho dech i kroky. Nechal mysl, aby se zklidnila podle rytmu běhu. Meditativní tempo kroků tišilo jeho nepokojné vědomí.

V době, kdy znovu vyběhl na sluneční světlo na severním konci hájku Pheasant's Copse, už přesně věděl, co udělat.

Po návratu do Wardour Castle se rychle osprchoval a zapnul počítač. V rychlosti poslal zprávu kapitánovi – nyní už plukovníkovi – Evandrovi a doufal, že mezitím nezměnil e-mailovou adresu. Po obvyklých formalitách položil důležitou otázku: Jaké konkurenční skupiny se spolu s Wild Dog Media ucházely o možnost zorganizovat blížící se expedici?

Jaeger usoudil, že pokud měl někdo motiv zavraždit Andyho Smithe, jako první podezřelí připadají jistě v úvahu další účastníci výběrového řízení.

Jakmile to vyřídil, vzal drahocennou fotografii své ženy se synem, vrátil tajné listiny do skrýše ve vojenském kufru dědy Teda, zamkl byt a nastartoval motorku. Pomalu ujížděl po Hazeledon Lane; bylo ještě brzy a Jaeger potřeboval nějak zabít čas.

Zaparkoval v Tisbury před Beckettovými lahůdkami. Právě měli otvírat, hodiny už ukazovaly devět. Objednal si ztracená vejce, slaninu uzenou na hikorovém dřevě a černou kávu. Během čekání na jídlo ho zaujal stojan s denním tiskem. Titulek na první straně nejbližších novin hlásal: *Puč ve střední Africe: prezident Rovníkové Guineje Chambara byl dopaden.*

Jaeger je popadl a přelétl očima článek. Zprávy si vychutnával spolu s vynikající snídaní.

Pieter Boerke postupoval zkušeně. Jeho převrat „železná pěst" dosáhl všeho, co slíbil. Uprostřed tropické bouře se mu nějak podařilo přepravit vojáky přes Guinejský záliv. Zvolil tu dobu záměrně, protože místní zpravodajci – zřejmě sám major Mojo – vypověděli, že Chambarovy jednotky budou kvůli špatnému počasí staženy.

Boerkeho muži udeřili jako ďábli uprostřed naříkající, deštěm bičované noci. Chambarovy stráže byly zcela zaskočeny a jejich odpor se rychle zhroutil. Prezidenta zajali na letišti Bioko, když se pokoušel v soukromém tryskáči uprchnout ze země.

Jaeger se usmíval. Možná teď dostane sedmou stránku lodního nákladu *Duchessy* – ačkoli, ne že by na tom zrovna v tuhle chvíli nějak zvlášť záleželo.

O patnáct minut později zmáčkl domovní zvonek. Motocykl nechal stát ve vsi a šel na kopec pěšky. Předtím ještě telefonem varoval Dulce, že je na cestě k nim.

Dulce. Sladká. Jen co je pravda, Smithyho žena dělala svému jménu čest.

Smith se s ní seznámil v Brazílii během druhé cvičné mise – Dulce byla vzdálená sestřenice plukovníka Evandra. Po vášnivém románku následoval sňatek, a tak Jaeger ani nemohl mít Smithymu za zlé, že mu přebral holku.

Výška sto sedmdesát. Tmavé, planoucí oči a zářivá pleť – Dulce byla neskutečně vzrušující. A taky ideální partie pro manželství, jak Jaeger neopomněl zmínit ve svém proslovu ženichova svědka. Na jedné straně tím Dulce jemně připomněl Smithyho zlozvyky, ale také neochvějnou věrnost.

Dveře do Millside se otevřely. Stála v nich Dulce krásná jako vždycky, statečný úsměv na tváři s potemnělými rysy. Nemohla zastřít, že těsně pod povrchem hlodá syrový a čerstvý žal. Jaeger jí podal dárkový koš, který koupil v lahůdkách, a ve spěchu naškrábanou kartičku.

Dulce připravovala kávu a on jí sděloval krátkou verzi své tříleté absence. Kontakt s jejím mužem si samozřejmě udržel, i když víceméně jednostranný – Smithy mu e-mailem podával zprávy, že po jeho pohřešované ženě a dítěti stále není ani stopy.

Jaeger uzavřel se svým nejbližším přítelem dohodu, že místo jeho pobytu zůstane přísně střeženým tajemstvím, dokud on nerozhodne jinak. Ovšem pod jednou podmínkou: kdyby Smithy zemřel nebo se stal nezpůsobilým, jeho právník dá informace o místě kamarádova pobytu k dispozici.

Jaeger si dal dohromady, že právě takhle ho našli Raff s Feaneym, neobtěžoval se jich však zeptat. Teď, když je Smithy mrtev, už to nemělo žádný smysl.

„Bylo s ním něco?“ zeptal se Jaeger, když seděli naproti sobě u kuchyňského stolu a pochutnávali si na Dulcině brazilské delikatese *pasteis de nata*. „Něco, co by nasvědčovalo, že je nešťastný? Že si opravdu vzal život?“

„Jistě že ne!“ Její oči zajiskřily hispánským hněvem. Dulce byla vždycky výbušná. „Jak se vůbec můžeš ptát? Byli jsme přece šťastní. On byl moc šťastný. Kdepak. Andy by nikdy neudělal to, co o něm říkají. To je prostě nemožné."

„Neměl finanční starosti?" sondoval Jaeger. „Nějaké trable s dětmi ve škole? Pomoz mi trochu. Tápu, a tak to zkouším, snažím se něčeho dopátrat."

Jen pokrčila rameny. „Nic."

„Nepil? Nepřičichl k láhvi?"

„Jaegere, Andy je po smrti. A ne, *amigo*, nepil."

Podívala se mu do očí. Ty její byly plné bolesti. Zakalené. Schylovalo se v nich k bouři.

„Měl na sobě znamení," odhodlal se Jaeger. „Něco jako tetování. Na levém rameni?"

„Jaké znamení?" nechápala Dulce. „Nic neměl. To bych o tom musela něco vědět."

V tu chvíli si Jaeger uvědomil, že policie jí fotku temného orla vyrytého na rameni jejího muže neukázala. Nemohl jim to vlastně ani vyčítat, i tak ji to muselo hrozně traumatizovat. Nepotřebovala být konfrontována se všemi krvavými detaily.

Raději rychle změnil téma. „A ta expedice do Amazonie, jak se k ní stavěl? Neměl nějaké potíže s týmem? S Carsonem? S filmovou společností? Cokoli?"

„Víš přece, jak miloval džungli. Hrozně se těšil." Odmlčela se. „Ale možná by tu jedna věc byla. A mě znepokojovala víc než jeho. Trochu jsme i na to téma vtipkovali. Sešla jsem se s týmem a tam byla ta ženská. Nějaká Ruska. Irina. Irina Narovová. Blondýna. Myslí si o sobě, že je nejkrásnější na světě. Nepadly jsme si do oka."

„Pokračuj," pobízel ji Jaeger.

Dulce se na chvíli zamyslela. „Skoro jako by si o sobě myslela, že je rozená velitelka – že je lepší než on. Jako by mu tu expedici chtěla sebrat."

Jaeger si v duchu poznamenal, že si musí tu Irinu Narovovou pořádně proklepnout. Ještě nikdy neslyšel, že by někdo spáchal vraždu z tak chatrných pohnutek. Vypadalo to však, že tady šlo o hodně: celosvětová televizní senzace, příslib mezinárodní slávy a posléze snad i bohatství…

Možná by to motiv přece jenom byl.

Jaeger ujížděl na sever, jeho motorka svižně ukrajovala kilometry. Návštěva u Dulce ho svým způsobem kupodivu uklidnila. Potvrdilo se mu, co v hloubi duše věděl – že v životě Andyho Smithe bylo všechno v pořádku. Nezabil se. Byl zavražděn. A on teď musí vypátrat jeho vrahy.

Na odchodu jí slíbil, že kdyby ona nebo děti cokoli – a to opravdu cokoli – potřebovali, stačí mu jen zavolat.

Z Tisbury na skotskou hranici to byla dlouhá jízda.

Jaeger nikdy dost dobře nechápal, proč se jeho prastrýc Joe rozhodl přestěhovat právě tam, tak daleko od přátel a rodiny. Vždycky nějak tušil, že se ten muž skrývá, nevěděl však před čím. Buccleuch Fell, východně od Langholmu, ležící pod Hellmoor Loch – těžko byste hledali odlehlejší a zapadlejší místo, aby pořád ještě bylo na planetě Zemi.

Triumph byl hybridní i silniční motocykl. Když Jaeger dojel k cestě, která vedla ke srubu strýčka Joea, jak mu vždycky říkali, velice tuto vlastnost svého dopravního prostředku ocenil. Narazil zde na první sněhový poprašek, a jak cesta stoupala stále výš, podmínky se jen zhoršovaly.

Srub situovaný mezi vrcholy Mossbrae Height a Law Kneis – každý měřil víc než čtyři sta padesát metrů – stál na jedné z mála mýtinek uprostřed obrovského lánu lesa, v nadmořské výšce bezmála tří set metrů. Jaeger podle silné vrstvy sněhu poznal, že touhle cestou už mnoho dní nikdo nejel.

Na stojanu motorky vezl přivázanou krabici s potravinami – mlékem, vejci, slaninou, klobásami, ovesnou kaší a chlebem. Ve Westmorlandu udělal totiž krátkou zastávku v motorestu, jednom z posledních před odbočením na M6. Když potom vjížděl na mýtinu prastrýce Joea, musel motorku oběma nohama stabilizovat. Povážlivě sebou smýkala mezi hrboly navátého sněhu a kola se nořila do hloubky třiceti i více centimetrů.

V létě mělo tohle místo velmi blízko k ráji. Ostatně Jaeger s Ruth a Lukem mu nemohli odolat.

Ovšem v dlouhých zimních měsících…

Prastrýc Joe odkoupil pozemek od lesní správy před desítkami let. Srub si postavil z převážné části sám – ačkoli název srub na tuhle přepychovou stavbu příliš neseděl. Odklonil sem potůček a vyhloubil řadu propojených menších jezírek s kaskádovitými přepady. Krajina všude kolem byla upravena do podoby jakéhosi ekologického ráje, i se stinnými kouty pro pěstování zeleniny.

Díky solárním panelům, kamnům na dřevo a větrné turbíně vyrábějící elektřinu bylo toto místo téměř soběstačné. Nebyl zde telefon ani mobilní signál, takže Jaeger nemohl strýci zavolat předem. Z ocelové komínové roury, která vybíhala z boční zdi, stoupal hustý pruh bílého kouře. Palivové dříví pocházelo z lesa a srub byl vždycky příjemně vyhřátý.

Ostatně prastrýc Joe ve svých pětadevadesáti teplo potřeboval, zvlášť když se počasí tak zhoršilo jako právě teď.

Jaeger zaparkoval motorku, proběhl závějemi a zabouchal na dveře. Musel to udělat několikrát, než se konečně uvnitř ozval hlas.

„No jo! Vždyť už jdu." Jaeger slyšel, jak se uvnitř odsouvá zástrčka, a potom se dveře rozlétly dokořán.

Pod kšticí sněhobílých vlasů na něj hleděly dvě oči jako trnky, jasné a plné života. Jako by jim uplynulé roky ani trochu neubraly na pronikavosti.

Jaeger ukázal na krabici s potravinami. „Myslel jsem, že by se ti něco z toho mohlo hodit."

Prastrýc Joe na něj hleděl zpod ostře řezaného obočí. Od smrti dědy Teda se ujal role čestného dědečka a vedl si v tom nadmíru dobře. Ti dva se velmi sblížili.

Když teď nečekaného návštěvníka poznal, rozzářily se mu oči. „Wille, chlapče můj. Je zbytečné říkat, že jsme tě nečekali... Ale pojď dál. Jen pojď dál. Shoď ze sebe ty mokré věci a já postavím na čaj. Ethel je venku. Šla na procházku do sněhu. Třiaosmdesát let a pořád jí to šlape jako v šestnácti.

To byl celý strýček Joe.

Jaeger ho neviděl celé čtyři roky. Sem tam jim poslal pohlednici z Bioka, ale na zprávy byl skoupý – jen aby věděli, že je pořád naživu. Nyní stál neohlášen na jejich prahu a Joe to vzal s klidem.

Prostě jen další den na Buccleuch Moor.

Chvíli si vyměňovali novinky, jak se sluší a patří. Jaeger v krátkosti vypověděl příběh svého pobytu na Bioku. A strýček Joe vyprávěl o posledních čtyřech letech na Buccleuch – žádné velké změny. Potom se zeptal na Ruth a Lukea. Nemohl se nezeptat, ačkoli v hloubi srdce věděl, že kdyby mezitím Jaeger něco zjistil, on by byl mezi prvními, kteří by se to dozvěděli.

Jaeger potvrdil, že jejich zmizení je stále stejná záhada.

Když spolu probrali život, Joe na Jaegera upřel jeden ze svých pověstných pohledů – napůl jako při inkvizičním výslechu, napůl bezstarostně škádlivý. „Hele, nechceš mi přece tvrdit, žes jel takový kus cesty do království zimy, abys starýmu chlapovi přivez trochu jídla – jakkoli si toho cením. Kvůli čemu tady doopravdy jsi?"

Jaeger místo odpovědi sáhl do vnitřní kapsy motorkářské bundy a vytáhl mobil. Procházel fotografie, až našel symbol orla – ten, jenž byl zobrazený na dokumentu Operace Werwolf.

Položil ho před Joea na kuchyňský stůl.

„Promiň tu hypermoderní technologii, ale říká ti ten obraz něco?"

Prastrýc Joe zalovil v kapse propínacího svetru. „Potřebuju brýle."

Podržel telefon na délku paže od sebe a chvíli ho různě nakláněl. Technologii očividně neznal, ale jakmile obraz rozeznal, odehrála se s ním nečekaně dramatická změna.

Během pár vteřin mu zmizela z tváře všechna barva. Zbělel jako přízrak. Třesoucí se rukou pomalu položil mobilní telefon na stůl. Když vzhlédl, v očích měl výraz, jaký u něj Jaeger nikdy předtím neviděl, a hlavně by ho nikdy ani nečekal.

Strach.

13

„Já… napůl jsem to čekal…, vždycky jsem se bál," lapal po dechu prastrýc Joe. Ukázal ke dřezu, že chce vodu.

Jaeger vyskočil a přinesl mu sklenici.

Starý muž ji vzal do ruky, která se velmi chvěla, a pil – polovinu přitom rozbryndal po kuchyňském stole. Když se jeho pohled znovu setkal s Jaegerovým, z jeho očí vyprchal všechen život. Rozhlížel se po místnosti, jako by snad na tom místě strašilo, jako by se snažil rozpomenout, kde vlastně je, ukotvit se tady a teď, v přítomném okamžiku.

„Kde jsi k tomu proboha přišel?" zašeptal a ukázal na obrázek v telefonu. „Ne, ne – neodpovídej! Děsil jsem se, že tenhle den jednou přijde. Ale nikdy jsem si nepředstavoval, že přijde s tebou, můj chlapče, a po tom všem, co sis vytrpěl…"

Jeho pohled zabloudil do vzdáleného rohu místnosti.

Jaeger nevěděl, co na to říct. Způsobit tomu drahému starouškovi nepříjemnosti, utrpení bylo to poslední, co by si přál. Jaké měl vlastně právo, zvlášť vzhledem k Joeově věku, aby něco takového udělal?

Prastrýc Joe se vytrhl ze zamyšlení. „Chlapče, nejlepší bude, když půjdeme do pracovny. Nerad bych, aby Ethel zaslechla cokoli… tady z toho. I když pořád srdnatě vyráží do sněhu, není už tak silná jako kdysi. To nejsme nikdo."

Opřel se a namáhavě vstal. Pokynul ke sklenici. „Vezmeš mi vodu?"

Otočil se k pracovně a šel první. Jaeger jej takového ještě nikdy neviděl. Shrbeného starce – až téměř zlomeného v pase –, jako by se mu na ramenou navršila všechna tíha světa.

Prastrýc Joe ztěžka povzdechl. Znělo to jako suchý vítr šumící mezi horami. „Víš, mysleli jsme, že si snad svá tajemství vezmeme do hrobu. Tvůj dědeček a já. Ti další. Čestní muži. Muži, kteří znali – kteří chápali – kód. Všechno to byli vojáci, kteří věděli, co se od nich očekává."

Zamkli se spolu do pracovny, pak se prastrýc Joe začal vyptávat na všechno – na každičký detail, na každou událost –, co vedlo až do přítomného okamžiku. Jakmile Jaeger skončil s vyprávěním, starý muž dlouho mlčel, ponořený ve svých myšlenkách.

A když pak konečně promluvil, skoro jako by vedl rozhovor sám se sebou, nebo s druhými v místnosti – s duchy těch, kteří dávno odešli na onen svět.

„Mysleli jsme – doufali jsme –, že to zlo je jednou provždy pryč," šeptal. „Že na místo posledního odpočinku se můžeme odebrat s pokojnými dušemi, s čistým svědomím. Domnívali jsme se před všemi těmi lety, že jsme vykonali dost."

Seděli v ošoupaných, ale pohodlných kožených křeslech, čelem proti sobě. Okolní zdi byly ověšené válečnými suvenýry. Černobílými fotkami prastrýce Joea v uniformě, potrhanými zástavami, kultovními insigniemi. Visel tam jeho bojový nůž commando i odřený béžový baret.

Z válečné tematiky vybočovalo jen pár výjimek. Joe s Ethel neměli děti. Jaeger, Ruth a Luke se tak stali jejich adoptovanou rodinou. Na stole porůznu leželo několik fotografií, většinou Jaegera s rodinou, pořízených během dovolených ve srubu. A také tam byla zvláštně vyhlížející kniha, která mezi těmi válečnými suvenýry působila nemístně.

Druhá kopie Voynichova rukopisu. Na první pohled byla stejná jako výtisk, který spočíval ve vojenském kufru dědy Teda.

„A pak si sem přijde tady tenhle kluk, můj drahý klučina," pokračoval prastrýc Joe, „s – no tam s tím. *Ein Reichsadler!*" Poslední slova vyštěkl s takovou vehemencí, až sebou Jaeger trhl. Pohled starého muže ulpěl na jeho telefonu. „To zatracené prokletí!

Podle toho, co tenhle kluk říká, to vypadá, že se zlo vrátilo… V tom případě – jsem zmocněn porušit mlčení?"

Nechal svou otázku viset ve vzduchu. Silné, izolované zdi srubu tlumily každý zvuk, a přesto se zdálo, že celá místnost rezonuje jakýmsi temným varováním.

„Strýčku Joe, nepřišel jsem slídit…" začal Jaeger, ale stařec zvedl ruku a vyžádal si ticho.

S viditelnou námahou se znovu soustředil na přítomnost. „Můj chlapče, nemyslím, že ti můžu říci všechno," mumlal. „Už jen proto, že tvůj dědeček by s tím nesouhlasil. Snad jedině, že už by situace byla naprosto zoufalá. Ale zasloužíš si vědět aspoň něco. Dávej mi otázky. Musel jsi sem přijít s otázkami. Ptej se a já uvidím, co ti můžu říct."

Jaeger přikývl. „Co jste s dědečkem za války dělali? Ptal jsem se ho na to, když ještě žil, ale nikdy mi toho moc neprozradil. Čím jste se zabývali, že nakonec takové dokumenty," ukázal na telefon, „skončily v jeho vlastnictví?"

„Abys pochopil, čím jsme se zabývali za války, musíš nejdřív pochopit, proti čemu jsme stáli," začal tichým hlasem prastrýc Joe. „Uběhlo příliš mnoho let a příliš mnoho věcí se během té doby zapomnělo. Hitlerovo poselství bylo jednoduché – a současně děsivé.

Vzpomeň si na jeho slogan: *Denn heute gehort uns Deutschland, und morgen die ganze Welt.* Dnes nám patří Německo, a zítra celý svět. Tisíciletá Třetí říše měla skutečně být celosvětové impérium. Měla vycházet z modelu Římské říše, Berlín měl být přejmenován na Germanii a sloužit jako hlavní město celého světa. Hitler tvrdil, že Němci jsou árijská nadřazená rasa, *Übermensch.* Chtěli s pomocí *Rassenhygiene* – rasové hygieny – očistit Německo od *Untermensch* – podlidí. Pak už by byli neporazitelní. *Untermensch* měli být beztrestně vykořisťováni, zotročováni a vražděni. Osm, deset, dvanáct milionů – nikdo neví jistě, kolik jich tehdy vyhladili. Většinou si myslíme, že šlo jenom o Židy," pokračoval prastrýc

Joe. „Ale není to pravda. Byl to každý, kdo nepatřil k nadřazené rase. *Mischlinge* – poloviční Židé nebo smíšená rasa. Homosexuálové, komunisté, intelektuálové, neběloši. Patřili sem i Poláci a Rusové, Jihoevropané, Asiati… *Einsatzgruppen* – esesácká komanda smrti – se pustila do vyhlazování všech. A potom tu byli ještě *Lebensunwertes Leben* – „život nehodný života" – postižení a mentálně nemocní. V souladu s programem *Aktion T4* začali nacisté vraždit i je. Jen si to představ. Postižení. Vraždění nejzranitelnějších členů společnosti. A sám víš, jaké prostředky použili – vždycky pod nějakou záminkou shromáždili *Lebensunwertes Leben* ve speciálním autobuse a vozili je po městě, a zatímco oni se dívali z oken, dovnitř byly vháněny výfukové zplodiny."

Starý muž pohlédl na Jaegera s utrápeným výrazem, jako by ho měl v obličeji vyrytý. „Tvůj dědeček a já jsme mnohé z těch hrůz viděli na vlastní oči."

Usrkl vody. Viditelně se snažil dát se dohromady. „Nešlo však jen o vyhlazování. Nad brány koncentračních táborů vyvěsili heslo: *Arbeit macht frei* – práce osvobozuje. Nic samozřejmě nemohlo být dále od pravdy. Hitlerova říše byla *Zwangswirtschaft* – hospodářství postavené na nucené práci. V *Untermensch* měl obrovskou armádu otrockých dělníků a miliony těchto lidí se doslova udřely k smrti. A víš, co na tom bylo nejhorší?" řekl šeptem. „Ono to fungovalo. Plán vycházel, alespoň z pohledu Hitlera. Výsledky hovořily samy za sebe. Mimořádná raketová technika, špičkové naváděné střely, supermoderní letectví, létající křídla s tryskovým pohonem, neviditelné ponorky, neslýchané chemické a biologické zbraně, zařízení pro noční vidění – téměř v každém oboru zaznamenali Němci řadu prvenství. Byli světelné roky před námi. Hitler ve svou techniku naprosto fanaticky věřil," pokračoval. „Jen si vzpomeň – se svou V-2 byli první, kdo vyslal raketu do vesmíru. Ne Rusové, jak se dnes obecně míní. Hitler si skutečně myslel, že technika jim válku vyhraje. A věř mi – když nepočítám nukleární závod ve zbrojení, který jsme vyhráli spíš díky štěstí než koncepci –, v roce 1945 to téměř dokázali. Vezmi si neviditelnou ponorku XXI. O desítky let předběhla svou dobu. Ještě na konci sedmdesátých let jsme se ji stále pokoušeli okopírovat a konstrukčně se jí vyrovnat. Se třemi stovkami ponorek XXI by mohli kolem Británie utáhnout smrtící smyčku a donutit nás ke kapitulaci. Ke konci války měl Hitler flotilu sto šedesáti připravených ponorek, které měly slídit ve světových mořích. Nebo taková raketa V-7. V-2 oproti ní vypadala jako hračka pro děti. Měla dolet skoro pět tisíc kilometrů, a kdyby ji naplnili jednou ze svých tajných nervových bojových látek – sarinem nebo tabunem –, mohla by z nebe rozsévat zkázu na všechna naše velkoměsta. Věř mi, Williame, tak blízko se dostali – když už ne k vítězství ve válce, když už ne k uskutečnění *Tausendjahriges Reich*, tak aspoň k tomu, aby Spojence přinutili zažádat o mír. A kdybychom to udělali, znamenalo by to, že Hitler – nacismus, vrcholné zlo – by přežil. A právě o to jemu a jeho skalnímu jádru fanatiků šlo – zachránit *Drittes Reich* a vládnout tisíc let. Tak blízko se dostali…"

Starý muž ztěžka vzdychl. „A naším úkolem – tvého dědečka a mě – v mnoha ohledech bylo pokusit se je zastavit."

14

Prastrýc Joe sáhl do zásuvky u stolu a chvíli se v ní přehraboval. Pak něco vytáhl, rozbalil hedvábný papír a podal to Jaegerovi. „Původní odznak SAS. Bílá dýka, pod tím *ODVÁŽNÍ VÍTĚZÍ*. Naši parašutisté to nosili spolu s odznakem křídel, až se to spojilo a vznikla slavná okřídlená dýka dnešní jednotky. Jak sis nepochybně vyvodil, tvůj děda a já jsme sloužili v SAS. Bojovali jsme v severní Africe, ve východním Středomoří a nakonec v jižní Evropě. Na tom není nic až tak objevného. Ale pochop, chlapče, že naše generace o takových věcech nemluvila. Proto jsme měli insignie svých jednotek – a také své válečné historky – schované. Na podzim roku 1944, v severní Itálii, jsme oba utrpěli zranění," pokračoval prastrýc Joe. „Operace za nepřátelskými liniemi, léčka, krvavá přestřelka. Evakuovali nás do špitálu, nejdřív v Egyptě a potom následoval převoz do Londýna. Jak si dovedeš představit – žádný z nás netíhl právě k tomu, abychom se šetřili a v klidu zotavovali. Když se naskytla možnost hlásit se do supertajné jednotky – skočili jsme po ní."

Prastrýc Joe pohlédl na Jaegera a jeho oči nejistě zmatněly. „Tvůj děda a já jsme přísahali, že vše uchováme v tajnosti. Ovšem… ve světle toho všeho…" Mávl rukou na Jaegera a směrem k telefonu. „Tvůj děda měl vyšší hodnost, nakonec byl povýšen na plukovníka. V lednu 1945 byl jmenován velitelem Target Force. Já se stal jedním z jeho štábních důstojníků.

Nechápej to špatně, chlapče, o tomhle jsem ještě nikdy před nikým nemluvil. Dokonce ani před Ethel." Starý muž se na chvíli odmlčel, aby se ovládl. „Target Force byla jedna z nejuzavřenějších jednotek, co kdy vznikly. Proto jsi o nás nepochybně nikdy neslyšel. Měli jsme velmi specifické poslání. Úkol pátrat po nejvíce střežených nacistických tajemstvích: jejich válečné technologii, jejich *Wunderwaffe* – mimořádně pokročilých válečných strojích – a taky po jejich špičkových vědcích."

Když se teď starý muž rozmluvil, nezdálo se, že by chtěl v nejbližší době přestat. Slova se z jeho rtů jen hrnula, jako by zoufale toužil shodit ze sebe to břímě vzpomínek a tajemství.

„Měli jsme ty *Wunderwaffe* nacházet dřív než Rusové, ve kterých jsme spatřovali nové nepřátele – už tehdy to tak bylo. Dostali jsme ‚černý seznam' klíčových míst: továren, laboratoří, zkušebních areálů, aerodynamických tunelů, plus vědců a předních expertů, kteří nesměli za žádnou cenu padnout do ruských rukou. Rusáci postupovali od východu, byl to závod s časem. Závod, který jsme z velké části vyhráli."

„A takhle se děda dostal k tomu dokumentu?" vyzvídal Jaeger. Nemohl odolat, aby tu otázku nepoložil. „Ke zprávě o operaci Werwolf?"

„To není zpráva," zašeptal prastrýc Joe. „Je to operační plán. A nemáš pravdu. Dokument tak vysokého stupně utajení – zcela mimo záznamy, který se vynořil z černých hlubin – něco takového nebylo v naší kompetenci. Na to neměla nárok ani Target Force."

„No ale kde…" začal Jaeger.

Starý muž ho znovu mávnutím ruky umlčel. „Tvůj dědeček byl vynikající voják: nebojácný, inteligentní, morálně nezkorumpovatelný. Během služby u T Force si uvědomil něco, co bylo tak šokující, tak temné, že o tom mluvil jen velmi vzácně. Existovala totiž operace za T Force: operace, která se zrodila v temném světě. Jejím úkolem bylo unášet ty nejsledovanější a nejnepřijatelnější nacisty – absolutně nedotknutelné špičky – na místa, kde bychom z nich stále mohli profitovat. Je zbytečné říkat, že tvůj děda se zděsil, když se o tom dozvěděl. Způsobilo mu to šok." Prastrýc Joe se odmlčel. „Především si uvědomoval, jak je to špatné. Jak by nás to všechny zkorumpovalo, kdybychom si do svých obýváků vzali to nejhorší zlo. Byl přesvědčený, že před tribunálem v Norimberku by měli stanout všichni nacističtí váleční zločinci… Jenže teď jsme se pohybovali ve sférách, kde jsme byli zavázáni k absolutní mlčenlivosti." Střelil po Jaegerovi pohledem. „Mám porušit své slovo?"

Jaeger položil starému muži ruku na paži, aby ho uklidnil. „Strýčku Joe, už jen to, co jsi mi právě řekl, je mnohem víc, než jsem kdy věděl nebo doufal zjistit."

Prastrýc Joe ho poplácal po ruce. „Chlapče můj, cením si tvé trpělivosti i chápavosti. Tohle… není ani zdaleka snadné… Na konci války se tvůj děda vrátil do SAS. Vlastně žádná SAS už tehdy nebyla. Oficiálně byla rozpuštěna ihned po skončení války. A neoficiálně Winston Churchill – největší vůdce, jakého si země může vůbec přát – udržoval jednotku při životě, a já děkuji bohu, že to udělal. SAS byla vždycky Churchillovým dítětem," pokračoval.

„Po válce řídil jednotku tajně, mimo jakékoli záznamy, z jednoho hotelu v centru Londýna. Zřizovali tajné základny po celé Evropě. Jejich cílem bylo zlikvidovat nacisty, kteří unikli před zátahem, a vystopovat hlavně ty, kteří měli na svědomí strašná válečná zvěrstva. Možná už jsi slyšel o Hitlerově dekretu *Sonderbehandlung*, ne? Nařizoval předání všech zajatých členů spojeneckých speciálních sil do rukou SS za účelem ,zvláštního zacházení' – jinými slovy to bylo mučení a poprava. Stovky mužů zmizely v takzvané nacistické *Nacht und Nebel* – noci a mlze."

Prastrýc Joe se na chvíli ztišil. Ukazovalo se, že rozpomínání na temné časy ho stojí hodně sil.

„Churchillova tajná SAS se pustila po stopách nacistů, kteří stále byli na svobodě. Po stopách všech – bez ohledu na jejich hodnost či postavení. *Sonderbehandlung* vzešel od samotného Hitlera. Tvůj děda měl tedy políčeno na nejvyšší špičky nacistického režimu, a tím se dostal do konfliktu s těmi, kteří měli za úkol propašovat přesně tytéž lidi do bezpečí."

„Takže jsme vlastně bojovali sami mezi sebou?" podivil se Jaeger. „Jedna strana se snažila sprovodit to nejhorší zlo ze světa, zatímco druhá je chtěla zachránit?"

„Dá se to tak říct," potvrdil starý muž. „Dá se to opravdu tak říct."

„A jak dlouho to trvalo?" zajímal se Jaeger. „Ta dědova – Churchillova – tajná válka?"

„Myslím, že pro tvého dědečka nikdy neskončila. Až do dne, kdy byl... kdy zemřel."

„Takže všechny ty nacistické suvenýry," odvážil se Jaeger, „esesácké smrtihlavy, insignie werwolfů – on je získal během toho chytání?"

Strýček Joe kývl. „Ano. Trofeje, chceš-li. Každá vypovídá o nějaké temné vzpomínce, o vymýceném zlu. Tak jako by měli všichni ti zločinci zaplatit."

„A dokument Operace Werwolf?" naléhal Jaeger. „Na ten narazil taky tímto způsobem?"

„Možná. Pravděpodobně. To opravdu nemůžu říct." Stařec nejistě poposedl. „O tomhle vím velmi málo. A je zbytečné říkat, že jsem netušil, že tvůj děda uchovával výtisk. Nebo že ho předal tobě. Slyšel jsem o tom jen pouhou zmínku, jednou nebo dvakrát, a to ještě šeptem. Tvůj děda – ten nepochybně věděl víc. Avšak ta nejhlubší, nejtemnější tajemství si vzal s sebou do hrobu. Předčasně, musím říct."

„A *Reichsadler*?" zkoušel to Jaeger. „Co znamená tohle? Jaký to má význam?"

Prastrýc Joe se na něj dlouze zadíval. „Ta věc v tvém telefonu – to není obyčejný *Reichsadler*. Standardní nacistický orel spočívá nad svastikou." Starý muž znovu pohlédl na Jaegerův telefon. „Tento – je odlišný. Tomu kruhovému symbolu pod orlím ocasem je třeba věnovat zvláštní pozornost. Zachvěl se. „Jen jedna... organizace takový symbol někdy používala, a to až po válce, kdy svět domněle žil v míru a nacismus byl mrtvý a pohřbený..."

V pracovně bylo teplo, žár z kuchyňských kamen pronikal přes dveře do pracovny a udržoval ji vyhřátou, avšak Jaeger ucítil i tak, že se dovnitř vplížil ledový závan.

Prastrýc Joe vzdychl a v jeho očích se zračilo znepokojení. „Je zbytečné dodávat, že za posledních zhruba sedmdesát let jsem žádný neviděl. A byl jsem věru rád, že tomu tak je." Odmlčel se. „A je to. Teď se obávám, že jsem zašel příliš daleko. Jestli ano, tvůj děda i ostatní mi holt musí odpustit."

Chvíli mlčel. „Jsem nucen zeptat se tě na jednu věc: víš o tom, jak tvůj dědeček zemřel? Je to zčásti i důvod, proč jsem se přestěhoval sem. Bylo by pro mě neúnosné žít v místech, kde jsme jako děti bývali šťastní."

Jaeger pokrčil rameny. „Vím jen to, že nečekaně. Předčasně. Bylo mi teprve sedmnáct – takže pořád moc málo na to, aby mi někdo něco vysvětloval."

„A udělali správně, že ti to neřekli." Stařec se odmlčel a převracel odznak SAS v křehkých rukou. „Bylo mu sedmdesát devět. Zdravý jako rybička. A překypoval energií jako vždy. Říkali, že to byla sebevražda. Hadice zavedená okýnkem do auta. Motor běžel. Otrávil se zplodinami z výfuku. Prý pod tíhou traumatických vzpomínek na válku. Větší nesmysl jsem ještě neslyšel!"

V očích strýčka Joea se nyní mihl hořký hněv. „Nepřipomíná ti to nic? Hadice prostrčená okýnkem do auta? Určitě ano! Tvůj děda samozřejmě nebyl *Lebensunwertes Leben* – jeden z postižených, ‚život nehodný života', jak říkali nacisti."

Upřel zoufalý pohled na Jaegera. „Jaký lepší způsob pomsty by mohli vymyslet?"

Jaeger šlápl na plyn. Výkonný motor o objemu tisíc dvě stě kubických centimetrů chraplavě burácel jako nějaký soundtrack a motocykl Triumph ujížděl po opuštěné noční dálnici M6 na jih. Zato Jaeger v jeho sedle se necítil triumfálně ani zdaleka. Ve skutečnosti ho návštěva u prastrýce Joea pořádně rozrušila.

A nejvíc ho zasáhlo poslední odhalení.

Dědu Teda našli mrtvého v jeho autě plném výfukových zplodin, zjevně se tam udusil. Policie tvrdila, že příčinou smrti bylo s největší pravděpodobností sebepoškozování a sebevražda. V jeho levém rameni byl zřetelně vyrytý charakteristický obraz: říšský orel – *Reichsadler*.

Podobnosti se smrtí Andyho Smithe byly zneklidňující.

Ve srubu se Jaeger zdržel co možná nejdéle, než musel odjet pryč. Pomohl dovnitř Ethel, když se vracela z procházky. Poseděl s nimi u večeře z uzených sleďů. Vyprovodil je na kutě – prastrýc se mu zdál být unavenější a ustaranější, než ho znal. A potom už se omluvil a vyrazil na cestu.

Raffovi, Feaneymu a Carsonovi slíbil, že jim své rozhodnutí sdělí osobně, do osmačtyřiceti hodin. Minuty ubíhaly stále rychleji, zvlášť když si Jaeger udělal poslední zastávku před finálním dlouhým úsekem do Londýna.

Zanechal srub uprostřed zasněžených lesů v naději, že aspoň Joe a Ethel jsou na tom odlehlém místě v bezpečí. Jinak ovšem po celou tu dlouhou cestu na jih cítil, že ho ve tmě pronásledují přízraky minulosti.

Přízraky honící se v *Nacht und Nebel* – v noci a mlze.

15

„Smlsni si na těchhle!" Adam Carson hodil na stůl svazek leteckých fotografií.

Muž s ostře řezanými rysy a hranatou čelistí, bystrý intelekt, ztělesnění elegance, nadaný řečník – Carson se narodil prostě proto, aby v životě vítězil. Jaeger ho moc rád neměl. Jako velitele ho samozřejmě respektoval. Může mu však věřit? Tímhle si nebyl nikdy jistý.

„Cordillera de los Dios – Boží hory," pokračoval Carson. „Oblast velká skoro jako Wales – totálně neprozkoumaná džungle. Obehnaná masivními štíty – čtyři sta padesát, pět set metrů – a zahalená v mlze a dešti. Jsou tam divoké kmeny, vodopády vysoké jako katedrály, jeskyně, které se táhnou kilometry daleko, plus hluboké rokle a nebezpečné říční soutěsky. Nádavkem pravděpodobně i stádo tyranosaurů. Stručně řečeno, je to opravdu ztracený svět."

Jaeger listoval fotkami a pozorně si je prohlížel. „Musím uznat, že k náměstí Soho to má docela daleko."

„Na to vem jed." Carson postrčil směrem k Jaegerovi další sadu leteckých snímků. „A pokud máš ještě nějaké zbytky pochybností, prohlídni si tyhle. Není překrásná? Tajuplná, temná, smyslná krása zvířete. Vzdušná siréna, co nás vábí za závojem tří tisíc kilometrů džungle, nemluvě vůbec o závoji let."

Jaeger se zaměřil na fotografie. Záhadný vrak letadla spočíval uprostřed moře smaragdové zeleně, o to nápadnější, že les v jeho bezprostřední blízkosti byl vybělený, bílý jako sníh. Mrtvý. Bezlisté větve trčely k nebi jako prsty nespočetných koster; mrtvola džungle, obnažená a obraná na kost.

„Kosti lesa,“ zašeptal Jaeger a ukázal na odumřelou oblast všude v okolí záhadného letadla. „Tušíš, co to způsobilo?“

„Vůbec ne.“ Carson se usmál. „Musí to být něco pěkně toxického, potenciálních kandidátů je hned několik. Budete mít obleky proti jaderné, biologické a chemické hrozbě. K tomu samozřejmě respirátory. Budete potřebovat pořádnou ochranu – tedy, pokud do toho půjdeš.“

Jaeger rýpnutí ignoroval. Věděl, že na jeho odpověď čekají všichni. Osmačtyřicet hodin vypršelo. Proto se taky sešli tady, v luxusních kancelářích Wild Dog Media na náměstí Soho – Adam Carson, hrstka televizních manažerů plus tým Enduro Adventure.

Vypadalo to, že každý, kdo v televizi něco znamená, musí mít základnu ve čtvrti Soho, nablýskaném kousku centrálního Londýna, kde se sešly významné a uznávané osobnosti ze světa médií. Pro zlatokopa Carsona bylo typické, že si apartmá pro kanceláře najal přímo na náměstí Soho.

„Letadlo vypadá pozoruhodně zachovale,“ podotkl Jaeger. „Skoro jako by tam přistálo. Tuší někdo, kam letělo, odkud a ve kterém roce?“

Carson k němu přistrčil třetí štos fotografií. „Detailní záběry výsostných znaků. Jak uvidíš, jsou dost ošlehané a vybledlé, ale zdá se, že se honosilo barvami amerického letectva. Když vezmu to, jak jsou zašlé, musí tam ležet několik desetiletí… Všichni mají podezření, že je to letadlo z druhé světové války. Ovšem pokud je to pravda, tak je to něco naprosto jedinečného: fenomén, který o desítky let předběhl svou dobu.“

„Porovnejte si to s C-130 Hercules.“ Carson se krátce podíval na televizní manažery. „C-130 je moderní dopravní letadlo, které používá většina ozbrojených sil NATO. A naše záhadné letadlo měří od přídě po ocas třicet tři a půl metru, C-130 má dvanáct metrů – takže je skoro třikrát delší. Navíc má šest motorů, oproti čtyřem u C-130, a taky mnohem větší rozpětí křídel.“

„Takže mohlo unést i mnohem těžší náklad?" zeptal se Jaeger.

„Mohlo," potvrdil Carson. „Jediné aspoň vzdáleně srovnatelné spojenecké letadlo z druhé světové války je Boeing B-29 Super-fortress, typ, co shodil atomové bomby na Hirošimu a Nagasaki. Jenže tohle letadlo má úplně jiný tvar – daleko víc aerodynamický a proudnicový –, navíc B-29 byl oproti němu asi poloviční. A to nám celou záhadu jen umocňuje: co je to sakra za ďábelský stroj?"

Carson ještě roztáhl rty v úsměvu. Dodalo mu to sebevědomí, působil až trochu namyšleně. „Té krásce se začalo říkat ‚Poslední velká záhada druhé světové války'. A je to vskutku tak." Teď už se zcela vpravil do role řečnícího obchodníka, který ohromuje posluchače. „No a my jen potřebujeme toho správného chlapa, aby misi vedl." Ukázal na Jaegera. „Jsi připraven? Jdeš do toho?"

Jaeger přelétl pohledem tváře, které se shromáždily okolo něj. Carson: naprosto sebejistý, že získal svého člověka. Raff: neproniknutelný jako vždycky. Feaney: tvář prozrazující starosti, vždyť na tomto podniku závisel osud Enduro Adventures. Plus nejrůznější televizní manažeři. Muži po třicítce, nedbale – trendově? – oblečení, očividně nervózní z toho, že je v ohrožení jejich velkolepá televizní show.

A potom tam byl ještě pan Simon Jenkinson, archivář. Už překročil padesátku a byl z celé té party očividně nejstarší. Svým vzezřením připomínal hibernujícího medvídka kynkažu – zježený plnovous, brýle jako popelníky a tvídové sako rozežrané od molů. Zasněná mysl plující vysoko v oblacích.

„A vy, pane Jenkinsone," oslovil ho Jaeger. „Pokud vím, jste tady jako expert, že? Jste členem LAAST – archeologické nadace zabývající se hledáním ztracených letadel – a taky odborník na všechno, co souvisí s druhou světovou válkou. Neměli bychom si poslechnout, co si o tom vraku myslíte vy?"

„Kdo? Já?" Archivář se rozhlížel, jako kdyby se probral z dlouhého spánku. Jeho licousy znepokojeně zacukaly. „Já? Chcete si mě poslechnout? To raději ne. Nejsem moc dobrý řečník ve skupinových debatách."

Jaeger se dobromyslně zasmál. Ten chlapík se mu ihned zalíbil. Oceňoval na něm, že nic nepředstírá, že není lstivý.

„Máme trochu naspěch," vložil se do řeči Carson a rozhlédl se po manažerech. „Dává smysl mluvit s archivářem, když jsme právě řešili klíčový bod jednání – jestli do toho půjdete, nebo ne?"

„Kdykoli se o něčem rozhoduji, chci, aby to bylo informované rozhodnutí," namítl Jaeger. „Takže pane Jenkinsone, prosím o váš nejlepší odhad. Co to může být?"

„No, ehm – mohu-li být tak smělý…" Archivář si odkašlal. „Existuje jedno letadlo, které odpovídá těmto specifikacím. Junkers Ju-390. Samozřejmě německé. Shodou okolností oblíbený Hitlerův projekt. Tento letoun měl být v čele plánu Bombardér pro Ameriku. Ke konci války to byl Hitlerův program transatlantických bombardovacích letů proti Americe."

„Opravdu?" vyzvídal Jaeger. „New York? Washington? Byla tato města někdy bombardována?"

„Zprávy o takových misích existují," přisvědčil Jenkinson. „Ačkoli žádnou se nepodařilo stoprocentně ověřit. Stačí však říci, že Ju-390 měl specifikace na to, aby ji mohl vykonat. Pyšnil se technickým řešením umožňujícím doplňování paliva za letu. A piloti v něm byli vybaveni špičkovým zařízením pro noční vidění Vampir, které udělalo z noci téměř den – což značí, že mohli startovat a přistávat v naprosté tmě."

Jenkinson poklepal prstem na jednu z leteckých fotografií. „A podívejte se na tohle: Ju-390 nesl nad trupem kupoli, umožňující pozorování hvězdné oblohy. Posádka mohla létat na obrovské vzdálenosti díky navigaci podle hvězd, aniž by musela spoléhat na radar nebo vysílačku. Byl to zkrátka ideální bojový letoun pro podnikání tajných, nevystopovatelných letů přes půlku světa. Takže ano, kdyby chtěli shodit nervový plyn sarin na New York, bylo by to docela dobře možné díky vlastnostem tohoto letadla." Jenkinson se nervózně rozhlížel po místnosti.

„Ehm… pardon. Ta poslední věc. Ta věc o sarinu na New York… Tady jsem se nechal trochu unést. Pořád mě sledujete?“

Ostatní souhlasně pokývali hlavami. Simon Jenkinson ke svému překvapení zjišťoval, že posluchači jsou jeho výkladem zcela uchváceni.

„Nakonec těch Ju-390 nevyrobili ani tucet,“ pokračoval. „Nacisté prohráli válku naštěstí dřív, než se mohl projekt Bombardér pro Ameriku stát děsivou skutečností. Zvláštní však je, že žádný z Ju-390 nebyl nikdy vypátrán. Na konci války prostě… zmizely. Pokud to skutečně je Ju-390, bude zřejmě první.“

„Tušíte, co by mohl německý bojový letoun dělat v samém srdci Amazonie?“ naléhal Jaeger. „A ke všemu pomalovaný americkými výsostnými znaky?“

„Nemám ponětí.“ Archivář se omluvně pousmál. „Vlastně se musím přiznat, že právě tímhle se při svém bádání v uzavřených trezorech zabývám. Nenašel jsem jediný záznam o tom, že by někdy takové letadlo letělo do Jižní Ameriky. A pokud jde o výsostné znaky letectva Spojených států, inu, nad tím zůstává rozum stát.“

„A kdyby takový záznam existoval, už byste ho našel?“ vyzvídal Jaeger.

Archivář přikývl. „Jak to tak vidím, půjde o letadlo, které nikdy nebylo. Let duchů.“

Jaeger se usmál. „Chcete něco slyšet, pane Jenkinsone? Vás je na práci v archivech škoda. Měl byste spřádat teorie v televizních pořadech.“

„Letadlo, které nikdy nebylo,“ opakoval Carson užasle. „Let duchů. Skutečně geniální. Wille, nemáš teď o to větší chuť jít na tu misi?“

„Mám,“ potvrdil Jaeger. „Takže mám ještě jednu poslední otázku a jednu podmínku. Pak už asi budu všemi deseti pro.“

Carson vstřícně rozpřáhl paže. „Tak spusť!“

Jaeger upustil otázku do místnosti jako bombu. „Andy Smith – nějaké zprávy o tom, proč byl zavražděn?“

Carsonova tvář zůstala jako neproniknutelná maska. Jen nepatrné škubnutí obličejového svalu prozradilo, jak ho ta otázka znervóznila. „Podle prohlášení policie šlo o smrt nešťastnou náhodou nebo sebevraždu. Tato událost sice jistě vrhá stín na celou výpravu, ale my se z ní vzpamatujeme a směle půjdeme vpřed." Vteřinka. „A ta podmínka?"

Jaeger místo odpovědi položil na stůl složku a posunul ji k němu. Obsahovala řadu lesklých brožurek a na obálce každé z nich zářila supermoderní vzducholoď. „Dnes dopoledne jsem navštívil hangár letecké základny Cardington Field v Bedfordu. Sídlí tam vedení Hybrid Air Vehicles. Asi budeš znát Stevea McBridea a ostatní lidi z firmy."

„McBride? Ale ano, samozřejmě," přisvědčil Carson. „Schopný, solidní podnikatel. Co tě do HAV přivedlo?"

„McBride mě ujistil, že mohou poskytnout Heavy Lift Airlander 50 – jejich největší stroj –, aby se zdržoval na oběžné dráze nad tím úsekem Amazonie." Jaeger se obrátil k televizním manažerům – dva z nich byli Britové a třetí, finančník, Američan. „Stručně řečeno, Airlander 50 je moderní vzducholoď. Naplněná heliem, nikoli vodíkem, takže se jedná o naprosto inertní plyn. Jinými slovy, není to žádný Hindenburg – nemusíte se bát, že exploduje v moři plamenů. Sto dvacet metrů dlouhý a šedesát metrů široký Airlander," pokračoval Jaeger, „je určen ke dvěma účelům. Za prvé: trvalý dohled nad širokou oblastí – drží hlídku a sleduje, co se dole děje. Za druhé: zvedání těžkých nákladů."

Odmlčel se. „Airlander unese náklad o váze šedesát tisíc kilogramů. McBride odhaduje, že válečný letoun takových rozměrů bude vážit zhruba polovinu, tedy nějakých třicet tisíc kilo – a pokud je v něm nějaký náklad, mohlo by se to vyšplhat až na padesát tisíc. Nasadíme-li Airlander 50, může nad námi držet stráž a my to letadlo vyzvedneme celé naráz."

Americký televizní manažer bouchl nadšeně do stolu. „Pane Jaegere – Wille –, pokud říkáte, co si myslím, že říkáte, je to prostě úžasný návrh. Úžasný! Když do toho, hoši, půjdete, najdete tu věc, zajistíte ji a celou ji vyzvednete na jeden zátah – hergot, tak zdvojnásobíme náš vklad do rozpočtu výpravy. A opravte mě, jestli se mýlím, Carsone, ale my tady máme majoritní podíl, že?"

„Máte, Jime," potvrdil Carson. „Využijme tedy Airlander! Jestliže McBride tvrdí, že to bude fungovat, a vy budete tak hodní a pokryjete ty dodatečné náklady, tak nejenže to letadlo najdeme, ale rovnou ho přivezeme domů!"

„Mám dotaz," ozval se jeden z britských manažerů. „Pokud se tenhle Airlander, jak říkáte, může vznášet nad džunglí a vyzvednout to letadlo, proč by vás, hoši, nemohl spustit přímo na něj? Chci říct, že dosavadní plán počítá s vysazením v džungli na padáku několik dní cesty od cíle a s cestou po souši tam. Nemohl by vás Airlander ušetřit všech potíží?"

„Dobrá otázka," odvětil Carson. „A tři důvody, proč to nepůjde. Za prvé: nejde vysadit tým přímo na místo, kde je přítomna neznámá toxická hrozba. To by hraničilo se sebevraždou. Přesunete se tam z bezpečné lokality, abyste hrozbu identifikovali a vyhodnotili. Za druhé: podívejte se na terén nad vrakem. Je to masa mrtvých, polámaných, členitých větví. Kdybychom tým vysadili nad nimi, hned půlku lidí ztratíme, protože se nabodají na haluze.

A za třetí," Carson kývl na manažera americké televizní společnosti, „Jim chce seskok na padácích, aby měl dramatičtější show – něco pro kamery. To znamená vysazení na čistém, otevřeném, bezpečném území. Proto musejí postupovat podle původního plánu a využít přistávací plochu, kterou se nám podařilo identifikovat."

16

V zasedací místnosti se podával brzký oběd. Cateringová společnost přinesla tácy obložené studeným občerstvením, každý tác byl potažený průhlednou folií. Jaegerovi stačil jeden pohled a řekl si, že nemá hlad. Prodral se na druhou stranu sálu a podařilo se mu dostrkat archiváře do kouta, kde měli jakés takés soukromí.

„Zajímavé," poznamenal Jenkinson. Právě studoval kousek suši, jenž vypadal obzvlášť gumově. „Udivuje mě, jak se to celé stane, že nakonec jíme jídlo bývalého nepřítele… Já si do archivů beru vlastní sendviče. Vyzrálý čedar a pikantní nakládaná zelenina Branston."

Jaeger se usmál: „Mohlo by to být i horší – třeba by nám mohli servírovat kysané zelí – *Sauerkraut.*"

Teď se pro změnu zachichotal Jenkinson. „Trefa! Víte, jedna moje část vám skoro závidí, že jedete hledat to záhadné letadlo. Já bych vám byl v terénu samozřejmě k ničemu. Ale chci říct – vy budete psát dějiny. Žít je. Jak nevšední!"

„Mohl bych vám najít v týmu místo," navrhl Jaeger a do jeho hlasu se vloudil rošťácký podtón. „Bude to moje podmínka účasti na výpravě."

Archivář se začal dusit kouskem syrové ryby. „Jejda. Pardon. Stejně je to odporný." Zabalil to do papírového ubrousku a odložil na nejbližší poličku. „Ne, ne, ne, ne, ne – v těch mých trezorech je mi po čertech dobře."

„Když už mluvíme o trezorech…" zamyslel se Jaeger. „Zkuste jen na chvilku zapomenout na to, co víte s absolutní jistotou. Jde mi jen o nějakou hypotézu, ryzí dohady. Z toho všeho, co jste viděl a slyšel, co by podle vás mohlo to záhadné letadlo být?"

Jenkinsonovy oči za tlustými skly nervózně ucukly. „Do dohadů se obvykle nepouštím. Není to zrovna moje parketa. Ale když už se ptáte… Určitý smysl dávají jen dva možné scénáře. Za prvé, je to Ju-390 a nacisté ho pomalovali americkými výsostnými znaky, aby se nepozorovaně proplížil. A za druhé, jde o supertajný americký bojový letoun, o jakém nikdo nikdy neslyšel."

„A který scénář je pravděpodobnější?" naléhal Jaeger.

Jenkinson upřel pohled na promaštěný ubrousek, ležící na polici. „Druhá možnost je asi tak stejně pravděpodobná jako to, že si někdy oblíbím suši. První možnost: divil byste se, jak byly tyhle machinace běžné. Ukořistili jsme jejich letadla, oni ukořistili naše. Pomalovali jsme je nepřátelskými barvami a uchylovali se ke všem možným lstím. A oni to dělali podobně."

Jaeger povytáhl jedno obočí. „Budu to mít na paměti. A teď bych trošku změnil téma. Mám pro vás hádanku. Rébus. Pochopil jsem, že na dobré rébusy si potrpíte – ale byl bych rád, kdyby tenhle zůstal jenom mezi námi, souhlasíte?"

„To jsem vždycky nejšťastnější, když řeším nějaký pořádný rébus," potvrdil Jenkinson a v očích mu zajiskřilo. „Zvlášť takový, který pak musím uchovat v přísné tajnosti."

Jaeger ztišil hlas. „Dva staří muži. Veteráni druhé světové války. Sloužili v tajných jednotkách. Všechno velmi utajené a rafinované. Oba mají zdi pracovny od podlahy po strop ověnčené válečnými upomínkami. Ale: oba mají na stole obskurní starý rukopis, napsaný naprosto nesrozumitelným jazykem. Otázka zní – proč?"

„Myslíte, proč má každý jeden?" Jenkinson si mnul zamyšleně plnovous. „Není tam žádný důkaz o nějakém širším zájmu? Nějaké referenční příručky? Nějaké podobné texty? Rozsáhlejší, dlouhodobější studium dotyčného jevu?"

„Nic. Jen jedna kniha. To je vše. Leží na stole v pracovně obou těch mužů."

Jenkinsonovy oči se jen třpytily. Očividně si v tom liboval. „Existuje něco jako knižní kód." Z kapsy saka vytáhl starou obálku a začal psát. „Krása spočívá v jeho absolutně čisté jednoduchosti. A taky v tom, že je naprosto neprolomitelný – pokud samozřejmě náhodou nevíte, na jakou knihu se dotyčný člověk odvolává."

Napsal napohled náhodnou sekvenci čísel: 1.16.47/5.12.53/ 9.6.16/21.4.76/3.12.9.

„A teď si představte, že vy a ten další člověk vlastníte každý stejné vydání knihy. On nebo ona vám pošle tahle čísla. Začněme první sekvencí, 1.16.47: najdete si první kapitolu, stranu šestnáct, řádek čtyřicátý sedmý. Začíná písmenem I. Dále je tu kapitola pět, strana dvanáct, řádek padesát tři: začíná písmenem D. Kapitola devět, strana šest, řádek šestnáct: začíná opět písmenem I. Kapitola dvacet jedna, strana čtyři, řádek sedmdesát šest: O. Kapitola tři, strana dvanáct, řádek devět: T. Když si to poskládáte všechno dohromady, co dostanete?"

Jaeger písmena hláskoval: „I-D-I-O-T. Idiot."

Jenkinson se rošťácky usmál. „To jste řekl vy."

Jaeger se musel chtě nechtě zasmát. „To je ale legrační. Právě jste si zrušil pozvánku do Amazonie."

Jenkinson se potichu chichotal a přitom se mu natřásala ramena. „Promiňte. Bylo to prostě první slovo, které mě napadlo."

„Pozor na slova. Kopete si stále hlubší hrob." Jaeger se na chviličku odmlčel. „Řekněme však, že ta kniha je napsána neznámým jazykem i abecedou. Jak to potom může fungovat? Přece by takový kód musel být pak nefunkční."

„Nemusel, pokud máte použitelný překlad. Bez překladu byste měl slovo o pěti písmenech, které by bylo naprosto nesrozumitelné. Bez překladu by to byl čirý nesmysl. Ovšem s překladem přibude do kódování další vrstva, to je celé. Oba jedinci musí mít samozřejmě k dispozici obě knihy, aby mohli vzkaz rozluštit. To už ale zavání genialitou, mám-li říci pravdu."

„Je možné takový kód rozluštit?"

Jenkinson zakroutil hlavou. „Jen velmi obtížně. Je to téměř nemožné. V tom je právě ta krása. Musíte vědět, na které dvě knihy se ti dva odkazují, a v tom případě musíte mít přístup i k překladu. Díky tomu je to prakticky nerozluštitelné – ledaže byste ty dva starce chytil a vymlátil to z nich nebo by vám to řekli na mučidlech."

Jaeger si archiváře zvědavě prohlížel. „To už zacházíte trochu daleko, pane Jenkinsone. Ale díky za vaše cenné postřehy. A pokračujte v pátrání po stopách našeho záhadného letu." Na zadní stranu Jenkinsonovy obálky napsal svůj e-mail a telefonní číslo. „Budu se těšit na zprávy o vašich i sebemenších objevech."

„Spolehněte se." Jenkinson se usmál. „Moc rád jsem se po dlouhé době potkal s někým, kdo umí projevit skutečný zájem."

17

„Dvousměrné zrcadlo," prohlásil Carson. „Používali jsme ho k hodnocení, které postavy nejvíc zapůsobí na většinu televizních diváků. Nebo taky nejmíň, tak to říká podělaná teorie."

Stáli s Jaegerem v zešeřelé místnosti před dlouhou, na první pohled skleněnou zdí. Na druhé straně si skupina lidí pochutnávala na studeném občerstvení, které měli k obědu. Očividně netušili, že je u toho někdo sleduje. Upovídaný Carson mezitím změnil způsob vyjadřování. Vpravil se teď do stylu, který zřejmě pokládal za vojenskou mluvu kámoše s kámošem.

„Nevěřil bys, jakejma sračkama jsem si musel projít pří skládání tohohle týmu," pokračoval. „Televizní manažeři – ti chtěli jen samý exoty, lesk a pastvu pro oči. Materiál nejvyšší oblíbenosti, jak říkali. A já jsem chtěl bývalý vojáky, týpky, co mají aspoň minimální šanci, že to zmáknou. A výsledkem je tahleta podělaná sebranka," škubl ledabyle palcem směrem ke sklu.

Jaeger ukázal na tácy se sendviči, kterými se expediční tým cpal jako o závod. „A proč nedostanou to odporný –"

„Suši? To je výsada nás manažerů," přerušil ho Carson zachmuřeně. „To my dostáváme nehorázně drahý, nestravitelný žrádlo. Takže tě teď představím týmu a pak navrhnu, abys na úvod řekl pár pěknejch a roztomilejch slov."

Ukázal přes sklo na jednu postavu. „Velkej chlap. Joe James. Novozélanďan. Bývalej příslušník ,kiwi' SAS. Přišel tam o spoustu kámošů, trpěl posttraumatickou stresovou poruchou, proto ty dlouhý mastný vlasy a vousy jako Usáma bin Ládin. Vypadá jako motorkář zkříženej s bezdomovcem, manažeři od televize takový typy samozřejmě milujou. Ale jak se říká, nikdy nesuď podle zevnějšku. Pořád je to houževnatej a mazanej chlap, nebo se to o něm aspoň říká."

„Dvojka: vyrýsovanej černej maník. Lewis Alonzo. Bývalej příslušník SEAL, americký námořnictvo. Toho času maká jako bodyguard, ale chybí mu nával adrenalinu z boje. Proto se taky hlásí do týhle akce slibující povyražení. Asi nejspolehlivější chlap, jakýho máš. Za žádnou cenu o něj nesmíš v Amazonii přijít. Jak prohlásil ten Amík na poradě, mají při tomhle natáčení majoritní podíl. Potřebujou v týmu Američany – nejlíp takový, co předvedou pár světoborných hrdinských kousků, aby zapůsobili na americký publikum.

„Trojka: velkou část rozpočtu vysolila francouzská stanice Canal Plus, proto ta šmrncovní francouzská křepelka. Sylvie Clermontová. Sloužila u nešťastně pojmenovanýho útvaru CRAP – *Commandos de Recherche et d'Action en Profondeur*. Představ si to jako SAS bez slovíčka „speciální". Během testů na Skotský vysočině nosila jen hadry značky Dior. A taky v nich vypadala po čertech fajnově. Zřejmě moc často nepere – to francouzský křepelky nemají ve zvyku –, ale myslím, že tohle bych jí v klidu odpustil…"

Carson se zasmál vlastnímu vtipu. Podíval se na Jaegera, jako by čekal, že se bude bavit spolu s ním. Odměnou mu nebyl ani náznak úsměvu. Protože měl hroší kůži, jen pokrčil rameny a bez jediného zaváhání pokračoval dál.

„Čtyřka: chlap asijskýho vzezření. Hiro Kamiši – volba japonský společnosti NHK. Hiro jménem, geroj povahou. Bývalej kapitán Tokuša Sakusen Gun – japonských speciálních sil. Myslí si o sobě, že je novodobej samuraj, válečník na vyšší cestě. Udělal si jméno jako válečnej historik, hlavně přes japonskou vinu za druhou světovou válku. Já osobně nevím, proč by měli ještě cítit vinu. My jsme vyhráli. Oni prohráli. Tečka."

Carson se znovu zasmál vlastnímu vtipu a už se ani neobtěžoval hledat u Jaegera podporu. Svým chováním to říkal jasně:

tuhle show řídím já a budu si říkat, co se mi sakra zlíbí, a bude se mi líbit, co sakra říkám.

„Pětka a šestka: párek dlouhovlasých chlapíků, co se sotva začali holit – Mike Dale a Štefan Král. Australan a Slovák. Jsou z kameramanskýho týmu Wild Dog Media, takže si s nima nemusíš dělat starosti. Makali v odlehlých a konfliktních oblastech a měli by být schopní se o sebe postarat. Pozitivní na tom je, že budou natáčet show a neměli by se ti plést do cesty. Negativní stránka: vzhledem ke svýmu věku bys už skoro mohl být jejich fotr."

Carson se zařehtal. Očividně si tenhle vtípek cenil jako nejlepší.

„Sedmička: Peter Krakow. Polsko-německýho původu. Hýčkaná volba německý společnosti ZDF. Krakow je bývalej člen GSG9. Co ještě k tomu říct? Je to skopčák. Charakter jako roubenka a smysl pro humor asi jako červ. Prostě ten zasmušilej, tělem i duší germánskej typ. Pokud je to vznášedlo německý, můžeš si být jistej, že ti to Krakow bude v jednom kuse připomínat.

Osmička: rajcovní hispánská kočička. Leticia Santosová – vnutila nám ji parta objímačů stromů. Brazilská *chica* teď pracuje pro FUNAI, brazilskou vládní agenturu pro amazonský indiány. Předtím sloužila u B-BSO – speciálních jednotek tvýho kámoše plukovníka Evandra. Teď má novou mantru: objímat amazonský indiány. Z celý mise ovšem osoba, která má nejblíž k plukovníkovi.

A konečně číslo devět – předstup, prosím, tvůj čas se naplnil! Kéž by. Jo, mluvím o tý překrásný blondýně. Neskutečně rajcovní. Irina Narovová. Bývalá důstojnice ruský Spetsnaz, teď má americký občanství a žije v New Yorku. Narovová je super. Mimořádně schopná. Od pohledu jednoznačně pohodářka. Jo, a nikdy ji nepotkáš bez jejího nože. Nebo jinak než nasranou. Je zbytečný dodávat, že televizní manažeři ji milujou. Mají totiž spočtený, že Narovová vyžene sledovanost do závratných výšin."

Carson se otočil k Jaegerovi. „S tvou milou maličkostí nám to dělá deset lidí. Tak co na to říkáš? Tým, pro kterej stojí za to umřít, co?"

Jaeger pokrčil rameny. „Zřejmě je už pozdě na to, abych si to rozmyslel a vycouval?"

Úsměv rozdělil Carsonovu tvář od ucha k uchu. „Věř mi, že tomu nakonec propadneš. Seš ten ideální charakter, kterej z nich vymodeluje soudržnej tým."

Jaeger si odfrkl. „Ještě jedna věc. Chtěl bych Raffa jako svého zástupce. Spolehlivé ruce, které podpoří akci a pomůžou mi zvládnout tuhle bandu bláznů."

Carson zakroutil hlavou. „Obávám se, že tohle není v mé moci. Jako voják k ruce vojáka tu samozřejmě nikdo lepší není. Ale jinak to není právě nejerudovanější chasník. Ani od pohledu pohodář. Televizní manažeři naprosto jednoznačně trvají na téhle sestavě. To znamená, že teď máš jako svoji pravou ruku honorární Američanku – rozkošnou Irinu Narovovou."

„To je podmínka?"

„Jo. Buď ta blonďatá sexbomba, nebo máš padáka."

Jaeger se otočil k dvousměrnému zrcadlu a dlouho si Irinu Narovovou prohlížel. Měl přitom zvláštní pocit, že ona o tom nějak ví – jako by dokázala vycítit, že ji přes zrcadlo propaluje pohledem.

18

S vítalo.

Blížila se doba, kdy Lockheed Martin C-130J Super Hercules nažhaví motory a vzlétne k obloze. Zbytek Jaegerova týmu byl už uvnitř. Naložený a přichystaný vyrazit. Členové seděli připoutaní na skládacích plátěných sedadlech, napojení na palubní kyslíkový dýchací systém. Psychicky se připravovali na další fázi výpravy – skok ze střechy světa do neznáma.

Byla to chvíle, kterou si Jaeger vyhradil pro sebe. Chvíle předtím, než započne mise – či v tomto případě expedice, jaká se naskytne jednou za celý život.

Byli připraveni rozjet to na plné obrátky.

Svítila jim zelená. Konečně mohou vyrazit.

Už není cesty zpět.

Navzdory vší logice byli odhodlaní zvítězit.

Tak vypadaly poslední minuty předtím, než začne naplno boj o přežití. Jaeger se na dráze vzdálil o několik kroků, aby měl pár vteřin soukromí – nepochybně to bude naposledy v dlouhém sledu dnů a týdnů, které je čekaly. Dělával to tak, když sloužil jako elitní voják. A udělal to tak i teď, když se chystal vést expedici hluboko do nitra Amazonie.

Odlétali z brazilského letiště Cachimbo v samém srdci Serra do Cachimbo – Pohoří dýmky. Leželo ve stejné vzdálenosti od Ria de Janeira na atlantickém pobřeží a od vzdálených amazonských končin na západě. Byl to zkrátka ideální bod v polovině cesty k jejich zamýšlenému cíli.

Už skoro zapomněl, jak je Brazílie obrovská a jak rozlehlá je amazonská nížina. Nějakých dva tisíce kilometrů východně od

Cachimba leželo Rio de Janeiro a dalších dva tisíce kilometrů na západ, v nejzazších končinách deštného pralesa, se nacházelo záhadné válečné letadlo. A prakticky všude mezi tím se prostírala hustá džungle.

Letiště Cachimbo, vyhrazené výlučně pro vojenské operace, představovalo ideální bod pro přistání před vstupem do opravdového ztraceného světa. Plukovník Evandro, velitel B-BSO, vydal jako bonus zákaz filmování před odletem letadla. Prohlásil, že vzhledem ke všem speciálním misím, které řídí z Cachimba, je to příliš citlivá záležitost. Ve skutečnosti to učinil na žádost Jaegera, na nějž šly mdloby při představě, že bude mít čtyřiadvacet hodin denně sedm dní v týdnu před nosem kameru.

Kameramani trávili s expedičním týmem už celé dva týdny a snažili se všechno natočit: každý okamžik dne a hlavně každý i sebemenší náznak možného dramatu. Jaeger na to neustálé obtěžování a dotěrnost nebyl ani zdaleka zvyklý.

Jako by to nestačilo, musel se vypořádávat s Irinou Narovovou – svou údajnou zástupkyní a z jeho pohledu i hlavní podezřelou v případu vraždy Andyho Smithe. Zatímco zbytek týmu dával Jaegerovi svým chováním najevo, že jeho přítomnost vítá, Narovová se prakticky nesnažila své nepřátelství skrývat.

Blonďatá ruská sexbomba nesla Jaegerovu přítomnost nelibě od samého počátku a jemu už ty protivné manýry začínaly lézt na nervy. Skoro jako by čekala, že po odstranění Andyho Smithe povede všechno ona, a teď se jejím ambicím stavěla do cesty další nepříjemnost.

Jaegera pořád bolely prsty na rukou a nohou, upomínka na milé zacházení ve vězení Black Beach. Utáhl si kolem nich obvazy a počítal s tím, že díky své kondici všechno nějak zvládne – jen pokud se bude vyhýbat Narovové, která za jeho zády pokaždé vytáhla svůj neodmyslitelný nůž. Jejímu nepřátelství zatím na kloub nepřišel, věřil však, že v tavicím kotli džungle vše nakonec vyjde najevo.

Jeho pozornosti neušla ještě další dynamická síla, která s expedicí hýbala. Mezi Leticií Santosovou, brazilskou členkou týmu, a Irinou Narovovou přeskakovaly od samého začátku jiskry. Jaeger usoudil, že jde o klasický příklad, kdy se dvě krásné ženy jako dva kohouti, či spíše dvě kočky, nemohou snést na jednom smetišti.

Jedna jeho část si však nemohla pomoct. Tušil, že příčinou jejich vzájemné nevraživosti a napětí je z nějakého důvodu on sám.

Raději tu myšlenku zapudil a soustředil se na přítomnost. V noci pršelo a on teď cítil charakteristickou vůni svěžího, chladivého tropického lijáku, který smočil rozpálenou, sluncem sežehnutou zem. Byla nezaměnitelná. A přenesla ho zpátky do doby, kdy poprvé zavítal „mezi stromy", jak u SAS vždycky nazývali džungli.

Výcvik v džungli tvořil základní součást výběrového kurzu SAS – tuto brutální zkoušku musel podstoupit a složit každý voják, než ho do jednotky přijali. A Jaeger si od prvního dne mezi stromy uvědomoval, že je se životem džungle od přírody spjatý. Právě hustý podrost, bláto a déšť v něm musely tu strunu rozeznít – a připomenout mu, jak se kdysi s tátou často potloukali pod širým nebem. Má-li člověk přežít nekonečné dny v blátě, dešti a tísnivém prostředí nízké džungle, musí improvizovat. A Jaegera odjakživa velmi bavilo, když mohl za pochodu vymýšlet všelijaké triky a zvládat náročné situace.

Zavřel oči a zhluboka dýchal. Jeho plíce se plnily vlhkým, zatuchlým, zemitým vzduchem.

V takové chvíli se pokaždé vyladil na svůj vnitřní hlas, šestý smysl bojovníka.

Naslouchal mu vždycky. Už od těch dob, kdy jako malý šplhal po kopcích ve venkovském Wiltshiru, kde bydleli, nebo tábořil o víkendech v lese a přežíval díky svému důvtipu a dovednostem.

Pod otcovým vedením se učil chytat pstruhy holýma rukama – jemně prsty pročesával zvlněnou vodu a pomalu přejížděl po jejich studených, šupinatých tělech. Tímto způsobem je „lechtal", až se podvolili, a pak je bleskurychle vyhazoval na říční břeh. Naučil se líčit oka na králíky a stavět vodotěsnou *bašu* – kryt – z toho, co člověk našel v běžném britském lese.

Už tehdy se ukázalo, že vnitřnímu hlasu stojí za to věnovat pozornost – upomínal ho totiž na přirozený řád, který v divočině panuje. A v pozdějších letech mu tentýž instinkt už jako elitnímu vojákovi sloužil k tomu, aby zocelil jeho duši. Během „důstojnického týdne" při výběru do SAS postupoval v rozporu se záměry všech ostatních kandidátů a vysloužil si tak všeobecný výsměch – ovšem vnitřní hlas důrazně trval na svém a on mu věřil. A nakonec se ukázalo, že měl pravdu. Stal se jen jedním ze dvou důstojníků, kteří v té kruté zimě zkoušku složili.

Onen vnitřní hlas mu vždycky pomáhal se soustředit.

Tedy až do této chvíle, měl by možná říct.

Tenhle podnik Jaegera z nějakého zvláštního důvodu velice děsil, což nedávalo ani trošku smysl. Blížící se expedice nebyla přece žádná mise hluboko v týlu nepřítele, kde by měli operovat proti početní přesile s větší palebnou silou. Jaeger nedokázal říci jistě, co ho ve skutečnosti žere.

S největší pravděpodobností to byla smrt Andyho Smithe a všechno, co po ní následovalo.

Před odletem ze Spojeného království se účastnil Smithyho pohřbu, ale i když stál po boku Dulce a jejích dětí a vzdával hold starému kamarádovi, v břiše cítil, že je něco špatně. Na smuteční hostině si dal pivo s Raffem. A právě tam mu urostlý Maor svěřil ještě jeden klíčový detail související s Andyho smrtí.

Nenašli důkaz o tom, že by do jeho hotelového pokoje někdo vnikl násilím. Podle policie šel ze své vlastní vůle ven, vylezl v opileckém omámení na kopec a skočil do náruče smrti. Jenže pokud to nebyla sebevražda, pak se Andy očividně nepokusil zabránit svým vrahům, aby vešli do jeho hotelového pokoje.

To napovídalo, že je znal.

Naznačovalo to, že je znal a věřil jim.

Bydleli tehdy v odlehlém hotelu Loch Iver, v půlce bouřlivého ledna. Kromě členů výpravy tam skoro nikdo nepřebýval – a to zase ukazovalo, že vrah musel být členem Jaegerova týmu.

Zkrátka a dobře, ocitl se zřejmě přímo v jejich středu.

Jaeger měl určitá podezření, kdo by to mohl být. Mlčel však, protože nechtěl nikoho z týmu upozornit na skutečnost, že je podezřelý. Kromě Iriny Narovové nepřišel na chuť ještě suverénnímu a držkatému Mikeu Daleovi a Štefanu Královi, jejich kameramanům. Na druhé straně však nedávalo smysl, proč by měl někdo z nich být Smithyho vrahem.

Se svou vrozenou nedůvěrou ke všemu, co souviselo s médii, dospěl Jaeger k závěru, že Dale a Král mají jen plnou hubu keců a skutek utek. Oni zas při každém záběru na jeho obličej zjišťovali, že mají co do činění s nabroušeným a neochotným lídrem. Andy Smith se jistě osvědčil jako tolerantnější a tvárnější filmařský materiál, takže kameramani byli de facto ti poslední, kdo by si přál jeho smrt.

Ať se na to díval z kterékoli strany, zůstával přesvědčený, že odpověď na otázku, jak a proč byl jeho přítel zavražděn – a on o vraždě vůbec nepochyboval –, leží někde hlouběji v džungli, kam měla výprava namířeno. Cítil naléhavé nutkání jít na věc. Bylo načase postavit se oběma nohama na zem a dokázat to jednou provždy.

Jaeger neměl ve zvyku dělat věci polovičatě. Jakmile souhlasil, že expedici povede, vložil do toho všechny síly. Musel navázat tam, kde Smithy přestal, a celé to znovu rozběhnout. Když zrovna nespal, horečné přípravy si žádaly všechnu jeho pozornost, takže na další věci neměl v podstatě čas.

Před odjezdem stačil jen krátce zavolat svým rodičům. Před pár lety se odebrali do penze na Bermudy – kde pořád svítilo slunce, sem tam se přihnal nějaký hurikán a kde si mohli užívat života v daňovém ráji. Během uspěchaného telefonátu jim sdělil základní fakta: vrátil se z Bioka, o Ruth a Lukeovi stále žádné zprávy, odjíždí do Amazonie na expedici Enduro Adventures a chce za nimi přijet na návštěvu, aby se vyptal na podrobnosti ze života dědy Teda a taky na to, jak zemřel.

Slíbil rodičům, že se co nejdříve uvolní, aby je viděl. Potom zavěsil. O svém podezření ohledně smrti dědy Teda pomlčel. Připadalo mu nevhodné říkat to do telefonu, kde se slova rozléhala ozvěnou. Takový rozhovor musí proběhnout z očí do očí. Jakmile skončí v Amazonii, koupí si letenku na Bermudy.

Jaeger s týmem strávili v Brazílii první týden. Hostil je plukovník Evandro a jeho brigáda pro speciální operace – B-BSO. Brazilské teplo – nejen klima, ale i charakter lidí – utišilo během té doby jeho nejhorší obavy. Číhavý temný pocit, který se ho zmocnil ve Spojeném království, ustoupil do podvědomí.

Teprve nyní – když se chystali zamířit hlouběji do srdce Amazonie – se tyto obavy opět začínaly vynořovat.

19

Vzletová dráha Cachimbo leží hluboko v hustě zalesněném údolí. Neproniknutelný koberec bujné a spletité vegetace se na obou stranách rozlézá vzhůru po svazích. Nad členitým obzorem džungle začaly žhnout první paprsky slunečního světla – jako lasery propalovaly obláčky mlhy ulpívající na korunách stromů. Ranní chládek brzy vezme za své pod náporem nelítostného tropického slunce.

Lidé z Jaegerovy branže říkali, že existují jen dva druhy reakce na džungli: buď láska na první pohled, nebo nenávist. Ti, kdo ji nenáviděli, v ní spatřovali temného, zlověstného nepřítele. Klaustrofobní prostředí, překypující nebezpečím. U Jaegera to však vždycky bylo naopak. Divočina ho neodolatelně přitahovala – to, jak hýřila průbojným, nevázaným životem. Úžas budící ekosystém tropického lesa.

Představa divočiny prosté všech civilizačních nástrah v něm probouzela vzrušení. Džungle byla vůči lidem neutrální. Ani nepřátelská, ani přátelská. Nauč se jejím způsobům, vylaď se na její frekvenci, sjednoť se s její podstatou a můžeš v ní nalézt fantastického přítele i útočiště.

Čistá, odlehlá divočina Cordillera de los Dios neměla v tomto světě obdoby. Boží hory – jak by také ne. A pak tu samozřejmě bylo ještě ono tajuplné letadlo, ležící ukryté v dalekém srdci hor.

Shora k němu dolehl osamělý, pronikavý křik, zřejmě harpyje pralesní. Odpověď zazněla z vrcholu jednoho z nejvyšších obrů pralesa. Masivní tropický strom z tvrdého dřeva, takzvaná „emerzní rostlina", se tyčil pětačtyřicet metrů nad temnými a stinnými zákoutími lesa. Jeho průbojná koruna vyrazila z klenby do takové výšky proto, aby si pro sebe urvala co nejvíc slunečního světla.

Stál tam a koupal se v prvních paprscích zářivého jitra.

A král divočiny obhlížel okolí.

Nejvyšší větve nabízely ideální vyhlídku, z níž se orel mohl vrhnout za kořistí. Jaeger si prohlížel vegetaci rozlézající se po stromě. Liána byla obsypaná křehkými růžovými kvítky. V plném květu. Pastva pro oči – duhová skvrna ze všech stran obklopená mořem syté zeleně.

Vtom spatřil hnízdo.

Orlí pár zahnízdil.

Nepochybně mají na starost hladová pisklata a musí je krmit.

Jaeger si na okamžik představil, že je tím orlem a vznáší se vysoko nad džunglí na křídlech o rozpětí dobrých dvou metrů. Viděl sám sebe, jak se vrhá dolů nad tou odlehlou, zapadlou divočinou, v níž se ukrývalo záhadné letadlo. Orlím zrakem z výšky několika stovek metrů sledoval myš, jak cupitá po půdě lesa. Najít místo, kde leží ten vrak – holé větve, zbavené veškerého života a vegetace –, byla oproti tomu hračka.

Jak tak v duchu klouzal nad džunglí, výjev dole mu připadal hrozně nepřirozený. Nehybný. Bez života. Dokonce až strašidelný.

Co mohlo způsobit, že les takhle uhynul?

Jaká tajemství – jaká nebezpečí – se v tom záhadném letadle ukrývají?

Při pohledu na orly si Jaeger vzpomněl na *Reichsadlera*. V hektickém shonu posledních dní neměl mnoho času přemýšlet nad tím krutým symbolem věstícím temnotu. Zvláštní, jak může tak velkolepý pták ztělesňovat zlo i divokou svobodu a krásu.

Čínský vojevůdce Sun-c' jako první vyslovil výrok – poznej svého nepřítele.

Během služby v armádě z něj Jaeger učinil svou hlavní zásadu.

Byl zvyklý čelit nepříteli, kterého dobře znal a chápal. Nepříteli, kterého důkladně studoval pomocí satelitních snímků, fotografií průzkumu a zpráv od předních světových zpravodajských agentur. Pomocí odposlechů. A s využitím lidské inteligence v terénu: špiona nebo nějakého zdroje uvnitř tábora protivníka.

Před každou misí se vždy ujistil, že svého nepřítele důvěrně zná, a čím lépe ho znal, tím snadněji ho mohl porazit. Jenže tady a teď měli čelit celé spoustě potenciálních nebezpečí, a žádné z nich neznali ani nechápali.

Ať už byla rizika jakákoli, zůstávala neznámá.

Ať už byli nepřátelé kdokoli, stále postrádali tváře.

Cizinci.

Nepochybně právě tohle Jaegera děsilo – že se žene do bezejmenného a nepoznatelného nebezpečí.

Aspoň že v tomhle si udělal jasno.

Aspoň že tohle nyní věděl.

Jakmile si uvědomil tuto skutečnost, pocítil trochu větší klid. Otočil se směrem k letadlu. A uslyšel pronikavé kvílení – to startovací motory uváděly do chodu první obří turbínu. Masivní šavlovité vrtule se pomalu a těžkopádně začínaly otáčet, jako kdyby byly ponořené v husté melase.

Po rozježděné škvárové cestě, jež vedla podél startovací dráhy, ujížděl land rover. Jaeger usoudil, že pro něj někdo jede, aby ho konečně dostal do čekajícího letadla. Auto zastavilo a vyskočila z něj nezaměnitelná postava plukovníka Evandra.

Sto osmdesát pět na výšku, tmavooký, navzdory věku stále mrštný a atletické postavy. Za ta léta od doby, co Jaeger poprvé sloužil po jeho boku, nepozbyl plukovník B-BSO nic ze svého impozantního vzezření. O své vůli se rozhodl projít peklem výběrového kurzu SAS, aby svou jednotku zformoval k obrazu britského pluku, a Jaeger ho za to velmi obdivoval.

„Je čas nastoupit,“ prohlásil. „Tvůj tým právě provádí poslední přípravy před startem.“

Jaeger přikývl. „Víš jistě, že nechceš jet s námi?“

Plukovník se usmál. „Chceš slyšet pravdu? Nic bych si nepřál víc. V kanceláři nejsem ve svém živlu. Jenže s hodností a velením jsou holt spojené všechny tyhle nudné kraviny."

„No tak já už raději půjdu."

Plukovník zvedl ruku. „Mnoho štěstí, příteli."

„Myslíš, že ho budeme potřebovat?"

Plukovník si Jaegera dlouho prohlížel. „Je to Amazonie. Očekávej nečekané."

„Očekávej nečekané," zopakoval Jaeger jako ozvěna. Moudrá slova.

Nasedli spolu do roveru a rozjeli se po cestě k čekajícímu letadlu.

20

Jaeger se zastavil u pilotní kabiny. Z bočního okénka vysoko nad ním vykoukla hlava.

„Počasí nad místem vysazení pořád dobré," zavolal pilot. „Odlétáme za patnáct minut. Souhlasíš?"

Jaeger přikývl. „Řeknu ti pravdu, už se nemůžu dočkat. Nesnáším čekání."

Celá posádka letadla se skládala z Američanů. Z jejich klidu a chování Jaeger usoudil, že jsou to bývalí vojáci. Hercules C-130 pronajal Carson od nějaké soukromé společnosti provozující leteckou nákladní dopravu a Jaegerovi se dostalo ujištění, že tihle chlapi jsou ve své branži nejlepší. Proto skálopevně věřil, že ho dopraví přesně na místo, kde měl se svým týmem vyskočit.

„Chcete pustit nějaké oblíbené písničky?" zeptal se pilot. „Nějakou parádičku na PH?"

Jaeger se usmál. PH znamenalo „padákovou hodinu", tedy okamžik, kdy se spolu s týmem vrhnou z ocasní rampy do skučícího prázdna.

U výsadkových jednotek to byla dlouhodobá tradice, že si při přípravě na seskok pouštěly na plné pecky muziku. Zvedala adrenalin a ustálila pulz ve chvíli, kdy vojáci čekali na to, až se snesou volným pádem doprostřed války. Nebo v tomto případě do tajuplného, pro moderní lidi „ztraceného světa".

„Nějakou klasiku," navrhl Jaeger. „Co třeba Wagnera? Záleží, co máte v nabídce?"

Pro seskok si Jaeger vždycky volil hudbu takového rázu. Jeho spolubojovníci si mysleli, že jde o jakousi alternativní kulturu, jemu však staré skladby pomáhaly v soustředění. A při téhle akci přijde trocha koncentrace jistě vhod.

Měl skákat první a navádět tak ty, kdo půjdou za ním. A neměl skákat sám.

Irina Narovová se k týmu připojila pozdě – příliš pozdě na to, aby ji Andy Smith protáhl nezbytným kurzem HAHO. Ta zkratka znamená High Altitude High Opening, neboli seskok z velké výšky s otevřením padáku ve velké výšce, kdy se parašutista nechává i několik kilometrů volně unášet směrem k cíli. Pro expedici zvolili právě tento způsob vysazení.

Jaeger se chystal podniknout tandemový seskok HAHO: opuštění letadla ve výšce devět tisíc metrů s další osobou – Irinou Narovovou – připoutanou k jeho trupu. Počítal proto s tím, že bude potřebovat takovou dávku uklidňující hudby jako ještě nikdy předtím.

„Mám třeba AC/DC, ‚Highway to Hell‘," hlásil pilot. „‚Stairway to Heaven‘ od Led Zeppelin. ZZ Top a Motörhead. Mám i nějakého Eminema, 50 Cebt a Fatboy. Vyber si, kámo."

Jaeger zalovil v kapse, vytáhl CD a hodil ho pilotovi nahoru. „Zkus tohle. Čtvrtá skladba."

Pilot se na cédéčko podíval. „Jízda valkýr‘." Odfrkl si. „Víš jistě, že nechceš ‚Highway to Hell‘?"

A začal si píseň prozpěvovat, prsty přitom bubnoval do rytmu AC/DC na plášť letadla.

Jaeger se usmál. „Tohle si schováme na vyzvednutí, jo?"

Pilot zvedl oči v sloup. „Vy Briti – měli byste se trochu víc odvázat. Však my se vám, hoši, o zábavu postaráme!"

Jaeger cítil, že ‚Jízda valkýr‘ – tematická melodie z kultovního filmu *Apokalypsa* o vietnamské válce –, se pro současnou misi jedinečně hodí. A navíc, vzhledem ke skladbě zvolené pilotem představovala určitý kompromis; Jaeger totiž zastával názor, že je vždycky dobré, aby byla posádka letadla spokojená.

Pilot a posádka před sebou měli obtížný úkol, vyložit z nákladního prostoru letadla deset lidí v přesně vypočteném bodě na obloze. Odtud se měli snést k cíli, maličkému kousku holé země asi deset kilometrů pod sebou.

V tuhle chvíli spočíval Jaegerův život – a životy členů jeho týmu – v pilotových rukou.

Jaeger přešel k zádi letadla a vylezl na palubu. Chvíli se rozhlížel po potemnělém interiéru nákladního prostoru, který tu a tam osvětlovala tajuplná červená záře přízemního osvětlení. Napočítal devět parašutistů, deset i se sebou. Na rozdíl od toho, na co byl zvyklý v armádě, nikoho z nich pořádně neznal. Absolvovali spolu několikadenní přípravu a to bylo vše.

Jeho tým byl kompletně připravený. Každý člen na sobě měl tlustý a neohrabaný goretexový oblek pro přežití, *survival suit,* speciálně navržený pro seskoky z velké výšky. V takovém obleku zakouší člověk muka a po přistání v parné džungli si budou připadat jako na pekáči. Avšak bez této ochrany by během dlouhého letu pod padáky v řídkém a ledovém vzduchu stoprocentně umrzli.

Při seskoku z devíti tisíc metrů budou asi o tři sta metrů výš než vrchol Mount Everestu, který se nachází v trvale zmrzlé zóně smrti. Teplota bude minus padesát stupňů Celsia a vítr v téhle výšce – stejně vysoko, jako létají komerční letadla – bude jedním slovem strašný. Bez speciálních obleků, masek, rukavic a helem pro přežití by umrzli během vteřinky, a oni budou pod padáky mnohem déle.

Z menší výšky skákat nemohli z jednoho prostého důvodu: složitý plán klouzavého letu, jenž je měl dostat přesně na místo vysazení, vyžadoval driftování pod padáky ještě dalších čtyřicet kilometrů. Takovou vzdálenost lze urazit jen při seskoku z devíti tisíc metrů. Navíc seskok HAHO přináší ještě další výhodu, alespoň pro televizní kamery – a sice maximální drama.

Uprostřed nákladního prostoru ležely dva obří kontejnery ve tvaru úchytu na toaletní papír. Tyto paratrubky byly tak těžké, že musely být připevněny k sérii vodicích tyčí, které se táhly v délce podlahy. Dva z Jaegerových nejzkušenějších výsadkářů – Hiro Kamiši a Peter Krakow – se měli k trubkám připnout těsně před seskokem, aby je snesli na padácích do přistávací zóny.

Trubky byly napěchované nafukovacími kánoemi a pomocným vybavením – příliš objemným materiálem, který by se do ruksaků nevešel. Kamiši a Krakow měli absolvovat takříkajíc jízdu na trubce, obnášející hroznou fyzickou zátěž, ovšem Jaeger těm dvěma věřil.

Jeho čekal ještě náročnější úkol. Říkal si však, že má na svém kontě desítky tandemových seskoků a že by se neměl stresovat kvůli tomu, zda dostane Irinu Narovovou na zem celou.

Zaujal pozici naproti týmu. Seděli na sedadlech lemujících jednu stěnu letadla, zatímco naproti seděli parašutističtí dispečeři, jejichž úkolem bylo dostat všechny bezpečně z letadla.

Vzhledem k tomu, že různé části expedice byly rozesety po dobré půlce světa, musely všechny spolupracovat podle standardního času. Jaeger se chystal udělat přesně to, co by normálně udělal při vojenské operaci. Poklekl na jedno koleno a vyhrnul si levý rukáv.

„Hlavy vzhůru,“ prohlásil. Musel křičet, aby přehlušil burácení leteckých motorů. „Potvrzení zulu času.“

Řada postav se zavrtěla v objemných oblecích a snažila se odhalit své hodinky. Pro úspěch operace bylo absolutně nutné zajistit, aby měli všichni přesně synchronizovanou časomíru.

Jejich tým a vzducholoď na orbitu měly chvílemi operovat v zóně bolivijského času. Posádka C-130 letěla z Brazílie, která měla časové pásmo o hodinu před Bolívií, produkční centrála Wild Dog Media v Londýně byla ještě o další dvě hodiny vpředu.

Bylo by zbytečné, aby Jaeger na konci mise volal letadlo za účelem vyzvednutí, kdyby na smluvené místo dorazili buď oni, nebo letadlo o tři hodiny později kvůli rozdílným časům. *Zulu time* byl akceptovaný celosvětový standard, podle něhož operovaly všechny ozbrojené síly – a jejich expedice si měla od této chvíle počínat stejně.

„Za třicet vteřin bude 0500 zulu," prohlásil Jaeger.

Členové všichni do jednoho nespouštěli oči z vteřinových ručiček.

„Dvacet pět vteřin a odpočítáváme," upozornil Jaeger. Vzhlédl k týmu. „Všichni v pořádku?"

Následovala řada souhlasných gest. Oči za objemnými kyslíkovými maskami zářily vzrušením. Při seskoku HAHO musíte dýchat z láhve, z níž vám proudí do plic čistý kyslík. A musíte s tím začít nějakou dobu před seskokem, abyste omezili riziko výškové nemoci, která vás může velmi rychle vyřadit nebo i zabít.

Masky znemožňovaly ústní domluvu, avšak Jaegera ten pohled přesto povzbudil. Jeho tým vypadal, že je stoprocentně připravený seskočit do Cordillera de los Dios.

„0500 zulu za deset vteřin…" odpočítával. „Sedm…, čtyři, tři, dva: teď!"

Každý člen týmu po tomto zvolání kývl na souhlas. Byli synchronizovaní – spojoval je nyní zulu čas.

Všichni se vybavili pouze kvalitními hodinkami, ale žádné nebyly nápadné nebo zbytečně přepychové. Zlaté pravidlo říkalo – čím méně tlačítek a různých zlepšováků, tím lépe. To poslední, co chcete, jsou hodinky s milionem funkcí. Velká tlačítka a číselníky mají tendence se rozbít nebo porouchat. „V jednoduchosti je síla," zněla rada, kterou Jaegerovi vštěpovali během výběrového kurzu SAS.

On sám si vzal tuctové, matně zelené britské armádní hodinky. Nízká svítivost zaručovala, že člověka neprozradí ve tmě, a nebyl na nich ani kousek reflexního nebo pochromovaného kovu – nic, co by se zalesklo ve slunečním světle, když to nejméně potřebujete. Během služby v armádě nosil tyhle hodinky ještě z jednoho důvodu: neodlišovaly ho od ostatních řadových vojáků.

Kdyby vás nepřítel zajal, nechcete u sebe mít nic, čím byste upozornili na to, že jste něčím – hodností, výcvikem či jinou dovedností – zvláštní. Před každou misí prováděli Jaeger a jeho muži důkladnou „sanitaci" – odřezali si z uniformy všechny výložky a neměli u sebe jediné identifikační znamení, průkaz totožnosti, odznak jednotky nebo hodnosti.

Stejně jako všichni vojáci z jeho oddílu se i Jaeger naučil nevyčnívat z řady.

Vlastně – skoro.

Jako právě teď, kdy učinil jednu výjimku z pravidla. Vždy u sebe nosil dvě fotografie, zalaminované a ukryté v podrážce levé boty. Na první byl jeho pes z dětství, skotská kolie, kterou mu daroval dědeček. Bezvadně vycvičená a naprosto oddaná fenka, která za ním všude běhala. Na další fotce Ruth s Lukem – rozloučit se s památkou na ně v takové chvíli Jaeger-manžel i Jaeger-otec prostě odmítal.

Nošení takových fotek při jakékoli misi bylo naprosto nepřípustné. Jenže některé věci jsou holt důležitější než pravidla.

21

Po synchronizaci času přistoupil Jaeger ke svému padáku. Nasoukal se do postroje, napnul popruhy a s uspokojivým cvaknutím zapnul masivní kovovou přezku. Pak si ještě utáhl zajišťovací smyčky okolo stehen. Nyní měl na zádech připnutou obdobu velkého pytle s uhlím, a to byl pořád teprve začátek.

Když ve své době jako průkopníci zkoušeli seskoky HAHO, využívali systém, kdy byl těžký ruksak připnutý k zádům spolu s padákem. Tím se však těžiště výsadkáře výrazně posunulo dozadu. Pokud by při seskoku ztratil vědomí – a možných důvodů byla celá řada –, všechna ta váha na zádech by ho během volného pádu obrátila čelem k obloze.

Padák byl nastavený tak, aby se v určité výšce automaticky otevřel. Kdyby však parašutista omdlel a padal zády dolů, otevřel by se pod ním. Výsadkář by tak padl do vlastního padáku, který by se kolem něho omotal jako ranec mokrého prádla. Parašutista i padák by se řítili k zemi jako kámen.

Naštěstí už Jaeger a jeho tým využívali mnohem novější systém – BT80, kde byl těžký ruksak zavěšený v pevném plátěném vaku, připnutém zepředu k výsadkářovu trupu. Kdyby parašutista omdlel, padal by obličejem směrem k zemi. Padák nastavený na automatické otevření by se tak otevřel nad ním – což byla naprosto spolehlivá pojistka.

Okolo Jaegera se hemžili seskokoví dispečeři, utahovali popruhy a prováděli drobné úpravy na jeho nákladu. To bylo životně důležité. Při tomhle seskoku budou driftovat pod padáky téměř celou hodinu. Kdyby byla zátěž nevyvážená či popruhy volné, celé by se to sesmeklo a pootočilo. Klesal by vyvedený z rovnováhy a postroje by mu rozdíraly kůži až do krve.

Přistát v džungli s bolavým rozkrokem nebo odřenými rameny bylo to poslední, co Jaeger potřeboval. V parném a vlhkém prostředí by rány brzy zhnisaly. Každé takové zranění by v podstatě znamenalo, že expedice pro dotyčného skončila.

Jaeger vytáhl masivní parašutistickou helmu. Dispečeři mu připnuli k hrudníku osobní kyslíkovou láhev a podali mu masku, která byla na láhev napojená vroubkovanou gumovou hadicí. Přitiskl si masku na obličej a prudce se nadechl, aby se ujistil, že maska dobře těsní a nepropouští okolní vzduch.

Ve výšce devět tisíc metrů bude kyslíku velmi málo, pokud vůbec nějaký.

Kdyby mu dýchací systém jen na pár vteřin selhal, bylo by po něm.

Jaeger pocítil prudký nával euforie – to do jeho mozku vnikl čistý, studený kyslík. Natáhl si kožené rukavice a přes ně tlusté goretexové rukavice na ochranu před třeskutým mrazem, který bude panovat ve velké výšce pod vrchlíkem padáku.

Měl skákat se zbraní – standardní bojovou brokovnicí Benelli M4 se skládací pažbou – přehozenou přes levé rameno, hlavní dolů. Samozřejmě připnutou. Při seskoku vždycky hrozilo, že výsadkář ztratí batoh, a v takovém případě bylo životně důležité mít po ruce hlavní, bezpečně připevněnou zbraň.

Jaeger tentokrát nečekal, že na zemi bude ozbrojená nepřátelská jednotka. Stejně se tam ale budou potýkat s indiány kmene Amahuaků, kteří ještě nepřišli do kontaktu s civilizací. Když o sobě dali naposledy vědět, stříleli otrávené šípy na skupinu zlatokopů, kteří zabloudili do jejich lesního panství.

Horníci museli prchat, aby si zachránili holý život, jinak by se jejich příběh ani nikdo nedozvěděl.

Jaeger popravdě neměl indiánům za zlé, že své území tak odhodlaně brání. Kdyby jim okolní svět neměl přinést nic jiného než zakázanou těžbu zlata a s velkou pravděpodobností i porážení stromů, pak s indiány plně sympatizoval. Těžba a kácení by způsobily pouze znečištění a zkázu jejich lesního domova.

Zároveň to však znamenalo, že každý cizinec, který vkročí na indiánské území – včetně Jaegera a jeho týmu –, bude pokládán za nepřítele. Zvlášť když budou vysazeni do samého srdce jejich kmenového světa z oblohy. Jaeger ve skutečnosti neměl ponětí, na jakého nepřítele by mohli po přistání narazit, bude-li tam vůbec někdo. Výcvik ho však naučil, že musí být vždy připraven na všechno.

Proto se také rozhodl ozbrojit se brokovnicí. Pro boj zblízka v husté džungli je to ideální zbraň. Střílí olověné broky v širokém záběru, takže není nutné nepřítele přímo vidět a mířit na něj mezi bujným porostem bránícím přístupu světla.

Prostě jen strhnete hlaveň přibližným směrem a mačkáte spoušť.

22

Ve skutečnosti Jaeger doufal, že kdyby na onen kmen narazili, bude z toho pokojné setkání. Ta vyhlídka ho dokonce v koutku duše lákala: jestliže někdo chápe mystéria deštného lesa, musí to být tihle amazonští indiáni – jejich znalosti získávané během nespočetných staletí představují klíč ke starodávným tajemstvím džungle.

Jaeger, navlečený v objemné výstroji, s utaženými popruhy a zapnutými přezkami, se přivlekl ke svému sedadlu a zaujal pozici.

Seděl nejblíž k rampě. Bude skákat první.

Další v řadě byla Narovová, osoba hned vedle něj.

Se vší tou zátěží a objemnou výstrojí si připadal jako nějaký odporný sněhulák. Ve stísněném prostoru letadla panovalo horko a on k smrti nesnášel čekání.

Rampa letadla se se skřípěním zavřela.

Nákladní prostor se proměnil v temný tunel plný stínů.

Jako veliká ocelová rakev.

Čekal je nyní čtyřhodinový let. Půjde-li všechno podle plánu, budou zhruba v 0900 hodin zulu času nad místem vysazení. Vyhrnou se z letadla – deset postav v khaki zelených oblecích, s tvářemi namazanými tmavým maskovacím krémem, zavěšených pod matně černými padáky.

Při doskoku na zem budou neviditelní a neslyšitelní pro všechny případné pozorovatele. Ve vzduchu to však bude vrcholné drama, skvělá potrava pro televizní kamery. Jaeger v hloubi duše cítil, že by dal raději přednost méně nápadnému příchodu.

Letadlo cuklo vpřed a začalo rolovat po sluncem ozářené ranveji. Potom Jaeger postřehl, že zpomaluje, načež motory s novou silou zavřeštěly – stroj se na místě otáčel do směru, kterým poletí. Jaeger vnímal příval adrenalinu v žilách. Hluk motorů neustále zesiloval, zatímco pilot prováděl poslední kontroly před odbrzděním.

Výpary z leteckého benzinu zahustily vzduch v nákladním prostoru. Jaeger však na patře i v plicích cítil jen opojný příval čistého kyslíku. Nasoukaný ve výstroji HAHO – oblek, rukavice, postroj, kyslíková láhev, ruksak s padákem, helma, maska, brýle – si připadal jako svázaný. Jako chycený v pasti.

V takové situaci je těžké zachovat si správný odstup a nadhled.

Kyslík člověka uvádí do povzneseného stavu bytí – jako byste měli vysokou hladinu alkoholu a nemysleli na kocovinu, která se po večírku dostaví.

Kvílení motorů se opět prudce změnilo. C-130 poskočila vpřed a mohutně nabírala rychlost. Za pár vteřin Jaeger ucítil, že se odlepuje od země a drápe se vzhůru vstříc tropickému nebi. Hmátl za sebe a připojil se na interkom, aby slyšel hovor v pilotní kabině.

Když se připravoval na seskok, dodávalo mu to klid.

„Rychlost letu sto osmdesát uzlů,“ odříkával pilotův hlas monotónně. „Výška čtyři sta padesát metrů. Rychlost stoupání…“

V tuto chvíli mohla přílet do místa určení ohrozit jen bouře tvořící se nad džunglí. Ve výšce devět tisíc metrů byly podmínky krásně předvídatelné – třeskutý mráz, silný vítr. Přece však zůstávaly stabilní a nezávislé na počasí v nižších polohách. Kdyby se ale nad zemí utvořila tropická bouře, mohla by seskok znemožnit.

Stačilo jen, aby foukal boční vítr přesahující rychlost patnácti uzlů, a nastaly by při seskoku potíže. Vítr by strhával padáky na stranu a lidský náklad s nimi. Vzhledem ke zvolenému místu vysazení by bylo dvojnásob riskantní, kdyby hrozila nebezpečí z více stran.

Džungli protínala mohutná klikatící se řeka – Rio de los Dios. Na jednom obzvlášť křivolakém úseku vytvořila dlouhou a úzkou písečnou naplaveninu, kde nerostla prakticky žádná vegetace. Evidentně jedno z mála holých míst na rozlehlé ploše džungle – a proto si ho také vybrali jako vhodné místo k výsadku.

Nabízelo však jen minimální prostor pro chybu.

Na jednom konci úzké naplaveniny ležel říční břeh, zřetelně vyznačený vysokou stěnou džungle. Kdyby se někteří parašutisté vychýlili z kurzu tímhle směrem, roztříštili by se o stromy. Pokud by je to zaválo opačným směrem, skončili by v Rio de los Dios a těžká výstroj by je stáhla ke dnu.

„Výška: tři sta patnáct," hlásil pilot. „Rychlost letu: dvě stě padesát uzlů. Nabíráme cestovní výšku."

„Vidíš tu mezeru v džungli?" promluvil navigátor. „Podél té řeky poletíme na západ zhruba další hodinku."

„Rozumím," oznámil pilot. „A že dneska máme krásný ráno…"

Jaeger poslouchal rozhovor, když vtom z ničeho nic ucítil, že mu hrdlo sevřela nevolnost. V letadle mu špatně nikdy nebývalo. Ale sedět nasoukaný a sešněrovaný ve výstroji na seskok z velké výšky bylo pro organismus vysilující.

Během výcviku na seskok HAHO musel podstoupit sérii testů, jimiž se měří odolnost vůči vysokým výškám, nízké hladině kyslíku a extrémní dezorientaci. Umístili ho do přetlakové komory, která fázově simulovala výstup až do podmínek, jaké panují ve výšce devíti tisíc metrů.

Při každém takovém „výstupu" do devíti tisíc metrů si musel strhnout kyslíkovou masku a zavolat své jméno, hodnost a sériové číslo, načež si ji musel znovu rychle nasadit.

S tím neměl žádný problém.

Jenže potom ho posadili na obávanou centrifugu.

Centrifuga byla jako obří pračka. Jaeger se točil a točil stále rychleji a rychleji, až málem omdlel. Před ztrátou vědomí se člověku z jeho zorného pole vytratí všechny barvy a zůstane jen roztříštěný kaleidoskop šedých odstínů. Musíte na vlastní kůži zažít, kdy u vás tento stav nastane, abyste to poznali i při reálném seskoku a vymanili se ze spárů závratě.

Ta centrifuga byla hrůza ve své nejčistší podobě, doprovázená zvracením.

Jako dárek na památku mu dali video. Stav před ztrátou vědomí není vůbec hezká věc. Oči máte vytřeštěné jako vosa po dávce biolitu, obličej je propadlý a samá kost, tváře vcucnuté, rysy pekelně zdeformované.

Centrifuga ho málem zabila a roztrhala na kusy. Jako někdo, kdo miluje rozlehlou divočinu, cítil Jaeger vyloženě odpor, když musel vlézt do toho uzavřeného kovového bubnu – dusivé ocelové rakve v podobě stroje. Cítil se tam jako ve vězení. Jako ve vlastním hrobě.

Jaeger k smrti nesnášel, když musel být někde pod zámkem, vadila mu i všechna další nepřirozená omezení svobody.

Jako právě teď, kdy trčel sešněrovaný ve výstroji a čekal na výsadek.

Zaklonil se a zavřel oči. Silou vůle se pokoušel usnout. Bylo to první pravidlo, které se jako elitní voják naučil: nikdy neodmítej možnost jídla nebo spánku, protože nevíš, kdy se ti naskytne další.

O něco později ucítil, jak s ním zatřásla něčí ruka. Byl to jeden z dispečerů. Chvíli si myslel, že show už začíná, ale když se podíval na řadu ostatních parašutistů, nezdálo se, že by se někdo chystal k seskoku.

Dispečer se naklonil blíž a zakřičel mu do ucha. „Pilot jde na záď, chce si promluvit."

Jaeger pohlédl dopředu a uviděl postavu. Obcházela navigátora usazeného na skládacím sedadle v zadní části kokpitu.

Pilot musel předat řízení letadla kopilotovi, usoudil Jaeger. Muž přistoupil blíž, sklonil k němu hlavu a snažil se překřičet burácení motorů. „Jak to tady vzadu jde?"

„Spal jsem jako nemluvně. Vždycky je to radost, letět s profesionály."

„To jo, urvat si pár minut spánku přijde vždycky vhod," potvrdil pilot. „Ale k něčemu se schyluje. Myslel jsem, že bych vás tady měl varovat. Nevím, co to má znamenat, ale… Krátce po startu jsem ucítil, že nás někdo sleduje. To víš, když jsi jednou Night Stalker, už jím nikdy nepřestaneš být, jestli mi rozumíš."

Jaeger povytáhl jedno obočí. „Tys sloužil u SOAR? U sto šedesátého?"

„No jasně," zabručel pilot, „než jsem zestárnul a ztuhnul natolik, že už jsem nemohl být vojákem."

Sto šedesátý letecký pluk pro speciální operace, jinak známý také jako Night Stalkers, „noční stopaři", byla hlavní americká jednotka pro tajné letecké operace. Při několika příležitostech hluboko v nepřátelském týlu, kdy jim nepřátelé dýchali za krk, musel i Jaeger zavolat bojovou záchrannou helikoptéru SOAR.

„Lepší jednotka není," řekl pilotovi. „Máte mou poklonu, hoši. Mockrát jste nás vytáhli ze sraček."

Pilot zalovil v kapse a vytáhl vojenskou minci. Vtiskl ji Jaegerovi do dlaně.

Velikostí i tvarem připomínala velký čokoládový peníz, jaké dával o Vánocích Lukeovi do punčochy. Vánoce pro jejich rodinu vždy znamenaly krásný sváteční čas, s výjimkou těch posledních – které zachvátila temnota. Při té vzpomínce Jaegerovi zatrnulo.

Mince jednotky SOAR v jeho dlani byla studená, masivní a těžká. Na líci zachycovala odznak jednotky, na druhé její heslo: *Ve tmě číhá smrt*. Podle tradice amerických ozbrojených sil, která bohužel neměla v britské armádě obdobu, mohl voják věnovat minci své jednotky spolubojovníkovi.

Jaeger byl tím dárkem velmi poctěn a předsevzal si, že ho u sebe bude nosit až do skončení expedice.

„Provedl jsem kontrolu v okruhu tří set šedesáti stupňů," pokračoval pilot. „A taky že jo, nějaké malé civilní letadlo se vynořilo nad obzor a drželo se v odstupu od nás. Čím déle setrvávalo v mém slepém bodě, tím víc jsem si byl jistý, že máme doprovod. A je tam pořád, možná šest a půl kilometru za námi, a nám zbývá letět ještě hodinu a dvacet minut. Jeho radarová signatura ukazuje něco jako Learjet 85," pokračoval pilot. „Malý, ultrarychlý soukromý osobní tryskáč. Chceš, abych se jim ozval a zeptal se, co to má sakra znamenat, že nám strkají čumák do zadku?"

Jaeger se nad tím na chvíli zamyslel. Letadlo, které se chová tímhle způsobem, je obvykle na průzkumné misi – snaží se vypátrat, co mají za lubem ti vepředu. Mnoho válek bylo vyhráno nebo prohráno v závislosti na tom, kdo měl nejlepší informace, a on sám nikdy neměl rád, když ho někdo špehoval.

„Je nějaká šance, že je to jen náhoda? Třeba komerční let se stejným vektorem a cestovní rychlostí, jako máme my?"

Pilot zavrtěl hlavou. „Na to zapomeň. Learjet 85 lítá ve výškách až čtrnáct tisíc sedm set metrů. My jsme v devíti tisících – výšce pro seskok. Piloti vždycky lítají v různých výškách, aby ve vzdušném prostoru nedocházelo ke kolizím. A Learjet má cestovní rychlost o pěkných pár set uzlů větší než Hercules."

„Mohli by nám způsobit potíže?" zeptal se Jaeger. „Myslím při seskoku?"

„Learjet versus Super Hercules," chechtal se pilot. „To bych fakt rád viděl." Podíval se na Jaegera. „Ale drží se vzadu a pořád je máme na slepém bodu. Je to naprosto jasný – pověsil se na nás."

„No tak je zatím nechme při tom, že o nich nevíme. Dává nám to víc možností."

Pilot kývl. „Asi jo. Jen ať si lámou hlavu."

„A nemůže to být nějaká přátelská agentura?" poznamenal Jaeger. „Co by chtěla třeba vidět, kvůli čemu tady jsme?"

Pilot pokrčil rameny. „Mohla by být. Ale víš, jak se to říká: domněnka – matka všech průserů."

Jaeger se usmál. V SAS to bylo jedno z jejich oblíbených rčení. „Předpokládejme, že ten, kdo nás sleduje, není Santa

Claus se sáněmi plnými dárků. Měj je v merku. A dej mi vědět, kdyby se cokoli změnilo.“

„Rozumím,“ potvrdil pilot. „A mezitím poletíme pořád rovně a plynule, takže si ještě chvíli schrupneš.“

23

Jaeger se opřel a zkoušel spát, ale cítil zvláštní neklid. Ať se díval na situaci jakkoli, netušil, co si má o tom neznámém letadle myslet. Minci od pilota Night Stalkers si strčil hluboko do kapsy a přitom zavadil o složený kousek papíru. Už skoro zapomněl, že tam je.

Krátce před odletem z Ria de Janeira obdržel nečekaný e-mail. Poslal ho Simon Jenkinson, archivář. Jaeger si ho vytiskl, protože si na výpravu nebral ani laptop, ani telefon – v místech kam mířili, mohl na elektřinu nebo mobilní signál rovnou zapomenout.

Nyní zprávu znovu přelétl očima.

Požádal jste mě, abych vás průběžně informoval, kdybych objevil něco zajímavého. Národní archiv v Kew po uplynutí sedmdesátileté lhůty právě zpřístupnil novou složku: AVIA 54/1403A. Když jsem ji uviděl, nemohl jsem uvěřit vlastním očím. Neskutečné. Bezmála děsivé. Udivuje mě, že orgány mohly něco takového vypustit, a určitě by se to nestalo, kdyby cenzoři dělali svou práci správně.

Vyžádal jsem si kopii celé složky, ale to obvykle trvá věčnost. Kompletní dokumenty vám zašlu e-mailem, jakmile je budu mít. Zatím se mi podařilo telefonem tajně pořídit pár fotek nejdůležitějších zpráv. Jedna je v příloze. Klíčovým jménem je Hans Kammler, nebo spíše SS oberstgruppenführer Hans Kammler, jak se během války tituloval. Není pochyb o tom, že Kammler je klíč.

Národní archiv, se sídlem ve čtvrti Kew v západním Londýně, obsahoval trezory plné dokumentů o činnosti britské vlády, sahající mnoho staletí do minulosti. Můžete tam jít a svobodně si je prohlížet. Pokud si ovšem chcete nějaké odnést k dalšímu studiu, musíte si nechat zhotovit kopie. Kopírování vlastními prostředky je přísně zakázáno.

Na Jaegera učinilo velký dojem, že Jenkins si ty listiny tajně nafotil.

Archivář měl očividně skryté rezervy a nervy ze železa.

Nebo mu ty dokumenty připadaly tak mimořádné – tak „neskutečné", jak se sám vyjádřil –, že prostě neodolal a porušil pravidla.

Jaeger si stáhl Jenkinsonovu připojenou fotografii. Šlo o rozmazaný obrázek nějaké zpravodajské zprávy britského ministerstva letectví z doby druhé světové války. Nahoře bylo razítkem červeně vytištěno: *VYSOCE TAJNÉ – ULTRA: Nutno střežit a nikdy nevynášet mimo zdi tohoto úřadu.*

Stálo tam:

Zachycená depeše, 3. února 1945. V překladu zní text následovně:

Od Vůdce zvláštnímu Vůdcovu zplnomocněnci Hansi
Kammlerovi, SS oberstgruppenführerovi a generálovi zbraní SS.

Předmět: Vůdcův zvláštní úkol – podkladový materiál *Aktion Adlerflug* (operace Orlí let).

Status: *Kriegsentscheidend* (tajnější než přísně tajné).

Opatření: Kammler, jakožto Vůdcův zplnomocněnec, se ujme vedení všech oddělení německého ministerstva letectví, létajícího i nelétajícího personálu, přidělování a vývoje letadel i všech ostatních zásobovacích záležitostí včetně pohonných hmot a pozemní organizace, včetně letišť. Kammlerovo ústředí na Říšském stadionu bude působit jako ústředí pro veškeré přidělování vybavení a zásob.

Kammler je jmenován vedoucím programu přemístění životně důležitých odvětví zbrojního průmyslu mimo dosah nepřítele.

Kammler vytvoří zpravodajské centrály přemísťovacího komanda, vybavené Perutí 200 (LKW Junkers) pověřené přemístěním zbrojních systémů, evakuací a transportem, za účelem jejich vhodného přerozdělení do předem vybraných bezpečných úkrytů.

Jenkinson připojil vysvětlující poznámku v tom smyslu, že LKW Junkers bylo jiné nacistické označení pro Ju-390.

Jaeger si v prohlížeči vyhledal výraz „zplnomocněnec". Pokud to dobře chápal, šlo o zvláštního vyslance vybaveného mimořádnou pravomocí. Jinými slovy, Kammler byl Hitlerova pravá ruka a ctižádostivec, zplnomocněný k provedení nezbytných kroků.

Z Jenkinsonova e-mailu se Jaegerovi pořádně zatočila hlava. Zpráva naznačovala, že Hans Kammler měl na konci války za úkol přemístit klíčové nacistické zbraně z dosahu Spojenců. A pokud měl Jenkinson pravdu, prostředkem pro realizaci tohoto plánu mohla být peruť obřích bojových letadel Ju-390.

Jaeger Jenkinsonovi odepsal. Ve svém e-mailu se ptal, co by mohla celá Kammlerova složka znamenat. Než nastoupil na palubu letadla směřujícího do srdce Amazonie, žádná odpověď nepřišla. Musel se smířit s tím, že se mu žádného dalšího objasnění nedostane minimálně do doby, než expedice skončí.

„PH minus dvacet." Pilotovo hlášení vytrhlo Jaegera ze zasnění. „Počasí hlášeno dobré a jasné, příletový kurz nezměněn."

V nákladním prostoru letadla vanul nesnesitelně ledový průvan. Ve snaze zahřát se bouchal promrzlýma rukama o sebe, aby se do nich vrátil život a cit. Pro šálek horké kávy by dokázal v tu chvíli zabíjet.

Super Hercules se nacházel nějakých dvě stě kilometrů od místa výsadku. Pomocí neskutečně složitých výpočtů – kdy museli vzít v úvahu rychlost a směr větru v devíti tisících metrech i ve všech dalších výškových hladinách – stanovili přesný bod na obloze, v němž musí z letadla vyskočit.

Potom je čekal čtyřicetikilometrový klouzavý let na písečnou naplaveninu.

„PH minus deset," odříkával pilot.

Jaeger vstal.

Napravo od sebe viděl řadu postav, které se také namáhavě zvedaly a podupávaly na ztuhlých nohou, aby z nich vypudily chlad. Sehnul se a pomocí masivních kovových karabin si zepředu na padákový postroj připnul těžký batoh. Až vyskočí, systém malých kladek bude udržovat batoh ve správné pozici na hrudi.

„PH minus osm," hlásil pilot.

Jaegerův ruksak vážil třicet pět kilogramů. Podobnou váhu parašutistické výstroje měl připnutou na zádech. Kromě toho nesl dalších patnáct kilogramů: zbraně, munici a dýchací kyslíkový systém.

Celkem se to blížilo k devadesáti kilogramům.

To bylo víc, než vážil on sám.

Jaeger měřil sto sedmdesát dva a vynikal mrštností, každý kousek jeho těla tvořil vypracovaný a pěkně tvarovaný sval. Hodně lidí si o vojácích elitních jednotek myslí, že jsou to monstra, chlapi jako hory. Někteří – jako třeba Raff – takoví samozřejmě jsou, masivní typy, ale většina je jako Jaeger: štíhlí, rychlí a smrtící jako leopard.

Hlavní dispečer ustoupil dozadu, aby na něj všichni viděli. Ukázal pět prstů: PH minus pět. Pilota už Jaeger neslyšel, protože se od interkomu odpojil. Od této chvíle bude seskok řízen jen posunky rukou.

Dispečer zvedl pravou pěst a foukl do ní. Prsty se přitom rozevřely jako květina. Vztyčil pět prstů a dvakrát rukou cukl. Byl to signál pro rychlost větru nad zemí: deset uzlů. Jaeger vydechl úlevou. Při deseti uzlech je přistání proveditelné.

Zaměstnával se tím, že si naposledy utahoval popruhy a kontroloval výstroj. Dispečer před jeho brýlemi ukázal tři prsty: tři minuty do seskoku. Bylo načase spojit se do tandemu s Irinou Narovovou.

Jaeger se otočil čelem k zádi letounu a zamířil těžkým krokem vpřed. Jednou rukou si přidržoval objemný ruksak a druhou se opíral o bok letadla, aby udržel rovnováhu. Musel se dostat co nejblíže k rampě, teprve pak se k němu mohla partnerka připnout.

Shora uslyšel tlumené zadunění. Následovalo mechanické skřípění a příval ledového vzduchu. Rampa se otevřela nejdřív na škvíru a potom začala klesat. S každým decimetrem foukalo do trupu o něco silněji a vítr skučel stále hlasitěji.

Když se přiblížil ke vzdušnému víru, napůl čekal, že z reproduktorů letadla uslyší první hlasité tóny Wagnera. V tu dobu totiž piloti obvykle pouštěli hudbu.

Místo toho zachytil divoké a řízné kytarové riffy, na něž vzápětí navázaly dunivé údery do bubnu. A pak už zaječel šílený hlas zpěváka kultovní rockové kapely…

AC/DC – „Highway to Hell".

Pilot byl night stalker se vším všudy. Očividně se rozhodl, že to udělají po svém.

Divoký refrén zaburácel přesně ve chvíli, kdy hlavní dispečer přistrčil k Jaegerovi ženskou postavu. Irina Narovová – připravená připnout se.

Highway to Hell – cesta do pekel…

Pilot – a samotný název písně – jako by chtěl Jaegerovi naznačit, že se svým týmem vyráží na cestu, odkud není návratu, na cestu do záhuby.

Jaeger přemýšlel, jestli je to vskutku možné. Opravdu míří do pekel?

Právě tam má jejich mise skončit?

Jaeger vroucně doufal a modlil se, aby je v džungli čekal mnohem lepší osud.

Přesto se v koutku duše obával, že skáčou doprostřed těch nejhorších útrap, jaké mohou Boží hory nabídnout.

24

Jaeger se všemožně snažil dostat ten šílený, zběsilý zpěv z hlavy. Pohledem se na okamžik střetl s vysokou, jemně svalnatou Ruskou stojící před ním. Vypadala, že je v dokonalé formě – její štíhlá silueta nenesla nikde ani gram přebytečné váhy.

Jaeger si nebyl jistý, co vlastně čeká, že z jejího pohledu vyčte. Obavy? Strach?

Nebo možná pocity hraničící s panikou?

Narovová byla bývalou příslušnicí Spetsnaz, ruského útvaru, který se nejvíc blížil SAS. Jako někdejší důstojnice speciálního útvaru by měla být jaksepatří nažhavená. Jenomže Jaeger už poznal mnoho špičkových vojáků, kteří se před seskokem z rampy do mrznoucí, vřískající modře podělali strachy.

Z této výšky bude už jasně vidět zakřivení země na dalekém obzoru. Skákání z rampy C-130 bylo i za těch nejpříznivějších podmínek odrazující. A když člověk skákal na samém okraji zemské atmosféry, musel mít naprostou, neochvějnou víru a očekávat, že to může být pekelně děsivé.

Když se však Jaeger díval do ledově modrých očí Narovové, viděl v nich jen neproniknutelný, nevyzpytatelný klid. Naplňovala je překvapivá prázdnota, odhodlané ticho – skoro jako by k ní nic, ani skok z devíti tisíc metrů do vířící prázdnoty, nemohlo proniknout.

Rychle pohled odvrátila, otočila se k němu zády a zaujala pozici.

Posunuli se blíž k sobě.

Při tandemovém seskoku oba skáčete natočení stejným směrem. Jaegerův padák by měl ustát pád obou těl. Pod jeho záštitou budou pak společně unášeni oněch čtyřicet kilometrů až do místa dopadu. Dva dispečeři stojící po stranách nyní přistoupili k poslednímu kroku: připoutali je k sobě, jako by byli ve svěráku. Jaeger měl za sebou desítky tandemových seskoků. Neměl by být takhle nesvůj z toho, že má ve své těsné blízkosti jiného člověka. Přesto se cítil nepříjemně. Předtím totiž vždycky skákal s elitním spolubojovníkem, bratrem ve zbrani. S někým, koho dobře znal a s kým by si ochotně kryl záda, kdyby se ocitli v úzkých. Proto mu teď vadilo, že je připásaný tělo na tělo k úplně cizímu člověku, ještě ke všemu k ženě. Navíc Ruska byla v jeho týmu členem, kterému věřil v dané chvíli nejmíň: hlavní podezřelá z vraždy Andyho Smithe. Přesto nemohl popřít, že se mu její krása dostává pod kůži. Snažil se tyhle myšlenky vehementně zapudit a soustředit se na seskok, ale jaksi se to nedařilo.

Ani hudba mu to dvakrát neusnadnila – šílená slova písně AC/DC se mu děsivě rozléhala v hlavě.

Viděl, že seskokoví dispečeři kutálejí dvě paratrubky po vodicích tyčích, které se táhly v délce podlahy nákladního prostoru. Kamiši a Krakow postupovali dopředu, sehnutí nad objemnými kontejnery, jako kdyby se modlili. Dispečeři připnuli paratrubky k jejich hrudním postrojům. Výsadkáři měli valit trubky před sebou a vyskočit s nimi jen pár vteřin poté, co zmizí Jaeger s Narovovou.

Jaeger se otočil a pohlédl do sluncem prozářené prázdnoty.

Vřeštění v reproduktorech z ničeho nic umlklo. „Highway to Hell" skončila. Na několik vteřin se kolem rozhostilo ticho bičované větrem. Pak Jaeger uslyšel zaburácet nový zvuk. Místo AC/DC se teď nákladním prostorem C-130 rozléhala neskutečně silná a evokativní hudba.

Nezaměnitelná.

Klasická.

Jaeger se i v napjaté situaci pousmál.

Pilot ho chvíli popichoval, ale nakonec se přece jen ukázal jako formát. Pustil Wagnerovu „Jízdu valkýr" – a to na poslední vteřiny před seskokem.

Jaegera tato hudba provázela životem už docela dlouhý čas. Ještě před nástupem k SAS sloužil jako člen komanda u královských mariňáků. Absolvoval parašutistický výcvik a právě „Jízdu valkýr" hráli při obřadu, kdy přijímal odznak křídel s padákem. Když se pak po boku spolubojovníků ze SAS vrhal z rampy C-130, mnohokrát v reproduktorech zněla tahle Wagnerova klasická skladba.

Byla to neoficiální hymna britských výsadkových jednotek.

A při misi jako tahle prostě ideální skladba pro seskok.

Jaeger se psychicky připravoval na to, až půjde ven. Hlavou se mu mihla myšlenka na letadlo, které se na ně pověsilo. Pilot C-130 se už o něm nezmínil. Jaeger usoudil, že mezitím zmizelo – možná odvolali sledování poté, co hercules vstoupil do bolivijského vzdušného prostoru.

Určitě nebude nikde nablízku, aby narušilo seskok, jinak by je pilot přece nepustil.

Jaeger tu myšlenku zapudil.

Postrčil Narovovou vpřed a jako jedno tělo se spolu sunuli k otevřené rampě. Dispečeři po stranách se připínali k draku letadla, aby je skučící vichr nevyrval ven.

Tajemstvím úspěšného seskoku HAHO vždycky bylo udržení prostorové orientace. Člověk musel přesně vědět, kde se ve špalíru parašutistů nachází. Jaeger jako první výsadkář měl za úkol držet je těsně při sobě. Kdyby o někoho přišel, vysílačkou by ho těžko přivolal, neboť turbulence a hluk větru tenhle druh komunikace během volného pádu znemožňovaly.

Jaeger s Narovovou se zastavili na samém okraji rampy.

Za nimi se seřadili ostatní. Jaeger cítil, že mu srdce tluče jako kulomet – adrenalin zaplavil žíly jako oheň. Stáli na samé střeše světa, hraničící s královstvím hvězdného nebe.

Dispečeři každého výsadkáře naposledy prohlédli a ujistili se, že žádný popruh není zadrhnutý, zamotaný nebo povolený. Jaeger pohmatu zkontroloval body spojení s Narovovou – držely dobře a pevně.

Hlavní dispečer začal vyvolávat závěrečné pokyny. „Kontrola vybavení – hlaste odzadu!"

„Desítka dobrý!" zavolala postava úplně vzadu.

„Devítka dobrý!"

Jakmile každý ohlásil, že je připraven, plácl člověka před sebou. Když čekáte plácnutí po rameni a ono nepřichází, víte, že ten za vámi má problémy.

„Trojka dobrý!" Jaeger ucítil klepnutí, které přišlo od výsadkáře stojícího za nimi. Byl to Mike Dale, mladý australský kameraman, který ho měl natáčet, až se v tandemu s Narovovou vyhrnou z otevřené rampy. Za tím účelem měl na helmě připnutou miniaturní kameru.

Potom se Jaeger přinutil zakřičet dřív, než mu slova zamrznou v hrdle: „Jednička a dvojka dobrý!"

Řada se semkla těsně k sobě. Kdyby měli na obloze příliš velké rozestupy, riskovali by, že se během volného pádu jeden druhému ztratí.

Jaeger pohlédl na semafor.

Začal červeně poblikávat: *Připravit!*

Přes rameno Narovové se podíval před sebe. Cítil, jak ho pramínky jejích uvolněných vlasů šlehají do obličeje. Strohý obdélník rampy se rýsoval proti zářivému nebi. Připomínalo rozevřený chřtán s vyceněnými zuby.

Venku, kde se motal vzdušný vír, svítilo čiré, oslepující světlo.

Jaeger ucítil, jak mu vítr surově tahá za helmu a snaží se mu servat brýle. Sklonil hlavu a chystal se ke skoku vpřed.

Koutkem oka spatřil, že na semaforu místo červené zazářila zelená.

Dispečer ustoupil zpět. „Ven! Ven! Ven!"

Jaeger prudce postrčil Narovovou a vrhl se do řídkého vzduchu. Tělo na tělo spolu vypadli do skučící prázdnoty. Když však opouštěli otevřenou rampu, ucítil, že o cosi zavadili; byla to jen chvilička, ale ta síla s nimi škubla a prudce je vychýlila z rovnováhy.

V tu ránu věděl, co se přihodilo: nestabilní výskok.

Byli rozhození a brzy se nekontrolovatelně roztočí.

Tohle by mohlo skončit opravdu špatně.

Jaeger a Narovová vletěli do chřtánu vzdušného víru za letadlem. Divoká turbulence s nimi otáčela stále rychleji a rychleji. Když je nakonec vyplivla, začali se řítit k zemi roztočení jako nějaká obří vyšinutá káča.

Jaeger se snažil soustředit na odpočítávání vteřin, než bude moci risknout otevření padáku.

„Tři sta tři, tři sta čtyři….“

Zatímco hlas v jeho hlavě odpočítával údery, on sám si uvědomil, že situace se rapidně zhoršuje. Otáčení se nestabilizovalo, bylo naopak nezastavitelné. Znovu prožíval hrůzu jako tehdy na centrifuze, až na to, že teď se to dělo v devíti tisících metrech a naostro.

Zkoušel odhadnout, jak rychle rotují – aby věděl, zda může riskovat otevření padáku. Dalo se to zjistit jedině tak, že bude počítat, jak rychle okolní vzduch mění barvy z modré na zelenou a zpět na modrou a tak pořád dál. Modrá znamenala, že jsou čelem proti obloze, zelená znamenala džungli.

Modrá-zelená-modrá-zelená-modrá-zelená-mooodrááá-zeeleenáááá-moooodrááááááá… Aááách!

Měl co dělat, aby zůstal při vědomí, natož aby ještě sledoval okolí.

25

Seskokový plán vyžadoval, aby se během volného pádu všichni spojili a za šňůry od padáků zatáhli až poté, co Jaeger uvolní svůj padák. Díky tomu by všichni sestupovali jako jeden a klouzavým letem by ve spořádané formaci mířili k místu přistání. Protože však první dva skákali v tandemu a divoce se roztočili, začínali se ostatním na obloze ztrácet.

Jak se řítili volným pádem k zemi, točili se stále rychleji. Vzduch Jaegerovi svištěl kolem uší a vítr mu rval hlavu jako běsnící uragán. Gravitační síla je neúprosně táhla k zemi. Připadal si, jako by byl přivázaný k nějaké splašené obří supermotorce, která se řítí tunelem ve tvaru šroubovice rychlostí čtyř set kilometrů v hodině.

Teplota byla jedna věc, ovšem při započtení větrného faktoru to bude totéž, jako by padali v minus sto stupních Celsia. Navíc Jaeger cítil ve víru stále divočejší rotace a do jeho mrznoucích očních bulv se po okrajích vkrádá šeď.

Jeho zorné pole se rozmazalo a zamlžilo. Cítil, jak lapá po dechu – zoufale potřeboval kyslík. Hořící plíce se snažily vytáhnout z láhve co nejvíc plynu. Jeho prostorová orientace – schopnost posoudit, kde se nachází, či dokonce kdo je – se rychle vytrácela.

Bojová brokovnice u jeho boku sebou mlátila jako baseballová pálka a skládací pažba mu tloukla do přilby s ohlušujícími ranami. Na začátku ji měl pevně připnutou. Během volného pádu se však nějak uvolnila a teď ještě víc narušovala stabilitu.

Nyní už vážně hrozilo, že Jaeger ztratí vědomí.

Raději si vůbec nechtěl představovat, v jakém stavu je Narovová.

Puls mu teď úplně otřásal lebkou a popletená mysl se ne a ne zorientovat. Jaeger ji silou vůle nutil k soustředění. *Musím ten pád stabilizovat.* Narovová spoléhala na něj, stejně jako všichni výsadkáři ve skupině.

Rotaci mohl zastavit jen jediným způsobem.

A musel to udělat hned.

Přitáhl si ruce k hrudi, načež je i s nohama vymrštil do tvaru čtyřcípé hvězdy. Zády se zapřel proti nesnesitelným silám, které mu skoro utrhly všechny končetiny. Svaly čelily takovému tlaku, že křičely bolestí. Jaeger vyrazil pronikavý výkřik. Vší silou udržoval pozici a snažil se je ukotvit ve vzduchu ostrém jako břitva.

„Áááááááááááááááááááááách!"

Aspoň že ho nikdo neuslyší křičet. Byli tam nahoře sami – kousíček pod střechou světa.

S roztaženýma a napjatýma rukama a nohama, jež měly tvořit čtyři kotvy, se jeho tělo klenulo v beznadějně řídké atmosféře. Mrznoucí vzduch skučel všude okolo něj, končetiny svírala bolest. Kdyby udržel tvar hvězdy dostatečně dlouho, aby ten šílený pád ve spirále stabilizoval, ještě by z toho mohli vyváznout živí.

Šlo to jen pozvolna, trýznivě pomalu, ale Jaeger nakonec ucítil, že se rotace zmírňuje.

Nakonec se oba dva přestali točit.

Nutil svou vysílenou mysl k soustředění.

Uvědomil si, že padá čelem k oslepující modři.

Modrá znamenala oblohu.

Jaeger ze sebe vychrlil sled nadávek. *Špatné natočení.*

Vražednou rychlostí se řítili zády směrem k zemi, proti husté džungli. S každou další vteřinou byli o devadesát metrů blíž dopadu, po němž by z nich nezbylo nic. Kdyby v této pozici zatáhl za šňůru od padáku, otevřel by se pod nimi. Padli by rovnou do něj a dál by se řítili k zemi jako párek mrtvol v rubáši ze zašmodrchaného hedvábí.

Rychlostí čtyř set kilometrů v hodině by sebou práskli do lesa.

Mrtví muži.

Nebo spíš jeden muž a jedna žena, zaklesnutí do sebe ve vražedném objetí.

Jaeger změnil polohu a přitáhl si pravou ruku blíž k tělu. Pak natočil protější rameno ve snaze převrátit je na druhou stranu. Naléhavě potřeboval, aby byli čelem k zelené.

Zelená znamenala zemi.

Z nějakého důvodu se celý manévr zvrtl tak, že dopadl úplně nejhůř, jak mohl – prudké otočení je opět roztočilo.

Chvíli už hrozilo, že Jaeger propadne panice. Jeho ruka se bezděčně natáhla k odjišťovací šňůře padáku, ale on ji silou vůle zadržel. Usilovně vzpomínal, jak tuhle situaci opakovaně zkoušeli během cvičných seskoků se speciální figurínou.

Když otevřete padák a jste roztočení, koledujete si o malér. Pořádný malér.

Provazy by se okolo nich pevně utáhly, jako když dítě namotává špagety na vidličku. To nebyla dobrá zpráva.

Točení se zrychlovalo. Jaeger věděl, že mu hrozí ztráta vědomí. Nastala kritická chvíle. Tohle bylo jako centrifuga, až na to, že se nacházel v extrémní výšce a neměl po ruce vypínač. Začínal vidět rozmazaně, jako by byl v mlze. Vlastní mysl se mu vzdalovala víc a víc. Dostal strach, že omdlí.

„Soustřeď se!" zavrčel.

Nadával sám sobě a snažil se vyprostit hlavu z oslepujícího zmatku. „Soustřeď se! Soustřeď se."

Každá vteřina teď měla cenu zlata. Jaeger musí znovu zaujmout pozici ve tvaru hvězdy a přimět Narovovou, aby udělala totéž. Tak budou mít mnohem větší šanci, že pád stabilizují.

Slovy se s ní nemohl dorozumět, snad jen řečí těla a posunky. Chtěl ji popadnout za ruce a naznačit, co se chystá udělat. Vtom si ale matně uvědomil, že se začala divoce vzpouzet.

Uprostřed oslepujícího zmatku se ve třpytivém vzduchu mihl stříbrný záblesk.

Čepel.

Nůž typu commando.

Mířil proti němu, chystal se mu probodnout hruď.

Jaeger si v tu ránu uvědomil, co se děje. Bylo to nemožné, ale bohužel skutečné. Narovová má v úmyslu zabít ho nožem.

Hlavou mu prolétlo Carsonovo varování: *Nikdy ji nepotkáš bez nože. Nebo jinak než nasranou.*

Čepel proti němu vyrazila v divokém výpadu.

Jaegerovi se povedlo odrazit jej pravačkou a vykrýt ránu masivním výškoměrem, který si před seskokem připnul na zápěstí. Čepel sklouzla po silném skle a natrhla mu goretexový rukáv.

Pravým předloktím projela bodavá bolest.

Zasáhla ho hned první ranou.

Několik zoufalých okamžiků se jen kryl a odrážel její rány, Narovová po něm divoce sekala, znovu a znovu a znovu.

Zase se ohnala – tentokrát mířila mnohem níž, očividně na břicho. Jaegerova ruka – zmrzlá jako kus ledu – byla o zlomeček vteřiny pomalejší.

Tento výpad nedokázal odrazit.

Celý ztuhl a čekal mučivou bolest, až mu nůž zajede hluboko do břicha. Ne že by tolik záleželo na tom, kam přesně bodne.

Jestli ho rozpárá tady v téhle výšce, kdy se každou vteřinu propadne o sto metrů k zemi, bude po něm.

26

Nůž se proti němu řítil bleskovou rychlostí.
    Pak mu někde vespod břicha zmizel z očí – Jaeger kupodivu neucítil bolest. Vůbec žádnou bolest. Místo toho vnímal, jak povolil první z řemenů, jimiž k němu byla připoutaná. Čepel ho přeřízla.

Pak se její ruka natáhla výš, zajela dozadu a nůž ostrý jako břitva opět řízl – tentokrát rozčísl pevné plátno a nylon.

Když přeřezala řemeny na pravé straně, vystřídala Narovová ruce. Opět bodla několikrát dozadu a rychle přeřezala popruhy na levé straně.

Ještě pár posledních seknutí a byla hotová.

Irina Narovová, velká neznámá Jaegerova týmu, se od něj oddělila a roztočená letěla pryč.

Sotva se odtrhla, Jaeger uviděl, jak bleskurychle roztáhla ruce a nohy do hvězdy. Když takto zpomalila pád a začala se stabilizovat, on sám prosvištěl kolem. Chvíli nato nad sebou uslyšel zapraštění, jako když lodní plachty nabírají vítr – a na nebi se rozzářil padák.

Irina Narovová právě otevřela nouzový padák.

Ještě před pěti vteřinami byly jeho šance na přežití prakticky nulové, ale teď, když už nenesl mrtvou váhu druhého těla, výrazně vzrostly. Několik dlouhých vteřin se zoufale snažil dostat pod kontrolu vlastní rotaci. Musel ten překotný pád ve spirále za každou cenu zastavit a ustálit se.

Volný pád trval už dvě minuty, když se Jaeger konečně odhodlal zatáhnout za odjišťovací šňůru – a za ním se rozvlnilo třicet dva metrů čtverečních toho nejjemnějšího hedvábí.

Chviličku nato ucítil, jako by se dolů natáhla obří ruka, chytla ho za ramena a prudce s ním škubla nahoru. Takové zpomalení po šíleném volném pádu se podobalo nárazu svištícího auta do cihlové zdi, kdy vystřelí všechny airbagy.

Ještě před chviličkou čekal Jaeger srážku s džunglí, která by ho stála život, a nyní věděl, že ho vlastní padák zachránil. Nebo mu spíš došlo, že život jim oběma zachránila Narovové zručnost při zacházení s nožem. Vzhlédl a ujistil se, že je padák v pořádku. Natáhl ruce, uchopil řídicí kolíky a několikrát za ně ostře zatáhl. Tím povolil aerodynamické brzdy a přešel do plachtění.

Díkybohu, zdál se v pořádku.

Místo divokého, strašlivého víření a ohlušujícího větru během volného pádu se teď jeho svět z ničeho nic ustálil – Jaeger zažíval naprostý klid. Plochu padákového křídla nad jeho hlavou zčeřil jen občasný závan větru. Chvíli se soustředil na to, aby dostal pod kontrolu tep a aby se mu rozjasnilo v hlavě. Potom se bude moci uvolnit a v pohodě řídit klouzavý let.

Odvážil se pohlédnout na výškoměr. Nacházel se ve výšce pěti set čtyřiceti metrů. Právě zastavil osmiapůlkilometrový sešup do náruče smrti. Trvalo šest vteřin, než se padák rozevřel úplně. Kdyby ho neotevřel, ani ne za dvacet vteřin by se rychlostí dvou set kilometrů v hodině zaryl do země.

Tak málo chybělo.

V takové rychlosti by téměř nebylo co seškrabávat mezi kapradím a hnijícím dřevem, kdyby ho chtěli parťáci pohřbít.

Jaeger rychle přelétl pohledem oblohu.

Kromě Narovové žádného dalšího výsadkáře nespatřil.

Sklopil bolavé, krví podlité oči a prohlížel sametově zelenou klenbu džungle pod sebou. Jak plachtil, postupně se k němu přibližovala a nikde ani sebemenší proluka či mýtinka.

Odhadoval, že od původně zamýšleného místa přistání ho teď s Narovovou dělí něco přes třicet kilometrů. Plán zněl otevřít padáky ve výšce osm tisíc čtyři sta metrů a klouzavým letem překonat víc než čtyřicet kilometrů, aby přistáli na oné písečné naplavenině. To všechno teď vzalo za své kvůli nestabilnímu výskoku a následné vražedné rotaci.

Kromě nepopiratelně kurážné a houževnaté Narovové o všechny ostatní členy svého týmu přišel.

Jako dva osamělí parašutisté se nyní snášeli horkým, dusným vzduchem a neměli kde přistát.

Nemohlo to být o moc horší.

Jaeger chvíli přemýšlel, zda je na rampě herculesu vyhodila z rovnováhy jeho zbraň a způsobila vývrtku, která je málem stála život. Jak by to však mohlo dispečerům ujít? Měli přece dohlédnout na to, aby každý výsadkář skákal bez jakýchkoli překážek, aby nedošlo k zádrhelu kvůli něčemu, co by nedrželo pevně u těla. A on navíc věděl, že si zbraň před výskokem pevně utáhl.

Během těch let pracoval s nesčetnými posádkami seskokových dispečerů. A vždycky to byli každým coulem profesionálové. Věděli, že život parašutistů je v jejich rukou a že i sebemenší chybička by jim mohla být osudnou. Za to, že oba přežili, vděčil ryzímu štěstí a – jak musel připustit – také rychlému úsudku Narovové.

Nedávalo smysl, aby mu při výskoku nechali dispečeři špatně upevněnou zbraň u těla. Prostě mu to nešlo dohromady. Jenže na druhé straně, těch věcí, jež nedávaly smysl, bylo zatím víc než dost. Za prvé přišel o život Smithy – spíš byl zavražděn. Pak se na ně pověsilo to neznámé letadlo. A teď ještě tohle.

Mohl jeden z dispečerů schválně sabotovat výskok? Jaeger neměl tušení. Začínal si však klást otázku, co ještě by se mohlo pokazit.

Ukázalo se, že je toho dost – jelikož zrovna teď se musel potýkat se základním problémem všech parašutistů.

Po otevření padáku šlo o to bezpečně přistát, což byl vždy nejnebezpečnější krok, zvlášť když člověk vůbec netušil, kde k tomu dojde. Parašutistický instruktor mu při jedné příležitosti zdůraznil, že lidi nezabíjí volný pád – ale země.

Když se od něj Narovová odřízla, získal několikametrový náskok. Tvořili teď pouze dvojčlenný tým. Nejdůležitější bylo zůstat po přistání spolu bez ohledu na to, co přijde pak. Jaeger se soustředil na zpomalení sestupu, aby ho mohla dostihnout.

Zjistil, že nad ním rotuje pod padákem ve spirále směrem doleva. S každou ostrou otáčkou ztrácela rychle výšku. Jaeger pořád přitahoval padák, aby brzdicí lana zpomalila rychlost pádu a zmírnila tak nápor větru.

Po několika vteřinách ucítil, že se vzduch vedle něho slabě zčeřil. Byla to Narovová. Jejich pohledy se na tu vzdálenost střetly. Navzdory jejich předchozímu působivému „souboji na nože" uprostřed pádu vypadala naprosto klidně. Jako kdyby se nepřihodilo nic nepatřičného.

Jaeger se pokusil o vstřícné gesto – ukázal zvednuté palce.

Narovová odpověděla stejně.

Naznačil, že ji povede na přistání. Krátce přikývla. Spustila se za něj a zaujala pozici několik metrů nad ním. Zbývalo už jen několik desítek metrů.

Ještě štěstí, že měl výcvik a věděl, na co se připravit – náraz do klenby džungle. Provést to správně nebylo zdaleka jednoduché. Takovou akci zvládli jen ti nejzkušenější parašutisté. Jaeger však viděl, jakou fintu Narovová použila, když se od něj během rotace odřízla, a odhadl její šance jako vysoké.

Prohlížel terén pod sebou, zda neuvidí v klenbě místo, které není tak hustě zarostlé jako okolní džungle. Místo, kde by se eventuálně mohli prosmeknout až na zem. Většina parašutistů, kteří kdy skákali do husté džungle, vůbec neměla v úmyslu tam jít. Byli to buď letci, kteří se katapultovali ze sestřeleného letadla, nebo měli na stroji nějakou mechanickou poruchu – například jim došlo palivo.

Vlétli do klenby, aniž by věděli, jak se přiblížit, a neměli ani výcvik v přežití. Normálně při takovém dopadu utrpěli četná zranění – včetně zlomených rukou a nohou. To horší však teprve přišlo.

Parašutista by se možná prosmekl, ale padák jen zřídka. Většinou se zasekl o horní větve a parašutista zůstal viset ve vzduchu, jen kousek pod korunami stromů.

A to se jim často stalo osudným.

Takto uvězněný výsadkář měl tři možnosti. Zůstat zavěšený na padáku a doufat, že přijde pomoc. Odříznout se a – spadnout z výšky dvaceti nebo pětadvaceti metrů. Zkusit se chytit větve, pokud byla nějaká nablízku, a slézt po stromu až na zem.

Parašutisté se často rozhodli, že zůstanou viset na padácích, protože další dvě možnosti se blížily sebevraždě. Zranění, dezorientovaní, šokovaní a dehydrovaní, soužení nenasytným hmyzem – zůstali prostě tam a čekali na záchranu.

Většina si tak protrpěla několik dlouhých dní, než zemřeli.

Něco takového si pro sebe – ani pro Irinu Narovovou – Jaeger rozhodně nepředstavoval.

27

Ve zvířené mlze zahlédl žlutavě zelenou skvrnu, prosvítající na tmavém koberci staré vegetace, která se táhla až ke vzdálenému obzoru. Mladý porost. Měl by být listnatější, pružnější a poddajnější. Větve se nebudou tolik lámat, a i kdyby ano, nezůstanou po nich ostré konce jako hroty kopí.

V to aspoň Jaeger doufal.

Pohlédl na výškoměr, s nímž odrazil výpady nožem, když se obával, že ho chce Narovová zabít.

Zbývalo sto padesát metrů.

Natáhl se dopředu a stlačil dvě kovové páky na příslušenství ruksaku. Ucítil, jak těžký vak odpadl – klesl o deset metrů níž a zůstal viset na provaze.

Klenba lesa se proti němu rychle řítila. Jako poslední věc zmáčkl tlačítko na přístroji GPS, který měl připnutý na zápěstí. Než je les pohltí, chtěl zjistit přesnou polohu, protože se obával, že další šance se jim v nejbližší době nenaskytne.

V posledních vteřinách před dopadem se soustředil na řízení padáku levým a pravým kolíkem, aby se dostal nad onu světlejší skvrnu zeleně.

Viděl, jak mu zelená masa letí vstříc. Prudce zatáhl za oba kolíky – padák se víc rozevřel a zpomalil. Pokud se mu podaří udržet ho v záběru, sníží tímto způsobem rychlost a snese se dolů na zem.

Vzápětí uslyšel zapraskání – třicetikilogramový ruksak padl mezi nejvyšší větve, rozrazil je a zmizel mu z očí.

Jaeger pokrčil kolena a zvedl nohy, ruce si přitiskl na hruď a obličej, aby byly chráněny. Okamžik nato ucítil, jak jeho boty a kolena vnikají do vegetace v závěsu za ruksakem. Ostré větve se mu zaryly do hýždí a hned potom do ramen, a pak vlétl do tmy pod nimi.

Jako dělová koule některé silnější větve doslova ustřelil. Sykal bolestí a řítil se ještě několik metrů, než se padák zasekl o horní větve a prudce ho zastavil. Náhlé zabrzdění mu vyrazilo dech. Jak se ho snažil popadnout, obestřela ho rozplizlá změť listí, ulámaných větví a rostlinné hmoty. Jako by se octl v mlze. Houpal se na provazech jako kyvadlo, ale přesto si uvědomoval, jak obrovské měl štěstí.

Byl nezraněný a zatraceně živý.

Potom to nad ním zapraskalo podruhé a vzápětí se vedle něj zjevila Narovová. I ona se divoce houpala sem a tam.

Okolní prostředí pomalu získávalo kontury.

Vyraženými otvory v klenbě prosvítalo oslepující světlo. Vzduch se tetelil v záři slunečních paprsků.

Obklopovalo je zvonivé ticho. Jako by každá živá bytost v džungli tajila dech, šokovaná tím, že do jejich světa tak nečekaně vpadli dva úplně cizí tvorové.

Houpání zvolna ustávalo.

„Seš v pořádku?" křikl Jaeger na Narovovou.

Po tom, čím si právě prošli, to znělo jako eufemismus století.

Narovová pokrčila rameny. „Jsem živá. Ty evidentně taky. Mohlo to být horší."

Jak přesně? – měl chuť se zeptat, ale potom si to nechal pro sebe. Anglicky mluvila plynně, ovšem díky silnému ruskému přízvuku její řeč působila divně, monotónně a nevzrušeně.

Jaeger ucukl hlavou dozadu a podíval se ve směru pádu. Pokusil se o vítězný úsměv. „Chvíli jsem si tam nahoře myslel, že se mě snažíš zabít. Nožem."

Zahleděla se na něj. „Kdybych tě chtěla zabít, zabila bych tě."

Jaeger její výsměch ignoroval. „Pokoušel jsem se nás stabilizovat. Při výskoku jsme o něco zavadili a mně se uvolnila zbraň. Už jsem to měl skoro vyřešený, když ses odřízla. Povídej mi něco o nedostatku důvěry."

„Možná." Narovová si ho chviličku měřila, obličej jako bezvýraznou masku. „Ale stejně se ti to nepovedlo." Podívala se stranou. „Kdybych se neodřízla, oba bychom už teď byli mrtví."

Na to se nedalo celkem nic říct. Jaeger se zavrtěl v postroji a snažil se dohlédnout na terén pod sebou.

„A proč bych tě vlastně měla chtít zabít?" pokračovala Narovová. „Pane Jaegere, musíte se naučit důvěřovat svému týmu." Prohlížela si klenbu džungle. „Takže otázka zní – jak se odsud dostaneme dolů? Tohle jsme ve Spetsnaz přímo netrénovali."

„Stejně jako jste netrénovali odříznutí z tandemu během rotace?" sondoval Jaeger. „Ta práce s nožem byla dost bravurní."

„Tohle jsem fakt nikdy netrénovala. Ale nezbývalo mi nic jiného, žádná další možnost nebyla." Narovová se odmlčela. „Jakákoli mise, jakákoli doba, jakékoli místo: dělej, co je potřeba. Motto Spetsnaz."

Než stačil vymyslet vhodnou repliku, nahoře cosi prasklo, jako když třeskne výstřel. Dolů se zřítila mohutná větev a zaduněla na půdě lesa. Vzápětí se Narovová propadla o pořádný kus níž, protože se utrhl jeden z dílců jejího poškozeného padáku.

Vzhlédla k Jaegerovi. „Tak co, máš nějakej nápad, jak se dostaneme dolů? Myslím kromě zřícení? Nebo nás mám vysekat i z tohohle?"

Jaeger zakroutil znechuceně hlavou. Páni, ta ženská je ale otravná. Ovšem po tom jejím čísle ve vzduchu s nožem začínal pochybovat, že by mohla být Smithyho vražedkyní. Byla to přece ideální příležitost zapíchnout ho, a ona jí nevyužila.

Nebude však na škodu, když si ji ještě prověří. „Možná existuje způsob, jak se z toho dostat." Ukázal na jejich padáky zamotané v korunách stromů. „Ale napřed budu potřebovat ten tvůj nůž."

Měl u sebe samozřejmě vlastní nůž, dýku Gerber, kterou mu na Bioku věnoval Raff. Měla pro něj zvláštní význam – nůž, se kterým zachránil dobrému kamarádovi život. Nosil ji v pouzdře uvázaném šikmo na hrudi. Chtěl se však přesvědčit, jestli mu Narovová ochotně svěří zbraň, s níž ho málem rozpárala.

Příliš dlouho neváhala. „Můj nůž? Hlavně ať ti nespadne. Je to starej kámoš." Sáhla po dlouhé dýce, odepnula ji, sevřela hrot mezi prsty a hodila ho na krátkou vzdálenost, která je dělila.

„Chytej," zavolala, když už dýka protínala světlo a stín.

Nůž, který chytil, připadal Jaegerovi jaksi povědomý. Chvíli ho obracel v rukou a útlá osmnácticentimetrová zašpičatělá čepel se třpytila ve slunečních paprscích. Teď už o tom nepochyboval: podobala se dýce ležící ve vojenském kufru dědy Teda, který měl uschovaný ve svém bytě ve Wardour Castle.

Když bylo Jaegerovi šestnáct, dědeček mu dovolil vytáhnout ji z pochvy ve své pracovně, kde spolu spokojeně bafali z dýmky. Ta kouřovitá, aromatická vůně se mu vybavila v tuto chvíli, stejně jako jméno dýky, vyražené na rukojeti.

Omrkl čepel a potom se uznale podíval na Narovovou. „Pěkná. Bojová dýka Fairbairn-Sykes. Památka z druhé světové války, jestli se nepletu."

„Jo." Narovová pohodila rameny. „A moc šikovná k zabíjení Němců, jak jste tehdy názorně předvedli vy mládenci od SAS."

Jaeger si Rusku dlouhou chvíli prohlížel. „Ty myslíš, že budeme zabíjet Němce? Na téhle výpravě?"

Její odpověď, vyzývavě prohozená, evokovala temná slova prastrýce Joea. A vyslovila ji způsobem, který připomínal plynnou němčinu: „*Denn heute gehort uns Deutschland, und morgen die ganze Welt.*" Dnes nám patří Německo, a zítra celý svět.

„Víš, není moc pravděpodobné, že v tom letadle zůstal někdo naživu." Do Jaegerova hlasu se vplížil náznak sarkasmu. „Po víc než sedmdesáti letech v hloubi Amazonie – řek bych, že je to prakticky nemožné."

„*Schwachkopf!*" – idiote! Narovová na něj zlostně pohlédla. „Ty myslíš, že to nevím? Co kdybyste raději dělal něco užitečného, pane expediční vůdce, a dostal nás z téhle bryndy, do které jste nás uvrtal?"

28

Jaeger Narovové vysvětlil, co zamýšlí.

Nouzový padák, který použila, byl menší a lehčí kus výstroje než jeho BT80. Když vlétla mezi stromy, bylo vidět, že se ošklivě potrhal. Proto také Jaeger navrhl, že je nejdřív pod oběma vrchlíky stabilizuje a vytvoří tak jeden pevný bod, z něhož se budou moci spustit na zem.

Po podrobném vysvětlení začali odřezávat ruksaky, které až doteď visely na provazech pod nimi. Těžké vaky propadly vrstvami vegetace a každý s jasně slyšitelným žuchnutím skončil na půdě lesa hluboko dole. Manévry, které vymyslel, by v žádném případě nemohli uskutečnit s rozhoupanými pětatřicetikilogramovými závažími pod nohama.

Poté Narovovou přiměl, aby se na padáku zhoupla směrem k němu, že sám udělá totéž. Sevřeli v rukou lana, odrazili se a za všemožného kroucení a napínání se nakonec chytili, když se dráhy dvou kyvadlových pohybů nejvíc přiblížily k sobě.

Jaeger se nohama zaklesl kolem jejích boků a držel. Pak rukama uchopil její trup a připnul hrudní segment jejího postroje ke svému. Nyní byli spojení v bodě někde uprostřed mezi padáky.

Na rozdíl od tandemového seskoku se nacházeli čelem k sobě. Mezi sebou měli masivní karabinu – kovový článek ve tvaru D s pružinovou pojistkou. Ta pozice a blízkost druhého člověka byla Jaegerovi rozhodně nepříjemná, navíc hrozilo, že se v tlustém a neohrabaném obleku pro přežití a dalším příslušenství výstroje na seskok z velké výšky upeče zaživa.

Dal by cokoli za to, aby se živí a zdraví dostali dolů.

Pomocí druhé karabiny pevně spojil padáky v nejužších

bodech, kde se lana sbíhala k sobě. Potom vytáhl dlouhou parašutistickou šňůru Specter – vysoce elastický, ale pevný khaki provaz, silný asi jako šňůra na prádlo, s nosností dvě stě třicet kilogramů. Pro jistotu ho zdvojil.

Dvakrát ho provlékl horolezeckým jistítkem pro slaňování, aby zvýšil tření, a uvázal horní konec k padákům. Potom parašutistickou šňůru odmotával a opatrně spouštěl dolů, až na zemi leželo asi třicet metrů provazu. Nakonec připnul jistítko ke karabině, kterou měl připevněnou na hrudi. Byli teď s Narovovou oba přichycení k provizornímu, parašutistickou šňůrou tvořenému lanu.

Kromě toho, že na padácích viseli, byli k nim také nezávisle přichycení pomocí nouzového zařízení, které Jaeger právě sestrojil z jistítka a parašutistické šňůry. Nadešla kritická chvíle: musí se od padáků odříznout a potom s ní Jaeger slaní až dolů.

Strhli si helmy, masky a brýle a upustili je na zem. Jaeger se po takové námaze potil jako vepř. Po obličeji mu stékaly stružky potu a máčely předek obleku v místě, kde byli připnutí těsně k sobě.

Trochu to připomínalo soutěž mokrých triček – až na to, že tohle bylo moc blízko a moc osobní. Cítil snad každou křivku jejího těla.

„Vidím, že seš z toho nesvůj,“ poznamenala Narovová. V jejím hlase zazníval zvláštní, věcný, až jakoby mechanický tón. „Tak těsná blízkost může být nutná z několika důvodů. Za prvé: praktická nutnost. Za druhé: sdílení tělesného tepla. Za třetí: sex. Teď je to důvod číslo jedna. Soustřeď se na práci.“

Bla bla bla, pomyslel si Jaeger. *Věř mi, že bych radši spadl do džungle s nafukovací pannou, kdybych potřeboval společnost.*

„Takže jsi mě vlákal do svého objetí,“ pokračovala Narovová monotónně. Ukázala nahoru. „Ať máš v plánu cokoliv, měl by sis pospíšit.“

Jaeger se podíval tam, kam ukazovala. Metr nad jeho hlavou číhal obří pavouk. Byl velký asi jako jeho ruka a v tom šeru se zdálo, že světélkuje a hází stříbrné odlesky – baculaté tělo s nožkama, které vypadaly jako osm vyzáblých prstů šátrajících jeho směrem.

Viděl jeho vypouklé oči, červené a zlé. Upřeně na něj zíraly, vlhké čelisti hladově přežvykovaly. Zvedl přední nohy, bojovně s nimi zamával – a opět se posunul blíž. Jaeger teď ke své hrůze spatřil jeho zuby – zřejmě napuštěné jedem – přichystané zaútočit.

Vytasil nůž Narovové, chtěl pavouka rozsekat, ale ona ho rukou zastavila.

„Ne!" sykla.

Vytáhla svůj náhradní nůž a v pouzdře vsunula jeho úzký konec pod pavoukovo chlupaté břicho. Cvrnk – vyhodila ho do vzduchu. Roztočil se kolem dokola, jeho trup se jen třpytil ve slunečních paprscích. Když se řítil dolů, zlostně syčel a cvakal čelistmi, že mu plán nevyšel.

Narovová nespouštěla oči z korun stromů. „Zabíjím, jen když musím. A když je to rozumné."

Jaeger se podíval stejným směrem jako ona. Lezly k nim desítky dalších pavouků. Lana od padáků vypadala, jako by ožila.

„*Phoneutria*," pokračovala Narovová. „Řecký název pro vražednici. Když jsme padali, museli jsme trefit hnízdo." Podívala se na Jaegera. „To, jak zvedají přední nožky, je obranný postoj. Kdybys jednu usekl, tělo vydá pach, který varuje sourozence, a pak už doopravdy zaútočí. Jed obsahuje neurotoxin PhTx3. Nervový jed. Příznaky se velmi podobají zasažení nervovým plynem: ztráta kontroly nad svalstvem a dechem, následuje ochrnutí a udušení."

„No jak myslíš, doktore smrťáku," zamumlal Jaeger.

Pohlédla na něj. „Já je odrazím. A ty – ty nás odsud dostaneš dolů."

Jaeger se natáhl za sebe a nožem začal odřezávat tlustý pás plátnu podobného materiálu, který spojoval její parašutistický postroj s provazy padáku. Přitom po očku sledoval, jak její nůž shodil druhého a třetího pavouka.

Zatímco Narovová hbitě odrážela stále další tvory, Jaeger dospěl k závěru, že musela nějakého minout. Přicupital k němu, zvedl přední nožky a zuby se ocitly jen pár centimetrů od jeho holé ruky. Jaeger reagoval instinktivně – bodl proti němu nožem a čepel ostrá jako břitva ho píchla do břicha. Objevila se pavoučí krev, tvor zatáhl nožky, odkulil se a spadl na zem.

V tu chvíli Jaeger zaregistroval cvakání a klapání. Mezi desítkami ostatních pavouků se šířil poplašný signál – ucítili, že jeden z nich byl zraněn.

A jako jeden se vyhrnuli do útoku.

„Teď už vážně jdou!" zasyčela Narovová.

Vytáhla nůž z pochvy a bodala vlevo, vpravo proti syčící mase pavouků. Jaeger zdvojnásobil úsilí. Ještě několikrát řízl a podařilo se mu Narovovou uvolnit. Vlastní váha ji strhla dolů, než ji prudce zastavila karabina připnutá k Jaegerovu postroji. Oba se řádně lekli.

Jaeger chviličku cítil, že jeho vrchlík pod dodatečnou vahou povoluje, ale naštěstí vydržel. Natáhl ruce nad hlavu a zběsile odřezával svoje lanoví – a po chvilce to bylo.

Oba dva se utrhli a padali, jako kdyby se nečekaně zřítili.

Parašňůra v destičce jen svištěla. Jaeger je nechal vteřinku dvě padat, než usoudil, že už jsou z dosahu armády vražedných pavouků. Potom šňůru sevřel v ruce a škubl směrem dolů, čímž ji utáhl.

Tření provazu v destičce pád zpomalilo a zastavilo. Nyní se houpali na parašutistické šňůře asi deset metrů pod padáky, po nichž se hemžila masa rozzuřených, velice jedovatých pavouků.

Phoneutria – palovčík. Jaeger by byl strašně rád, kdyby už žádného z nich až do nejdelší smrti nespatřil.

Moc dlouho se tou představou kochat nemohl, protože první ze svíjejících se stříbřitých koulí vzápětí vyrazila za nimi. Vrhla se svisle dolů po vlastním provaze – tenoučkém vláknu pavoučího hedvábí, které se táhlo za ní.

Jaeger znovu povolil parašňůru a zase se oba řítili dolů.

29

Spadli o nějakých tři a půl metru a najednou s děsivým škubnutím opět zůstali stát. Přetržený popruh z obleku Narovové se zasekl v jistítku.

Jaeger zaklel.

Volnou rukou látku chytil a zkoušel ji vytrhnout. Vtom najednou ucítil, že mu na vlasech přistálo něco měkkého a kostnatého. Něco, co vztekle chrčelo a syčelo.

Čepel ostrá jako břitva se vzápětí mihla těsně nad jeho temenem.

Jaeger ucítil, jak špička nože zajíždí do palovčíka – pavouk v bolestech zatáhl nožky, pustil se a hlavou napřed se v řídkém vzduchu řítil k zemi. Čepel Narovové stále znovu protínala stíny, z nichž vylézali pavouci, a Jaeger se zatím urputně snažil uvolnit zaseknutý popruh.

Nakonec se mu povedlo popruh z jistítka vyrvat. Škublo to s nimi a slaňování pokračovalo.

„Nevzdávaj se jen tak snadno," zabručel a popouštěl parašňůru jisticím systémem.

„To ne," potvrdila Narovová.

Podržela mu ruku před obličejem. Jaegerovi neušlo, že jeho partnerka je levačka. A právě na její levé ruce se táhla hrozivě vyhlížející, rudočerná podlitina. Uviděl také dvě charakteristické dírky, stopy po kousnutí.

Oči jí slzely bolestí. „Když řízneš jednu *Phoneutrii*, zaútočí všechny," připomněla mu. „Oběti popisují bolest z uštknutí, jako by ti v žilách proudil oheň. Je to docela přesný."

Jaegerovi došla řeč.

Narovovou kousl jeden z pavouků, kteří na ně padali, a ani při tom nevykřikla. Vzápětí se mu hlavou mihla naléhavá otázka – ztratí jednoho z členů výpravy ještě předtím, než vůbec stihla začít? „Mám s sebou protijed,“ řekl a podíval se dolů. „Je ale v ruksaku. Musíme se co nejrychleji dostat na zem.“

Vztyčil pravou ruku nad hlavu, kam až dosáhl. Parašutistická šňůra svištěla jistítkem rychleji a oni se plnou rychlostí řítili k zemi. Jaeger byl rád, že má rukavice, protože i zdvojená parašňůra byla pořád ostrá jako břitva a holou rukou by ji neudržel.

Dával pozor, aby se botami dotkl země jako první a dopad ztlumil. Normálně by využil jisticí systém ke zpomalení a zastavil by těsně před přistáním. Jenže v tomhle závodě s vražednicí jim docházel čas. Musí urychleně vytáhnout protijed.

Přistáli v nevlídném šeru.

Přes koruny stromů jen minimálně prosvítalo sluneční světlo. Asi devadesát procent dostupného osvětlení pohltí masa hladové vegetace vrstvící se nad vámi – na zemi panuje v džungli přítmí.

Než si jeho oči zvyknou na nedostatek světla, bude problém zaregistrovat případné nebezpečí – jako třeba pavouky.

Jaeger nepochyboval, že palovčíci se za nimi spustí až úplně dolů – a jen hlupák se spálí dvakrát o stejná kamna. Pohlédl nahoru. Ve zbloudilém paprsku, který pronikl až do hloubi lesa, rozeznával asi deset hedvábných vláken. Zlověstně se třpytila – na každém se spouštěl blyštivý uzlík smrtícího jedu.

Neuvěřitelné – palovčíci po nich stále jdou, a jak to tak vypadá, ochromená Narovová nebude schopná klidit se jim z cesty.

Zatímco pavouci si to svištěli dolů, odtáhl ji několik metrů od lana. Potom si odepnul brokovnici, namířil hlaveň ve směru pavouků a zahájil palbu. Vracející se ozvěna výstřelů vypálených těsně po sobě byla ohlušující: *Kabuuum! Kabuuum! Kabuuum! Kabuuum!*

Jeho Benelli měla spodní nabíjení a zásobník na několik patron. V každém se ukrývaly olověné broky o průměru devíti milimetrů. Smrtící příval kulek cupoval pavouky na kousky.

Kabuuum! Kabuuum! Kabuuum!

Poslední výstřely zapráskaly ve chvíli, kdy horda palovčíků už prakticky seděla na konci Jaegerovy hlavně – a nadělaly z nich kaši. Právě tohle Jaeger na Benelli miloval: namíříte přibližným směrem a pak už jen mačkáte spoušť – ačkoli si skutečně nikdy nepředstavoval, že ji použije proti pavoukům.

Kolem se ještě chvíli rozléhaly ozvěny posledních hromových výstřelů, jak se zvuk odrážel od masivních kmenů. Vysoko v korunách se rozléhalo panické vřeštění – zřejmě tlupa opic. Vyděšení primáti se po větvích velice hbitě rozprchli na opačnou stranu.

Z výstřelů brokovnice zaléhalo v uších a znělo to podivně zlověstně.

Jaeger nepochyboval, že právě zatelegrafoval všem tvorům, kteří měli uši – dorazili jsme. Jenže k čertu s tím. Proti přívalu palovčíků potřeboval pořádnou palebnou sílu a bojová brokovnice byla na takovou práci jako stvořená.

Hodil si zbraň na záda a odřízl Narovovou z lana. Když ji odtahoval z cesty, její boty zanechávaly stopu ve shnilém listí a řídké písčité půdě. Poté ji opřel o jeden z několika kořenů ve tvaru obráceného V, které vybíhaly ze spodní části kmene mohutného stromu.

Deštný les je jako hrad postavený na písku – půda pod džunglí připomíná tloušťkou vafle. Mrtvá vegetace v intenzivní vlhkosti a horku rychle hnije a uvolněné živiny se zase rychle recyklují a putují do rostlin i zvířat. Výsledkem je, že většina lesních obrů spočívá na pavučině opěrných pilířů pronikajících jen několik centimetrů do chudé půdy.

Jakmile Narovovou opřel, rozběhl se pro ruksak. Jako kvalifikovaný zdravotník – tuto speciální dovednost si osvojil v armádě – účinky smrtícího neurotoxinu velmi dobře znal. Napadal nervovou soustavu tak intenzivně, že nervová zakončení byla jako v jednom ohni. Vyvolávalo to příšerné škubání a křeče, jaké právě začínala vykazovat Narovová.

Smrt obvykle nastávala kvůli ochromení svalů, které zajišťovaly dýchání. Organismus se nakonec doslova a do písmene zadusí. Léčba vyžadovala podání tří injekcí nervové protilátky ComboPen v rychlém sledu. ComboPen léčí příznaky otravy, nicméně Narovová by mohla potřebovat také pralidoxim a avizafon, aby se obnovila řádná funkce svalstva řídícího dýchání.

Jaeger popadl svou lékárničku a začal v ní hledat stříkačky a ampulky. Ještě štěstí, že byla tak dobře vypolstrovaná – většina skleněných věcí pád očividně přežila. Připravil první injekci ComboPenu. Zvedl ji nad hlavu, odstříkl a poté do žil Narovové vpravil pořádnou dávku léku.

30

Za pět minut nebezpečí pominulo. Narovová byla stále při vědomí, ale bylo jí zle, mělce dýchala a hrozně se škubala a kroutila sebou. Mezi kousnutím a dobou, kdy jí Jaeger podal protijed, uplynulo sotva pár minut, přesto však pořád hrozilo, že by ji pavoučí jed mohl zabít.

Jaeger jí pomohl z neohrabaného obleku na seskok z velké výšky a nutil ji vypít co nejvíce vody z lahve, kterou položil vedle ní. Potřebovala být zavodněná, aby tekutiny pomohly vyplavit z těla ty nejhorší toxiny.

Jaeger se svlékl a zůstal jenom v silných bavlněných bojových kalhotách a tričku. Oblečení měl nasáklé potem a pořád se z něj jen lilo. Odhadoval, že vlhkost tu musí být přes devadesát procent. Navzdory značnému tropickému vedru se vypařovalo jen velmi málo potu, protože vzduch už byl nasycen vodními parami.

Dokud zkrátka budou v džungli, budou prosáklí skrz naskrz a nejlepší je si na to zvyknout.

Jaeger se na chvíli zastavil, aby si utřídil myšlenky.

Když se na konci toho šíleného volného pádu zanořili do klenby džungle, bylo 0903 zulu. Trvalo jim dobrou hodinu, než se dostali dolů z vrcholků stromů. Teď bylo okolo 1030 zulu a podle všech měřítek utrpěli širokou škálu zranění a pohmožděnin. Když si před odjezdem procházeli ty nejhorší scénáře, nikdo s ničím takovým nepočítal.

Jeden z jeho instruktorů v SAS mu kdysi říkal, že „žádný plán nepřežije první kontakt s nepřítelem". A měl sakra pravdu – zejména když člověk z devíti tisíc metrů sletí volným pádem do Amazonie, a ještě k tomu má k sobě přivázanou ruskou ledovou královnu.

Jaeger obrátil pozornost ke svému batohu. Byl to pětasedmdesátilitrový zelený Alice Pack od Bergenu, vyrobený v USA a navržený přímo pro džungli. Na rozdíl od mnoha jiných velkých batohů měl tenhle kovový rám, který jej držel dobrých pět centimetrů i víc od zad, takže nejhorší dávka potu mohla odtéct. Tím se snížilo riziko vzniku potniček nebo odření ramen či boků.

Většina velkých ruksaků mívá široký trup a kapsy trčící do stran. Výsledkem je, že jsou širší než ramena člověka a zatrhávají se a zachytávají za porost. Alice Pack však byl užší navrchu a dole širší, přičemž všechny kapsy byly přišité k zadní části. Jaeger tedy věděl, že když se někde protáhne on, protáhne se tudy i jeho batoh.

Ruksak byl podšitý tuhou gumovou látkou, to ho činilo voděodolným a mohl se díky tomu nadnášet a plavat. A jako bonus měl tlumicí vrstvu, která dokázala utlumit pád z několika desítek metrů. Třeba právě takový, jaký se odehrál před chvílí.

Jaeger prohrabával obsah batohu. Jeho obavy se naplnily – ne všechno pád přežilo bez poškození. V jedné ze zadních kapes byl kvůli snadnému přístupu nacpaný jeho satelitní telefon Thuraya. Měl prasklý displej. Jaeger se ho pokusil zprovoznit, ale nepovedlo se. Náhradní byl zabalený v jedné z paratrubek, s nimiž seskakovali Krakow a Kamiši, ale to mu teď bylo houby platné.

Vytáhl mapu. Naštěstí byla skoro nezničitelná, ostatně jako většina map. Jaeger ji nechal zalaminovat, takže byla částečně voděodolná, a taky už složená na správné stránce. Nebo to aspoň měla být ta správná stránka. Potíž však byla v tom, že s Narovovou dopadli někde v okruhu čtyřiceti kilometrů od zamýšleného místa přistání.

Jaeger použil batoh jako sedátko, opřel se o vystouplý kořen stromu a přeložil mapu na tu stranu, kterou považoval za správnou. Skládání mapy je v armádě věc zcela nepřípustná. Pokud vás nepřítel zajme, okamžitě tak pochopí, na které místo jste se zaměřovali. Tady ale Jaeger nebyl na žádném zásahu, tohle přece měla být civilní expedice do džungle.

Z GPS na zápěstí získal bod, který odečetl těsně před tím, než se zabořil do klenby větví v džungli. Poskytlo mu šestimístnou souřadnici: 837529.

Zanesl ji do mapy a ihned přesně uviděl, kde se nacházejí.

Chvíli zvažoval jejich ošemetnou situaci.

Dostali se dvacet sedm kilometrů severovýchodně od původně zamýšleného místa přistání – písečné naplaveniny. Bylo to špatné, ale Jaeger hádal, že to mohlo být ještě horší. Mezi nimi a původním cílem leželo široké ohbí řeky Rio de los Dios. Jaeger předpokládal, že zbytek expedičního týmu přistál na písečné naplavenině, jak bylo v plánu, takže mezi členy týmu a současnou pozicí jeho a Narovové se rozkládala řeka.

Kolem řeky nevedla žádná cesta a on to věděl. Sedmadvacetikilometrová cesta hustou džunglí se zraněnou nebude žádná procházka růžovým sadem, to bylo jisté.

Před seskokem si odsouhlasili, že kdyby kdokoli místo přistání minul, zbytek týmu počká osmačtyřicet hodin. Pokud ztracená osoba nebo osoby nedorazí do té doby, měl být dalším místem setkání výrazný ohyb řeky. Nacházel se přibližně den cesty po proudu a dál po proudu po každém dalším dni byla ještě jiná dvě místa setkání.

Rio de los Dios tekla směrem, který potřebovali, aby se dostali k vraku letadla. Právě to byl další důvod, proč se rozhodli přistát zrovna na písečné naplavenině. Cesta k vraku po řece měla být relativně snazší ve srovnání s prostupem skrze džungli. Jenomže každé následující místo setkání se nacházelo dál a dál na západ, tudíž daleko od současné pozice Jaegera a Narovové.

Nejbližší byla písečná naplavenina, což znamenalo, že mají čtyřicet osm hodin na to, aby se k ní dostali. Pokud se jim to nepovede, hlavní skupina výpravy se přesune více či méně na západ a Jaeger a Narovová je už nikdy nedoženou.

Jelikož telefon Thuraya byl zničený, nemohl se Jaeger nijak spojit se členy z výpravy a dát jim tak vědět, co se stalo. I kdyby se mu nějak povedlo telefon zprovoznit, pochyboval, že by chytil signál. Satelitní telefon vyžadoval jasnou oblohu a satelity, jinak nemohl přijímat ani vysílat žádné zprávy.

Jaeger usoudil, že i kdyby překonali Rio de los Dios, čekala by je další obávaná cesta středem džungle. Navíc si velmi dobře uvědomoval ještě jeden, stěžejní problém – přirozeně kromě toho, že Narovová téměř nebyla schopná takovou cestu vydržet.

Plukovník Evandro nakládal s přesnou polohou trosek letadla velmi obezřetně právě proto, aby jeho polohu chránil. GPS souřadnice byl ochoten sdělit pouze Jaegerovi osobně, a to až krátce před odletem C-130. Jaeger obratem odsouhlasil, že si polohu nechá pro sebe. Vskrytu duše si totiž nebyl jistý, komu z týmu může skutečně věřit.

Ostatním členům chtěl sdělit přesnou trasu ihned poté, co se dostanou na písečnou naplaveninu. V té době už v tom pojedou všichni spolu. Když určoval místa setkání pro případ nouze, nikdy by ho nenapadlo, že to bude zrovna on, kdo špatně přistane.

V tuto chvíli tedy nikdo neznal souřadnice vraku letadla, což znamenalo, že zatím budou muset postupovat bez něho.

Jaeger letmo pohlédl na Narovovou. Vypadalo to, jako by se její stav zhoršoval. Jednou rukou podpírala tu, do které ji kousl pavouk. Tvář měla slitou potem a kůže nabírala nezdravou, smrtelnou bledost.

Jaeger se opřel hlavou o kořen stromu a několikrát se zhluboka nadechl. Teď už nebyl v sázce jenom úspěch expedice, najednou z toho byla otázka života a smrti.

Šlo skutečně o přežití. A rozhodnutí, která udělal, nepochybně předurčí, zda tímhle s Narovovou projdou živí.

31

Narovová měla své světle blonďaté vlasy stažené nebesky modrou čelenkou. Oči se jí zavřely, jako kdyby usnula nebo upadla do bezvědomí, a mělce dýchala. Jaegera zarazilo, jak krásně, ale zranitelně vypadá.

Najednou oči otevřela.

Na okamžik se zahleděly do těch jeho – byly veliké, prázdné, nepřítomné. Vypadaly jako ledově modré nebe, potažené bouřkovými mraky. Potom se se zřetelným úsilím snažila přivést mysl zpět k soustředění, k mučivé přítomnosti.

„Bolí to," ucedila skrz zaťaté zuby. „Nikam nepůjdu. Máš osmačtyřicet hodin na to, abys našel ostatní. Mám batoh a v něm vodu, jídlo, zbraň, nůž. Klidně běž."

Jaeger zavrtěl hlavou. „Nic takového." Odmlčel se a pak řekl: „Sám se sebou bych se nudil."

„Seš pitomej *Schwachkopf.*" Jaeger spatřil v jejích očích náznak úsměvu. Bylo to poprvé, kdy ukázala jakoukoli známku emoce, kromě špatně skrývaného nepřátelství. Zaskočilo ho to. „Ale mě to nepřekvapuje, že by ses sám se sebou nudil," pokračovala. „Protože ty seš nudnej. Hezkej, to jo, ale zároveň děsně nudnej…"

Náznak úsměvu v jejích očích pohasl pod náporem křečí.

Jaeger měl za to, že ví, o co se ta holka pokouší. Snažila se ho provokovat, přimět ho k tomu, aby ji tu nechal. Neuvědomila si však jednu věc. On své přátele neopouští.

Nikdy. Ani ty bláznivé.

„Uděláme to takhle," oznámil jí. „Všechno tady necháme a vezmeme si jenom to nejnutnější, no a tady pan Nudnej odsud tvou ubohou prdel odnese. A než začneš protestovat – dělám to proto, že tě potřebuju. Jsem jediný, kdo zná souřadnice vraku letadla. Pokud se tam nedostanu já, mise skončí. Teď ty souřadnice řeknu taky tobě, čili je převezmeš pro případ, že bych umřel. Chápeš?"

Narovová pokrčila rameny. „Jak hrdinské. Ale to ty nikdy neuděláš. Akorát mi sebereš batoh, takže bez vody a jídla umřu. Takže nejsi jenom nudnej, ale taky blbej."

Jaeger se rozesmál. Už už to chtěl celé přehodnotit a nechat ji tady. Místo toho vstal a přitáhl oba ruksaky, aby mohl vytřídit nezbytnosti. Nechal si lékárničku, jídlo na osmačtyřicet hodin pro dva, pončo, pod nímž se dalo spát, střelivo do své zbraně, mapu a kompas.

Přidal dvě plné láhve vody a svůj lehký filtr Katadyn, aby si mohli rychle opatřit pitnou vodu.

Pak na dno svého batohu složil dva vodácké pytle, na něž položil lehčí vybavení. Těžší věci – jídlo, vodu, nůž, mačetu a munici – přihodil nahoru, aby mu co nejvíce zátěže spočívalo na ramenou.

Zbytek výbavy zůstane tam, kde je, na ten si uplatní nárok džungle.

Když všechno roztřídil, hodil si batoh na záda. Svou brokovnici i zbraň Narovové si dal přes rameno tak, aby byly vpředu. Nakonec vložil do kapes svého vojenského opasku tři nejnutnější položky. Dvě plné láhve vody, kompas a mapu.

Byl připravený vyrazit.

GPS funguje podobně jako satelitní telefon, tedy prostřednictvím satelitu. Pod hustým lesním porostem bylo k ničemu. Bude muset překonat skoro třicet kilometrů džunglí bez pěšin jen pomocí počítání kroků a určování azimutu, což je navigační metoda stará jako lidstvo samo.

Naštěstí byla tohle i v době moderní technologie dovednost, na niž SAS stále spoléhalo, a všichni členové jednotky ji taky dokonale ovládali.

Ještě předtím, než na sebe naložil Narovovou, sdělil jí Jaeger souřadnice vraku letadla. Musela mu je několikrát zopakovat, aby se ujistil, že si je doopravdy zapamatovala. Věděl, jak jí psychicky pomůže, když jí připomene, že ji potřebuje.

Částečně ale přece jen pochyboval o tom, zda to celé dokáže. Taková vzdálenost tímhle terénem, s takovou váhou na zádech, to by většinu lidí zabilo.

Sehnul se a zvedl Narovovou hasičským zdvihem, takže visela tváří dolů přes jeho ramena. Břicho a hruď jí spočívaly přímo na vrchu jeho batohu, který tak převzal většinu její váhy. Přesně jak Jaeger zamýšlel. Utáhl si pás a ramenní popruhy batohu a přitáhl jej blíž k trupu, aby se zátěž rozložila po celém těle včetně boků a nohou.

Nakonec stanovil kompasem azimut. Zahleděl se na vzdálený strom, ležící třicet metrů před ním. Označil si ho jako první bod, k němuž zamíří.

„Fajn," zavrčel, „takhle to být rozhodně nemělo, ale půjde to."

„Nekecej," zašklebila se Narovová bolestně. „Jak jsem řekla, nudnej a blbej."

Jaeger si jí nevšímal.

Nasadil plynulé tempo a počítal při chůzi každý krok.

32

Všude kolem Jaegera se ozývaly zvuky džungle. Řev divokých zvířat vysoko v korunách stromů, tepání tisíců hmyzích živočichů z křoví, rytmické kvákání žabího chóru, naznačující, že někde před ním leží promáčené místo.

Cítil, že vlhkost se zvyšuje, a pot se z něj jen lil. Ale trápilo ho ještě něco. Něco, co nesouviselo s nejistotou jejich ošemetné situace. Měl pocit, jako kdyby nebyli sami. Ten pocit se vymykal zdravému rozumu, přesto ho nedokázal setřást.

Dělal, co mohl, aby při průchodu džunglí zanechával co nejméně stop, avšak jak čas ubíhal, měl čím dál tím větší jistotu, že je někdo sleduje. Byl to strašidelný dojem, a ještě strašidelnější kvůli váze, kterou táhl na zádech.

Džungle byla v mnoha ohledech tím nejdrsnějším prostředím na vojenské i jiné operace. Ve sněhu v Arktidě se vlastně musíte starat jen o to, abyste si uchovali zbývající teplo. Navigace je jednoduchost sama, poněvadž se vám skoro vždycky podaří zachytit signál GPS. V poušti je zase klíčovou záležitostí držet se z dosahu horka a pít dostatek vody, abyste přežili. Pohybujete se v noci a ve dne ležíte ve stínu.

Džungle oproti tomu nabízí přemíru nebezpečí, a to takových, jaká nikde jinde nenajdete. Únavu, dehydrataci, infekce, onemocnění nohou z dlouhého stání v mokru, dezorientaci, boláky, kousnutí hmyzem, odřeniny, hmyz přenášející choroby, vyhladovělé moskyty, divoká zvířata, pijavice a hady. V džungli navíc neustále bojujete s uzavřeným, dusivým terénem, kdežto v Arktidě a na poušti je krajina otevřená.

A pak se taky samozřejmě potýkáte s pavouky zabijáky a s nepřátelskými domorodými kmeny.

Tohle všechno si Jaeger připomínal, když se probíjel hustým podrostem, po kluzké půdě a zrádném podloží. Jeho nozdry zahlcoval těžký, zatuchlý pach hniloby. Jak se blížili k Rio de los Dios, terén se svažoval. Zanedlouho se dostanou k severnímu břehu řeky a tam teprve celá ta legrace doopravdy začne.

Čím výš v džungli vylezete, tím je terén obvykle méně obtížný. Podloží je stále sušší a vegetace řidší. Jenomže tady budou muset dřív nebo později překonat Rio de los Dios a to znamenalo sestoupit do hustšího, bažinatého podkladu.

Jaeger se na chvilku zastavil, aby nabral dech a odhadl cestu vpřed.

Přímo před nimi ležela hluboká rokle, která v období dešťů nepochybně sváděla vodu do Rio de los Dios. Podloží vypadalo vlhké a mokřinaté, země tu postrádala jakýkoli dotek slunce. Strží hustě prorůstaly stromy střední velikosti. Každý z nich se honosil hrozivými ostny, které trčely několik centimetrů z kmene.

Jaeger tyhle ostnaté stromy dobře znal. Ostny nebyly jedovaté, ale na tom zas tak nezáleželo. Jednou při cvičení v džungli na takový strom padl. Tuhé dřevěné trny mu probodly paži na několika místech a zranění se rychle zanítila. Od té doby těm stromům říkal „zmetci“.

Mezi nebezpečnými kmeny se táhly stonky popínavých rostlin s háčkovitými ostny. Jaeger vytáhl kompas a rychle stanovil azimut. Roklina vedla na jih, směrem, který potřeboval. Usoudil však, že nejlepší bude se jí vyhnout.

Místo toho dal azimut na západ a soustředil pohled na vysoké a statné stromy z tvrdého dřeva. Zamířil k nim. Proboxoval si cestu kolem rokle a potom se o kousek dál obrátil k jihu. To ho mělo dovést přímo k řece. Každých dvacet minut sundal Narovovou, dal si přestávku a pořádně si lokl vody. Nikdy to však netrvalo déle než dvě minuty a pak opět vyrážel na cestu.

Během postupu nakrčil ramena, aby si na nich váhu Narovové posunul o něco výš. Chvilku přemítal, jak se asi drží, protože od chvíle, kdy vyšli, nepromluvila jediné slovo. Kdyby ztratila vědomí, překročit řeku bude téměř nemožné. V tom případě by musel vymyslet jiný plán.

O patnáct minut později sjel smykem mírný svah, pak zastavil před stěnou vegetace, která vyhlížela dost neprostupně. Na vzdálené straně rozeznával pohybující se masu – podivný záblesk slunečního světla prosvítajícího podrostem.

Voda. Byl skoro u řeky.

Stará džungle, po celá staletí netknutá vegetace, povětšinou sestávala ze střechy větví vysokých stromů a relativně řídkého podrostu na půdě lesa. Když ale takový panenský deštný prales někdo narušil, třeba jím vedl dálnici, vyrazila na vytvořených mýtinách ihned druhotná vegetace. A tady, kde se do jeho hlubin zařezávala řeka, to bylo stejně.

Rio de los Dios protínala v džungli tunel slunečního svitu a po obou jejích stranách se rozkládala záplava hustých, spletitých křovin. Rostliny, které se tyčily nad Jaegerem, vypadaly jako temná a neproniknutelná skalní stěna. Vysocí lesní velikáni, olemovaní menšími křovisky, která vyhlížela jako palmy, stromovým kapradím a popínavými rostlinami, dosahujícími až na lesní půdu. Další místo, které není možné překonat s takovým břemenem na zádech.

Otočil se na východ a sledoval říční břeh až k rokli, jíž se právě vyhnul. V bodě, kde se nořila do vegetace, byl velký úsek terénu bez porostu. Vznikla tak maličká kamenitá pláž, ne širší než průměrná ulička na anglickém venkově.

Ta by stačila. Odtud by mohli vyrazit přes řeku, pokud by to ovšem byla Narovová schopná zvládnout.

Jaeger ji nadzvedl a spustil ji na zem. Jevila jen chabé známky života a on se v jednu chvíli lekl, že ji pavoučí jed přemohl v době, kdy ji nesl džunglí. Když ale nahmatal puls, všiml si třasů a křečí v jejích končetinách. Palovčíkův jed se stále pokoušel propracovat hlouběji do její soustavy.

Třasy nebyly tak zlé jako ty první, takže protijed očividně zabíral. Přesto na veškerou jeho péči nereagovala, jako by byla ponořená do komatózního spánku. Zvedl jí hlavu, jednou rukou ji podepřel a pokusil se do ní vpravit trochu tekutiny. Polkla několik doušků, ale pořád ani náznakem neotevřela oči.

Jaeger sáhl po batohu a vytáhl svoje GPS. Potřeboval zjistit, jestli přístroj „uvidí" dost velkou část oblohy na to, aby obdržel použitelný signál. Zařízení píplo jednou, dvakrát, třikrát, a pak se na obrazovce rozsvítily ikonky satelitu. Jaeger zaměřil jejich polohu. Mřížka na přístroji GPS sdělovala, že je navigace zapnutá.

Jaeger chvíli hleděl na řeku a zvažoval, jak přes ni budou přecházet. Byla dobrých čtyři sta padesát metrů široká, možná víc. Temnou, líně tekoucí vodu tu a tam pozastavovaly úzké bahnité břehy, které však téměř vůbec nečeřily hladinu.

A co bylo ještě horší, Jaeger zahlédl to, čeho se obával nejvíc. Jeden nebo dva lesklé obrysy obrovských, ještěrovitých tvorů, slunících se v dopoledním horku.

Těmi tvory byli ti největší predátoři, jaké mohla Amazonie nabídnout. Krokodýli.

Nebo přesněji kajmani, jelikož tohle byla Jižní Amerika.

33

Černý kajman – *Melanosuchus niger* – může dorůst až do délky pěti metrů. Váží až čtyři sta kilogramů, čili pětkrát více než dospělý člověk. Je nesmírně silný a jeho kůže je tlustá jako kůže nosorožce, proto nemá žádné přirozené nepřátele.

Nijak překvapivé, naznal Jaeger. Jednou slyšel, jak kajmana někdo popisuje jako „krokodýla na steroidech". A byla to pravda, větší a agresivnější už být nemohli. Musím si dát bacha, pomyslel si Jaeger.

Připomněl si, že černý kajman má relativně špatný zrak, přizpůsobený spíš pro lov ve tmě. Pod vodou sotva vidí a zejména v řekách plných naplavenin, jako je tahle. Když kajmani chtějí zaútočit, musejí zvednout hlavu nad hladinu, což znamená, že se stanou viditelnými.

Jako vodítko ke kořisti obvykle využívají čich. Jaeger prohlédl místo, kam ho Narovová řízla nožem, když se během jejich šíleného pádu pokoušel vyhnout jejím bodným úderům. Zranění dávno přestalo krvácet, nejlepší ale stejně bude nenamočit jej.

Jaeger neměl žádný náhradní plán, a tak pokračoval v tom jediném, který si stanovil. Otevřel svůj ruksak a vytáhl plovací vaky z kánoe. Pak vyndal z batohu i zbytek věcí a rozdělil je do dvou uzavíratelných pytlů, aby byla váha rovnoměrně rozložená.

Jeden pytel vložil do batohu, nafoukl ho, uzavřel, konec dvakrát přeložil a pevně sepnul sponkou. Potom nafoukl a sepnul i druhý pytel.

Pomocí zapínání na svém batohu ho přivázal ke druhému plovacímu vaku. Pak vzal svou zbraň i zbraň Narovové a ke každé přivázal dostatečně dlouhý kus parašutistické šňůry. Opačné konce šňůr připevnil rychlými úvazy ke dvěma rohům svého provizorního plovoucího zařízení.

Kdyby některá zbraň spadla do řeky, takto ji zase vytáhne.

Z hájku, který rostl poblíž vody, vybral tlustý bambus. Porazil jej mačetou a rozřezal kmen na díly o délce metr a půl. Nato dva z nich rozetnul ostrým nožem ještě podélně, takže vznikly čtyři stejně silné výztuže. Čtyři další kusy celého bambusu položil do řady, k nim přivázal parašutistickou šňůrou příčné výztuže a všechno svázal dohromady. Vznikl jednoduchý rám, který Jaeger uvázal k plovacím vakům.

Přitáhl nouzový raft na mělčinu a obkročmo si na něj sedl, aby vyzkoušel pevnost. Pohodlně pojal jeho váhu a plaval vysoko na vodě, přesně tak, jak chtěl. Jaeger tedy usoudil, že je připravený.

Nepochyboval, že váhu Narovové raft unese taky.

Přivázal ho a chystal se přefiltrovat trochu vody. Vždycky bylo moudré udržovat láhve plné, hlavně když se tolik potil. Nasál přívodní trubkou špinavě hnědou říční vodu, z filtru pak začala do jeho láhve tryskat čistá, svěží tekutina. Napil se co nejvíc a teprve pak doplnil obě láhve.

Zrovna končil, když vtom lepkavé horko protnul unavený hlas. Kolísavý, sevřený bolestí, ochraptělý vyčerpáním.

„Nudnej, blbej… a napůl šílenej." Narovová mezitím přišla k sobě a sledovala ho, jak testuje svůj raft. Ochable ukázala na vor. „Neexistuje způsob, jakým by se ti povedlo mě na to dostat. Je čas přijmout nevyhnutelné a jít dál sám."

Jaeger poznámku ignoroval. Po obou stranách plavidla umístil zbraně tak, aby mířily vpřed. Pak se vrátil k Narovové a dřepl si před ni.

„Kapitáne Narovová, váš kočár čeká." Pokynul směrem k provizornímu raftu. Cítil, jak se mu svírá žaludek při pomyšlení na to, co je čeká, ale dělal všechno, co uměl, aby ty pocity potlačil. „Snesu tě dolů a položím tě na palubu. Je to celkem stabilní, ale snaž se nevrtět. A neskopni zbraně do vody."

Povzbudivě se na ni usmál, ale žena sotva dokázala zareagovat.

„Oprava," zašeptala.„Ne napůl šílenej, ale klinicky choromyslnej. Ale jak vidíš, nejsem ve stavu, abych se mohla hádat."

Jaeger ji zvedl. „Hodná holčička."

Narovová se zamračila, ale na náležité odseknutí byla příliš vyčerpaná.

Jaeger ji jemně položil na raft a upozornil ji, aby skrčila svoje dlouhé nohy. Stočila se do klubíčka. Plavidlo se pod její váhou ponořilo o dobrých patnáct centimetrů, i tak ovšem jeho velká část pořád zůstávala nad hladinou.

Mohli vyrazit.

Jaeger se přebrodil do hlubší vody. Raft tlačil před sebou a pod nohama mu mlaskalo hutné bahno. Voda byla vlažná a olejovitá, plná usazenin. Tu a tam jeho bota narazila na hnijící vegetaci. Většinou to byla větev stromu, zabořená do těžkého nánosu. Když je přelézal, vypouštěly dlouhé řady bublin – hnilobných plynů unikajících na hladinu.

Jakmile mu voda sahala k hrudi, odrazil se. Proud byl silnější, než čekal. Nepochyboval, že je hodně rychle strhne a ponese je po řece dolů. On však musel vodu překonat co nejdřív, poněvadž v ní číhalo nebezpečí.

34

Jaeger se odrazil přes první volný pruh vody, přitom se oběma rukama pořád držel provizorního raftu. Narovová ležela před ním stočená do klubíčka a nehýbala se. Bylo nezbytně nutné, aby postupoval přímo a plynule. Kdyby se raft prudce roztočil nebo ztratil rovnováhu, Irina by z něj spadla a ve vodě by ji čekala smrt.

Určitě by se neubránila, natož aby se pokusila uplavat.

Jaeger se rozhlížel po řece na všechny strany. Byl skoro na stejné úrovni jako hladina a to mu poskytovalo zvláštní, jakoby nadpozemskou perspektivu. Říkal si, že takhle to asi mají kajmani z Rio de los Dios, když křižují hladinu převážně ponoření a pátrají po kořisti.

Zkoumal hladinu vlevo i vpravo a hledal, zda k nim něco nemíří.

Nacházel se osmnáct metrů od břehu, když zahlédl prvního. Ten pohyb přitáhl jeho pohled. Sledoval, jak kajman dobrých devadesát metrů nahoru po proudu sklouzl z břehu do řeky. Na zemi byl tenhle ohromný tvor neohrabaný, ale jakmile vstoupil do vody, pohyboval se se smrtící ladností a rychlostí. Jaeger cítil, jak se mu každý sval napíná přípravou na boj.

Kajman se však nevydal dolů po proudu k nim. Jeho hlava zamířila na sever a nějakých pětačtyřicet metrů si čenichal cestu nahoru po proudu. Pak vylezl na bahnitý břeh a vrátil se k tomu, co už provozoval předtím – ke slunění.

Jaeger si oddechl. Tenhle kajman hlad zjevně neměl.

Za chvíli ucítil, že se jeho boty dotkly dna. Přebrodil se a vytáhl raft na první kousek pevniny, pruh bažinaté usazeniny široký asi tři a půl metru. Přesunul se k přední části raftu a začal ho vytahovat. Nohy i ruce mu hořely námahou. S každým krokem se jeho nohy až po kolena bořily do černého, lepivého bahna.

Dvakrát mu raft vyklouzl z rukou. Jaeger spadl na všechny čtyři a rozplácl se v té páchnoucí břečce. Na chvíli mu to připomnělo močál, v němž se na ostrově Bioko skrýval s Raffem. Rozdíl byl ovšem v tom, že tam se nemusel potýkat s obrovitými kajmany.

Když se znovu dostal na kraj hlubší vody, pokrýval ho už od hlavy až k patě hnijící černý sliz a puls mu námahou bušil jako kulomet.

Zjistil, že jsou tam ještě další dva mělké bahnité úseky, jimž se nemůže vyhnout. Bude je muset přejít. Nepochyboval o tom, že až se dostanou na druhou stranu, bude totálně vyřízený.

Pokud se na druhou stranu dostanou.

Zase se brodil vodou a raft táhl za sebou, pak zaujal předkloněnou pozici za ním. Usilovně kopal a poháněl plavidlo směrem do středu řeky, ale proud jimi škubal stále víc. Jaeger musel bojovat vší silou, aby udržel vor v rovnováze. Přitom šlapal vodu nohama, aby se dostal aspoň o kousek dál.

Dolů po proudu byla řeka mělčí, ale u břehu tekla rychleji. Jaeger viděl, jak se voda bouří. Hnala se v tom místě přes kameny a vytvářela pás bílé vody. Potřeboval přejít dřív, než je to strhne do peřejí.

Raft doplul k druhému bahnitému úseku. V té chvíli ucítil Jaeger nečekaný dotyk. Něco mu přejelo po pravé paži. Vzhlédl, ale byla to jen ruka Narovové. Natáhla prsty, ovinula je kolem jeho prstů a slabě stiskla.

Nevěděl přesně, co se mu snaží říct. Číst v téhle ženě bylo téměř nemožné. Ale třeba, snad, se ledová královna začíná trošku rozpouštět.

„Vím, co si myslíš." Její hlas k němu sotva dolehl. Napůl šeptala, protože jí celý organismus spalovaly toxiny. „Ale není to nic intimního. Snažím se tě varovat. Plave sem první kajman."

Jaeger se zápěstími přidržel raftu a popadl obě zbraně. Držel je za rukojeti, ukazováčky ovinuté kolem kohoutků a hlavněmi hrozil doleva i doprava. Očima přehlížel vodní hladinu.

„Kde?" zasyčel. „Na které straně?"

„Jedenáct hodin," zašeptala Narovová. „Víceméně před námi. Dvanáct metrů. Blíží se rychle."

Kajman připlouval ze směru mimo jeho zorné pole.

„Drž se," křikl Jaeger.

Povolil sevření levé ruky na zbrani, uvolnil uzel, který držel bojovou brokovnici, popadl ji a sjel z raftu. Ponořil se pod něj a prudce kopl oběma nohama. Jakmile se dostal na druhou stranu, zahlédl, jak vodu prořezává obrovitý černý čenich a blíží se k nim. Pět metrů nebo i víc za ním se plížilo rýhované, šupinaté, obrněné tělo.

Byl to černý kajman jaksepatří, skutečné monstrum.

Jaeger zvedl zbraň přesně ve chvíli, kdy se před ním doširoka rozevřely zvířecí čelisti. Hleděl kajmanovi přímo do krku. Na míření nebyl čas. Stiskl spoušť rovnou z bezprostřední blízkosti. Jeho levá ruka nabila pohybem předpažbí a vypálila další dávku a ještě další.

Opakované salvy obří hlavu plaza rozcupovaly, avšak nestačily už zastavit pohyb zvířete vpřed. Kajman pošel zřejmě okamžitě, protože se mu do mozku zaryla pořádná dávka olova, přesto ale jeho krvácející tělo narazilo plnou vahou svých čtyř set kilogramů přímo do Jaegera.

Ucítil, jak se mu vymáčkl vzduch z plic. Potopil se hluboko pod raft a temné, zakalené říční vody se nad ním zavřely.

Nad vodou se s hrozivým křupnutím zastavila kajmanova přední část. Mrtvé oči hladově zíraly a rozervaná čelist dopadla na přední část raftu.

Lehké plavidlo se povážlivě zakymácelo, náraz ho málem roztrhl napůl. Za okamžik se bezvládné mrtvé tělo zvířete začalo potápět pod vodní hladinu.

Zasažený vor se nahnul ještě víc a kolem hlavy a ramen Narovové začala šplouchat voda. Raft vyrazil od kamenů a táhlo ho to směrem k prvním peřejím.

Narovová cítila, že se plavidlo potápí. Napjala na chvilku svaly a pokusila se ho zadržet.

Ale bylo to nad její síly.

Mezitím se Jaeger konečně vydral zpátky na hladinu. Jeho plíce se dusily smrdutou vodou Rio de los Dios. Dlouho v té hloubce bojoval o život a připadal si napůl utopený. Lapal po dechu – tělo zoufale toužilo po kyslíku a všemožně se snažilo nasát životodárný vzduch.

Z obou stran už připlouvali další kajmani a blížili se k mrtvole obludy, kterou právě zabil. Přitahoval je pach krve. Při potopení na říční dno ztratil Jaeger bojovou brokovnici, takže byl teď úplně bezbranný. Kajmani mu však příliš pozornosti nevěnovali.

Chystali se hodovat na jednom ze svých řad. Hnala je chuť krve, houstnoucí v temné vodě řeky.

Jaeger se dlouho pokoušel zorientovat, ale řeka i jeho vtáhla do peřejí. Voda s ním smýkala o kameny. Snažil se chránit si tělo. Nohy měl natažené po proudu, aby odrážel překážky. Pro udržení stability vytrčil ruce do stran.

Pak se odtáhl do pomalejšího proudu na kraji bílé vody. Provedl obrátku o tři sta šedesát stupňů. Pátral po raftu, pečlivě se rozhlížel ze strany na stranu, ale nikde ho neviděl. Lehký vor prostě zmizel. Při pomyšlení na to, že se opravdu ztratil, tuhla Jaegerovi krev v žilách.

Hledal dál a stále horečněji, jenže po provizorním plavidle nebylo nikde ani stopy.

Ani po Irině Narovové.

35

Jaeger se vytáhl na říční břeh.

Svezl se na kolena. Byla z něho promáčená, vyčerpaná hromádka. Nohy mu hořely bolestí a plíce lapaly po dechu. Kdyby ho někdo pozoroval, připadal by mu spíš jako napůl utopená a bahnem obalená krysa než jako člověk. Jaeger ale naštěstí nečekal, že by ho někdo pozoroval.

Hodiny bez přestávky slídil očima po Rio de los Dios a pátral po Irině Narovové. Prohlížel řeku od břehu ke břehu, pátral úplně všude, a navíc volal její jméno. Ale nedařilo se mu najít jedinou stopu po ní ani po raftu. A pak objevil to, čeho se nejvíc obával. Svůj batoh a plovací vaky. Věci byly pořád ještě přivázané k sobě, jen roztahané a roztrhané kajmaními zuby. Jaeger rozeznával otisky jejich čelistí.

Rozbité zbytky provizorního raftu odplavaly až na mělčinu pěkný kus dolů po proudu. Na přilehlém bahnitém břehu pak Jaeger našel děsivou stopu po ženě, kterou se tak zoufale pokoušel ochránit. Ležela tam její nebesky modrá čelenka, teď promočená, rozervaná a znečištěná bahnem.

Přesto pořád prohledával říční břeh tak daleko, jak dokázal dojít. Pomalu se ale začal bát, že je jeho úsilí zbytečné. Usoudil, že Narovovou to muselo z člunu strhnout, tak jako jeho stáhlo mrtvé tělo kajmana hluboko do inkoustově černých vod řeky. A o zbytek se pak už postaraly proudy a taky kajmani.

Skoro minutu bojoval, aby se dostal na hladinu, a raft mu během té doby zcela zmizel z dohledu. Kdyby zůstal neporušený a nepotopil se, určitě by svůj nouzový vor uviděl. Pak by se mu ho povedlo zachytit a dostat na souš.

A kdyby na něm pořád ještě byla Irina Narovová, možná by ji dokázal zachránit.

Ale takhle… Nechtělo se mu právě rozjímat nad konkrétním osudem Narovové, ale ani na chvilku nezapochyboval, že je vyřízená. Narovová je prostě mrtvá – buď se utopila v Rio de los Dios, nebo ji roztrhali zuřiví černí kajmani. A nejpravděpodobněji obojí.

A on, Will Jaeger, nedokázal udělat nic pro to, aby ji zachránil.

Vydrápal se na nohy a klopýtal dál po bahnitém břehu řeky. V té temné chvíli se v něm ozval jeho bojový výcvik. Přepnul se do režimu přežití, protože tohle jediné dobře znal. Ztratil sice Narovovou, ale zbytek výpravy byl pořád ještě někde v džungli. Na té vzdálené písečné naplavenině podle všeho čeká osm lidí, kteří jsou na něho odkázaní.

V tuto chvíli neměl souřadnice, takže k vraku letadla zamířit nemohl. A pokud nezačne postupovat vpřed, bude se z tohoto krutého ztraceného světa dostávat jen velmi těžko. Žádnou únikovou strategii neměl. Dostat se z místa tak odlehlého a zřejmě i zatraceného, jako je Cordillera de los Dios, bude vyžadovat řádné plánování a přípravu. To Jaeger velmi dobře věděl.

Ať měla ztráta Narovové znamenat cokoli, musí se spojit s ostatními členy týmu a vést je dál, až na místo, kde leží vrak. Teď ale musí udělat vše potřebné, aby se vůbec dostal na písečnou naplaveninu – navzdory okolnostem, které se dost rychle obracely proti němu.

Vyprázdnil kapsy oděvu a taky kapsy na svém pásku. Po tom zmatku při přecházení řeky neměl ponětí, co z vybavení mu vlastně zůstalo. Batoh se ukázal jako nepoužitelný – kajmani ho rozervali a nezůstalo v něm zhola nic. Jaeger tedy zkoumal svůj ubohý majetek a počítal, co mu zbylo.

Kompas, nejdůležitější kus vybavení, který si nacpal hluboko do kapsy kalhot a pevně ji zapnul, tam pořád ještě vězel. S kompasem měl Jaeger značnou šanci, že se k daleké naplavenině doopravdy dostane. Potom z boční kapsy kalhot vyndal mapu. Byla nasáklá vodou a trochu ošoupaná, ale celkem použitelná.

Měl mapu a kompas. To byl dobrý začátek.

Prověřil svůj nůž, přichycený k hrudi. Byl stále tam, spolehlivě zapnutý v pouzdře. Tenhle nůž mu věnoval Raff, a jak se mu během toho impozantního boje na pláži Fernao hodil. Tehdy tam zabili malého Moa.

Tolik smrti, a teď se musí vyrovnat zase s další.

36

Co by za to Jaeger dal, kdyby teď měl Raffa u sebe. Kdyby tam veliký Maor byl, možná mohla Narovová žít. Jasně, zaručeno to není, ale Raff by jim určitě pomohl zdolat toho zabijáckého kajmana a jeden nebo druhý by nejspíš z toho prvního útoku vyvázli bez újmy. No a tak by dokázali zachránit člun i vzácný náklad na něm.

Jenže Jaeger byl sám a Irina Narovová pryč. Musel se proti těmhle tvrdým skutečnostem obrnit. Neměl na výběr, musel jít dál.

Pokračoval v prověřování výbavy. Ve výstroji u pásku měl zavěšené dvě plné láhve vody, ale filtr Katadyn se ztratil. Pak něco málo nouzových potravin, svazek parašutistické šňůry, pomocí níž se s Narovovou spustili z klenby džungle, a ještě dva tucty nábojů do brokovnice.

Ty zahodil. Beze zbraně by při postupu byly jenom přítěží.

Potom jeho pohled spočinul na lesklém tvaru mince, která původně patřila pilotovi C-130. Ležela mezi několika dalšími kousky a úlomky vybavení. Ve slunečním světle se zablýsklo motto Night Stalkers: *Ve tmě číhá smrt.* O tom nebylo pochyb. Rudá smrt v zubech a čelistech, ta doopravdy číhala v temných vodách Rio de los Dios.

A našla si je, nebo aspoň Narovovou.

Pochopitelně to v žádném případě nebyla chyba pilota.

Pilot té C-130 je z letadla vypustil přesně v té chvíli, kdy měl. Byl to úctyhodný výkon. Za tu katastrofu, která nastala pak, vůbec nemohl. Mince zapadla spolu se zbytkem chabé Jaegerovy výbavy hluboko do jeho kapsy. Lidi přece drží naživu naděje, připomněl si.

A nakonec si prohlédl poslední kousek výzbroje, ten nejspornější. Nůž Iriny Narovové.

Jaeger ho použil k odříznutí po slaňování a pak ho zastrčil do svého pásku. Připadalo mu to jako správná věc, uprostřed všeho toho zmatku a taky proto, že byla Narovová ochromená po pavoučím kousnutí. Teď to bylo to jediné, co ho s ní spojovalo.

Dlouho držel nůž v ruce. Pohledem přejížděl po názvu nože, vyrytém do ocelové rukojeti. O historii této čepele věděl všechno, protože už důkladně zkoumal nůž svého dědy.

V měsících po Hitlerově bleskové válce, která se odehrála na jaře roku 1940 a vyhnala jednotky Spojenců z Francie, nařídil Winston Churchill vytvoření speciální složky. Ta měla podnikat brutální přepadové akce proti nepříteli v jeho týlu. Tihle zvláštní dobrovolníci se učili vést válku stylem, který byl tehdy velmi nebritský – rychle a špinavě, bez jakýchkoli pravidel.

V přísně utajené škole pro vyřazování z boje a vraždění jim ukazovali, jak snadno zraňovat, mlátit, poškozovat a zabíjet. Jejich instruktory byli legendární William Fairbairn a Eric „Bill" Sykes, kteří umění zabíjet v tichosti a zblízka během let zdokonalili.

U Wilkinson Sword si Sykes s Fairbairnem objednali bojovou dýku, kterou měli pak používat Churchillovi speciální dobrovolníci. Měla osmnácticentimetrovou čepel a masivní rukojeť, aby se dala pevně sevřít v mokru. Navíc ji opatřili ostřím jako břitva a ostrým bodným profilem.

Nože dělala výrobní linka Wilkinson Sword v Londýně. Na čtvercové hlavě každé dýky byla vyrytá slova „The Fairbairn-Sykes Fighting Knife", bojová dýka Fairbairna a Sykese. Oba muži učili dobrovolníky, že při boji zblízka není zbraně, která by byla víc smrtící, a co je nejdůležitější – „nikdy jí nedojde munice".

Jaeger neviděl, že by někdy Narovová použila svůj nůž ve vzteku. Ale už sám fakt, že si vybrala takovouhle dýku, stejnou, jakou používal jeho děda, ho k ní nějak přitahoval. Nikdy však neměl příležitost zeptat se jí, kde k ní přišla, nebo co pro ni přesně znamená.

Přemítal, kde ji asi vzala. Ruska, veteránka Spetsnaz, a má dýku britského přepadového oddílu. A co ta její poznámka – „moc šikovná na zabíjení Němců"? Za války měl tenhle nůž každý voják SAS i britských přepadových komand. Ikonická zbraň měla jistě na svém kontě nezanedbatelný podíl nacistických nepřátel.

Ale to všechno se odehrálo tak dávno, před mnoha desetiletími.

Jaeger si znovu zastrčil dýku za pásek.

Chvilku zvažoval, zda se nespletl, když trval na tom, aby šla Narovová s ním. Kdyby udělal, co žádala, a nechal ji na místě, nejspíš by pořád žila. Jenže měl v sobě zakořeněno přesvědčení, že nikdy nesmí nechat člověka na pospas. V tomhle případě šlo o ženu, ale stejně, jak dlouho by tam vydržela?

Ne. Čím víc o tom přemýšlel, tím spíš docházel k závěru, že udělal správnou věc. Jedinou správnou věc. Stejně by tam zemřela. Kdyby ji tam nechal, jenom by umírala déle, oddalovala by smrt, a taky by umřela o samotě.

Jaeger vytlačil myšlenky na Narovovou z mysli.

Takže si udělal inventuru – teď před ním ležela znepokojující cesta. Přes dvacet kilometrů pochodu hustou džunglí jen se dvěma litry čisté vody. Bez jídla člověk dokáže přežít mnoho dní, ale bez vody ne. Musí si přidělit striktní dávky. Maximálně každou hodinu lok, devět loků na láhev, na osmnáct hodin chůze.

Podíval se na hodinky.

Světlo vydrží ještě tak dvě hodiny. Pokud se má dostat včas na písečnou naplaveninu, kde mělo proběhnout nouzové setkání, bude muset nejspíš pochodovat i v noci, a to je v džungli naprosto nepřípustná věc. V černočerné tmě noci není pod temnou klenbou větví vidět vůbec nic.

Kromě holých rukou a nože navíc neměl nic na obranu. Pokud se dostane do nějakých závažných problémů, nezbude mu nic jiného než útěk. Měl pouze jedinou výhodu. Jelikož je Narovová pryč, nemusí už ji s sebou nést. To by ho zpomalovalo.

Byl vybavený pouze tím, co přečkalo, což znamenalo, že se může pohybovat rychle. I tak se ale nastávající cesty děsil.

Vstal, položil si kompas do dlaně a stanovil první azimut. Bod, který zaměřil, byl spadený kmen stromu. Ležel víceméně na jih a tímhle směrem Jaeger potřeboval vyrazit. Zastrčil kompas, sehnul se, posbíral deset malých oblázků a dal si je do kapsy. Každých deset kroků přemístí jeden kamínek do druhé kapsy. Až přemístí všechny, bude mít za sebou sto kroků.

Jaeger ze zkušenosti věděl, že na překonání sta metrů terénu je potřeba sedmdesáti kroků levou, ovšem na rovině a za světla. S plnou výzbrojí, zbraní a municí je třeba osmdesáti kroků, protože nohy je pod těžkou zátěží dělají menší. A pokud bude stoupat do prudkého kopce, potřebuje sto kroků levou.

Přehazování oblázků byl jednoduchý systém, který mu během dlouhých plahočení obtížným terénem už nesčetněkrát pomohl. A taky si díky přesouvání kamínků udrží zaměstnanou a soustředěnou mysl.

Než vyšel, udělal ještě poslední věc. Vzal pero a zaznamenal svou současnou pozici. Vedle zapsal: „Poslední známé určení polohy Iriny N."

Pokud by se mu někdy naskytla šance, bude se takhle moci vrátit na tohle místo a pátrat metodicky po jejích ostatcích. Bude na to mít dostatek času a lidských sil. Vrátí její rodině aspoň něco, i když neměl ani ponětí, jaká její rodina je a kde žije.

Potom vyrazil. Šel a počítal.

Zacházel hlouběji do lesa a každých deset kroků přehodil oblázek z jedné kapsy do druhé. Uběhla hodina, čili nastal čas na první rychlý hlt vody a prověření mapy.

Jaeger vyznačil do mapy svou polohu. Nacházel se dva kilometry jižně od břehu řeky. Potom stanovil azimut a pokračoval dál. Teoreticky by si takhle mohl navigovat cestu džunglí až na tu písečnou naplaveninu jen pomocí jednoduché metody počítání kroků a zaměřování azimutu. Ale ať už by to zvládl nebo ne, s pouhými dvěma litry vody a beze zbraně to byla úplně jiná záležitost.

Jeho osamělou postavu už pohltilo šero džungle, a přesto na sobě Jaeger pořád cítil ty záhadné oči, sledující ho odněkud ze stínů.

Prodíral se vpřed do tmavého, tísnivého lesa a levou rukou svíral kapsu plnou oblázků. Jeho rty počítaly kroky a přitom se lehce pohybovaly.

37

Daleko odtud, přes několik stovek kilometrů džungle, zatím mluvil jiný hlas.

„Šedý vlku, tady Šedý vlk šest," monotónně odříkával. „Šedý vlku, Šedý vlk šest. Slyšíte mě?"

Mluvčí se hrbil u vysílačky v maskovaném stanu, postaveném na kraji provizorní přistávací dráhy. Všude kolem rostly stromy s povislými větvemi a proti pocuchanému šedivému nebi se v dálce tyčily kopce. Prašnou vzletovou dráhu lemovala řada černých helikoptér se schlíplými listy vrtulí.

Jinak to tu zelo prázdnotou.

Scéna připomínala Serra de los Dios, ale něčím se přece lišila. Byla podobná, avšak ne úplně.

Tohle byla taky jihoamerická džungle, ale někde výš v horách, mimo zákon, zapadlá a nerušená, skrytá v divokých andských kopcích, které se dále přelévaly do Bolívie a Peru. Dokonalé místo pro takový typ tajných operací, které se podnikají proto, aby se letadlo z druhé světové války vypařilo navždy. Aby zmizelo z povrchu zemského.

„Šedý vlku, Šedý vlk šest," opakoval operátor u vysílačky. „Slyšíte mě?"

„Šedý vlku šest, tady Šedý vlk," potvrdil jiný hlas. „Mluvte."

„Tým vysazen podle plánu," oznámil operátor. „Čeká na další rozkazy."

Několik vteřin naslouchal, co mu z druhé strany odpoví. Tenhle muž, voják, mohl být kdokoli, poněvadž na jeho jednoduché, olivově zelené uniformě do džungle nebylo ani stopy po označení nějaké jednotky, nebo dokonce národnosti. Ani stan okolo něj nenesl žádné identifikační znaky. A ani helikoptéry, seřazené na vzletové dráze, neměly etikety, čísla letů nebo státní vlajky.

„Ano, pane," odpověděl operátor. „Mám na zemi šedesát bažantů. Nebylo to lehké, ale dostali jsme je tam."

Pár vteřin naslouchal instrukcím a pak je zopakoval, aby druhou stranu ujistil, že rozkazu rozuměl.

„Použijte všechny prostředky, abyste zajistili souřadnice bitevního letounu. Při pátrání po přesném místě nálezu nikoho nešetřete. Rozumím."

Následovala další krátká salva vzkazů, pak operátor naposledy odpověděl.

„Rozumím, pane. Jejich jednotka má deset členů, z nichž musí být všichni odstraněni. Žádní přeživší. Šedý vlk šest končí."

A pak vysílačku vypnul.

38

Jaeger se svezl na kolena a sevřel do dlaní bolavou, třeštící hlavu.
Po té hrozné námaze cítil, jak se mu nekontrolovatelně motá hlava, jako kdyby mu chtěl mozek vyletět z čela ven.

Před jeho očima se vlnila pokroucená a spletitá vegetace, která se měnila ve svíjející se hordu děsivých příšer. Jaeger věděl, že brzy bude úplně ztracený. Dezorientace u něj nastala už před několika hodinami, jelikož dehydratace dosáhla kritické úrovně. Následovala stále se zhoršující bolest a halucinace.

Mimo řeku bylo v džungli jen velmi málo vody a dosud nepršelo. A on spoléhal, že ho vzkřísí právě déšť. Láhve na vodu byly dávno prázdné a potom už musel pít jen svou vlastní moč. Jenže asi tak před hodinou se úplně přestal potit i močit, což je jisté znamení hrozícího tělesného kolapsu. Nějak se mu ale pořád dařilo vrávorat kupředu.

Silou vůle se znovu vytáhl do stoje a pokládal jednu nohu před druhou.

„Tady Will Jaeger, jdu k vám!" zazněl jeho ochraptělý a vyprahlý hrdelní hlas. Zvuk se odrážel od chaotické masy stromů všude kolem něj. „Přichází Will Jaeger!"

Varovně volal na expediční tým, který by se měl zdržovat na písečné naplavenině přímo před ním. Modlil se, aby to místo, ke kterému se teď blížil, bylo ono. Ačkoli posledních pár hodin byl v takovém stavu, že začínal pochybovat, zda došel ke správnému bodu. Malá mýtina na ohromné ploše džungle – chybová odchylka byla skutečně nepatrná.

Kolísavým, vyčerpaným a popleteným krokem šel dál. V hlavě mu skřípalo, ale jaksi se mu stále ještě dařilo počítat kroky a přehazovat oblázky z kapsy do kapsy, aby si značil postup vpřed.

Je známo, že žádná cesta džunglí nikdy nevede přímo vzdušnou čarou. A už vůbec ne taková, kterou podstupuje člověk ve stavu, v jakém byl Jaeger, jenž musel jít dál i během nočních hodin. Z dvaceti sedmi kilometrů se tak cestou po zemi stane pětačtyřicet i víc. Skoro bez vody je to přímo herkulovský výkon.

Jaeger se znovu pokusil zavolat: „Jde k vám Will Jaeger!"

Žádná odpověď. Stál tam a snažil se nehýbat a naslouchat, ale bohužel se kymácel vyčerpáním a únavou.

Zkusil to znovu a hlasitěji. „Přichází Will Jaeger!"

Ještě chvíli bylo ticho a pak se ozvala odpověď. „Zůstaň na místě, nebo střelím!"

Mezi stromy se odrazil nezaměnitelný hlas Lewise Alonza, bývalého příslušníka speciální jednotky SEAL z jeho týmu.

Jaeger udělal, co mu řekl, ale pak zavrávoral a padl na kolena.

Z křoví asi padesát metrů před ním se vynořila silná, rozměrná postava. V Afroameričanovi Alonzovi se mísila postava Mikea Tysona se vzhledem a humorem Willa Smithe. Nebo tak to aspoň Jaegerovi připadalo za ty dva krátké týdny, co ho znal.

Teď ale zíral do hlavně útočné automatické pušky Colt, na jejímž kohoutku spočíval Alonzův ukazováček.

„Postup o krok a identifikuj se!" zařval Alonzo útočně. „Postup o krok a identifikuj se!"

Jaeger se přinutil vstát a udělal krok dopředu. „William Jaeger. Jsem Jaeger."

Nebylo asi žádným překvapením, že ho Alonzo nepoznal. Jaegerův hlas byl přiškrcený únavou a hrdlo měl tak vyprahlé, že dokázal sotva zaskřehotat. Uniformu měl rozervanou na cáry, obličej nateklý, zčervenalý a zakrvácený od hmyzích kousanců a škrábanců, a navíc byl obalený bahnem od hlavy až k patě.

„Ruce nad hlavu!" zavrčel Alonzo. „Odhoď zbraň!"

Jaeger zvedl obě ruce. „William Jaeger, neozbrojen, do hajzlu."

„Kamiši! Kryj mě!" křikl Alonzo.

Jaeger uviděl, jak z křoví vystoupila druhá postava. Byl to Hiro Kamiši, veterán japonských speciálních sil. Mířil na Jaegera z druhé útočné automatické pušky Colt.

Alonzo postoupil kupředu, zbraň stále namířenou. „Lehni na zem!" vykřikl. „A roztáhni pracky."

„Ježíši, Alonzo, vždyť já jsem na vaší straně," protestoval Jaeger.

Veliký Američan se ale jen přiblížil na dosah a skopl Jaegera do bláta. Ten se s roztaženýma rukama i nohama tvrdě rozplácl na zem.

Alonzo se přesunul za něj. „Odpovídej na otázky," vyštěkl. „Proč jsi ty a tvůj tým tady?"

„Abychom našli vrak letadla, identifikovali ho a vyzvedli z džungle."

„Jmenuj náš místní kontakt, brazilského brigádního generála."

„Je to plukovník," opravil ho Jaeger. „Plukovník Evandro. Rafael Evandro."

„Jmenuj všechny členy svého týmu."

„Alonzo, Kamiši, James, Clermontová, Dale, Král, Krakow, Santosová."

Alonzo si klekl a zahleděl se Jaegerovi do očí. „Na jednoho jsi zapomněl. Bylo nás deset."

Jaeger zavrtěl hlavou. „Nezapomněl. Narovová je mrtvá. Ztratil jsem ji, když jsme se pokoušeli překročit Rio de los Dios, abychom se dostali k vám."

„Krucifix." Alonzo si projel rukou své nakrátko ostříhané vlasy. „To znamená pět."

Jaeger se zmateně rozhlédl. Určitě Alonzovi špatně rozuměl. Co to bylo – to znamená pět?

Alonzo sundal ze svého pásku láhev a podal ji Jaegerovi. „Hochu, tomu neuvěříš, čím jsme za tyhle poslední dva dny prošli. A jen tak na okraj, vypadáš, jako bys byl na sračky."

„To samý se dá říct o tobě," povzdechl si Jaeger.

Vzal si nabízenou láhev s vodou, otevřel ústa a na jeden zoufalý lok vodu vypil. Mávl prázdnou láhví na Alonza. Ten pokynul Kamišimu a Jaeger pak vyprazdňoval jednu láhev za druhou, dokud neměla žízeň dost.

Potom Alonzo zavolal ze stínů dalšího člověka. „Dale, Vánoce přišly dřív! Máš zelenou. Vylez!"

Mike Dale vystoupil vpřed s maličkou digitální kamerou, přitisknutou k rameni. Jaeger viděl, že světýlko před mikrofonem bliká červeně, tedy že Dale natáčí.

Podíval se na Alonza. Omluvně pokrčil rameny. „Sorry, kámo, ale mě ten chlap sere taky. – Kdyby to Jaeger s Narovovou dokázali, musím natočit jejich příchod… Kdyby to Jaeger s Narovovou dokázali, musím natočit jejich příchod."

Dale se zastavil asi třicet centimetrů před nimi a svezl se na bobek, takže měl teď kameru na úrovni Jaegerových očí. Několik vteřin ho zabíral, pak stiskl tlačítko a červené světýlko zhaslo.

„Ty vole, tohle nevymyslíš," zašeptal Dale. „Úžasný." Nakukoval na Jaegera zpoza kamery. „Hele, pane Jaegere, mohl byste se kvůli mně vrátit kousek do křoví, takovej jako návrat, kterej jste právě udělal? Taková malá rekonstrukce, protože, víte, mně ta část ušla."

Jaeger hleděl na kameramana dlouhou dobu beze slov. Dale. Pětadvacet, dlouhé vlasy, dobře vypadající, jako z výrobní linky. Nikdy bez třídenního módního strniště. Bylo na něm něco, co připomínalo naparujícího se papouška kakadu, a to se Jaegerovi nelíbilo.

Nebo to možná byla jenom podvědomá averze vůči jeho kameře. Byla vtíravá a nerespektovala jakékoli soukromí – a tím se vlastně v kostce dal zhodnotit i sám Dale.

„Rekonstrukce mého příchodu kvůli kameře?" zasípal Jaeger. „To asi ne. A chceš vědět ještě něco? Natoč ještě vteřinu a já ti tu kameru seberu, rozflákám ji na kousky a přinutím tě je sežrat."

Dale zvedl ruce v posměšném gestu. Na jedné ruce mu pořád ještě visela kamera. „Jasně, chápu. Zažil jste peklo, tvrdou zkoušku.

Je mi to jasný. Ale pane Jaegere, přesně v takových chvílích musí kamera běžet, když jsou věci děsně obtížný. To právě potřebujeme zachytit. Tak vznikají skvělý pořady pro televizi."

Jaeger si navzdory vší vodě, kterou vypil, připadal pořád jako mrtvý, a neměl proto náladu na hovadiny. „Skvělý pořady, jo? Tak ty si pořád ještě myslíš, že tohle je o natáčení báječných pořadů? Dale, snaž se pochopit, že tohle je teď o tom, abychom vůbec zůstali naživu. O přežití. Tebe i ostatních. Už to není jenom příběh. Žiješ to."

„Jenže když nemůžu natáčet, nebude televizní pořad," namítal Dale. „A ti lidi tohle všechno platí. Manažeři od televize pak teda jenom vyhazujou peníze."

„Manažeři od televize tady nejsou," zabručel Jaeger. „Jsme tady my." Odmlčel se. „Nafilmuj na tu věcičku jedinej snímek bez mýho svolení, a tvůj film skončil. A ty taky, kamaráde."

39

„Tak už mi to řekni – co se tady skara stalo?" naléhal Jaeger. Seděl v provizorním táboře, který Alonzo a ostatní vysekali v džungli na místě, kde se hustá vegetace setkávala s pásem písečné naplaveniny. Tábor zastiňovaly převislé stromy a byl asi tak pohodlný, jak v takovém terénu může být.

Jaegerovi se podařilo rychle se omýt v řece, vlekoucí se kolem stejně líně a zadumaně jako vždycky. Z jedné paratrubky si vytáhl vak s věcmi denní potřeby a vzal si z něj nezbytnosti, které mu pomohou zotavit se z náročné cesty džunglí. Čili příděl potravin, balenou vodu, rehydratační sůl a nějaký repelent proti hmyzu. Výsledkem téhle procedury bylo, že se zase matně začínal cítit jako lidská bytost.

Expediční tým, tedy lépe řečeno to, co z něj zbylo, se sešel na poradu. Ve vzduchu se však vznášelo podivné napětí, pocit, že nepřátelské síly se plíží po okraji tábora a číhají někde mimo dohled. Jaeger si vzal z jedné paratrubky záložní bojovou brokovnici a rozhodně nebyl sám, kdo po očku sledoval džungli a přitom držel ruku na zbrani.

„Nejlepší bude, když začnu od začátku, čili od chvíle, co jsme vás ztratili při tom volném pádu." Alonzo mluvil svým hlubokým burácivým hlasem, pro něj typickým.

Jaeger začínal chápat, že Alonzo je ten typ chlapa, který má sklony nosit srdce na dlani. Mluvil dál a jeho slova se začala zastírat lítostí nad tím, co se stalo.

„Ztratili jsme vás těsně po seskoku, takže pak jsem vedl výsadek. Dolů jsme se dostali dobře. Všichni dole, žádné zranění, nohama pevně na zemi. Postavili jsme tábor, roztřídili si vybavení, udělali soupis hlídek a stanovili si celkem nijak mimořádný úkol. Že počkáme na tebe a Narovovou, až dorazíte k nám. Mělo to být první místo setkání. Pak jsme se rozdělili do dvou táborů," pokračoval Alonzo. „Ta moje část – řekněme Válečná brigáda – chtěla vyslat sondovací hlídky směrem, o němž jsme si mysleli, že jste tam museli asi dopadnout. Chtěli jsme vám pomoct dostat se zpátky, tedy pokud byste byli ještě naživu… No a pak tu byla ještě Brigáda objímačů stromů… Tu vedli James a Santosová, kteří chtěli jít támhle," Alonzo ukázal palcem směrem na západ.

„Usoudili, že objevili cestičku podél řeky, kterou vyšlapali indiáni. Jasně, všichni jsme věděli, že tam někde žije nějaký kmen. Cítili jsme v džungli jejich oči. No a Brigáda objímačů stromů se k nim chtěla dostat a navázat s nimi přátelskej kontakt. Přátelskej kontakt!" Alonzo se podíval na Jaegera. „Víš, já jsem strávil rok na mírových operacích v Súdánu v pohoří Núba. Je tak zapadlé, jak si jen dokážeš představit. Někteří příslušníci kmenů Núba pořád ještě chodí s holým zadkem. Ale víš co, člověče, já ty lidi začal mít rád. A odnesl jsem si z téhle práce jedno ponaučení. Když chtějí přátelskej kontakt, dají ti o tom vědět."

Alonzo pokrčil rameny. „Tak abych to zkrátil, James a Santosová vyrazili jednoho dne v době oběda. Santosová se hádala, že ví, co dělá. Prý je Brazilka a strávila roky prací s amazonskými kmeny." Zakroutil hlavou. „A James, hochu, ten je pošahanej, je to totální blbeček. Cosi těm kmenům maloval, načmáral jim jakýsi obrázky." Alonzo pohlédl na Dalea. „Máš o tom záznam?"

Dale popadl kameru, otevřel boční displej a začal projíždět digitální složky na paměťové kartě kamery. Pak stiskl „play" a na obrazovce se objevil detailní záběr na jakousi načmáranou poznámku. Bylo slyšet, jak sytý hlas Novozélanďana Joea Jamese v pozadí čte slova.

„Čau, obyvatelé Amazonie! Vy máte rádi mír, my máme rádi mír. Tak ho pojďme nastolit společně!" Záběr se přesunul, aby ukázal Jamesův ohromný plnovous à la bin Ládin a jeho ostře řezané motorkářské rysy. „Přicházíme do vašeho území, abychom vás pozdravili a navázali přátelský kontakt."

Dale nevěřícně zavrtěl hlavou. „Je tohle vůbec možný, lidi? Prý čau, obyvatelé Amazonie! Jako kdyby indiáni uměli anglicky! Nefalšovanej pošuk, kterej strávil moc času v tý svý boudě v lesích. Pro kameru sice dokonalý, ale pro misi rozhodně ne!"

Jaeger pokynul, že viděl dost. „Je trochu zvláštní. Ale kdo není? Nikdo, kdo není aspoň trochu šílenec, by tu nebyl. Trocha bláznovství je v pořádku."

Alonzo se poškrábal ve strništi. „Jo, ale hele, tenhle James je trochu přes čáru. Každopádně spolu se Santosovou vyrazili. Ani za čtyřiadvacet hodin potom po nich nebylo ani stopy, ale zároveň ani po nějakých potížích. A tak se za nimi vydala druhá várka Brigády objímačů. Francouzka Clermontová a ten podivínskej Germán Krakow. Nikdy bys neřekl, že je rozenej ochránce přírody. Odešli se připojit k Jamesovi a Santosové. Neměl jsem jim to dovolit," vrčel Alonzo. „Měl jsem z toho blbej pocit. Sakra, když ale tys byl s Narovovou pryč, neměli jsme vůdce výpravy ani zástupce. Okolo poledne, čili asi hodinu potom, co Clermontová s Krakowem vypadli, jsme zaslechli řev a střelbu. Znělo to jako oboustranná palba, jako přepadení ze zálohy s odvetnou střelbou."

Alonzo se podíval na Jaegera. „Tak takhle to bylo. Objímání skončilo. Vyrazili jsme jako lovecká jednotka a sledovali stopu Clermontové a Krakowa až k bodu, který se nachází asi osm set metrů odtud. Tam jsme objevili rozsáhlé narušení podrostu a čerstvou krev. A několik kousků tohohle."

Vytáhl cosi ze svého batohu a podal to Jaegerovi. „Opatrně. Hádám, že je to nějaký druh jedu."

Jaeger si prohlížel, co mu Alonzo dal. Byl to tenký kousek dřeva, dlouhý asi patnáct centimetrů, pečlivě vyřezávaný a na jednom konci zašpičatělý. Ostrý konec byl pomazaný tmavou a lepkavou tekutinou.

„Šli jsme dál," pokračoval Alonzo, „a zachytili stopu Jamese a Santosové. Našli jsme jejich tábor, ale oni nikde. Nicméně tam nebyly žádné stopy po nějakých trablech, žádné známky boje ani krev, šipky, prostě nic. Vypadalo to, jako kdyby je odtud teleportovali mimozemšťani."

Alonzo se odmlčel. „A pak jsme objevili tohle." Vytáhl z kapsy prázdný plášť náboje. „Na cestě zpět. Spíš jsme o to zakopli." Podal nábojnici Jaegerovi. „Je to ráže 7,62. Nejspíš z GPMG nebo z AK-47. Nepatří nikomu z nás, to je jisté."

Jaeger pár vteřin převaloval nábojnici na dlani.

Před několika desetiletími používaly ráži 7,62 jednotky NATO. Ve válce ve Vietnamu experimentovali Američané s menší ráží: 5,56 mm. S lehčími kulkami mohli pěšáci nosit více sad munice, což znamenalo víc nepřetržité střelby. A ta je během dlouhých pěších misí v džungli nezbytná. Od té doby se ráže 5,56 mm stala obvyklým kalibrem NATO a nikdo z těch, kdo se sešli na písečné naplavenině, ráži 7,62 nepoužíval.

Jaeger hleděl na Alonza. „Žádné další stopy po těch čtyřech jste nenašli?"

Alonzo zavrtěl hlavou. „Žádné."

„A co z toho vyvozuješ?" naléhal Jaeger.

Alonzova tvář potemněla. „Já nevím, kámo… Někde tam je nepřátelská síla, to je jasné, ale zatím pro nás zůstává záhadou. Pokud jsou to indiáni, jak je možné, že se nám tu objevila zbraň ráže 7,62? Kde by ztracenej kmen sebral takovou děrovačku?"

„Pověz mi, jaká byla ta krev," požádal Jaeger.

„V místě toho přepadení? Taková, jakou bys čekal. Celý jezírka. Sražená."

„Hodně krve?" vyzvídal Jaeger.

Alonzo pokrčil rameny. „Dost."

Jaeger zvedl do výšky tenký kousek dřeva, který mu Alonzo předtím podal. „Zjevně šipka do foukačky. Víme, že indiáni je mají jako zbraně. Předpokládám, že špičky jsou otrávené. Víš, co do těch šipek dávají? Kurare, které získávají z mízy lesní popínavé rostliny. Kurare zabíjí tím, že ochromí bránici a ta pak nemůže pracovat. Jinými slovy udusíš se a umřeš. Není to hezký způsob konce. Něco jsem se o tom dozvěděl, když jsem tady cvičil týmy B-BSO plukovníka Evandra. Indiáni je využívají k lovu opic ve vrcholcích stromů. Šipka zasáhne, opice spadne dolů, kmen ji sebere a šipku si vezme zpátky. Každá je ručně vyřezávaná a ti lidi rozhodně nemají sklony nechávat je válet po zemi. Ale co je nejdůležitější – když tě zasáhne šipka napuštěná jedem kurare, píchne tě asi jako špendlík a téměř při tom nekrvácíš.

Navíc je tu tohle." Jaeger vzal šipku a strčil si ji do úst. Ochutnal černou lepkavou hmotu na otráveném konci. Několik lidí z týmu sebou cuklo.

„Požitím kurare se nemůžete otrávit," ujistil je Jaeger. „Jed musí přejít přímo do krevního řečiště. Vtip je v tom, že má nezaměnitelně hořkou chuť. Ale tohle? Podle mého je to sirup z přepáleného cukru." Neradostně se usmál. „Dejme to všechno dohromady, a co nám vyjde?"

Rozhlédl se po tvářích zbývajících členů týmu. Alonzo s hranatými čelistmi, bezelstným výrazem, vyzařující příjemnou poctivost – každým coulem bývalý námořník SEAL. Kamiši, tichý, plný očekávání, tělo jako stočená pružina. Dale a Král, dvě vycházející hvězdy médií, rozhodnuté natočit bravurní, kasovní trhák.

„Šipkami nikdo nikoho nezabil," odpověděl si Jaeger sám na vlastní otázku. „Naše lidi přepadli ozbrojení zločinci, už jenom ta krev to dokazuje. Takže pokud se tomu kmenu nějak nepodařilo vybavit se zbraněmi, máme tam někde záhadnou jednotku. Fakt, že po sobě zanechali tohle," zvedl Jaeger šipku, „a udělali všechno pro to, aby odklidili nábojnice, dokazuje, že se pokoušejí přišít zločin indiánům."

Chvíli zíral na šipku. „Čekali jsme, že tu nebude nikdo kromě nás a toho zapadlého kmene. Zatím nemáme potuchy, kdo je ta záhadná jednotka ozbrojených zločinců, jak se sem dostali, ani jestli jsou nepřátelští." Zachmuřeně vzhlédl. „Ale jedna věc je jasná. Charakter téhle expedice se nevratně změnil. Pět z nás dostali," pronesl pomalu. Jeho pohled teď studil jako ocel. „Ještě jsme do lesa ani nešlápli, a už jsme ztratili polovinu lidí. Musíme bedlivě zvážit své možnosti."

Odmlčel se. Měl v očích tvrdost, jakou předtím vidělo jen málo lidí. Žádného z pohřešovaných neznal osobně, ale stejně cítil zodpovědnost za jejich ztrátu.

Měl rád otevřenost a nezáludnost toho velkého, bláznivého Novozélanďana Joea Jamese. A bolestně si uvědomoval, že Leticia Santosová byla v jeho týmu osobou od plukovníka Evandra.

Santosová byla nápadná, vypadala jako velkoměstem protřelá – nebo spíš džunglí protřelá – varianta brazilské herečky Tais Araujové. Se svýma tmavýma očima, černými vlasy, zbrklostí a nebezpečně dobrou náladou tvořila pravý opak Iriny Narovové.

Pro Jaegera byla tragickou pohromou už ztráta jednoho člověka, Narovové. Ztratit pět lidí během prvních osmačtyřiceti hodin výpravy, to bylo nepředstavitelné.

40

„První možnost," oznámil hlasem sevřeným napětím. „Budeme misi považovat za nadále neudržitelnou a povoláme tým, který nás vyzvedne. Máme dobré komunikační prostředky, tohle je použitelné místo k přistání, prostě by nás případně mohli odsud dostat. Vyvázli bychom tak z ohrožení, ale přišli bychom o přátele. A v tuto chvíli netušíme, jestli žijí, nebo jsou mrtví. Druhá možnost – půjdeme pátrat po chybějících členech týmu. Budeme předpokládat, že jsou naživu, dokud se neprokáže něco jiného. Pozitivní je na tom to, že uděláme správnou věc pro naše druhy, neobrátíme se k nim zády při prvním náznaku potíží. Negativní je, že máme jen malou, slabě ozbrojenou jednotku, která by čelila potenciálně větší palebné síle. Navíc neznáme jejich počet."

Jaeger se odmlčel. „No a pak je tady třetí možnost. Totiž že budeme pokračovat v expedici tak, jak bylo v plánu. Mám podezření, a je to jenom instinkt, že takhle zjistíme, co se stalo s našimi pohřešovanými přáteli. Ať už na nás zaútočil kdokoli, udělal to pravděpodobně proto, aby nám zabránil dosáhnout našeho cíle. To dává smysl. Pokud teda půjdeme dál, dotlačíme je k předčasné akci. Tohle ale není vojenská operace," pokračoval Jaeger. „Kdyby byla, dával bych svým mužům rozkazy. My jsme jen banda civilistů a musíme udělat společné rozhodnutí. Já to vidím tak, že máme tyhle tři možnosti a potřebujeme zvolit jednu z nich. Než to uděláme, má někdo nějaké otázky? Nebo návrhy? A mluvte svobodně, protože kamera nejede."

Jaeger výhružně pohlédl na Dalea. „Kamera nejede, že ne, pane Dale?"

Dale si uhladil dozadu svoje dost dlouhé, zplihlé vlasy. „Jasně, vždyť jste to přece zatrhl, pamatujete? Žádný natáčení na týhle schůzce."

„Ano, zatrhl." Jaeger se rozhlédl po lidech, jestli se někdo chce na něco zeptat.

„Mě zajímá," ozval se Hiro Kamiši tiše skoro dokonalou angličtinou, na hony vzdálenou japonské melodičnosti, „jakou možnost bys vybral svým mužům, kdyby tohle byla vojenská operace?"

„Třetí možnost," odpověděl Jaeger bez zaváhání.

„Můžeš vysvětlit proč?" Kamiši mluvil podivně opatrně a každé slovo velice přesně vážil.

„Jde to proti intuici," řekl Jaeger. „Normální lidská reakce na stres a nebezpečí je bojovat, nebo utéct. Útěkem by bylo, kdyby nás vyzvedli. Boj by byl to, že bychom hned šli po těch zločincích. Možnost tři je nejmíň očekávaná, ale já doufám, že na ně bude fungovat. Chci je přinutit, aby se odhalili sami, aby udělali chybu."

Kamiši se lehce uklonil. „Díky. To je dobré vysvětlení, s tím souhlasím."

„Víš, kámo, ono jich vlastně není pět," zabručel Alonzo. „Je jich šest. S Andym Smithem je jich pryč šest. Nikdy jsem si nemyslel, že Smithova smrt byla nehoda, a ještě míň si to myslím po tom, co se stalo teď."

Jaeger přikývl. „Se Smithem je to šest."

„Takže kdy dostaneme souřadnice?" ozval se jiný hlas. „Myslím souřadnice vraku letadla?"

Byl to Štefan Král, slovenský kameraman Jaegerova týmu. Mluvil se silným hrdelním přízvukem. Jaeger si ho prohlížel. Malý, podsaditý, vypadal skoro jako albín. Se svou zjizvenou, poďobanou kůží by pasoval jako zvíře ke krásce Daleovi. Byl o šest let starší než Dale, i když na to nevypadal, a podle práva služebního věku by měl film režírovat on.

Carson to však svěřil Daleovi a Jaeger velmi dobře chápal proč. Dale a Carson totiž byli jeden jako druhý. Dale uhlazený, bezstarostný a lhostejný mistr v přežívání v džungli médií. Oproti němu byl Král neohrabaný a svým způsobem podivínský uzlíček nervů. Zvláštní člověk, který se snažil prorazit v televizním průmyslu.

„Jelikož Narovová už tu není, učinil jsem svým zástupcem Alonza," řekl Jaeger. „A souřadnice sdělím jemu."

„A pak? Co my ostatní?" naléhal Král.

Kdykoli promluvil, na tváři se mu objevil křivý úsměv, bez ohledu na to, jak vážné téma se probíralo. Jaeger odhadoval, že se za tím úsměvem skrývá Králova nervozita, ale i tak mu připadal zvláštně zneklidňující.

V armádě už poznal hodně chlápků, jako byl Král. Napůl introverti, kteří měli potíže navazovat vztahy s druhými. Vždycky když se k němu do jednotky dostal někdo takový, dával si záležet na tom, aby ho podporoval. Často se pak ukázalo, že tihle hoši dokážou být věrní až přespříliš, a v boji se z nich stávali absolutní démoni.

„Jestliže zvolíme třetí možnost, čili budeme pokračovat, dostanete souřadnice, jakmile dorazíme k řece," řekl mu Jaeger. „Takhle jsem se dohodl s plukovníkem Evandrem – souřadnice až poté, co vyrazíme na cestu podél Rio de los Dios."

„A jak se vám povedlo ztratit Narovovou?" sondoval Král. „Co se přesně stalo?"

Jaeger se na něj upřeně zadíval. „Už jsem vysvětloval, jak Narovová zemřela."

„Chtěl bych to slyšet znovu," naléhal Král a nesouměrný úsměv se dál kradl po jeho tváři. „Víte, čistě kvůli odstranění rozporů. Abychom měli všichni jasno."

Jaegera ztráta Narovové velmi trápila a nechtěl to zase všecko oživovat. „Byla to podělaná šlamastyka, při níž se věci seběhly šeredně rychle. A věř mi, že jsem nemohl pro její záchranu udělat vůbec nic."

„Proč jste tak přesvědčený, že je mrtvá?" pokračoval Král umíněně. „A u Jamese, Santosové a ostatních je to jinak?"

Jaeger přimhouřil oči. „Musel bys tam být," podotkl tiše.

„Ale určitě jste mohl udělat aspoň něco. Bylo to první den, překračovali jste řeku…"

„Chceš, abych ho zastřelil hned?" vpadl do toho Alonzo svým burácivým, varovným hlasem. „Nebo později, až když mu vyřízneme jazyk?"

Jaeger zíral na Krále. Do jeho tónu se vplížila hrozba. „To je legrační, pane Králi. Přepadl mě pocit, že tady se mnou děláš rozhovor. Je to tak, že? Zpovídáš mě?"

Král nervózně zavrtěl hlavou. „Jenom říkám pár věcí nahlas. Snažím se odstranit rozpory."

Jaeger se podíval z Krále na Dalea. Jeho kamera ležela vedle něj na zemi. Daleova ruka se k ní plíživě kradla.

„Víte co, chlapi," pronesl Jaeger chraptivým hlasem, „já mám taky něco, v čem je potřeba odstranit rozpory." Podíval se na kameru. „Přelepil jsi červené světýlko černou izolační páskou. Položil jsi kameru na zem čočkou směrem ke mně a já se domnívám, že než jsi ji dal na zem, už natáčela."

Zvedl oči k Daleovi, který jako by se pod jeho pohledem viditelně roztřásl. „Řeknu to jen jednou. Pouze jednou. Ještě jeden takovej trik a zarazím ti tu kameru tak hluboko do prdele, že budeš moct cídit čočky jazykem. Je to jasný?"

Dale pohodil rameny. „Jo, snad. Jenomže…"

„Jenomže nic," přerušil ho Jaeger. „A až tady skončíme, vymažeš všechno, cos natočil, pod mým dohledem samozřejmě."

„Ale když nemůžu natáčet takovýhle klíčový scény, nebudeme mít žádnou show," namítal Dale. „Komisaři a televizní manažeři…"

Stačil jeden Jaegerův pohled a Dale zmlkl. „Musíš to prostě pochopit. Zrovna teď kašlu na tvý manažery. Zrovna teď se totiž starám o jednu jedinou věc – jak z tohohle dostat co nejvíc lidí z týmu živých. A už máme pět – teda šest – ztracených, tudíž jsem na zadních a kloužu. No a díky tomu jsem nebezpečnej," pokračoval Jaeger. „A jsem vzteklej." Zabodl prst směrem ke kameře.

„A když jsem vzteklej, mám sklony rozbíjet věci. Takže to, milej pane Dale, už do prdele vypni."

Dale sáhl na kameru, zmáčkl několik tlačítek a vypnul ji. Sice ho přistihli přímo při činu, ale podle jeho nasupeného chování to vypadalo, jako by ukřivdili jemu.

„Plno debilních otázek," zamumlal Král k Daleovi polohlasně.

„Další z tvých blbých nápadů."

Jaeger už se setkal s muži, jako byli Dale a Král. Několik jeho druhů z elitních jednotek se pokusilo udělat z jejich prostředí vnější svět, reality show pro televizi. Příliš pozdě zjistili, jak tenhle vnější svět umí být bezohledný. Rozžvýká lidi a pak je zase vyplivne jako vysušené slupky. A na čest a věrnost se tam hraje zřídka.

Je to jen nemilosrdný obchod. Lidi jako Dale a Král, nemluvě o jejich šéfovi Carsonovi, musí ty pořady vyrobit, často na úkor všech ostatních. Je to svět, ve kterém musíte být připraveni točit lidi ve chvílích, kdy se rozhodují mezi životem a smrtí, i když jste slíbili, že to neuděláte. Tak už to v téhle branži chodí – chcete-li získat příběh, je to prostě potřeba.

Musíte být nachystaní vrazit kamarádovi kameramanovi nůž do zad, pokud to aspoň trochu napomůže vašemu úspěchu. Jaeger tenhle přístup k smrti nenáviděl a z velké části to byl i důvod, proč se od začátku stavěl tak nepřístupně vůči týmu lidí z médií.

Zařadil si Krále a Dalea na seznam těch, před nimiž se musí mít bedlivě na pozoru. Kromě nich tam patřili taky jedovatí pavouci, obří kajmani, divoké kmeny a teď ještě neidentifikovaná jednotka ozbrojenců odhodlaných páchat krvavé násilí.

„Fajn, takže pokud máme pořádně a doopravdy vypnutou kameru, přejděme k hlasování," oznámil. „Možnost první – skončíme expedici. Hlasuje někdo ve prospěch téhle možnosti?"

Všechny ruce zůstaly dole.

Byla to úleva. Alespoň nebudou ze Serra de los Dios hned utíkat.

41

„Nevadilo by vám, kdybych to natočil?" naznačil Dale Jaegerovi.

Jaeger dřepěl u vody a prováděl večerní očistu. Brokovnici měl opřenou o bok, čistě pro případ, že by nastaly nějaké potíže.

Odplivl si do vody. „Ty jsi teda neodbytnej, to ti řeknu. Vůdce výpravy si čistí zuby. Fakt napínavá záležitost."

„Ne, vážně. Potřebuju něco z toho zachytit. Barvu v pozadí. Jen abychom ukázali, jak nám tady ubíhá život uprostřed…" Mávl rukou směrem k řece a okolní džungli. „Uprostřed toho všeho."

Jaeger pokrčil rameny. „Tak si posluž. Přichází zlatej hřeb, chystám se umýt si svůj smradlavej ksicht."

Dale zachytil několik záběrů Jaegerových pokusů učinit si z řeky Rio de los Dios koupelnu. V jedné chvíli stál kameraman zády k řece a boty měl ponořené ve vodě. Filmoval z nízké výšky tak, že objektiv trčel Jaegerovi skoro u krku.

Jaeger doufal, že Dalea třeba nějaký pětimetrový kajman popadne za koule, ale tolik štěstí neměl.

Kromě Alonza, který samozřejmě chtěl jít chytat zločince hned, hlasovali všichni jednomyslně. Zvolili třetí možnost – pokračovat v expedici tak, jak bylo původně naplánováno. Jaeger to ještě musel objasnit Carsonovi. Stačil však krátký hovor satelitním telefonem a bylo to vyřešené.

Carson velice rychle a jasně stanovil své priority. Postup expedice nesmí nic zastavit. Nebezpečí přece každý znal a chápal už od samého začátku. Všichni členové týmu podepsali legální a závazné prohlášení, že vědí o nebezpečí, jemuž budou vystaveni.

Pět pohřešovaných lidí je zatím jenom pohřešovaných, dokud se neprokáže něco jiného.

Carson musel udržet v chodu globální a velkolepou televizní podívanou, která stála dvanáct milionů dolarů. Navíc majetek Wild Dog Media i jmění Enduro Adventures z velké části závisely právě na úspěchu téhle show. Jaeger měl zavést svůj tým na místo, kde vrak leží, odhalit jeho tajemství, a pokud to bude možné, dostat to záhadné letadlo odsud pryč.

Kdyby se v průběhu akce někdo zranil nebo zemřel, jeho neštěstí bude zastíněno úžasným objevem, nebo to Carson alespoň tvrdil. Tohle je koneckonců poslední velké tajemství druhé světové války, připomněl Jaegerovi, letadlo, které nikdy nebylo. Let duchů. Bylo legrační, jak rychle Carson převzal větu archiváře Simona Jenkinsona.

Zašel dokonce tak daleko, že se pokusil Jaegera pokárat za to, že brání natáčení. To znamenalo, že mu Dale zavolal a postěžoval si. Jaeger Carsona odbyl. Nese za výpravu zodpovědnost a tady v džungli je jeho slovo zákon. Pokud se to Carsonovi nelíbí, ať přiletí do Serra de los Dios a převezme jeho místo.

Po telefonátu s Carsonem zavolal Jaeger ještě do Airlanderu. Chvíli trvalo, než obrovitá vzducholoď doletěla z Anglie. Teď však již vysoko nad nimi mířila k místu, odkud je měla z oběžné dráhy sledovat. Pilota Stevea McBridea znal Jaeger už od dob, kdy se jejich cesty sešly v armádě. Jeho dobré a spolehlivé ruce udrží Airlander pod kontrolou.

Jaeger však posádce Airlanderu absolutně důvěřoval ještě z jiného důvodu. Před odjezdem z Londýna uzavřel s Carsonem dohodu. Když nemůže mít Raffa s sebou na zemi, chce ho mít jako dohled ve vzduchu. Carson kapituloval A tak velkého Maora ustanovili operačním důstojníkem Airlanderu.

Jaeger se nyní spojil s lodí a Raff ho informoval o širších souvislostech celé výpravy. O smrti Andyho Smithe se nic nového nezjistilo, což Jaegera nijak nepřekvapilo. Dozvěděl se ale šokující věc o Simonu Jenkinsonovi.

Archiváři se někdo vloupal do jeho londýnského bytu. Zmizely odsud tři věci: jeho složka o letu duchů se strojem Ju-390, telefon, s nímž nedávno tajně fotil složku Hanse Kammlera, a laptop. Simona loupež vyděsila a okamžitě se spojil s Národním archivem.

Referenční číslo složky Hanse Kammlera bylo AVIA 54/1403. Národní archiv však prohlásil, že nemají žádný záznam o tom, že by nějaká taková složka někdy existovala. Přitom Jenkinson ji viděl na vlastní oči a telefonem si z ní tajně pořídil pár snímků. Teď mu ale vykradli byt a z archivů někdo složku odstranil. Skutečně to vypadalo, jako kdyby AVIA 54/1403 nikdy neexistovala.

Let duchů nyní měl i svoji složku duchů.

42

Jenkinson je vystrašený, ale nevypadá to, že by od toho chtěl zdrhnout, vysvětloval Raff. Spíš naopak. Slíbil, že fotky za každou cenu získá zpátky. Naštěstí si je uložil na několik online úložišť. Jakmile se mu podaří získat náhradní počítač, fotky stáhne.

Novinky ohledně Jenkinsona můžou znamenat jedinou věc, uvažoval Jaeger. Ať je za tím kdokoli, má takovou moc a vliv, že dokázal přimět celou britskou vládu, aby složku nechala zmizet. Následky toho činu v něm vzbuzovaly vážné obavy, jenomže z hlubin Amazonie s tím nemohl nic moc udělat.

Naléhavě žádal Raffa aby byl na stráži a informoval ho, kdykoli bude možné navázat spojení mezi pozemním týmem a Airlanderem.

Pak si sbalil věci a svinul je do pevného uzlíku. Brzy ráno měli vyrazit po řece a prostor na lodích byl omezený. Dale už si očividně natočil dost, protože kameru vypnul. Jaeger ale cítil, že otálí, jako kdyby hledal slova.

„Hele, já vím, že vám natáčení není příjemné," odvážil se. „A omlouvám se za ten předchozí incident. To bylo hodně přes čáru. Jenže když toho nezachytím dost, tak aby to k něčemu bylo, jde mi o krk."

Jaeger neodpověděl. Neměl toho chlapa moc rád a teď po příhodě s utajeným natáčením ho měl rád ještě míň.

„Víte, v našem oboru existuje takové rčení," zkoušel to Dale. „O televizním průmyslu. Řekl to Hunter S. Thompson. Nevadí, když vám ho povím?"

Jaeger si přehodil přes rameno brokovnici. „Jsem samý ucho."

„„Televizní byznys je krutá a mělká strouha na peníze,“ začal Dale, „dlouhá plastová chodba, kde mají zelenou zloději a pasáci a dobří lidi umírají jako psi.‘ Možná to není slovo od slova, ale… to ‚dobří lidi umírají jako psi‘ vystihuje to odvětví dokonale.“

Jaeger se na něj zadíval. „V mém oboru najdeš podobné rčení. ‚Poplácání po zádech je jenom obhlídka před tím, než do tebe vrazí nůž.‘“ Odmlčel se. „Podívej, nemusím tě mít zrovna rád, abych s tebou byl schopen pracovat. Ale ani tady nejsem proto, abych ti natrhl koule. Pokud si stanovíme nějaká schůdná pravidla, měli bychom tímhle projít, aniž bychom se pozabíjeli.“

„Jaká pravidla?“

„Rozumná. Taková, jaká budete, hoši, dodržovat. Číslo jedna: nemusíš mě žádat o dovolení natáčet. Toč si, jak uznáš za vhodné. Ale když ti někdy řeknu ne, udělej, co nařídím.“

Dale přikývl. „To beru.“

„Číslo dvě: když tě kterýkoli jiný člen týmu požádá, abys ho netočil, udělej, co chce. Můžeš přijít za mnou a zeptat se ještě mě, ale v prvé řadě respektuj jejich přání.“

„To ale znamená, že de facto každý má právo veta,“ namítl Dale.

„Neznamená. Mám ho jen já. Tohle je moje expedice a tím je řečeno, že ty s Králem jste v mém týmu. Když si usmyslím, že by vám mělo být dovoleno filmovat, přikloním se na vaši stranu. Máte těžkou a náročnou práci. To já respektuju a budu poctivý arbitr.“

Dale pokrčil rameny. „Tak jo. Myslím, že moc na výběr nemám.“

„To nemáš,“ ujistil ho Jaeger. „Číslo tři: ještě jednou se pokusíš zopakovat ten výkon z dnešního rána – čili točit, když to nebudeš mít dovolené –, a ta tvá kamera skončí na dně řeky. Nedělám si srandu. Už jsem přišel o pět lidí. Tak si se mnou nezahrávej.“

Dale kajícně rozhodil ruce. „Jak jsem řekl, omlouvám se.“

„A poslední pravidlo.“ Jaeger na Dalea dlouho hleděl a pak řekl: „Neporušuj pravidla.“

„Fajn,“ ujistil ho Dale. Chvíli mlčel, pak se znovu ozval. „Možná je jedna věc, kterou byste přesto mohl udělat, abychom to měli snazší. Kdybych s vámi mohl natočit rozhovor, řekněme tady u řeky, že byste zrekapituloval celý den – ty věci, které jsme nemohli natáčet.“

Jaeger chvíli přemýšlel. „A pokud se vyskytnou otázky, na které nebudu chtít odpovídat?“

„Nemusíte. Ale jste vůdce výpravy. Takže jste její právoplatný a oficiální mluvčí.“

Jaeger pokrčil rameny. „Tak teda jo, můžeme. Ale nezapomeň, pravidla jsou pravidla.“

Dale se usmíval. „Já vím, já vím.“

Pak přivedl Krále. Umístili kameru na lehký stativ, Jaegerovi připnuli na krk mikrofon, aby dobře zachytili zvuk, a potom si Král stoupl za kameru. Dale se ujal role redaktora. Sedl si vedle kamery a požádal Jaegera, aby mluvil přímo k němu a snažil se nevšímat si objektivu, který mu míří do tváře. Měl shrnout události posledních osmačtyřiceti hodin.

V průběhu interview musela některá Jaegerova část osobnosti připustit, že Dale své práci rozumí. Uměl zjistit informace tak, že jste měli pocit, jako byste jen klábosili s nějakým kamarádem v místní putyce.

Stačilo patnáct minut rozhovoru a Jaeger skoro zapomněl, že tam je kamera.

Ale jen skoro.

„Bylo jasné, že vy a Irina Narovová kolem sebe chodíte jako lvi, kteří se chystají k boji,“ pokračoval Dale. „Proč jste tedy pro ni při překonávání řeky riskoval všechno?“

„Byla v mém týmu,“ odpověděl Jaeger. „Tím je řečeno vše.“

„Ale musel jste zápasit s pětimetrovým kajmanem,“ naléhal Dale. „Málem jste přišel o život. Šel jste do boje kvůli někomu, s kým jste si nesedli. Proč?“

Jaeger hleděl na Dalea. „V mojí profesi platí jedno staré pravidlo. O nemocných nebo mrtvých nikdy nemluv ve zlém. Pokračujme dál…“

„Dobře, pokračujme," souhlasil Dale. „A co ta záhadná jednotka ozbrojenců – máte ponětí, kdo jsou nebo po kom jdou?"

„V podstatě netuším," odvětil Jaeger. „Takhle daleko v Serra de los Dios by neměl být nikdo jiný kromě nás a indiánů. A po kom jdou? Myslím, že se snaží objevit vrak letadla nebo nás zastavit, abychom se k němu nedostali. Nic jiného mi nedává smysl. Ale je to jen tušení, nic víc."

„To je odvážné tvrzení, že po vraku letadla pátrá nepřátelská jednotka," dorážel Dale. „Vaše podezření se na něčem zakládá?"

Než stačil Jaeger odpovědět, vyloudil ze sebe Král podivný srkavý zvuk. Jaeger už si všiml, že slovenský kameraman má nešťastný zvyk sykat mezi zuby.

Dale se otočil a škaredě se na Krále podíval. „Kámo, já se tady snažím dělat rozhovor. Soustřeď se a nedělej ty děsný zvuky."

I Král se na Dalea zahleděl dost nevražívě. „Já se soustředím. Jestli sis nevšiml, stojím za tou podělanou kamerou a mačkám zasraný knoflíky."

Skvělé, pomyslel si Jaeger. Jsou tu teprve pár dní a kameramani už si jdou po krku. Co budou dělat, až v džungli stráví několik týdnů?

Dale se obrátil zpátky k Jaegerovi. Zvedl oči v sloup, jako kdyby chtěl říct – podívejte se, s čím se musím potýkat. „Ptal jsem se vás na to podezření na nepřátelskou sílu."

„Přemýšlejte," řekl Jaeger. „Kdo zná přesné souřadnice letadla? Plukovník Evandro. Já. Alonzo. Pokud je tady další jednotka, která se ho snaží najít, musela nás stopovat. Nebo přinutit někoho z našeho týmu mluvit. Když jsme sem letěli, sledovalo nás neidentifikované letadlo. Takže možná – jen možná – nás sledují a ohrožují prakticky od začátku."

Dale se usmál. „Skvělé. Hotovo." Pokynul Královi. „Vypni to. Bylo to příjemné," poznamenal směrem k Jaegerovi. „Odvedl jste skvělou práci."

Jaeger si přitáhl do náručí brokovnici. „Ocenil bych, kdybys trochu míň vyhrabával špínu. Ale každopádně je to pro vás, hoši, výhodnější než filmovat tajně."

„Souhlas." Dale se odmlčel. „Byl byste pro, kdybychom něco takového natočili každý den, jako takový video deník?"

Jaeger vyrazil přes písečnou naplaveninu k táboru. „Třeba, když čas dovolí…" Pokrčil rameny. „Uvidíme, jak to půjde."

43

Na džungli se rychle snášela noc.

S příchodem tmy na sebe Jaeger nanesl repelent proti hmyzu a pořádně si zastrčil bojové kalhoty do bot, aby mu do nich v noci nenalezla nějaká havěť. Spával tak – zcela oblečený a s brokovnicí v náručí.

Kdyby na ně během nočních hodin někdo zaútočil, bude připraven k boji.

Jedny zaryté protivníky však tady v Serra de los Dios žádné z těchhle opatření porazit nemohlo. Moskyty. Takové obludy Jaeger nikde jinde neviděl. Slyšel jejich zuřivé kvílení, když kolem něj kroužili jako maličcí vampýři, odhodlaní sát krev a škodit roznášením nemocí. A určitě by se dokázali prokousat i kalhotami. Jaeger úplně cítil, jak do nich jeden z nich zakusuje svá maličká hmyzí kusadla.

Vlezl si do houpací sítě. Ruce i nohy mu trnuly únavou. Po tom boji za záchranu Narovové a osamoceném pochodu džunglí byl totálně, absolutně vyčerpaný. Celou předchozí noc si téměř neodpočinul. Nepochyboval, že teď bude spát jako zabitý, hlavně když Alonzo slíbil, že bude hlídat po celou dobu tmy.

Bývalý příslušník jednotky SEAL určil na noc rozvrh hlídek, aby džungli neustále někdo sledoval. Kdyby někdo z jakéhokoli důvodu potřeboval tábor na písečné naplavenině opustit, třeba si šel jenom ulevit, museli chodit ve dvojicích, systémem „já na bráchu, brácha na mě". Tak bude mít každý krytá záda, kdyby nastal nějaký problém.

Písečnou naplaveninu obklopila hustá, sametová tma a kolem se rozezněla kakofonie nočních zvuků. Bezmyšlenkovitý, rytmický tlukot cikád – *crrr* – *crrr* – *crrr* – *crrr* – bude pokračovat až do východu slunce. Nemotorné žuchání ohromných brouků a dalších létavých tvorů, kteří do všeho vrážejí. Téměř neslyšitelné skřeky velikých netopýrů, vrhajících se při lovu nad vodu. Ve vzduchu nad Rio de los Dios se to jimi jen hemžilo a do tmy se ozývalo pleskání křídel. Jaeger viděl jejich poletující siluety proti slabému svitu hvězd za načechranými vrcholky stromů. Strašidelná těla netopýrů výrazně kontrastovala s tajuplnou, pulsující září světlušek.

Ty zaplňovaly hedvábnou tmu jako mračna padajícího hvězdného prachu. Podél říčního břehu tvořily světélkující zelenomodrou šmouhu, která padala ze stromů a zase se k nim zdvihala. A každou chvíli jedna světluška zmizela – *blik*, světýlko zhaslo – když se přihnal netopýr a světlušku zhltl. Takhle nějaká temná a strašidelná síla sebrala z lesních stínů už čtyři lidi z Jaegerova týmu.

Během osamělých nočních hodin přepadaly Jaegera pochybnosti, které ve dne tajil. Pobývali tu sotva pár dní a už ztratili pět lidí. Přesto musel osud výpravy nějak zachránit a popravdě řečeno, vůbec nevěděl, jak to provede.

Tohle však nebylo poprvé, co zabředl do takové bryndy, a pokaždé se mu povedlo nějak se z toho vysekat. Měl v sobě vnitřní sílu, která z takových situací pramenila, dokonce se v nejistotě a zdrcujících okolnostech částečně vyžíval.

Jedna věc byla jistá. Odpověď na všechno, na veškerou smůlu, která je postihla, se skrývá hluboko v džungli, na místě, kde leží ten záhadný vrak letadla. Jediná věc, která je hnala stále kupředu.

Jaeger zvedl v síti nohy a natáhl se, aby si rozšněroval levou botu. Sundal ji, zalovil v ní a ze stélky cosi vytáhl. Krátce na to posvítil baterkou. Zadíval se na dvě tváře, hledící na něj z fotky. Zelenooká, krásná matka s havraními vlasy a chlapec, který jako by z oka vypadl Jaegerovi. Stál ochranitelsky po boku mámy.

Někdy v noci, za mnohých nocí, se za ně pořád ještě modlil. Dělával to hlavně během dlouhých a osamocených let na Bioku. A udělal to i dnes, kdy ležel v houpací síti mezi dvěma stromy na písečné naplavenině u řeky Rio de los Dios. Věděl, že u toho dalekého vraku letadla najde odpovědi. Možná to budou ty, po nichž tak dlouho toužil. Třeba se dozví, co se stalo s jeho ženou a chlapečkem.

Jaeger odpočíval a choval fotku v náručí.

Když usínal, cítil, že ve válce, kterou tady vedou, zavládlo dočasné příměří. Poprvé od chvíle, kdy seskočil do Serra de los Dios, nezaznamenal žádné pozorovatele, žádné nepřátelské oči ve stínech džungle.

Zároveň však cítil, že tohle zklidnění je jen přechodné. Proběhly první potyčky, objevily se první oběti.

Ta pravá válka teprve začne.

44

Na Rio de los Dios trávili už tři dny. Tři dny, během nichž Jaeger tak přemýšlel o dalším úseku jejich cesty, až ho to přivádělo k šílenství. Tři dny cesty na západ po řece, proudící průměrnou rychlostí šest kilometrů v hodině. Po vodě urazili dobrých sto dvacet kilometrů.

Takový pokrok Jaegera těšil. Kdyby se pokoušeli jít po souši, trvalo by překonání takové vzdálenosti mnohem déle a bylo by mnohem víc vyčerpávající, nehledě na to, že by s sebou neslo velké nebezpečí.

Někdy uprostřed odpoledne třetího dne zahlédl Jaeger to, co hledal. Soutok. Zde se do řeky Rio de los Dios vléval trochu menší vodní tok, Rio Ouro – Zlatá řeka. Zatímco Rio de los Dios naplňovaly naplaveniny z džungle a propůjčovaly jí tmavě hnědý až černý odstín, Rio Ouro byla zlatožlutá a její vody obsahovaly hodně písčitých sedimentů vyplavených z hor.

V místě soutoku se studenější a hutnější vody Rio Ouro jako by nechtěly spojit s vodou své teplejší, méně husté sestřenice. Když se Jaeger podíval dopředu, dobrý kilometr nebo i víc tekly obě řeky, světlá i tmavá, vedle sebe téměř bez mísení.

Na soutoku pak menší tok Rio Ouro vplynul do Rio de los Dios. Tam bude Jaeger a jeho tým pouhé tři kilometry od místa, kde musejí nutně zastavit. Před nimi totiž ležela neprůchodná překážka, bod, kde řeka tvoří třísetmetrový vodopád Devil's Falls.

Cesta sem je vedla přes vysoko položenou náhorní plošinu schovanou v džungli. V místech, kde se Rio de los Dios valila do vodopádu, se plošina trhala na dvě zubaté zlomové linie. Země na západ odtud ležela o tři sta metrů níž a tvořila nekonečný koberec nížinného deštného pralesa.

Jejich konečný cíl, čili záhadný vrak letadla, se nacházel asi třicet kilometrů od Devil's Falls, uprostřed oné nížinné džungle.

Jaeger směroval kánoi dopředu. Jeho pádlo se bezhlučně nořilo do vody, sotva zčeřilo vlnku. Jako bývalý člen komanda královských mariňáků byl na vodě jako doma. Proto taky plavbu po řece vedl a pomáhal těm vzadu proplout zrádnějšími mělčinami. Cestou přemýšlel o dalším kroku – čekalo je totiž zásadní rozhodnutí.

Cesta po řece byla relativně poklidná, alespoň ve srovnání s předchozími peripetiemi. Jaeger se však bál, že jakmile se přiblíží ke břehu, kde se budou muset vylodit, tohle přechodné období klidu skončí.

Už teď cítil, jak ve vzduchu visí další hrozba. V uších mu zněl hluboký, chraplavý hukot, jako když po africké planině úprkem běží ohromné stádo splašených pakoňů.

Zadíval se dopředu.

Na obzoru uviděl hradbu stoupající mlhy. Spršku vyvrhovala Rio de los Dios přepadávající přes okraj průrvy. Vytvářela tak jedny z nejvyšších a nejvíce vzrušujících vodopádů světa.

Při studiu leteckých fotografií zjistili, že Devil's Falls jsou na každý pád nesplavné. Jediná možná trasa vpřed byla zřejmě cestička, jež vedla dolů po srázu, ale ta se nacházela dobrý den chůze směrem na sever. Jaeger měl v plánu opustit nakrátko řeku a podniknout poslední úsek cesty, včetně příkrého sestupu, pěšky.

Obcházení Devil's Falls jim cestu o hodně prodlouží, ale žádná jiná alternativa se podle všeho nenabízela. Jaeger zkoumal terén ze všech možných úhlů a cesta dolů po srázu se jevila jako jediná možnost postupu vpřed. Co nebo kdo cestičku vyšlapal, to zůstávalo záhadou.

Mohla to být divoká zvířata.

Mohli to být indiáni.

Nebo to mohla být ona záhadná jednotka, která se tu někde pohybuje – ozbrojená, nepřátelsky naladěná a nebezpečná.

45

Jaeger se potýkal ještě s jedním problémem. Vždycky si totiž představoval, že tuhle poslední část cesty podniknou jako desetičlenný tým. Teď jich zbývalo jen pět a on si nebyl jistý, co provést s výbavou pohřešovaných členů výpravy. Nacpali jejich osobní věci do kánoí, ale dál už je potom nést nemohli.

Pokud všechny ty věci odloží, dají tím v podstatě najevo, že se smířili se smrtí chybějících lidí. A Jaeger neviděl žádný způsob, jak to obejít.

Podíval se za sebe.

Jeho kánoe plula vpředu, ostatní v řadě za ní. Měli celkem pět plavidel. Byly to přestavitelné kajaky od Advanced Elements, rozložitelné nafukovací čluny pro expedice. Měřily čtyři a půl metru. Při seskoku je snesli na zem Kamiši a Krakow, zastrčené v paratrubkách. Složený pětadvacetikilový člun tvořil krychli o straně kolem čtyřiceti centimetrů, ale po rozložení vznikl člun schopný pojmout dvě stě čtyřicet devět kilogramů vybavení.

Na písečné naplavenině kajaky rozbalili, nafoukli ručními pumpičkami a naložené výstrojí je spustili na vodu. Každé plavidlo se pyšnilo trojitým ripstopovým trupem, extrémně odolným vůči proražení, vestavěnými hliníkovými tyčemi pro větší stabilitu a nastavitelnými vypolstrovanými sedadly. Díky nim mohl člověk pádlovat dlouhé vzdálenosti, aniž by se odřel.

Se šesti nafukovacími komorami na každé kánoi plus s plovacími vaky byli vskutku nepotopitelní, jak se ostatně prokázalo na několika úsecích divoké vody, kterými projeli.

Původně Jaeger plánoval použít pět kajaků na vodě, v každém

dva členové jeho týmu. Když se ale jejich počet takto snížil, musel osazení člunů změnit a nechat na každém jen jednu osobu. Daleovi a Králi se očividně ulevilo ze všech nejvíc. Takhle se během třídenní cesty po řece nemuseli mačkat dva v jedné kánoi. Jaeger zjistil, že nevraživost v kameramanském týmu pramení z jedné věci. Král nemohl snést Daleovu služební nadřízenost. Dale totiž natáčení režíroval, Král byl jenom asistent producenta. A Slovákova antipatie chvílemi probleskla na povrch. Pokud šlo o Dalea, toho zas doháněl k zuřivosti Králův zlozvyk sykat mezi zuby.

Jaeger prošel mnoha takovými výpravami a věděl, že v tyglíku džungle mohou i nejlepší kamarádi dopadnout tak, že si nemohou přijít na jméno. Tenhle problém se prostě musel vyřešit, jelikož by mohl ohrozit celou expedici.

Zbylí členové týmu, čili Jaeger, Alonzo a Kamiši, se celkem sblížili. Tyhle tři alfa samce spojovalo něco víc než jen vědomí, že čelí nepříteli stejně nečekanému jako bezohlednému. Jako bývalí vojáci z elitních jednotek totiž drželi v nesnázích při sobě. To jen filmaři si šli navzájem po krku.

Jaegerův člun protínal soutok řek jako šipka. Na jedné straně zlatobílá voda, na straně druhé inkoustově černá. Uvědomoval si, že na řece je skoro šťastný.

Skoro. Kvůli ztrátě pěti členů týmu se totiž nad jejich postupem neustále vznášel temný stín.

Avšak právě na dlouhé pádlování na divoké a odlehlé řece, v srdci jedné z největších džunglí planety, se v Londýně velice těšil. Řeky v Amazonii tvořily koridory slunečního světla i života. Divoká zvířata se shlukovala u jejich břehů a vzduch se chvěl tlukotem ohromného množství ptačích křídel.

Každý kajak měl na palubě elastické šněrování, umožňující rychlý přístup k nezbytnému vybavení. Jaeger v něm měl zastrčenou brokovnici. Stačilo jen natáhnout ruku. Kdyby se ho nějaký kajman pokusil ohrozit, mohl by vystřelit během několika vteřin.

Ale většina kajmanů se raději držela opodál, protože kajaky byly zřejmě to největší, co se na řece pohybovalo.

Toho rána nechal kajak v jednom místě volně unášet proudem a sledoval silného jaguářího samce, jak stopuje svou kořist. Velká kočka zlehka našlapovala podél říčního břehu a dávala si velký pozor, aby nezčeřila ani vlnku a nezpůsobila sebemenší hluk. Vplížila se mimo kajmanovo zorné pole a přeplavala k bahnitému břehu, na němž se plaz slunil. Tohle nebyl kajman černý, ale o něco menší kajman žakaré.

Velká kočka se přeplížila přes bahno a vyrazila. Kajman v poslední chvíli ucítil nebezpečí – otočil prudce hlavou a pokusil se chňapnout čelistmi. Jenže jaguár byl mnohem rychlejší. Skočil kajmanovi za krk a zaryl mu drápy do plecí, pak tlamou stiskl hlavu zvířete a zanořil tesáky do jeho mozku.

Smrt nastala okamžitě. Jaguár zatáhl kajmana do vody a plaval zpátky na břeh. Jaeger celý lov sledoval a nyní měl pocit, že by měl tomu velkému kocourovi zatleskat. Byl opravdu rád, že souboj dopadl ve prospěch suchozemského jaguára.

Po střetu s jedním z těch obrovitých plazů a ztrátě Iriny Narovové získal ke kajmanům odpor, který se mu zaryl hluboko pod kůži.

Cestování po řece obnášelo ještě jednu radost. Kajaky Dalea a Krále pluly až na konci flotily. Jaeger před vyplutím řekl, že jako nejméně zkušení kanoisté by se měli držet co nejdál od možných potíží. Díky tomu se teď zdržoval dostatečně daleko od objektivu Daleovy dotěrné kamery.

Kupodivu však zhruba poslední den zjišťoval, že mu možná hovory na kameru chybějí. Bylo to zvláštní, ale v kameře nalezl někoho, s kým se dalo mluvit a komu se mohl svěřit. Jaeger totiž ještě nikdy nezažil výpravu, kde by neměl žádnou spřízněnou duši nebo společnost. Až teď.

Alonzo jako zástupce velitele fungoval skvěle. Vlastně Jaegerovi v mnoha ohledech připomínal Raffa a se svou masivní konstitucí by se bývalý příslušník jednotky SEAL nepochybně projevil jako vynikající válečník. Za čas Jaeger zjistil, že z Alonza by se mohl stát dobrý a věrný kamarád, ale důvěrný přítel to zatím nebyl.

Stejně tak Hiro Kamiši. Jaeger odhadoval, že by si s tím tichým Japoncem měl hodně co říct. Byl to muž zcela ovlivněný mystickým válečnickým krédem Východu, učením bušidó. Nejdřív však musí Kamišiho poznat blíž. Kamiši i Alonzo platili za zatvrzelé muže z elitních jednotek a takovým chvíli trvá, než popustí zábrany a otevřou se.

Stejnou výtku by však mohl dostat i Jaeger. Po třech letech na Bioku si naléhavě uvědomoval, jak příjemně mu bylo samotnému. Nebyl sice přímo typický samotář – typ bývalého vojáka, jenž nikomu nevěří –, ale osvojil si umění přežívat o samotě. Navykl si jen na svou vlastní společnost, a někdy to tak bylo snazší.

Teď právě Jaeger přemítal, jak by to asi zvládala Irina Narovová. Ukázalo by se časem, že se s ní dá mluvit? Stala by se z ní spřízněná duše? To nevěděl. Stejně o ni přišel, a dlouho předtím, než vůbec mohl její povahu prozkoumat. Pokud by to ovšem vůbec šlo.

Za její nepřítomnosti působila kamera jako jakási důvěrnice, ale neslo to s sebou jednu nevýhodu. Vždycky k ní byl přilepený Dale, který rozhodně moc důvěryhodný nebyl. Teď to však bylo všechno, co Jaeger měl.

Minulý večer tábořili na říčním břehu a on natočil s Dalem další rozhovor. Během něj zjistil, že vůči němu postupně roztává. Dale dokázal pozoruhodným způsobem – s klidem a důstojností – vytáhnout ze zpovídaných osob okamžiky skutečné upřímnosti.

Byl to vzácný talent a Jaeger k němu začínal cítit zdráhavý respekt.

Po rozhovoru otálel Štefan Král ještě chvíli kolem. Zjevně si chtěl s Jaegerem promluvit v soukromí. Zatímco si balil filmařské vybavení, učinil takové malé doznání o onom zakázaném natáčení na písečné naplavenině.

„Doufám, že si nemyslíte, že kecám, ale řekl jsem si, že byste to měl vědět," začal a jeho rysy zase pokřivil ten podivný úsměv. „To tajné natáčení byl Daleův nápad. Mně připravil otázky a sám si vzal na starost kameru."

Nejistě pohlédl na Jaegera. „Říkal jsem, že to nepůjde, že na to přijdete. Jenomže Dale neposlouchal. On to vidí tak, že je velký režisér a já jenom sprostý asistent produkce, takže nakonec ty záběry použije." Králova slova byla plná roztrpčení. „Jsem starší, natočil jsem plno jiných snímků z džungle, ale mám holt své instrukce. A abych byl upřímný, je schopný zkusit stejný trik klidně znovu. Jen vás na to upozorňuju."

„Díky," řekl mu Jaeger. „Budu si dávat pozor."

„Mám tři děti a víte, jaký je jejich oblíbený film?" pokračoval Král a pokřivený úsměv se šířil dál po jeho obličeji. „*Shrek*. A víte co? Dale je přesně ten pitomý pohádkový princ. A využívá toho. Svět televize je plný žen – producentek, vedoucích, režisérek – a on je má omotané kolem prstu."

Během služby v armádě si Jaeger získal reputaci tím, že dokázal udělat z nul hrdiny. To snad do jisté míry vysvětlovalo, proč od přírody tíhl k outsiderům. A Král v rámci filmařského dua výpravy outsiderem rozhodně byl.

Zároveň však Jaeger chápal, proč Carson svěřil zodpovědnost Daleovi. I v armádě často velí mladší důstojníci mnohem zkušenějším lidem, jelikož prostě mají to, co je k vedení potřeba. Kdyby byl on na Carsonově místě, počínal by si stejně.

Teď udělal všechno pro to, aby Krále uklidnil. Řekl mu, že když bude mít nějaké vážné obavy, ať se mu s nimi svěří. Jinak by si to ovšem kameramani měli vyřešit sami mezi sebou, dokonce je to nezbytně nutné.

To napětí, bublající zášť, by mohlo rozvrátit celou expedici.

Pod přídí Jaegerova kajaku se nyní bílé a černé říční vody

mísily ve špinavou šeď a hukot vodopádů Devil's Falls přecházel ve zlověstné, ohlušující dunění. To přitáhlo Jaegerovu pozornost zpátky k neúprosným prioritám přítomnosti.

Potřebovali přistát, a to rychle.

Před sebou po pravé straně zahlédl pás bahnitého říčního břehu, napůl skrytého pod převislými větvemi.

Pokynul ostatním rukou a namířil příď svého kajaku ke břehu. Ostatní kánoe se přehouply do řady za něj. Jak zabral pádlem vpředu, zahlédl pod klenbou stromů záblesk pohybu. U pobřeží se nepochybně pohybovalo nějaké zvíře. Prohlížel tmu pod stromy a čekal, jestli se tvor ukáže.

V dalším okamžiku vystoupila z džungle postava.

Lidská postava.

Bosá a nahá, kromě pleteného pásu z kůry zavěšeného okolo pasu. Ten člověk tam stál a hleděl přímo směrem k Jaegerovi.

Od válečníka dosud neobjeveného amazonského kmene ho dělilo pouhých čtyři sta metrů vody.

46

Jaeger nepochyboval o tom, že bojovník z džungle se chtěl ukázat sám. Otázka zněla proč. Indián se vynořil ze stínů, přitom kdyby chtěl, určitě mohl zůstat schovaný.

V jedné ruce držel půvabně klenutý luk a šíp. Jaeger tyhle zbraně znal. Každý takový dlouhý šíp měl třiceticentimetrovou špici ze zploštělého bambusu, ostrou jako břitva a s hrozivými zubatými okraji.

Jedna strana hrotu šípu byla namočená do jedu stromu tiki uba, obsahujícího protisrážlivé složky. A zadní konec byl opatřen peřím z ocasu papouška, které šíp v letu stabilizovalo. Když vás takový hrot zasáhne, antikoagulant zabrání srážení krve, takže vykrvácíte.

Dosah indiánské foukačky je něco málo přes třicet metrů, dost na to, aby doletěla do korun stromů. Oproti tomu šípy z luku dostřelí čtyřikrát až pětkrát dál. Tento typ zbraní kmen používal při lovu velkých zvířat. Třeba kajmanů, určitě jaguárů a bezpochyby i jakýchkoli lidských nepřátel, kteří neoprávněně vstoupili na jejich území.

Jaeger varovně zabušil pádlem do vody, aby uvědomil ostatní za sebou, kdyby si snad indiána nevšimli.

Pak zvedl pádlo z řeky a položil je podélně na kajak. Jeho pravá ruka spočinula na brokovnici. Několik vteřin plul vpřed a hleděl na amazonského indiána, který zase zíral přímo na něj.

Postava dala znamení. Jednoduché mávnutí ruky ke straně a pak ke druhé. Zleva i zprava vystoupily další postavy, podobně oblečené i ozbrojené.

Jaeger jich napočítal dvanáct. Další se určitě skrývaly ve stínech za nimi. Jako na potvrzení jeho podezření dal vůdce válečníků – jistě to musel být vůdce – další znamení, jako kdyby to byla nějaká narážka.

Vtom se po řece rozlehl řev.

Živočišný, hrdelní ryk rychle přerůstal ve skandovaný válečný pokřik, který se vyzývavě valil po vodě. Pak ho přerušilo několik neuvěřitelně silných úderů. Nějaký obrovský buben zřejmě vybubnovával rytmus a neslo se to džunglí až k nim. *Kabum-bum--bum, kabum-bum-bum!*

Hluboké bušení se neslo přes vodu a Jaeger poznal, o co jde. Něco podobného už slyšel, když pracoval u B-BSO týmu plukovníka Evandra. Někde za hradbou stromů indiáni bušili těžkými bojovými palicemi do velikých opěrných kořenů, rány se odrážely od vodní hladiny a zněly jako dunění hromu.

Jaeger se díval, jak indiánský vůdce zvedl luk a zahrozil jeho směrem. Válečný pokřik zesílil a bušení na opěrné kořeny bylo s každým zatřesením zbraní stále mocnější. Gesto ani celý efekt nepotřebovaly překládat.

Dál ani krok.

Problém byl, že Jaeger se nemohl otočit zpátky. Vzadu se táhlo sto kilometrů řeky směrem nahoru proti proudu, čili špatným směrem, a vpředu se vrhaly do hlubin vodopády Devil's Falls.

Buď tady přistanou, nebo se i s celým týmem dostane do vážných potíží.

Nebyl to zrovna šťastný způsob navazování prvního kontaktu, jenže Jaeger neměl moc na výběr. Ještě pár vteřin a ocitne se na dostřel šípů toho kmene. A tentokrát nepochyboval, že jejich hroty jsou určitě otrávené.

Proto zvedl z držáku brokovnici, namířil na řeku těsně před kánoi a vypálil. Šest varovných střel zarachotilo v rychlém sledu po sobě. Na vodě nadělaly pěknou paseku a do vzduchu vyslaly pořádnou sprchu.

Indiáni okamžitě zareagovali.

Zaklesli šípy do tětiv a vystřelili. Střely vysokým obloukem prosvištěly vzduchem ve směru cíle, avšak dopadly kousek před přídí Jaegerova kajaku. Poplašný křik se odrážel tam i zpět a Jaeger si na okamžik myslel, že kmen se rozhodl zůstat na místě a bojovat.

Poslední věc, kterou tady chtěl podnikat, byl boj s tímhle zapadlým kmenem. Kdyby ovšem neměl na výběr, použil by všechny nutné prostředky a bránil svůj tým do poslední chvíle.

Dlouho na sebe s vůdcem kmenových válečníků hleděli. Bylo to, jako kdyby přes řeku probíhal souboj vůlí. A pak postava znovu dala znamení. Muž trhl paží směrem zpět k džungli a postavy po obou jeho stranách zmizely v pralese. V tu chvíli se stali neviditelnými.

Jaeger už mockrát zažil, jak se takové lesní kmeny dokázaly okamžitě vypařit, ale nikdy ho to nepřestalo udivovat. Nikdy neviděl nikoho, kdo by se tomu dokázal vyrovnat. Ani Raff ne.

Vůdce kmene však zůstal na místě. Nehýbal se, tvář zakaboněnou.

Stál tam sám a hleděl přímo na Jaegera.

Kajak dál plul k břehu řeky. Jaeger viděl, že indián něco zvedl pravou rukou a potom to se zuřivým řevem zabodl do bahna. Vypadalo to jako kopí s bojovou vlajkou nebo praporkem, třepotajícím se na jeho konci.

Nato se muž otočil a zmizel.

Jaeger nechtěl riskovat a v těch místech přistát. Plul dál sám, ale Alonzo a Kamiši se drželi po obou stranách lehce za ním s připravenými automatickými puškami. Až vzadu se pohybovali Dale a Král s kamerou, odhodlaní natočit každý pohyb.

Jaeger věděl, že je dobře krytý. Taky spoléhal na to, že jeho ukázka síly v podobě salvy z brokovnice kmen dostatečně odstraší. Několika mocnými záběry pádla provedl kajak posledními metry. Vzal do ruky brokovnici a přiložil ji k rameni. Široké ústí hlavně se hrozivě šklebilo proti potemnělé hradbě stromů.

Ale nikde se nic nehýbalo.

Předek kajaku narazil na bahno a zastavil se. Jaeger bleskově vyskočil a skrčil se do vody za těžce naložený člun. Zbraní přejížděl džungli před sebou.

Dobrých pět minut se nepohnul.

Zůstával sehnutý nad brokovnicí a jen tiše naslouchal a pozoroval.

Všechny smysly vyladil na okolí a filtroval veškeré zvuky, které nebyly zcela přirozené. Když člověk přestane vnímat normální rytmy a tepy lesa, jeho tlukot, je schopen vyhodnotit vše, co není běžné. Třeba lidské kroky nebo bojovníka napínajícího tětivu luku.

Avšak nikde nic takového nezjistil.

Kmen zřejmě zmizel stejně rychle, jako se objevil. Nicméně Jaeger ani na chvilku nevěřil tomu, že jsou pryč nadobro.

Zbraň držel stále v pohotovosti. Pokynul Alonzovi a Kamišimu, aby připluli blíž. Když jejich kánoe dorazily skoro k němu, narovnal se a začal se prodírat mělčinou, brokovnici měl připravenou k rozpoutání pekla.

V půli cesty na břeh sklouzl na koleno a přeletěl zbraní tmavý terén před sebou. Dal znamení Alonzovi a Kamišimu, aby šli za ním. Jakmile je měl u sebe, popošel dál na písek, chytil indiánské válečné kopí a vyrval je ze země.

Leticia Santosová, chybějící brazilská členka Jaegerova týmu, nosila nápadný, pestrobarevný hedvábný šátek s nápisem Karneval. Jaeger trochu uměl portugalsky, naučil se to během výcviku týmů B-BSO. Jednou Leticii řekl, že šátek hezky doplňuje její srdečnou hispánskou povahu. Prozradila mu, že šátek dostala jako dárek od sestry na předchozím únorovém karnevalu v Riu a nosí ho proto, aby jí na expedici přinesl štěstí.

Z konce válečného kopí neznámého indiána visel právě tenhle šátek Leticie Santosové.

47

Jaeger chvatně cpal výstroj do batohu. Přitom rychle a naléhavě říkal: „Za prvé: jak se dostali před nás tak svižně a bez využití řeky? Za druhé: proč nám chtěli ukázat šátek Santosové? A za třetí: proč zase zmizeli?"

„Aby nás varovali, že je jen otázka času, než nás seberou všechny," promluvil Král a Jaeger zaznamenal, jak jeho charakteristický úsměv nahlodávají obavy. „Celé se to hodně rychle obrací blbým směrem."

Jaeger si ho nevšímal. Zatímco on disponoval řádnou dávkou realismu, Král měl ve zvyku vytrvale živit chmury. Teď se však museli soustředit a zachovat optimismus.

Jestliže ho ztratí tady v hlubinách divočiny, je po nich veta.

Vynesli kánoe na břeh a postavili provizorní tábor. Jaeger urychleně pokračoval v balení výstroje.

„Znamená to, že mají zaměřenou naši polohu," poznamenal. „Bod, z kterého nás můžou sledovat. Tím víc je důležité, abychom vyrazili a pohybovali se zlehka a rychle."

Pohlédl na hromadu vytříděných věcí na celtovině, které tady hodlali nechat jako přebytečnou výstroj. Padáky, příslušenství člunů, náhradní zbraně. „Cokoli, opakuju cokoli, co nepotřebujete, nechte v téhle skrýši. Když nastanou potíže, je potřeba odhodit každou zátěž navíc."

Jeho pohled sklouzl ke kajakům, vytaženým na břehu. „Čluny sfoukneme a schováme je taky. Tam, kam půjdeme, už to odteď bude jenom po svých."

Ostatní přikývli.

Jaeger se podíval na Dalea. „Chlapi, vy dva vezmete s sebou

satelitní telefon společnosti Wild Dog Media. Já vezmu druhý. Alonzo, ty bereš třetí. Tyhle tři budeme mít u sebe a zbytek necháme v úkrytu."

Ozvalo se několik souhlasných zabručení.

„Jo a hoši," koukl Jaeger na Dalea a na Krále, „umíte používat zbraň?"

Dale pokrčil rameny. „Já umím nanejvýš střílet s Xboxem."

Král obrátil oči v sloup. „To u nás na Slovensku se učí střílet každý. Tam, odkud pocházím, se všichni učíme lovit, hlavně v horách."

Jaeger zvedl oba palce. „Tak si vezmi automatickou pušku a šest zásobníků. Pro vás dva bude jedna zbraň stačit. Nejlíp uděláte, když se v nošení zátěže budete za chůze střídat. Vím, že nesete ještě filmařské vybavení."

Jaeger chvíli potěžkával v ruce nůž Narovové. Pak jej přidal na hromadu výstroje, která tu měla zůstat. Teoreticky tady ta skrýš zásob bude proto, aby se z ní později dalo zase něco vyzvednout. Musí ji tedy co nejlépe ukrýt na známém místě. Prakticky si však nedokázal představit, kdo by se sem kdy vracel a bral si něco z toho, co tady nechali.

Popravdě spíš počítal s tím, že co je pryč, je pryč.

Potom změnil názor a dal nůž Narovové na hromadu, kterou brali s sebou. Totéž udělal i s mincí pilota C-130 s mottem Night Stalkers. Obě rozhodnutí učinil pod vlivem citů, jelikož nůž ani minci nebudou na další cestě nezbytně potřebovat. Byl už prostě takový. Pověrčivý, viděl kolem sebe samá znamení a nerad se vzdával věcí, které pro něj osobně něco znamenaly.

„Alespoň teď víme, kdo je ten nepřítel," řekl ve snaze povzbudit ostatní členy výpravy. „Jasnější vzkaz už nám nechat nemohli, ledaže by ho načmárali do písku."

„Co myslíš, že tím chtěli říct?" zeptal se Kamiši hlasem plným charakteristického klidu a uvážlivosti. „Já myslím, že se to dá číst různými způsoby."

Jaeger se na Kamišiho udiveně zadíval. „Šátek Santosové uvázaný na kopí zabodnutém do písku? Já bych řekl, že je to úplně jasné. Dál ani krok, nebo vás stihne stejný osud."

„Možná se to ale dá vyložit i jiným způsobem," pokračoval Kamiši. „Není to nutně přímé ohrožení."

Alonzo odfrkl. „No jasně!"

Jaeger ho mávnutím ruky umlčel. „A co myslíš?"

„Zkusme se na to podívat z jiného hlediska," odhodlal se Kamiši. „Myslím si, že ti indiáni jsou asi polekaní. Musíme se jim jevit jako cizinci z jiného světa. Spadneme si z nebe přímo do jejich zapadlého světa. Plujeme si po řece v těchhle kouzelných člunech. Nosíme s sebou hřmící tyče, pod kterými vybuchuje i řeka. Když jsi nikdy nic takového neviděl, byl bys vystrašený taky, ne? A primární lidská reakce na strach je vztek, agrese."

Jaeger pokyvoval. „Pokračuj."

Kamiši se rozhlédl po ostatních. Všichni přestali s tím, co dělali, a naslouchali mu. I Dale vypnul kameru.

„Víme, že tenhle kmen utrpěl od cizích jenom násilí," pokračoval Kamiši. „Těch několik kontaktů, které měli s vnějším světem, proběhlo právě s těmi, kteří jim chtěli ublížit. Byli to dřevorubci, důlní dělníci a další, kdo měli v úmyslu sebrat jim území. Proč by teda od nás měli čekat něco jiného?"

„Kam tím míříš?" naléhal Jaeger.

„Podle mého názoru je třeba zvolit dva způsoby postupu," oznámil Kamiši klidně. „Na jedné straně musíme dvojnásob hlídat, hlavně protože jsme v džungli, která je jejich doménou. A na druhé straně potřebujeme Amahuaky přilákat. Musíme najít způsob, jak jim ukázat, že máme pouze přátelské úmysly."

„Takže získat jejich důvěru?" otázal se Jaeger.

„Takže získat jejich důvěru," potvrdil Kamiši. „Navíc je tady jedna výhoda, kterou můžeme mít, pokud si vydobudeme důvěru toho kmene. Máme před sebou ještě dlouhou a náročnou cestu. A nikdo nezná džungli líp než indiáni."

„Ale no tak, Kamiši, prober se!" zarazil ho Alonzo. „Sebrali jednu z nás, nejspíš ji uvařili a sežrali, a my teď půjdem a budem se jim vtírat, jo? Nevím, z jaké jsi planety, ale v mém světě používáme v boji protivníkovy zbraně."

Kamiši se lehce uklonil. „Alonzo, vždycky bychom měli být připraveni použít v boji protivníkovy zbraně. Někdy je to jediný způsob. Ale taky bychom měli umět podat přátelskou ruku. Někdy je to tak lepší."

Alonzo se poškrábal na hlavě. „Člověče, já nevím… Co říkáš, Jaegere?"

„Připravíme se na obě varianty," prohlásil Jaeger. „Budeme nachystaní střílet i podat přátelskou ruku. Ale nikdo nebude zbytečně riskovat a ty indiány do toho zatahovat. Nesmí se opakovat to, co se stalo předtím."

Ukázal na skrýš s vybavením. „Kamiši, vyber z toho něco, o čem myslíš, že by se mohlo hodit jako dárky. Vezmeme to s sebou a zkusíme je přilákat."

Kamiši přikývl. „Udělám výběr. Nepromokavé oblečení, mačety, hrnce – takové věci zapadlý kmen vždycky využije."

Jaeger zkontroloval hodinky. „Fajn, je 1400 zulu. K začátku cesty, co vede dolů po srázu, je to den a půl chůze, a když vyrazíme hned, zítra bychom měli být u vodopádů."

Vytáhl kompas a pak posbíral pár kamínků podobných těm, jaké používal předtím. „Budeme se pohybovat pod stromy, jenom po svých a pomocí azimutů. Mám za to, že někteří z vás," zadíval se na Krále a Dalea, „tu metodu neznají, takže se držte blízko sebe. Ale ne zase moc blízko."

Potom se Jaeger rozhlédl po ostatních. „Nechci, abychom byli namačkaní jeden na druhém. Pak představujeme moc snadný cíl."

48

Cesta džunglí probíhala tak dobře, že víc si Jaeger ani nemohl přát. Jejich trasa vedla podél kraje zlomové linie. Půda pod nohama byla teď kamenitá a sušší a les poněkud méně vlhký. Díky tomu poměrně dost pokročili.

První noc tábořili v džungli a pokoušeli se uvést do praxe svou metodu dvou postupů. Hlídali dvojnásob bedlivě a zároveň se snažili indiány přilákat, aby navázali přátelský kontakt.

Za služby v armádě Jaeger praktikoval získávání důvěry mnohokrát. Šlo o to spřátelit se s domorodou populací kdekoli, kde právě operovali. Místní mají neocenitelné informace o přesunech nepřátel a znají také nejlepší cesty, kudy je vystopovat a napadnout ze zálohy. Naklonit si je na svou stranu je proto ta nejlepší strategie.

Jaeger s pomocí Hira Kamišiho různě rozmístil dárky pro indiány. Visely na větvích v lese na dohled od jejich tábora: nože, několik mačet, hrnce na vaření. Kdyby byl Jaeger členem zapadlého kmene žijícího uprostřed největší džungle světa, právě takovéhle vybavení by ocenil.

S nějakým psaním, jaké pro indiány připravoval Joe James, se nezatěžovali. Nekontaktované kmeny stejně neumějí číst. Dobrá zpráva byla, že toho rána několik věcí zmizelo.

Na oplátku nechali indiánští válečníci na těch místech zase svoje dárky. Čerstvé ovoce, pár amuletů ze zvířecích kostí, a dokonce i toulec z jaguáří kůže na foukací šipky.

Jaegera to povzbudilo. První známky přátelského kontaktu se objevily. I tak byl ovšem rozhodnutý nepolevit v ostražitosti. Indiáni se pohybovali určitě hodně blízko. Šli po stopě Jaegera a jeho týmu, což znamenalo, že ohrožení stále bylo velice reálné.

Jaeger dovedl svoje lidi k druhému zamýšlenému místu táboření. Nacházelo se na okraji třísetmetrového srázu a cesta z něj vedla do nížiny hluboko dole. Když našli vhodné místo na nocování, začínalo se právě stmívat.

Dal ostatním signál, aby zastavili. Všichni pustili batohy a usadili se na nich. Nikdo nepromluvil jediné slovo. Jaeger je přiměl, aby strávili deset dlouhých minut pečlivým nasloucháním okolí. Nalaďovali se na les a pátrali, jestli nehrozí nějaké nebezpečí.

Všechno vypadalo klidně.

Potom Jaeger pokynul, že mohou rozbít tábor.

Za houstnoucí tmy pracovali rychle a každý o samotě, bez osvětlení, aby neupozornili indiány na svou přesnou polohu. Jaeger a Kamiši měli v úmyslu rozvěsit další věci hned, jak bude tábor stát. Tentokrát je ale umístili dostatečně daleko od tábora, čímž si chtěli zajistit větší bezpečnost.

Jaeger vybalil z batohu svou cyklistickou pláštěnku a uvázal ji mezi čtyři stromy. Vznikla tak nepromokavá střecha. Potom si vyměnil potem nasáklé trekové oblečení. Každý z jeho týmu s sebou nosil jeden náhradní suchý oděv. Bojovou košili a kalhoty, k tomu ponožky. Spávali v suchém oblečení. Noc představovala několik vzácných hodin, kdy se mohlo tělo trochu zotavit.

Strávit určitou dobu v suchu bylo nezbytné. Pobyt v neustálém vlhku a horku by způsobil, že by kůže brzy začala zahnívat.

Jakmile se Jaeger převlékl do suchého, zavěsil si pod cyklistickou pláštěnku houpací síť. Byla ručně šitá z padákoviny, takže pevná, lehká a odolná. Měla dvě vrstvy – na jednu se lehalo a druhá se přes ni dala přetáhnout, čímž vznikl jakýsi kokon. Jednak na člověka nemohli moskyti a jednak síť udržovala teplo, poněvadž noci v džungli mohou být někdy překvapivě studené.

Na každém konci sítě byl navlečený přepůlený balonek na squash, dutinou směrem ke stromu. To zabraňovalo stékání vody po šňůrách a prosáknutí konců sítě na straně hlavy i nohou. Části bezprostředně za balonkem Jaeger postříkal silným repelentem proti hmyzu. Vsákne se do šňůr a odradí hmyz, takže nepoleze do sítě.

Do kapsy suchého oděvu si zasunul kompas. Kdyby v noci museli utíkat, bude mít tuhle nutnou věcičku po ruce. Mokré oblečení nacpal do igelitového sáčku a uvázal pod chlopeň svého ruksaku. Ten ležel pod sítí a na něm zbraň.

Kdyby se v noci potřeboval natáhnout pro brokovnici, bude ji mít na dosah.

Výprava trvala už šest dní. Neustálá námaha a potřeba ostražitosti všechny pořádně vyčerpávaly. Ale pravidelná výměna mokrého oblečení za suché byla zcela zásadní. Jaeger ze zkušenosti věděl, že jakmile se někdo na takhle dlouhé expedici nepřevlékne do suchého – se slovy „jsem moc unavenej, nechce se mi" –, je hotovo. Stejně tak když si nechá suché oblečení zmoknout. Velmi rychle vznikne takzvaná „zákopová noha", onemocnění dolních končetin z dlouhého stání v mokru, a plíseň ve slabinách, takže člověk pak skoro nemůže jít.

Dřív než si Jaeger zalezl na noc do sítě, potřel si nejzranitelnější místa těla protiplísňovým pudrem: podpaží, slabiny a prsty na nohou. Na těchhle místech se nejvíc hromadí špína, vlhkost a bakterie, a proto zde nejdřív začne bujet plíseň a následně vzniká zánět.

Ráno to spolu s celým svým týmem provedou obráceně, vymění suché oblečení za mokré. Suché si uloží, do ponožek nasypou zásyp a připraví se na další cestu. Je to únavné, ale zároveň je to jediný způsob, jak v takových podmínkách udržet tělo v chodu.

Nakonec Jaeger ještě zkontroloval náplasti, které měl nalepené na bradavkách. Neustálým třením mokrého oblečení se totiž rozdírá hrudník. Odřízl několik nových proužků, nalepil si je a ty staré strčil do boční kapsy batohu. Čím míň toho po sobě nechají, tím těžší bude je vystopovat.

Nyní byl připravený věšet dárky na přilákání indiánů. Provedli to s Kamišim stejně jako předchozího večera a pár zbylých věcí rozvěsili na nízko rostoucí větve vzdálené skupinky stromů. Nato se vrátili do tábora, protože měli držet první hlídku. Celou noc tak budou na stráži vždycky dva páry očí, každé dvě hodiny proběhne střídání.

Jaeger s Kamišim si sedli a zaměřili se na svoje smysly, hlavně sluch a zrak. Je to ten nejlepší systém včasného varování. Klíčem k přežití hluboko v džungli je maximální bdělost a ostražitost.

To nalaďování se na potemnělý noční prales bylo vlastně takovou formou meditace. Jaeger cítil, že Kamiši po jeho boku postupuje stejně.

Uvolnil mysl, aby vnímala změny prostředí a jakýkoli náznak nebezpečí. Když teď jeho uši zachytily i ten nejslabší zvuk, něco, co se lišilo od nočního tlukotu hmyzu, oči se okamžitě natočily, aby hrozbu zaměřily.

Napětí kolísalo a on i Kamiši vyciťovali pohyby ve tmě. Každý zvuk, který se teď ozval v tísnivém prostředí divočiny, zvedal Jaegerovi tep. Džunglí se nesly tajemné a chvílemi dost podivné zvířecí skřeky, jaké ještě nikdy předtím neslyšel. Byl přesvědčený, že některé z nich patří lidem.

Podivný, nepřirozený a pronikavý jekot se odrážel od stromů sem a tam. Podobné zvuky vyluzuje mnoho pralesních zvířat, například opičí tlupy. Avšak používají je i domorodé amazonské kmeny k signalizaci.

„Slyšíš to?" zašeptal Jaeger.

V měsíčním světle se zabělely Kamišiho zuby. „Jo. Slyším to."

„Zvířata? Nebo indiáni?"

Kamiši se zadíval na Jaegera. „Myslím, že indiáni. Možná naznačují, jak jsou šťastní, že objevili naše nové dárky, co?"

„Kdyby byli šťastní, bylo by to dobré," zamumlal Jaeger.

Jenže žádné výkřiky radosti, které kdy slyšel, nikdy nezněly takhle.

49

Jaeger se probudil.

V hluboké noci se cosi dělo. Nejdřív si nebyl jistý, co ho vyrušilo.

Přepnul smysly na bezprostřední okolí a hned nad táborem zaznamenal hmatatelné a strašidelné napětí. Pak koutkem oka zahlédl, jak se z temné džungle vynořila postava, připomínající ducha. Skoro ve stejném okamžiku si uvědomil, že zpoza stromů vystupují desítky takových postav.

Viděl, jak se téměř nahé siluety vylupují z šera a neslyšně poletují po táboře. Zbraně drželi připravené v pohotovosti a jejich pohyby byly očividně sladěné a cílevědomé. Jaeger sáhl dolů a nahmatal prsty studenou ocel své brokovnice. Sevřel ji v dlani a přitáhl si ji k sobě do houpací sítě.

Viděl, že kromě něj je vzhůru taky Alonzo. Dorozuměli se ve tmě očima. Hlídka zřejmě selhala a indiáni se nepozorovaně vkradli do jejich tábora.

Okamžitě bylo jasné, že je jich mnohem víc než členů výpravy. Navíc Jaeger s jistotou cítil, že v lese se ukrývají další ozbrojené posily. Kdyby teď Alonzo zahájil střelbu, o následcích si Jaeger nedělal žádné iluze. Došlo by k masakru. A indiáni se nacházeli v takové přesile, že by členy expedice zakrátko povraždili.

Jaeger se přinutil nestřílet a dal Alonzovi znamení, aby udělal to samé.

Chvíli nato se po jeho boku objevily tři postavy. Tiché, oblečené pouze v proužcích kůry, ozdobené amulety z peří a kostí. Všichni tři indiáni drželi duté dřevěné trubky – foukačky – a mířili jimi na

Jaegerovu hlavu. Vůbec nepochyboval, že jsou vyzbrojeni šipkami namočenými v kurare.

I ostatní členy výpravy už indiáni přinutili se probudit. Všichni procitali a s úděsem zjišťovali, že jsou z nich zajatci. Jen Hiro Kamiši ve své síti chyběl. Ustanovili předtím hlídky s rozdílnými časy výměn. Jaegerovi došlo, že na hlídce musel být právě Kamiši a že to byl on, kdo útočníky přehlédl.

Ale proč držel hlídku sám? Celou noc měli přece hlídat po dvou. Každopádně byl teď nejspíš zajatý, stejně jako oni všichni.

Na přemýšlení měl Jaeger jen velmi málo času. Gesty a hrubými, hrdelními povely mu nařídili, aby slezl ze sítě. Přesný význam slov neznal, ale smysl byl naprosto jasný. Dva indiáni na něho mířili foukačkami a třetí mu násilím vytrhl z rukou brokovnici.

Pak byl nucen zbořit tábor, sbalit si síť i cyklistickou pláštěnku a hodit si batoh na ramena. Nato ho hrubě šťouchli do zad, takže rozhodně neměl pochybnosti o tom, co se po něm chce. Musel pochodovat a žádná výměna suchého oblečení za mokré se nekonala, ať už půjdou kamkoli.

Když z tábora odcházeli, zahlédl vůdce indiánské skupiny, jak vydává rozkazy. Byl to tentýž válečník, se kterým se utkal na břehu řeky. Jejich oči se znovu setkaly a Jaeger měl pocit, že hledí do dvou tůní naprosté prázdnoty.

Připomnělo mu to pohled jaguára.

Pevný, ponurý, neproniknutelný.

Lovící.

Jaeger srovnal krok s Hirem Kamišim. Veterán japonských speciálních sil nebyl schopen se mu podívat do očí. Kamiši musel vědět, že nechal na holičkách celý tým a že to možná bude mít fatální následky.

„Hrozně mě to mrzí," zamumlal a svěsil hlavu studem. „Byla to moje druhá hlídka, jen na vteřinku jsem zavřel oči a – "

„Všichni jsme unavení," zašeptal Jaeger. „Nevyčítej si to. Ale kde byl ten druhý, co s tebou měl hlídat?"

Kamiši koukl na Jaegera. „Měl jsem vzbudit tebe, ale nechal jsem tě spát. Myslel jsem si, že jsem dost silný a zvládnu hlídku sám. A tohle," ukázal na indiánské věznitele, „je výsledek. Nesplnil jsem svou povinnost válečníka. Má pýcha znectila můj odkaz bušidó."

„Hele, vzali si od nás nějaké dárky," připomněl mu Jaeger. „To dokazuje, že jsou schopní přátelského kontaktu. Dokonce ho sami chtějí. A bez tebe bychom se k nim nikdy nedostali. Takže není třeba se stydět, příteli. Potřebuju tě silného –"

Jeho slova přetnula bolestivá rána do hlavy. Jeden z indiánů si všiml, že Jaeger mluví s Kamišim, a odměnil ho úderem palicí do lebky. Očividně po nich chtěli, aby nemluvili a šli.

Jak se vzdalovali od tábora, vynořovalo se ze stínů stále více postav. Indiáni jakýmsi nevysvětlitelným způsobem uměli zůstat neviditelní i v těsné blízkosti, aspoň do chvíle, než se jim sami chtěli ukázat. Jaeger znal maskovací techniky elitních jednotek velmi dobře. Na skrytých pozorovacích stanovištích v džungli strávil mnoho dní a dokázal být pro kolemjdoucí takřka neviditelný. Avšak to, co předváděli tihle indiáni, nebyly pouhé maskovací techniky. To bylo něco mnohem hlubšího a neobyčejnějšího. Využívali nedefinovatelnou energii a dovednosti tak, že splývali s džunglí v jedno.

Na přísně tajném výcviku SAS učil Jaegera muž, který žil léta mezi nejzapadlejšími kmeny světa. Cílem cvičení bylo naučit se, jak se pohybovat a bojovat stejně jako domorodci v takovém prostředí. Ale nikdo z nich si nikdy nenalhával, že by se v tomhle umění stal doopravdy mistrem.

Způsob, jakým kmeny uměly tu sílu využívat, byl neuvěřitelný. A Jaeger i navzdory šlamastyce, v níž se celá výprava ocitla, fascinovaně a z bezprostřední blízkosti pozoroval, jak se indiáni chovají. Pohybovali se tiše, ani jednou nepoložili nohu špatně, i v té největší tmě. Členové jeho týmu na rozdíl od nich slepě klopýtali o kořeny a naráželi do stromů.

Jaeger věděl, že nejlepší – a někdy taky jediná – šance na útěk je těsně poté, kdy vás zajmou. V tu dobu zajatí disponují stále dostatkem energie a kuráže, aby upláchli, a věznitelé mají na zvládání vězňů málo výzbroje. Věznitelé jsou většinou vojáci, a ne strážci, a to je velký rozdíl. Avšak v tomto případě měl Jaeger o útěku silné pochybnosti. Kdyby to někdo zkusil, ve chvilce by dostal zásah otrávenými šipkami nebo šípy.

Přesto Jaeger za chůze počítal kroky. V jedné ruce držel kompas, jehož číselník lehce světélkoval ve tmě, a ve druhé svíral kamínky.

Musí pozorně sledovat, kudy se pohybují a kde jsou. V pravou chvíli se tak může všem naskytnout šance na útěk.

50

Začínalo právě svítat, když indiáni dovedli Jaegera a jeho tým do své vesnice. Ačkoli mnoho z ní vidět nebylo.

Nacházela se na malé mýtině, v jejímž středu stála jediná budova, velká společenská místnost ve tvaru koblihy. Zastřešovaly ji rákosové došky, které sahaly skoro až na zem, a z otevřeného středu budovy vycházel tenký proužek šedého kouře z vaření.

Celou stavbu kryly stromy, takže byla ze vzduchu do značné míry neviditelná. Jaeger chvíli váhal, kde vesničané vlastně žijí, ale pak shora uslyšel hlasy. Pohlédl nahoru a měl odpověď. Tenhle kmen si stavěl domy v korunách stromů.

Obdélníkové stavby, připomínající chatrče, byly usazené osmnáct i víc metrů nad zemí a kryté vrchními větvemi. Obyvatelé do nich lezli po žebřících zhotovených z lián a ve vzduchu mezi některými chatrčemi se táhly vratce vyhlížející chodníky.

Jaeger už o takhle žijících kmenech slyšel. Absolvoval jednou výpravu na Papuu-Novou Guineu, kterou obývali domorodí Korowaiové. A ti byli známí právě tím, že žijí v korunách stromů. Zjevně tedy nebyli sami, kdo si libuje v pobytu vysoko nad zemí džungle.

Zástup pochodujících se zastavil.

Odevšad na něj zíraly oči.

Dospělí muži stáli na místě, zato ženy zoufale pospíchaly pryč a starostlivě si tiskly k hrudi své děti. Větší děti, zaprášené, nahé, napůl zvědavé a napůl vystrašené, vykukovaly zpoza stromů s očima vykulenýma strachy a údivem.

Přišel k nim neuvěřitelně hubený a zkroucený stařec.

Napřímil se a přiblížil obličej nepříjemně blízko k Jaegerově tváři. Zahleděl se mu do očí a Jaeger měl pocit, jako by mu viděl až do lebky. Ještě několik vteřin tak civěl a pak propukl v řehot. Zážitek působil podivně znepokojivě, až neuctivě. Ať ten letitý indián viděl v jeho hlavě cokoli, Jaegera to rozrušilo a zmátlo.

Teď se k nim ze všech stran blížili válečníci, důkladně ozbrojení kopími a foukačkami. Obklopili celý Jaegerův tým. Dopředu vystoupila další postava – starý a prošedivělý stařešina vesnice. Jakmile starý muž začal mluvit, Jaeger hned poznal, že jde o člověka váženého postavení.

Starcova slova zněla podivně. Jazyk připomínal ptačí a zvířecí křik, protože zvláštním způsobem, a navíc dost pronikavě švitořil, cvakal a pískal. Těsně nalevo u tohoto člověka stál mladší muž, který slovům staršího soustředěně naslouchal. Něco se tu dělo a Jaeger měl nepříjemný pocit, že je spolu se svým týmem předmětem jakéhosi soudu.

Po dobrých dvou minutách vůdce umlkl. Mladší muž po jeho boku se otočil k Jaegerovi a jeho týmu.

„Jste vítáni." Slova pronesl pomalu, lámanou, ale dokonale srozumitelnou angličtinou. „Náčelník našeho kmene říká, že pokud přicházíte v míru, vítejte. Ale jestliže přicházíte v hněvu a chcete ublížit nám nebo našemu lesnímu domovu, zemřete."

Jaeger se ze všech sil snažil vzpamatovat se z šoku. Žádný z kmenů, které nikdy nezažily kontakt s vnějším světem, neměl ve svých řadách mladíka, který by takhle uměl anglicky. Buď jim někdo lhal, anebo přinejmenším měli hodně mylné informace.

„Odpusťte nám, prosím, jestli vypadáme překvapeně," začal Jaeger, „ale bylo nám řečeno, že váš kmen neměl nikdy kontakt s vnějším světem. Asi čtyři dny chůze směrem na západ odsud leží letadlo. Myslíme si, že se zřítilo, když byl svět ve válce. Je pravděpodobně sedmdesát let staré, možná i víc. Naším cílem je to letadlo najít, identifikovat je a vyzvednout je odsud. Vstoupili jsme na vaše území výhradně za tímto účelem a přejeme si odejít v míru."

Mladý muž překládal, náčelník vesnice pronesl několik slov, pak je mladík přeložil zase Jaegerovi.

„Vy jste ta jednotka, která spadla z oblohy?"

„Jsme," potvrdil Jaeger.

„Kolik vás bylo, když jste spadli? A kolik se vás cestou ztratilo?"

„Bylo nás deset," odpověděl Jaeger. „O jednoho jsme přišli skoro hned, v řece. Dva další někdo ten den unesl a ještě dva pak další den. Nevíme, jak je unesli, a neznáme jejich osud, ale jeden z vašich mužů…" Jaegerův zrak pátral v davu, až se zastavil na vůdci válečníků, „nám zanechal tohle." Vytáhl z batohu šátek Leticie Santosové. „Možná nám můžete říct něco víc."

Indiáni však jeho otázku ignorovali.

Mezi náčelníkem a mladíkem opět proběhla výměna několika slov. Potom mladík řekl: „Říkáte, že přicházíte v míru. Proč tedy nosíte takové zbraně, jaké jsme viděli?"

„Kvůli sebeobraně," odvětil Jaeger. „V lese žijí divoká zvířata. A zdá se, že jsou tam i nebezpeční lidé, ačkoli si nejsme úplně jistí, kdo jsou."

Oči starého muže se třpytily. „Když vám nabídneme zlato, vezmete si je?" naléhal prostřednictvím překladatele. „Pro nás nemají takové věci příliš velkou cenu. Zlato nemůžeme jíst, ale bílý muž bojuje, aby ho dostal."

Jaeger věděl, že ho zkouší. „Přišli jsme pro letadlo. To je náš jediný úkol. Zlato by mělo zůstat tady, v pralese, jinak vám přinese jenom problémy. A to je ta poslední věc, kterou chceme."

Starý muž se zasmál. „To říká mnoho vašich lidí. Teprve až bude pokácen poslední strom, uloveno poslední zvíře a chycena poslední ryba, pak bílý muž konečně pochopí, že peníze se nedají jíst."

Jaeger mlčel. V těch slovech byla moudrost, s níž se nemohl přít.

„A co to letadlo, které hledáte? Když ho najdete, taky nám přinese problémy?" vyzvídal starý muž. „Stejně jako u zlata, i v jeho případě je lepší, když zůstane ztracené v džungli. Co když si bílý muž nevyzvedne, co bylo původně jeho?"

Jaeger pokrčil rameny. „Možná máte pravdu, ale já osobně soudím, že pokud se to nepodaří nám, přijdou jiní. Co se ztratilo, bylo nalezeno. A popravdě, podle mého názoru jsme my ti nejlepší, které jste mohli dostat. Domníváme se, že to letadlo otrávilo les, který stojí kolem něj. A tohle," ukázal Jaeger na džungli, „je přece váš domov. Víc než váš domov. Je to váš život, vaše podstata. Když to letadlo odstraníme, nebude už otravovat les."

Dovolil teď, aby se mezi nimi rozprostřelo ticho.

Starý muž se otočil a ukázal směrem ke společenské budově. „Vidíte, že z duchovního domu vychází kouř. Připravuje se hostina. Chystáme ji buď proto, abychom vás uvítali jako přátele, nebo abychom dali sbohem nepříteli." Stařec se zasmál. „Takže pojďme oslavit přátelství!"

Jaeger náčelníkovi vesnice poděkoval. Zčásti ho to naléhavě táhlo, aby pokračovali v misi. Ale také věděl, že takovéhle kultury mají svůj způsob provádění věcí, chce to prostě určité načasování a rytmus. Bude to tedy respektovat a věřit svému osudu. Uvědomoval si rovněž, že nemá moc na výběr.

Srovnal krok s náčelníkem. Pak jeho pozornost přitáhla skupinka postav, stojících stranou. V jejím středu byl vůdce válečníků, s nímž se už setkali na břehu řeky. Ne všichni se radovali nad výsledkem náčelníkova výslechu. Jaeger odhadoval, že ten válečník a jeho muži už si určitě brousili kopí a připravovali se na to, jak nepřátele ze svého lesa vymýtí.

Chvíli nedával pozor, takže si nevšiml Dalea vytahujícího kameru. Sotva to zaznamenal, Dale už ji měl na rameni a začal natáčet.

„Přestaň!" zasyčel Jaeger. „Sundej tu pitomou kameru!"

Ale bylo pozdě. Už se nedalo nic dělat.

Indiáni si uvědomili, co se děje, a skupinou shromážděných lidí proběhlo elektrizující napětí. Jaeger viděl, jak se náčelník s kamennou tváří a očima vykulenýma strachy obrátil k Dale-ovi. Pronesl několik přidušených rozkazů a na celý tým v mžiku namířila kopí.

Dale stál jako přimražený, kameru přitisknutou k rameni, a z tváře mu mizela veškerá barva.

Náčelník přešel k němu. Natáhl se po kameře a Dale mu ji se zděšeným výrazem v obličeji podal. Náčelník ji obrátil druhou stranou proti sobě, přiložil oko k objektivu a hleděl dovnitř. Dlouhou chvíli těkal pohledem po vnitřku kamery, jako kdyby se snažil určit, co přesně mu sebrala.

Konečně ji podal jednomu ze svých válečníků a beze slova se otočil k modlitebně. Kopí klesla dolů.

Překladatel se třásl. „Tohle už nikdy nedělejte. Když to uděláte, mohlo by to zkazit všechno dobré, co jste dokázali."

Jaeger o krok či dva ucouvl, až se ocitl na úrovni Daleova ramene. „Zkus takovej trik ještě jednou a donutím tě uvařit a sežrat tvou vlastní hlavu. Nebo ještě líp, dovolím náčelníkovi, aby ji uvařil a snědl místo tebe."

Dale přikyvoval, panenky měl rozšířené leknutím a strachem. Pochopil, jak málo teď chybělo ke katastrofě, a tak konečně jednou tomuhle výřečnému mediálnímu expertovi došla slova.

Jaeger vešel za náčelníkem do zakouřeného vnitřku duchovního domu. Neměl skutečné stěny, jen sloupky podpírající střechu. Protože však došky sahaly skoro až k zemi, panovaly uvnitř stín a šero. Jaegerovým očím chvíli trvalo, než po přechodu z jasného světla uvykly příšeří.

Ještě než se tak stalo, ozval se hlas, který zněl neskutečně... povědomě.

„Tak co, máš můj nůž?"

Jaeger stál jako přikovaný. Myslel, že ten hlas už nikdy neuslyší. Připadalo mu, jako kdyby k němu mluvil ze záhrobí.

Jakmile si jeho oči přivykly, uviděl, že na zemi sedí

nezaměnitelná postava. Jaeger šokovaně přemítal, jak se sem mohla dostat, a jak to, že je stále naživu.

Ta postava byla žena, kterou dávno pokládal za mrtvou. Irina Narovová.

51

Narovová tam seděla ještě se dvěma dalšími lidmi. Jedním z nich byla Leticie Santosová, brazilská členka týmu, a druhým obrovitý Joe James. Jaeger ztratil řeč. Ani indiánskému náčelníkovi neušlo jeho neskrývané zmatení. Cítil, že letitý vůdce kmene ho bedlivě pozoruje a studuje každý jeho pohyb.

Přiblížil se k těm třem. „Ale jak…" Díval se z jednoho na druhého a obličej mu pomalu roztahoval úsměv. Ládinovský plnovous Joea Jamese vypadal ještě huňatější než dřív.

Jaeger natáhl ruku. „Ty obrovitej novozélandskej parchante! Nevadilo by mně, kdybych tě už nikdy neviděl!"

James pominul nabízenou ruku a místo toho sevřel Jaegera v drtivém medvědím objetí. „Vole, jednu věc by ses měl naučit. Skuteční chlapi se objímají."

Leticia Santosová přišla na řadu jako druhá. Vrhla se mu kolem krku s příznačně nespoutanou hispánskou vřelostí. „Vidíš! Jak jsem slíbila, setkal ses s mými indiány!"

Poslední byla Narovová.

Stála před Jaegerem, jen o kousek menší než on, a její oči postrádaly výraz jako vždycky. Jeho pohledu se vyhýbala. Jaeger si ji zběžně prohlédl. Od chvíle, co o ni na řece přišel – když se po kousnutí palovčíkem svíjela v bolestech na jeho provizorním raftu –, vytrpěla určitě hodně, ale teď nijak vyřízeně nevypadala.

Natáhla k němu ruku. „Ten nůž."

Jaeger rychle pohledem přezkoumal její ruku. Byla to levá. Děsivý otok a stopy po kousnutí téměř zmizely.

Lehce se sehnul, aby jí pošeptal něco do ucha. „Dal jsem ho

náčelníkovi. Musel jsem. Byla to jediná věc, kterou jsem mohl udělat, abych vykoupil naše životy."

„*Schwachkopf.*" Byl v tom náznak úsměvu, nebo ne? „Ty ten můj nůž máš. Doufám, že ho máš, protože jinak nebudeš mít potíže jenom s náčelníkem, ale s něčím mnohem horším."

Náčelník Jaegerovi pokynul. „Máte tu přátele. Pobuďte s nimi. Jídlo a pití bude hned."

„Děkuji vám, jsem vám vděčný."

Pak náčelník kývl na překladatele. „Puruwehua zůstane s vámi, přinejmenším do doby, než se budete cítit jako doma."

A odešel mezi svůj lid.

Jaeger se posadil k ostatním. James se Santosovou mu jako první začali vyprávět svůj příběh. Rozbili tábor přibližně hodinu cesty od písečné naplaveniny, v ten den, kdy seskočili padákem do džungle. Zavěsili na stromy nějaké věci, jen pár dárků, a čekali.

A indiáni vskutku přišli, jenže ne tak, jak doufali. V noci je oba zajali a museli mašírovat do vesnice. Indiáni znali tajné lesní stezky a uměli se pohybovat tiše a rychle. Náčelník jim položil stejné otázky, jako když vyslýchal Jaegera: jestli přicházejí v míru nebo v hněvu a jaká je podstata jejich mise.

Řekli mu, co mohli. Měli přitom pocit, jako kdyby procházeli nějakým nepsaným testem. Potom jim náčelník dovolil sejít se s Irinou Narovovou. Předtím je drželi odděleně, aby se ujistili, že jejich výpovědi souhlasí.

Když pak náčelník zpovídal Jaegera, byla to vlastně třetí úroveň šetření. Chybějící členy týmu držel prozatím v úkrytu, aby si ověřil, zda jejich příběhy pasují dohromady. Rozhodně se nenechal utáhnout na vařené nudli.

Vlastně s Jaegerem i s nimi všemi zacházel jako starý mazák.

„A co Krakow a Clermontová?" zeptal se Jaeger. Rozhlížel se po stinných koutech domu. „Jsou taky někde tady?"

Odpověděl mu překladatel Puruwehua: „To je na dlouhé

vykládání. Nejlepší bude, když vám o vašich pohřešovaných přátelích poví sám náčelník."

Jaeger se podíval na ostatní. James, Santosová i Narovová vážně přikyvovali. Jaeger měl dojem, že Krakowa a Clermontovou asi nepostihl zrovna dobrý osud, ať už to bylo cokoli.

„A co ty?" koukl na Narovovou. „Řekni mi, jak ses vůbec dostala z těch spárů smrti?"

Narovová pokrčila rameny. „Zjevně jsi podcenil mou schopnost přežít. Z tvé strany to bylo asi jenom zbožný přání."

Její slova Jaegera bodla. Snad měla pravdu. Možná opravdu mohl pro její záchranu udělat víc. Když se však v duchu vrátil ke svému vyčerpávajícímu úsilí a následnému pátrání na řece, za nic na světě si nedokázal představit, co víc by byl mohl vykonat.

Překladatel Puruwehua přerušil ticho. „Tuto *ja-gwaru* – jsme našli na řece, držela se bambusu. Nejdříve jsme mysleli, že se utopila, že je *ahegwera*, duch. Ale pak jsme si všimli, že ji kousl *kajavuria*, pavouk, který žere lidskou duši. Známe rostlinu, která to umí vyléčit," pokračoval. „A tak jsme ji ošetřili a donesli ji džunglí až sem. Potom přišla chvíle, kdy jsme poznali, že nezemře. Byla to chvíle jejího *ma'e-ma'e*, probuzení."

Puruwehua obrátil tmavé oči k Jaegerovi. V překladatelově výrazu bylo něco, co Jaegerovi připomínalo pohled vůdce válečníků. Vypadal jako číhající kočka, měl tvrdé, nic neříkající oči jaguára, zkoumajícího svou kořist. V jeho očích svítilo něco, co Jaegerovi nějak připomínalo… Narovovou.

„Asi se na vás zlobí," navázal Puruwehua. „Ale my se domníváme, že je to duchovní dítě. Přežila to, co nikdo nemůže přežít. Má velmi silného *a'ga*, ducha." Odmlčel se. „Držte ji u sebe. Musíte dobře opatrovat tohoto *ja-gwaru*. Tohoto jaguára."

Jaeger se octl v rozpacích. Na tyhle sklony narazil u odlehlých kmenů už dřív. Většina myšlenek a zážitků byla u nich společná. Jen málokdy oddělovali osobní od důvěrného, nerozeznávali příliš mezi tím, co by se mělo probírat veřejně a co je nejlepší nechat si pro sebe.

„Udělám, co budu moci," poznamenal Jaeger potichu. „To nejlepší, co jsem dělal dosud, asi nestačilo… Ale povězte mi, Puruwehuo, jak to, že ‚nekontaktovaný' kmen má ve svých řadách mladíka, který mluví anglicky?"

„My jsme Amahuakové, bratranci sousedního kmene Uru-eu-wau-wau," odpověděl Puruwehua. „My i lidé Uru-eu-wau-wau mluvíme stejným jazykem tupí-guaraní. Před dvěma desetiletími se Uru-eu-wau-wau rozhodli navázat spojení s vnějším světem. A po čase nám sdělili, co se naučili. Řekli nám, že žijeme v zemi, která se jmenuje Brazílie. Taky řekli, že se musíme naučit jazyk cizích, protože určitě přijdou. Povídali, že je třeba naučit se portugalsky a taky anglicky. To první je jazyk Brazílie, to druhé jazyk světa. Jsem náčelníkův nejmladší syn. Toho nejstaršího, jednoho z našich prvotřídních bojovníků, jste potkali na břehu řeky. Můj otec byl přesvědčený, že mé kvality spočívají v síle mé hlavy, nikoli v paži, v níž držím kopí. Že budu válečníkem mysli. S pomocí kmene Uru-eu-wau-wau mě poslal na vzdělání," uzavíral Puruwehua svůj příběh. „Strávil jsem venku deset let a učil se jazyky. A potom jsem se vrátil. Nyní jsem okno našeho kmene do vnějšího světa."

„Jsem rád, že jím jste," opáčil Jaeger. „Podle mého jste nám dnes zachránil život…"

Hostina s jídlem a pitím se protáhla dlouho do večera. V otevřeném středu duchovního domu střídavě tančili muži i ženy. Kolem paží a stehen měli uvázané řetězce ze semen ovocného stromu *pequia*, která nesou tvar měsíce. Unisono podupávali nohama a houpali rukama a semínka chřestila v rytmu, jenž vibroval houstnoucí tmou.

Jaegerovi nabídli vydlabanou tykev, plnou podivné červené pasty. V první chvíli nevěděl, co s ní má dělat, až mu to Leticia Santosová předvedla. Pasta je připravená z kůry jednoho stromu, vysvětlila mu. Když se natře na kůži, působí jako silný repelent proti hmyzu.

Jaeger pochopil, že lepší bude, když jí trochu použije. Dovolil Santosové, aby mu pastu namazala na obličej i na ruce, a zaradoval se, když v očích Narovové spatřil záblesk nevole. Byla to snad žárlivost? Potom mezi lidmi kolovala větší mísa, naplněná šedivou, zpěněnou tekutinou štiplavého zápachu. To je *masata*, objasňovala Santosová, alkoholický nápoj, obvyklý mezi domorodými amazonskými kmeny. Když ho někdo odmítne, považuje se to za urážku.

Až když si Jaeger dal pár loků téhle husté a teplé tekutiny, teprve pak mu Santosová odhalila, jak přesně se připravuje. Mluvila portugalsky, což ostatní včetně Narovové z hovoru vylučovalo. Díky tomu se ocitla s Jaegerem v jakési důvěrné bublině. Znechuceně se spolu smáli tomu, co právě pijí.

Při přípravě nápoje vezmou ženy syrový maniok, kořen podobný bramborám plný škrobu, a rozžvýkají ho. Získaný sliz plivou do mísy, pak přidají vodu a nechají to celé několik dní kvasit. Výsledná směs je to, co Jaeger právě pozřel.

Pěkné.

Zlatým hřebem slavnosti byla pečeně, jejíž pronikavá vůně naplňovala celou společenskou místnost. Uprostřed nad jámou s ohništěm se otáčely tři veliké opice. Jaeger si nemohl pomoci, musel přiznat, že voní velmi lákavě. A to i přesto, že opice zrovna nebyla na prvních místech žebříčku jeho vysněných jídel. Po týdnu sušených přídělů měl hlad jako vlk.

Vtom se ze středu shromážděných lidí ozval křik. Jaeger netušil, co znamená, ale Narovová tentokrát chápala.

Natáhla ruku k Jaegerovi. „Potřetí a naposledy: nůž.“

Škádlivě zvedl ruce, jako že se vzdává, sáhl do zadní kapsy a vytáhl Irinin bojový nůž Fairbairn-Sykes. „Můj život mi za ztrátu tohohle stojí.“

Narovová vzala nůž a zbožně jej vytáhla z pouzdra. Dlouhou dobu si ho prohlížela.

„Druhý jsem ztratila v Rio de los Dios," řekla tiše. „A s ním jsem přišla i o spoustu vzpomínek." Vstala. „Díky, žes mi ho vrátil." Sice odvrátila oči od Jaegerova pohledu, ale slova zněla upřímně. „Považuju to za tvůj první úspěch na téhle expedici."

Otočila se a přešla do středu duchovního domu. Jaeger z ní nespouštěl oči. Sehnula se nad ohniště s osmnácticentimetrovou čepelí v ruce a začala odřezávat kus kouřícího masa. Amahuakové z nějakého důvodu svěřili téhle cizince, ženě, tomuto *ja-gwarovi*, právo odkrojit si první maso.

Tučné kusy kolovaly mezi lidmi a Jaeger za chvíli ucítil, jak mu horká, mastná šťáva stéká po bradě. Lehl si na záda, opřel se o ruksak a vychutnával si pocit plného břicha. Ale měl radost ještě z něčeho a to bylo mnohem cennější a povzbudivější než nějaké maso. Bylo to vědomí, že po dlouhé době nemusí být ve střehu a hlídat, konečně jednou jeho tým neohrožuje záhadný nepřítel, číhající ve stínech.

Will Jaeger sám sobě na krátkou chvíli dovolil uvolnit se a být spokojený.

52

Jídlo a pocit bezpečí ho zřejmě ukolébaly k spánku. Probudil se a zjistil, že ohniště sálá už jen matnou červenou září a oslava dávno skončila. Na vysokém nebi se třpytila zvláštní hvězda a nad chatrčí se rozhostilo hřejivé ticho, smísené ovšem s očekáváním a předtuchou.

Jaeger zaznamenal, že středem pozornosti je nyní hubený, pokroucený muž, který mu hleděl hluboko do očí. Nad čímsi se shýbal a něco rychle dělal rukama. Vypadalo to jako kratší a tenčí verze foukačky Amahuaků. Jaeger viděl, jak muž do jednoho konce něco cpe.

Tázavě se podíval na Puruwehuu.

„To je náš šaman," vysvětloval Puruwehua. „Připravuje *nyakwanu*. Vy tomu, myslím, říkáte šňupací tabák. Je to… zapomněl jsem přesné slovo. Máte po tom vize."

„Halucinogenní," řekl Jaeger.

„Halucinogenní," potvrdil Puruwehua. „Je to udělané ze semen stromu *cebil*. Opraží se, pomelou na jemný prášek a smíchají se sušenými ulitami velikých lesních šneků. Uživatel se dostane do transu, takže může navštívit duchovní svět. Když si to vezmete, můžete létat stejně vysoko jako *topena*, bílý jestřáb, který je tak velký, že dokáže sebrat z vesnice kuře. Dostane vás to na daleká místa a možná i pryč z tohoto světa. My si občas šňupneme půl gramu," usmál se Puruwehua. „Ale vy, vy byste neměl zkoušet víc než pouhý zlomek takového množství."

Jaeger vyletěl. „Já?"

„Ano, jistě. Až se to dostane sem, jeden z vaší skupiny musí dýmku přijmout. Když to neuděláte, zkazíte mnoho dobrého, čeho jste dnes večer už dosáhli."

„Já a drogy…" Jaeger se pokusil usmát. „Mám toho dost i bez zamotané hlavy. Je mi fajn, takže díky."

„Jste vůdce vaší skupiny," odporoval Puruwehua potichu. „Můžete sice přenechat tu čest někomu jinému, ale bude to… neobvyklé."

Jaeger pokrčil rameny. „To nevadí. Neobvyklé věci jsou v pořádku."

Sledoval, jak trubička koluje po modlitebně. S každým zastavením si někdo přiložil jeden konec k nosním dírkám a šaman mu foukl tabák hluboko do nosu. Už za pár minut se příjemce postavil a začal skandovat a tančit. Jeho mysl se očividně pohybovala v jiném světě.

„Pomocí *nyakwany* komunikujeme s našimi předky a duchy," objasňoval Puruwehua. „S těmi, co jsou ukotvení ve světě džungle. S duchy zvířat, ptáků, stromů, ryb a hor."

Ukázal na jednoho z čichačů, který byl v transu. „Tenhle muž vypráví duchovní příběh. ‚Kdysi žila žena kmene Amahuaka, která se proměnila v měsíc. Vylezla na strom a rozhodla se zůstat na nebi, protože její milý si našel jinou lásku. A tak se stala měsícem…'"

Zatímco Puruwehua mluvil, trubička se přibližovala. Jaeger si všiml, že náčelník pozorně sleduje, co se stane, až se dostane až k němu. Šaman se zastavil. Sehnul se dolů. Šňupací tabák měl na kusu hladkého dřeva a dlouhou, ozdobně vyřezávanou trubičku svíral v ruce.

Dávka byla připravena a Jaeger si vzpomněl na jinou dýmku, na tu, kterou mu kdysi dávno nabídl jeho děda. Ocitl se v dědečkově pracovně ve Wiltshire a v nozdrách ostře ucítil důvěrně známý odér aromatického tureckého tabáku Latakia, vonícího po dubu a borovém dřevě.

Když byl jeho děda schopný podat fajfku šestnáctiletému klukovi, možná by teď Jaeger mohl přijmout zase jiný typ fajfky, připravený rukama jiného starce.

Chvíli váhal.

Šaman se na něj tázavě podíval. Sotva tak učinil, Joe James tak spěchal, aby byl první, že doslova smetl všechny z cesty.

„Ty vole, já si to myslel, že bys to určitě nechtěl!" Sedl si se zkříženýma nohama před šamana, přičemž jeho ohromný plnovous sahal až na zem. Popadl bližší konec šňupací trubičky, dal si ho do nosu a šňupl si. A za chvilku už vědomí statného Novozélanďana odplavalo jinam.

Dobrej James, řekl si Jaeger. Kavalerie dorazila na poslední chvíli.

Jenže šaman neodešel. Místo toho připravil druhou dávku tabáku a nacpal ji do trubičky.

„Jste ve dvou skupinách," vysvětloval Puruwehua. „Ti, kdo přišli první, už svou mysl *nyakwaně* otevřeli. James nemá dýmku poprvé. A pak je tu skupina nově příchozích. Ta druhá dýmka je pro vás."

Šaman vzhlédl.

Jeho oči, stejné jako předtím, když mu hleděly hluboko do hlavy, se zadívaly na Jaegera. Šaman ho tím pohledem zkoušel. Jaeger cítil, jak ho to nutí nahnout se kupředu, jak ho to nezadržitelně přitahuje k nabízené dýmce. A pak zjistil, že sedí před šamanem Amahuaků, stejně jako předtím James.

Jeho mysl se opět přesunula do dědovy pracovny, jenže on už teď nebyl šestnáctiletý kluk. Jako kdysi jeho dědeček, i Jaeger teď byl vůdcem, postavou v určité roli, třebaže v úplně jiném čase a na jiném místě, ale jaksi přesto propojený se společným nepřítelem.

Muži a ženy, za které zodpovídal, potřebovali, aby byl silný, pevný a při smyslech. Indiáni měli samozřejmě své zvyky a rozhodně byli pohostinní, ale Jaeger tu měl práci a byl rozhodnutý vytrvat. Proto dal ruce před sebe a udělal gesto, jímž chtěl naznačit *stop*.

„Asi víte, že mám mnoho přízraků," poznamenal tiše. „Ale zrovna teď mám taky misi, kterou vedu. Takže ty přízraky musí zůstat v kleci, aspoň než všechny provedu džunglí zpět k jejich domovům." Odmlčel se. „Nemůžu si dýmku vzít."

Puruwehua překládal a šaman přitom soustředěně pátral v Jaegerově pohledu. Pak krátce přikývl. V jeho očích se zableskl výraz úcty.

Sklopil dýmku dolů.

Krátce nato se Jaeger probral.

Ležel na svém batohu, oči zavřené. Musel zřejmě usnout hned poté, co mu odpustili šňupací dýmku. Plné břicho a teplo v duchovním domě ho ukolébaly. Jeho mysl byla úplně prázdná, kromě jednoho okouzlujícího obrazu, který jako by mu někdo vypálil na oční víčka.

Byla to scéna, o níž se mu zdálo. Nepochybně ji vyvolalo setkání se šamanem. Začínal už si o ní myslet, že je naprosto nereálná, avšak teď mu připadala vyloženě skutečná.

Zobrazovala krásnou ženu se zelenýma očima a dítě, stojící ochranitelsky po jejím boku. Ta žena mluvila a její hlas jej volal přes všechny ty ztracené roky. A dítě vypadalo mnohem vyšší. Jeho výška odpovídala výšce jedenáctiletého kluka.

A byl věrnou kopií Williama Jaegera.

53

Jaeger nemohl nad tím mimořádně vtíravým snem dlouho hloubat. Šňupací dýmka už obešla celý duchovní dům a za ním a jeho týmem přišel náčelník Amahuaků. Začal mluvit, Puruwehua překládal. To, co říkal, bylo natolik závažné, že to přitáhlo veškerou jejich pozornost.

„Před mnoha měsíci, jichž uplynulo hodně, takže si to Amahuakové nepamatují, poprvé přišli bílí muži. Cizinci se strašlivými zbraněmi cestovali do naší země. Zajali skupinu našich válečníků a zavedli je do odlehlé části džungle. Tam museli pod hrozbou smrti kácet les a tahat stromy stranou."

Jaeger si nejdřív nebyl jistý, zda náčelník nevypráví kmenové mýty, příběh svých lidí nebo vizi, kterou měl po *nyakwaně*.

„Museli vymýtit všechnu vegetaci," pokračoval náčelník, „a bušit do země, až byla placatá jako řeka. Všechno to je proti věcem, kterým my věříme. Když ublížíme lesu, ublížíme i sami sobě. My a země jsme jedno, sdílíme stejnou životní sílu. Mnozí tam onemocněli a zemřeli, ale pruh země byl vyčištěn a les na něm zabit."

Náčelník pohlédl otevřenou střechou na nebe ozářené hvězdami. „Jednou v noci přišla obrovská nestvůra z nebes. Vrhla se na ten mrtvý pás země a udělala si tam svoje hnízdo. Ze svého nitra vychrlila příšera další cizince. Ti z našich válečníků, kteří přežili, museli z břicha té bestie vykládat těžké náklady. Byly to kovové sudy," mluvil náčelník dál, „a nebeská nestvůra z nich začala sát tekutinu, jako obrovitý a hladový moskyt. Když to udělala, vydrápala se zase na oblohu a zmizela. Pak přišly dvě další. Každá přistála na mýtině, vysála další tekutinu, vzlétla do vzduchu a zamířila tamtím směrem," ukázal náčelník na jih, „do hor."

Odmlčel se. „Potom se ze tmy s vrčením přihnalo čtvrté monstrum. Jenže už nebylo dost krve na nasycení toho hladového moskyta. Sudy vyschly. Příšera tam seděla a doufala, že přijde další nápoj. Ale nepřišel. A bílí muži na palubě té nestvůry špatně odhadli hněv lesa i to, jak neúprosní jsou duchové vůči tomu, kdo lesu ublížil. Ti bílí muži se potáceli ve smrti a troskách. Konečně dva poslední přeživší uzavřeli své kovové nebeské monstrum a odešli. S sebou vzali jen to málo, co unesli. I oni pak zahynuli v džungli. Za čas si les mýtinu znovu vzal a stromy vyrostly vysoko nad příšeru, takže zůstala pro vnější svět zapomenutá. Ale Amahuakové na ni nikdy nezapomněli a předávali si ten příběh z otce na syna. A pak přišla další temnota. Mysleli jsme, že nestvůra je mrtvá, že je to mrtvola věci, kterou sem donesl bílý muž. Jenže ona – či spíše něco uvnitř ní – pořád žije a stále má schopnost způsobovat nám újmu."

Zatímco náčelník vyprávěl, Jaeger si uvědomil, že jedna členka jeho týmu je úplně fascinovaná. Hltala každé náčelníkovo slovo jako posedlá a oči jí hořely náruživostí. Bylo to poprvé, co Jaeger viděl Irinu Narovovou doopravdy zúčastněnou. Zároveň mu však připadalo, že vypadá trochu jako na pokraji šílenství.

„Zvířata trpěla první," navázal náčelník. „Některá si z křídel vzdušné bestie udělala svůj domov. Jiná spadla dovnitř a uhynula. Ještě další pak porodila mláďata, která byla děsivě zdeformovaná. Bojovníci Amahuaků, lovící v té oblasti, onemocněli, když se napili z tamějších řek. Samotná voda byla asi prokletá, otrávená. Potom začaly umírat lesní rostliny všude kolem."

Náčelník ukázal na svého nejmladšího syna. „V té době jsem byl ještě mladý, asi ve věku Puruwehuy. Dobře si to pamatuji. Nakonec se stromy staly oběťmi vzdušného monstra. Zůstaly z nich pouhé kostry. Je z nich mrtvý les, vybělený jako kost na slunci. Ale my víme, že příběh té příšery ještě neskončil."

Podíval se na Jaegera. „Víme, že se bílý muž vrátí. Víme, že ti, kdo přijdou, budou pátrat, aby to prokletí vzdušné nestvůry dostali z naší země nadobro. Proto jsem svým mužům poručil, aby na vás neútočili a aby vás místo toho přivedli sem. Musel jsem vás však vyzkoušet. Musel jsem si být jistý. Bohužel nejste sami. Do naší země pronikla ještě jiná skupina. Přišli hned po vás, skoro jako by vás sem sledovali. Bojím se, že ti přišli s mnohem škodlivějším záměrem. Obávám se, že chtějí tomu zlému monstru vdechnout nový život."

Jaegerovi vířilo v mysli na tisíc otázek, ale cítil, že náčelník ještě neskončil.

„Mám muže, kteří tu skupinu sledují," promluvil znovu náčelník. „Říkáme jí Temná síla a má to svůj důvod. Prosekávají si cestu džunglí a míří přímo k doupěti vzdušné bestie. Zajali dva z mých válečníků. Jejich těla pověsili na stromy a do zad jim jako varování vyřezali podivné znaky. Bude těžké s nimi bojovat," dodal náčelník. „Je jich příliš mnoho, možná desetkrát víc, než je vás. Mají s sebou hodně hromových holí. Bojím se, aby masakr mého kmene nepřešel v otevřenou válku. V hlubinách pralesa dokážeme vyhrát. Snad. Ale i tak je to nejisté. Avšak na otevřené planině, kde je brloh vzdušného monstra, tam by moje lidi vyhladili."

Jaeger zkusil něco říct, ale náčelník mu pokynul, aby mlčel.

„Jedinou zárukou úspěchu je dostat se ke vzdušné příšeře jako první." Vrhl na Jaegera pronikavý pohled. „Není způsob, jak Temnou sílu zdolat. Sami to nezvládnete. Ale pokud přijmete pomoc Amahuaků, podaří se vám to. Známe tajné lesní stezky. Umíme se rychle pohybovat. K takovému činu by se měli propůjčit jen ti se statečným srdcem. Cesta zahrnuje zkratku, o níž víme jen my, Amahuakové. Žádný cizinec se nikdy o tuto cestu nepokusil," pokračoval náčelník. „Chcete-li se po ní vydat, musíte zamířit rovnou k vodopádům Devil's Falls a odtud… Musíte vzít svůj život do vlastních rukou. Je to jediný způsob, jak dostat šanci porazit Temnou sílu v hnízdě vzdušné bestie a zvítězit. Les nás povede a bude nás strážit," prohlásil náčelník. „Za úsvitu vyrazí všichni, kdo budou připraveni. Puruwehua bude vaším průvodcem a dostanete dva tucty mých nejlepších bojovníků. Záleží na vás, zda přijmete tuto nabídku a kdo z vaší skupiny půjde."

Jaeger v první chvíli neměl slov. Všechno se seběhlo tak rychle a v jeho mysli vířilo plno otázek. První odpověděl Joe James.

„Dejte mi ještě jednu šlehu z vaší dýmky a půjdu s váma, chlapi, kamkoli."

Ozval se smích. Jamesova poznámka v té chvíli všechny uzemnila.

„Mám jednu otázku," pronesl Jaeger. „Co ti naši dva pohřešovaní? Víte o nich něco?"

Náčelník zakroutil hlavou. „Je mi líto. Vaše přátele zajala Temná síla a ubila je k smrti. Vyzvedli jsme jejich těla a spálili je. Podle tradice Amahuaků smícháme popel z kostí našich mrtvých s vodou a vypijeme jej, takže naši nejbližší jsou pořád s námi. Uchovali jsme ostatky vašich přátel, abyste s nimi mohli naložit podle svého… Je mi to líto, pane Jaegere."

Jaeger zíral do ohně. Tolik ztrát. Zase další dobří muži a ženy. Ti, kterým velel. Cítil, jak se mu žaludek svírá zlostí a zoufalstvím. Slíbil sám sobě, že zničí všechny, kdo tohle dělají. Najde odpovědi a spravedlnost. I když ta spravedlnost bude podle něho.

Ten závěr ho uklidnil. Připravil se na příchod dalších událostí.

54

Jaeger se podíval na náčelníka s obavami v očích. „Rozprášíme jejich popel mezi stromy," řekl potichu. Obrátil se ke svým lidem. „A víte co? Myslím, že bude lepší, když odejdu sám, jenom s náčelníkovými bojovníky. Sám se můžu pohybovat rychleji a taky vás do toho nechci zatahovat…"

„Typické," přerušil ho ženský hlas. „Možná máš lví srdce, ale mozek máš opičí jako ta opice, kterou jsi právě zdlábl." To promluvila Irina Narovová. „Bereš to na sebe, že seš jako tvrdší než všichni ostatní. Samotář. Osamělý hrdina. Zvládneš to sám. Kdokoli jiný je jenom přítěží, břemenem. Nevidíš v druhých hodnotu, a to se rovná zradě všech v tvém týmu."

Jaegera její slova zasáhla. Ztráta ženy a dítěte a následné roky na Bioku z něj udělaly člověka, který nikomu nevěřil. Věděl to. Ale teď v tom nebylo tohle. Pokračovat dál sám chtěl kvůli strachu, že přijde o další lidi z týmu a že zase nebude schopný je ochránit.

„Dva už jsou mrtví," bránil se. „Tohle už není objevitelská expedice, ale něco mnohem podělanějšího. Když jsi souhlasila, že do toho půjdeš, nic takového jsi přece nepodepsala. Nikdo z vás."

„*Schwachkopf.*" Hlas Narovové poněkud změkl. „Je to tak, jak jsem řekla potom, co jsme při seskoku málem umřeli. Musíš se naučit svému týmu věřit. A víš co? Svým příkladem sis získal právo být v našem čele. Zasloužil sis ho. Dokaž, že stojíš za to, abychom ti věřili, dokaž, že si zasloužíš naši důvěru."

Co je tohle za ženskou? – dumal Jaeger. Jak to, že se mu několika větami dostala tak hluboko pod kůži? Měla takový způsob mluvy, kterým mířila rovnou k jádru věci, a kašlala přitom na společenské finesy.

Rozhlédl se po ostatních lidech ze své skupiny. „A co vy?"

„To je lehký," pokrčil James rameny. „Hlasujme. Ti, kdo budou chtít jít, ať jdou. A ti, kdo nechtějí, nepůjdou."

„Jo," přidal se Alonzo. „Přihlásí se dobrovolníci. A aby bylo jasno: není žádná hanba, když se rozhodnete nejít."

„Fajn," souhlasil Jaeger. „Náčelníku, můžete ochránit ty, kdo tu zůstanou? Aspoň do doby, než tohle skončí?"

„Jsou vítáni," ujistil ho náčelník. „Náš domov je i jejich domovem, tak dlouho, jak dlouho jej budou potřebovat."

„Takže hledám dobrovolníky," prohlásil Jaeger. „A všichni znáte možná nebezpečí."

„Se mnou počítej," přihlásil se James málem ještě předtím, než Jaeger stihl domluvit.

„Jsou to sice pěkně posraný prázdniny," zavrčel Alonzo. „Ale jdu do toho, chlape."

Kamiši zvedl oči k Jaegerovi. „Už jsem tě zklamal jednou. Bojím se, že bych…" Jaeger položil Kamišimu ruku na rameno, aby ho umlčel. Kamiši se rozzářil. „Když mě přijmeš…"

Alonzo ho plácl po zádech. „Náš bratr Kamiši se snaží říct, že do toho teda jde taky!"

Dale koukl na náčelníka vesnice, potom na Jaegera. „Když do toho půjdu, budu moct natáčet? Nebo mě probodají haldou kopí, sotva vytáhnu kameru?"

Jaeger se podíval na Puruwehuu. „Určitě se můžeme s náčelníkem a jeho válečníky nějak dohodnout."

Puruwehua přikývl. „Ti starší věří, že vaše kamera ubližuje jejich duši. Ty mladší muže, čili válečníky ale určitě přesvědčím, že je to jinak."

Dale okamžik váhal, očividně rozpolcený mezi touhou jít a strachem z příštích událostí. Pak pokrčil rameny. „V tom případě asi vznikne film, za kterej stojí za to umřít."

Jaeger se otočil k Santosové. „Co ty, Leticie?"

Santosová nepatrně trhla rameny. „Šla bych moc ráda. Ale mé

svědomí říká, že mi bude líp tady, u mých indiánů. Co myslíš, je to tak?"

„Když myslíš, že bys měla zůstat, pak bys měla zůstat." Jaeger vytáhl její hedvábný šátek. „Tady máš šátek. Přežil, stejně jako ty."

Emotivní Santosová si ho od něj vzala. „Snad bys ho teď měl nosit ty, ne? Přinese ti… na nadcházející cestě štěstí."

Natáhla se a uvázala šátek Jaegerovi kolem krku. Potom ho políbila na tvář.

Jaeger měl dojem, že Narovovou spaluje stejná žárlivost, jaké si všiml už předtím. To ho ještě podpořilo v rozhodnutí nosit šátek celou dobu, u všeho, co přijde. Cokoli, co s Narovovou pohne. Jen najít způsob, jak proniknout k té skryté osobě, která se schovává uvnitř.

„Čtyři jdou, jedna zůstává," shrnul to Jaeger. „A zbytek?"

„Mám doma tři děti," ozval se další hlas. Patřil Štefanu Královi. „V Londýně. Vlastně ne, špatně. V Londýně už ne, přestěhovali jsme se do Lutonu." Dotčeně se podíval na Dalea. „Z platu asistenta produkce si nemůžu Londýn dovolit. Chci žít a dostat se domů celý." Podíval se na Jaegera. „Nepůjdu."

„Chápu," odpověděl Jaeger. „Jeď s klidem domů a dělej svým dětem tátu, jakého potřebují. Na tom záleží víc než na nějakém vraku ztraceném v džungli."

Po těch slovech pocítil, jak mu ze žaludku stoupá žluč. Ale zase ji potlačil. Po zmizení své rodiny strávil roky jejím hledáním. Cestoval všude možně, převrátil každý kámen. Šel po každé stopě a sledoval všechna vodítka, až všechno vyšumělo. Udělal však pro jejich nalezení doopravdy všechno, co mohl?

Vzdal se své rodiny a svého života, utekl na Bioko – třeba zrovna ve chvíli, kdy měl pokračovat v pátrání. Rychle tu myšlenku zaplašil.

Mrkl na Narovovou. „Co ty?"

Zadívala se na něj. „Potřebuješ se ptát?"

Zavrtěl hlavou. „Nepotřebuju. Irina Narovová jde."

Náčelník Amahuaků pohlédl na oblohu. „Máte tedy svůj tým. Odejdete za svítání, asi za tři hodiny. Poručím svým válečníkům, aby se připravili."

„Ještě jedna věc," vložil se do toho jeden z hlasů. Patřil Narovové. Mluvila na náčelníka. „Byl jste někdy v hnízdě té vzdušné bestie?"

Náčelník přikývl. „Ano, *ja-gwaro*, byl."

Jméno *ja-gwara* Narovové jedinečně sedělo. Odráželo její vnitřní schopnost přizpůsobit se a přežít.

„Jak moc si to pamatujete?" zeptala se Narovová. „A namalujete mi jakékoli znaky, které jste tam viděl?"

Náčelník začal cosi načrtávat do písčité podlahy chatrče. Po několika nepovedených začátcích vyústil náčrtek ve zlověstně známý obrázek. Objevila se silueta orla s roztaženými křídly, se zahnutým zobákem natočeným nad pravým křídlem a s bizarním kruhovým symbolem překrývajícím ocas dole.

Reichsadler.

Ten symbol byl nalepený na zadku letadla, vysvětloval náčelník, před ocasem. A stejný znak měli vyrytý do kůže jeho válečníci, dodal. Ti, které zajala a zabila Temná síla.

Jaeger dlouho hleděl na obrázek a v hlavě mu všechno vířilo. Cítil, že se on i jeho lidi blíží ke koncovému bodu, k zúčtování. Ale zároveň ho svíral zdrcující děs, jako kdyby se na něj ze všech stran valily pohromy a on nad tím neměl žádnou kontrolu…

„Vedle symbolu orla byla nalepená slova," přihlásil se Puruwehua. „Zapsal jsem si je." Naškrábal něco do písku: *Kampfeswader 200* a *Geswaderkomodore A3.* „Mluvím anglicky, portugalsky a naším rodným jazykem," dodal. „Ale tohle je asi němčina, že?"

Odpověděla mu Narovová, a to hlubokým hlasem, plným těžko potlačovaného odporu. „Vaše výslovnost je mírně chybná, ale Kampfgeschwader 200 byla letka speciálních leteckých jednotek luftwaffe. A Geschwaderkommodore A3 byl jeden z titulů generála SS Hanse Kammlera, velitele téhle letky. V nacistické Říši byl Kammler jedním z nejmocnějších mužů hned po Hitlerovi."

„Byl to přímo Hitlerův zplnomocněnec," dodal Jaeger při vzpomínce na záhadný e-mail archiváře. „Hitler ho z něj udělal ke konci války."

„To jo," potvrdila Narovová. „Víš ale, co ti status zplnomocněnce propůjčuje?"

Jaeger pokrčil rameny. „Nějaké specifické zastupování?"

„Mnohem víc... Zplnomocněnec je někdo, kdo má plnou moc jednat jménem režimu a s naprostou beztrestností. Po Hitlerovi byl Kammler nejmocnějším a nejodpornějším chlapem v té mimořádně ďábelské skupině. Na konci války měl na rukou krev mnoha tisíců lidí. A taky se stal jedním z nejbohatších lidí na světě. Měl nejvzácnější umělecká díla, zlato v cihlách, diamanty i hotovost," pokračovala Narovová. „Náckové po celé dobyté Evropě vydrancovali všechno cenné, co jim přišlo pod ruku. A víš, co se s SS oberstgruppenführerem Hansem Kammlerem a jeho kořistí stalo, až válka skončila?"

Ze slov Narovové se teď drala urputná zuřivost. „Zmizeli. Vypařili se z povrchu zemského. Je to jedna z největších záhad – a skandálů – druhé světové války. Co se stalo s Hansem Kammlerem a jeho nezákonně získaným majetkem? Kdo ho chránil? Kdo ukryl jeho miliony?"

Rozhlížela se po lidech kolem, až její spalující pohled utkvěl na Jaegerovi. „To letadlo je pravděpodobně Kammlerův osobní bitevní letoun."

55

Byli připraveni opustit vesnici Amahuaků po prvním záblesku světla. Jaegera a jeho tým doprovázelo čtyřiadvacet indiánů včetně náčelníkova nejmladšího syna Puruwehuy. A šel s nimi i ten nejstarší, osobitý vůdce válečníků. Jmenoval se Gwaihutiga, což v jazyce Amahuaků znamenalo „největší vepř ve stádě divokých kanců".

Jaegera ohromilo, jak se to k němu skvěle hodí. Prase divoké je jedno z nejvíce ceněných a zároveň nejvíce obávaných zvířat džungle. Žádný Amahuaka se nestane opravdovým válečníkem, dokud se nepostaví divokému praseti a neskolí je.

Gwaihutiga se zřejmě už smířil s tím, že jeho otec nechce, aby členové expedice zahynuli jeho kopím. Naopak, měl je co nejrychleji dovést k vraku letadla a během cesty je chránit před veškerým nebezpečím.

Jaeger byl ale rád, že náčelníkův nejstarší syn je pořád v bojové náladě. Kéž by to jen bylo proti tomu správnému nepříteli. Nesl si kopí, luk a šíp, foukačku i palici. Kolem krku měl náhrdelník z krátkých per. To je *gwyrag'waja*, vysvětloval Puruwehua. Každé pero značí v boji zabitého nepřítele. Přirovnal to k tomu, jak bílí muži vyřezávají značky do svých pušek. Vídal to prý ve filmech v době, kdy žil mimo vesnici.

Na poslední chvíli došlo v sestavě Jaegerova týmu k nečekané změně. Leticia Santosová se nakonec rozhodla, že půjde. Prudká, impulzivní a horkokrevná dívka, Hispánka skrz naskrz, prostě nemohla vydržet pohled na to, jak se ostatní chystají odejít bez ní.

Už dřív ráno poskytl Jaeger Daleovi s Králem krátký rozhovor, čímž jim pomohl zachytit všechno, co se za posledních čtyřiadvacet hodin odehrálo. Byla to taky poslední scéna, kterou Štefan Král natáčel spolu s nimi. Slovák sbalil kameru a stativ a hned potom požádal Jaegera o pár slov mezi čtyřma očima.

Nastínil mu důvody, proč expedici opouští. Vysvětloval, že neměl takovou práci přijímat. Léta byl Daleovým nadřízeným a s natáčením v odlehlých oblastech měl mnohem větší zkušenosti. Vzal to jenom kvůli penězům.

„Jen si to představte," argumentoval, „sloužíte pod chlapem, jako je Dale, a přitom víte, že jste lepší profesionál. Vydržel byste to?"

„Takový hovadiny se v armádě dějí pořád," řekl mu Jaeger. „Hodnost je nad schopnosti. S nepříjemnostmi se prostě musíš umět vypořádat."

Necítil sice ke Královi žádnou averzi, ale popravdě se mu ulevilo, že s nimi nejde. Jejich slovenský kameraman totiž trpěl pocitem méněcennosti a Jaeger usoudil, že jim bude lépe bez něho. Sám Dale bude mít s filmováním nepochybně plné ruce práce, ale lepší jednočlenný tým než dva chlapi, kteří si jdou neustále po krku.

Jeden z nich zkrátka musel vypadnout a kvůli filmu bude lepší, když odejde Slovák.

„Ať se odteď stane na expedici cokoli, moje důvody snad znáte," objasňoval Král. „Ať se stane cokoli. Nebo aspoň znáte většinu mých důvodů."

„Snažíš se mi něco naznačit?" pobídl ho Jaeger. „Odcházíš, takže můžeš říct, co chceš."

Král zavrtěl hlavou. „To už je všechno. Hodně štěstí na cestě. Víte, proč s vámi nejdu."

Oba muži si dali přátelské sbohem a Jaeger Královi slíbil, že až to všechno skončí, zajde s ním v Londýně na pivo.

Rozloučit se přišlo plno Amahuaků. Skoro celá vesnice. Všichni se chtěli podívat, jak výprava odchází. Když Jaeger odváděl svůj tým ke kraji tmavé džungle, udivil ho znepokojivý výraz na Králově obličeji.

Na Slovákův pokřivený úsměv už si zvykl. Teď ale na kratičkou chvíli zaznamenal, že Král hledí na Dalea pohledem, při němž stydla krev v žilách. Jeho bledé modré oči byly přivřené a vyhlížely zpod víček podivně vítězně.

Jaeger však neměl čas dumat ani nad tím pohledem, ani nad tím, co by asi mohl znamenat. Otevřela se před nimi cesta, které by si běžný pozorovatel nevšiml. Džungle je rychle pohltila. Jedna věc ale Jaegerovi pořád nešla z hlavy.

Při několika klíčových okamžicích, například nedávno u řeky, kdy Král mluvil o Daleových šaškárnách s podloudným natáčením, měl Jaeger pocit, že něco není úplně v pořádku. Až teď se mu vyjasnilo. Král měl totiž ve svých způsobech cosi svatouškovského. Prostě neviděl zlo, neslyšel zlo, nemluvil zlo. Jenže jeho spravedlivé rozhořčení bylo přehnané, působilo skoro jako zástěrka.

Ale zástěrka čeho? To Jaeger nevěděl.

Raději tu myšlenku a otravnou obavu v jednom potlačil.

Jakmile vstoupili do džungle, pochopil, že válečníci Amahuaků se chystají nasadit vražedné tempo. Vyrazili pomalým během a přitom rytmicky skandovali hlubokými, hrdelními hlasy. Jaeger se musel vší mocí soustředit, aby zvládal postupovat takovou rychlostí.

Podíval se na Puruwehuu, který zaujal pozici po jeho boku. „Má vaše jméno nějaký význam?"

Puruwehua se nesměle zazubil. „Puruwehua je velká, hladká, červenohnědá žába s černými a bílými tečkami vespod. Když moje matka rodila, přišla jedna taková a sedla si jí na břicho." Pokrčil rameny. „My pojmenováváme naše děti podle takových věcí."

Jaeger se usmál. „Takže když se vaší matce měl narodit bratr Gwaihutiga, přišel velký kanec a sedl si na ni?"

Puruwehua se zasmál. „Má matka byla v mládí skvělá lovkyně. Svedla zuřivou bitvu s divokým prasetem. Nakonec ho probodla kopím a zabila. A chtěla, aby její prvorozenec měl ducha toho divočáka." Přejel letmým pohledem svého staršího bratra v čele zástupu. „Gwaihutiga takového ducha má."

„A co žába? Ta, po které jste pojmenovaný? Co se s ní stalo?"

Puruwehua upřel na Jaegera tmavé a čisté oči. „Matka měla hlad. Žábu zabila a snědla."

Několik minut kráčeli potichu. Potom Puruwehua ukázal na cosi vysoko v korunách stromů. „Ten zelený papoušek, co se přiživuje na ovoci, to je *tuitiguhu'ia*. Lidé je mívají jako domácí mazlíčky. Tenhle pták se naučí mluvit a varuje vás, když se na vaši vesnici chystá zaútočit jaguár."

„Velmi užitečné," poznamenal Jaeger. „A jak se dá ochočit?"

„Nejdřív musíte najít keř *kary'ripohaga*. Useknete trs listí a švihnete jím papouška párkrát do hlavy. Pak je ochočený."

Jaeger povytáhl obočí. „To je to tak snadné?"

Puruwehua se rozesmál. „Ale jistě! Když víte, jak funguje les, mnoho věcí je snadných."

Postupovali dál. Zrovna míjeli hnijící kmen. Puruwehua přetřel rukou černočervenou houbu na kmeni a potom si ji přiložil k nosu. „*Gwaipeva*. Má výrazné aroma." Poplácal se po břichu. „Je dobrá k jídlu."

Vydloubl houbu a nacpal ji do tkané brašny, kterou si nesl přes rameno.

Za několik dalších kroků ukázal na velký černý hmyz, sedící na kmeni blízkého stromu. „*Tukuruvapa'ara*. Král kobylek. Kouše do stromu tak dlouho, až spadne."

Když strom míjeli, Puruwehua varoval Jaegera, aby šlapal na cestu opatrně, protože pod nohama se vine pokroucená liána. „*Gwakagwa'yva* – vodní liána s trny. Její kůru používáme na výrobu šňůr, z nichž si pleteme houpací sítě. Lusky semen mají tvar jako banány, a když prasknou, semena odvane vítr."

Jaegera to všechno fascinovalo. Vždycky viděl džungli jako něco zcela neutrálního. Čím více se však dozvíte o jejích tajemstvích, tím spíše ji pak můžete učinit svým spojencem a přítelem.

Po chvilce Puruwehua udělal z dlaně misku a přitiskl si ji k uchu.

„Slyšíte? To *prrrik-prrrik-prrrik-prrrik-prrrik*. To je *gware'ia*, velký hnědý kolibřík s bílým předkem a dlouhým ocasem. Dává znamení jedině tehdy, když uvidí divoké prase." Natáhl se po šípu. „Potrava pro vesnici…"

Jaegerova ruka zabloudila k brokovnici. Ale Puruwehua už se mezitím proměnil z překladatele v lovce, zaklesávajícího šíp do tětivy luku téměř tak vysokého, jako byl sám. Puruwehua byl jen o kousek menší než jeho bratr válečník. V ramenou však dosahoval stejné šířky a síly jako Gwaihutiga.

Jaeger soudil, že kdyby došlo k boji, žába Puruwehua by se tak snadno sníst nenechala.

56

Daleko za nimi ležela nyní opuštěná a tichá náves vesnice Amahuaků. Jeden člověk však zůstal venku.

Podíval se na světlající oblohu a pak popošel několik kroků do míst, které skoro vůbec nestínily stromy a kde bylo maximální soukromí. Vytáhl cosi z kapsy. Byl to satelitní telefon. Položil jej na pařez, dřepl si do podrostu a čekal.

Telefon pípl jednou, dvakrát, třikrát. Zachytil dostatek satelitů. Člověk stiskl rychlé vytáčení a hned potom jedinou číslici. „Šedý vlk. Mluvte.“

Král se lehce zazubil. „Tady Bílý vlk. Sedm odešlo s dvěma tucty indiánů a míří na jih, zpět k vodopádům. Šli odsud stezkou, kterou znají jen indiáni, západně směrem k cíli. Dosud jsem nemohl mluvit, ale podařilo se mi jim utéct. Dělejte to nejhorší, co umíte.“

„Rozumím.“

„Můžu potvrdit, že jde o válečný letoun SS oberstgruppenführera Kammlera. Obsah víceméně nedotčený. Nebo spíš tak dobrý, jak jen může po sedmdesáti letech být.“

„Rozumím.“

„Mám přesné souřadnice letadla.“ Odmlka. „Už jste poslali třetí platbu?“

„My už ty souřadnice máme. Náš sledovací dron letoun našel.“

„Skvělé.“ Po Králově tváři přejel stín podráždění. „Já jsem dostal tyhle: 964864.“

„964864. Souhlasí.“

„A co třetí platba?“

„Bude na vašem účtu v Curychu, jak jsme se dohodli. Utraťte peníze rychle, pane Bílý vlku. Nikdy nevíte, co přinese zítřek.“

„Wir sind die Zukunft," zašeptal Král.
„Wir sind die Zukunft," potvrdil hlas.
Pak Král telefon vypnul.

Člověk na druhém konci si přitiskl sluchátko ke krku a dlouho ho tam držel.

Podíval se na zarámovanou fotografii na svém psacím stole. Byl na ní muž středních let v šedém obleku s jemným proužkem. Měl tvrdou tvář, orlí nos a arogantní, ale přitom švihácké oči, které vypovídaly o nespoutané moci a vlivu. To mu až do pozdního věku dodávalo přirozenou sebedůvěru ve vlastní schopnosti.

„Konečně," zašeptal sedící člověk. *„Wir sind die Zukunft."*

Přiložil si sluchátko znovu k uchu a vytočil „0". „Anno? Dej mi Šedého vlka šest. Ano, hned teď, prosím."

Vteřinku čekal a pak se na lince ozval hlas. „Šedý vlk šest."

„Mám souřadnice," oznámil muž. „Souhlasí. Všechny je odstraňte. Nikdo nesmí přežít – ani Bílý vlk."

„Rozumím, pane," ujistil ho hlas.

„Udělejte to čistě, z dálky. Využijte Predator. Máte taky sledovací jednotku, tak ji použijte. A vystopujte jejich komunikační systémy. Najděte je a všechny je zlikvidujte."

„Rozumím. Ale pane, v džungli máme se sledováním ze vzduchu problém."

„Pak udělejte, co musíte. Vypusťte své válečné psy. Ale nesmí se dostat blízko toho válečného letounu."

„Rozumím, pane." Sedící muž položil sluchátko. Chvíli přemýšlel, potom se nahnul dopředu a poklepal na klávesnici svého laptopu. Počítač se probral z režimu spánku a muž sepsal krátký e-mail.

Milý Ferdy,
    Adlerflug IV nalezen. Brzy ho vyzvedneme a budeme se jím dál zabývat. Probíhá likvidační operace.

Dědeček Bormann by na nás byl hrdý.

Wir sind die Zukunft.

HK

Stiskl tlačítko „odeslat", opřel se o opěradlo židle a založil si ruce za hlavou. Na stěně za ním visela zarámovaná fotka jeho mladšího já, oblečeného v charakteristické uniformě plukovníka americké armády.

Pod vedením indiánů kmene Amahuaka trval Jaegerovi návrat k vodopádům Devil's Falls o polovinu kratší dobu. Dorazili na břeh řeky Rio de los Dios, jen přibližně kilometr od místa, kde si ukryli vybavení expedice.

Puruwehua poručil zastavit pod převislým krajem lesa, kde vzduch zamlžovala neustávající vodní sprška. Ukázal do říční mlhy. Skálu před nimi protínala prudká propast, kterou tam za nesčetná tisíciletí vyhlodala ženoucí se voda. Musel křičet, aby ho bylo slyšet přes řvoucí vodu Rio de los Dios. Padala do údolí, vzdáleného odsud téměř tři sta metrů.

„Tudy – je tam most k prvnímu ostrovu," prohlásil. „Odtud se pak zhoupneme na laně. Dvě zhoupnutí na laně k dalším dvěma *evi-gwa*, ostrůvkům země, a dostaneme se na druhou stranu. Po přední stěně vodopádů vede kamenná cestička, kterou kdysi dávno vytesali naši předkové. Za hodinu nebo možná i za méně budeme u úpatí vodopádů."

„Jak je to odtud daleko k vraku letadla?" zeptal se Jaeger.

„Rychlostí Amahuaků jeden den." Puruwehua pokrčil rameny. „Rychlostí bílého muže den a půl, víc ne."

Jaeger se přesunul k okraji propasti a očima hledal první přechod. Chvíli ho nemohl najít, tak dobře byl most skrytý. Puruwehua mu ho musel ukázat.

„Támhle." Bodl prstem směrem dolů a označil maličkou, chatrně vyhlížející stavbu. „*Pyhama.* Liána, kterou používáme k lezení na stromy. Ale slouží i jako výborný most přes řeku. Je překrytý listím ze stromu *gwy'va*, z něhož získáváme dřevo na výrobu našich šípů. Takhle je skoro neviditelný."

Jaeger i členové jeho týmu si dali batohy na záda a následovali indiány. Ti se sklouzli po skalní stěně na začátek přechodu. Před nimi ležel šíleně vypadající, strmý provazový most, který překlenoval první ohromnou průrvu. Na druhé straně byl připevněný ke kamennému ostrovu, prvnímu ze tří, které seděly na samém okraji vodopádů.

Hukot vody znemožňoval jakýkoli hovor. Jaeger šel za Puruwehuou a jako první z týmu došlápl na nebezpečnou stavbu. Po obou stranách se chytil zábradlí z lián a nutil se stoupat z jednoho překřížení lan na další, umístěných od sebe tak akorát na krok člověka.

Na chvilku se podíval dolů, což byla chyba.

Šedesát metrů pod ním hřměly hnědé, zuřivé vody Rio de los Dios, z nichž stoupala zpěněná bílá smršť, spadající do propasti. Jaeger usoudil, že nejlepší bude dívat se pořád dopředu. Upřel pohled na Puruwehuova ramena a přiměl svoje nohy, aby se sunuly vpřed.

Už se blížil k polovině mostu a většina členů týmu se v hloučku posouvala za ním, když vtom to ucítil.

Říční mlhy, vířící nad nimi, bez jakéhokoli varování protnul lesklý projektil. Jako kdyby zavyl – ten zvuk se Jaegerovi zaryl do uší. Střela se prorvala středem provazového mostu, načež jen o milisekundu později zčeřila hluboko pod nimi řeku Rio de los Dios a vyvrhla z ní ohromný chuchvalec bílé vody.

Jaeger ohromeně zíral, jak příval vody vystřelil nahoru. Třesk výbuchu mu tepal v uších a jeho ozvěna se odrážela v rokli.

Za necelou vteřinu bylo po všem. Most se prudce houpal sem a tam a stejně tak postavy, které se ho držely s očima vyvalenýma hrůzou. Jaeger v těžkých bojových situacích už zažil dost útoků střelami Hellfire, takže pronikavé, trýznivé kvílení téhle zbraně velmi dobře poznal. Bylo to ale poprvé, kdy tak někdo útočil přímo na něj.

„Hellfire!" zakřičel varovně. „Hellfire! Vraťte se! Zpátky na břeh! Běžte pod stromy!"

V boji o život se čas podivně, ale znatelně zpomaluje. Jaegerovi připadalo, jako by si v každé vteřině odžil sto let. Jeho mysl zpracovávala tisíc a jednu myšlenku a přitom on sám postrkoval lidi před sebou a snažil se je dostat do zákrytu džungle.

Nacházeli se hluboko v brazilské Amazonii, v nejodlehlejší západní části státu Acre, v samosprávní oblasti Assis Brazil. Ta ležela na hranici s Peru. Jaeger odhadoval, že nad nimi může létat jen jediný typ letadla. Musel to být bezpilotní dron, protože jedině ten má takový dolet a mohl kroužit nad džunglí tak dlouho, až je našel.

Jaeger věděl, jak dlouho Predatoru trvá, než znovu nabije a zaměří cíl. Tenhle obvyklý dron, používaný lepšími armádami světa, se po vystřelení střely Hellfire většinou rozkymácel a přerušilo se obrazové spojení s operátorem, který ho na dálku řídil.

Než se spojení znovu naváže a obraz stabilizuje, trvá to přibližně šedesát vteřin.

Každou chvíli tedy bude připravená další střela AGM-114 Hellfire – a většina Predatorů unese maximálně tři. To záleží na tom, v jaké nadmořské výšce Predator krouží. Většinou operuje ve zhruba sedmi a půl tisících metrech. Raketě potrvá osmnáct vteřin, než dosáhne země. Těch osmnáct vteřin je čas, který Jaegerovi zbýval.

První střela Hellfire při zásahu provazové struktury nevybuchla. Projela lanovím mostu jako nůž máslem.

Podruhé už by tolik štěstí mít nemuseli.

Náčelníkův nejstarší syn jako poslední vyšplhal zpátky a Jaeger ho postrčil směrem k břehu řeky. Pak se obrátil i on a zamířil do bezpečí džungle. Pohorkami tápal po příčkách pod svýma nohama a prales se s každým krokem přibližoval.

„Běžte mezi stromy!" křičel. „Běžte pod stromy!"

Baldachýn lesa by je před útokem hellfiru samozřejmě neochránil. To by dokázalo máloco. Avšak Predator přes hustý koberec vegetace neuvidí a nebude moci zaměřit cíl.

Jaeger stále běžel, příčku po příčce. Poslední muž, který na žebříku zbyl.

A pak udeřila druhá raketa.

Ucítil škubnutí okamžik předtím, než se mu do uší zaryl její zvuk. Střela totiž padala nadzvukovou rychlostí 1,3 machu. Explodovala v samém středu mostu. Struktura se rozpustila ve žhavou kouli plamenů a vzduchem všude kolem Jaegera létaly šrapnely, ostré jako břitva.

O chvíli později ucítil, že padá.

Z posledních sil se otočil, chytil se zábradlí, zaklesl okolo něj paže a zapřel se proti nárazu. Asi vteřinu padala jeho polovina mostu svisle, načež si ji konec, stále připevněný ke stěně rokle, přitáhl. Vše, co z mostu zbylo, narazilo s šíleným prásknutím do skalní stěny.

Jaeger napnul tělo tak, že bylo jako kvádr z oceli.

Praštil sebou o stěnu skály. Drtivá rána mu roztrhla kůži na předloktích a hlava se nárazem vymrštila dopředu.

Čelo se strašlivým křupnutím narazilo do kamene.

Jaegerovi se před očima rozvířily hvězdičky a hned poté mu celý svět zčernal.

57

Jaeger přišel k sobě.

Motala se mu hlava a spánky projížděla sžíravá bolest, jeho vidění se vlnilo. Bylo mu na zvracení.

Pomalu si začínal uvědomovat svoje okolí. Nad ním se rozpínal ohromný deštník tmavé zeleně.

Džungle.

Koruny stromů.

Vysoko nad ním.

Jako ochranná přikrývka.

Ukryje ho před Predatorem.

„Všechno vypněte!" vykřikl Jaeger. Snažil se zvednout na lokti, ale jakési ruce mu v tom bránily a držely ho dole. „Všechno vypnout, sakra! Něco to sleduje! Všechno vypnout!"

Jaegerovy zuřivé, krví podlité oči rejdily po členech týmu, zatímco lidi se hrabali v kapsách a vacích u pásků.

Hlavou mu projela další bodavá bolest. Až zalapal po dechu. „Predator!" křičel. „Má vždycky tři rakety Hellfire! Musíte všechno vypnout! Veškerý věci vypnout, doprčic!"

Řval a běsnil, a pak jeho pohled spočinul na jednom člověku. Na samém okraji říční strže se krčil Dale a kolenem podpíral kameru. Oči měl sklopené k hledáčku a pilně natáčel odehrávající se drama.

Jaeger se s herkulovským úsilím vyrval onomu čemusi, co ho zadržovalo, a vyrazil kupředu. Oči mu nebezpečně svítily, tvář měl lepkavou od krve. Vypadal skoro jako šílenec.

Z hrdla se mu vydral výkřik, který zněl jako zvířecí vytí.

„Vypni to, sakra!"

Dale nechápavě vzhlédl. Celý jeho svět byl v objektivu kamery. Ovšem v příští chvíli už do něj svými osmdesáti kily narazil William Jaeger. Bylo to jako v ragby. Oba muži se odkutáleli do husté vegetace a kamera odlétla opačným směrem. Jednou se otočila a spadla přes kraj rokle dolů.

Dopadla na malou skalní římsu.

A za několik vteřin už se ozvalo hvízdání, jako kdyby se otevřely všechny pekelné brány, a k zemi bleskově vyrazila třetí střela. Hellfire číslo tři prorvala mlhu a zaryla se do úzké římsy, na niž dopadla Daleova kamera. Detonace ožehla nevelký výčnělek a rozdrtila tu trošku vegetace, která tam bujela. Skalní stěna nad ním ale naštěstí posloužila Jaegerovu týmu jako štít a uchránila je před nejhorším výbuchem.

Výbuch směřoval trychtýřovitě nahoru a smršť šrapnelů vystřelila do nebe. Ohlušující rachot se odrážel nad širokou plochou Rio de los Dios ze strany na stranu.

Jakmile ozvěna odezněla, rozhostilo se nad roklí ticho. Ve vzduchu těžce visel pach sežehnutého kamene i spálené vegetace a dusivý smrad silných trhavin.

„Hellfire číslo tři!" křikl Jaeger z místa, kde spolu s Dalem přistál v podrostu. „Měly by to už být všechny, co měl! Ale prohledejte vybavení – veškeré – a všechno vypněte, krucinál!"

Všichni se do toho dali. Popadli batohy a vyprázdnili je.

Jaeger se obrátil k Daleovi. „Ta tvoje kamera zaznamenává datum, čas a polohu, že? Má zabudovaný GPS?"

„Jo, ale na vypínání mám Krále, u obou přístrojů. Žádnej kameraman nechce, aby mu na filmu svítilo datum a čas."

Jaeger trhl palcem směrem k římse, kde Daleova kamera vydechla naposled. „Nevím teda, co Král dělal, ale u téhle to vypnutý nebylo."

Dale stočil oči ke svému batohu. „Mám tam druhou. Náhradní."

„Tak mazej pod stromy a ujisti se, jestli je vypnutá!"

Dale pospíšil k lesu.

Jaeger se namáhavě postavil na nohy. Připadal si jako mrtvý, protože hlava i předloktí mu pulzovaly bolestí. Jenže teď musel řešit důležitější věci. Musí prohledat a překontrolovat vlastní batoh. Jaeger věděl jistě, že má všechno vypnuté, ale stačí jedna chyba a může přinést smrt jim všem.

Za pět minut pátrání skončilo.

V době útoku neměl nikdo zapnuté GPS, natož satelitní telefon. Pohybovali se rychle, po cestě, kterou určili indiáni kmene Amahuaka, a drželi s nimi tempo. Nikdo z Jaegerova týmu tedy nepotřeboval navigovat, navíc byli pod hustým příkrovem stromů, kde nebyl žádný satelitní signál.

Jaeger svolal svoje lidi. „Predator něco spustilo," oznámil jim skrz zuby sevřené bolestí. „Na kraji vodopádů jsme se vynořili z lesa, a píp! Na obrazovce Predatoru se objevil signál. Musí to být satelitní telefon, GPS nebo něco podobného. Něco, co se dá okamžitě vystopovat."

„Je citlivej na infračervené záření," napadlo Alonza. „Predator. Pomocí infračervených paprsků nás vidí jako zdroje tepla."

Jaeger zakroutil hlavou. „Pod třiceti metry pralesního porostu ne. A i kdyby tím vším pronikly – a věř mi, že neproniknou –, co by bylo vidět? Shluk nezřetelných fleků tepla. Stejně jako skupina lidí bychom taky klidně mohli být divoká prasata. Ne, tohle něco sleduje. Něco, co vyslalo okamžitý, vysledovatelný signál."

Jaeger se podíval na Dalea. „Natáčel jsi, když dopadl první hellfire? Běžela kamera?"

Dale zavrtěl hlavou. „Děláte si srandu? Na tom mostě, jo? Byl jsem posranej strachy."

„Fajn, takže všichni znovu prohledejte své věci," rozkázal Jaeger zasmušile. „Překontrolovat boční kapsy batohů, kapsy u kalhot, u košil. I u prádla, hergot. Něco to sleduje. Musíme to najít."

Znovu prohrabal i svůj ruksak a pak vnořil ruce do kapes. Prsty nahmataly hladký povrch mince Night Stalkers, zastrčené hluboko v kalhotách. Divné bylo, že v tom zmatku a pozdvižení posledních několika minut se zřejmě ohnula, skoro až zkroutila.

Vytáhl minci z kapsy. Usoudil, že se musela poškodit ve chvíli, kdy s ním konec mostu praštil o skalní stěnu. Chvilku ji prohlížel. Po obvodu jako by byla maličká puklina. Nacpal do ní zlomený, zakrvácený nehet a trochu zatlačil.

Mince se rozpůlila.

Jedna polovina byla uvnitř dutá.

Jaeger nemohl uvěřit důkazu před svýma očima.

Vydutý vnitřek mince obsahoval miniaturizovanou elektrickou destičku s tištěnými spoji.

58

„Smrt číhá ve tmě." Jaeger vyštěkl motto Night Stalkers, vyražené na jedné straně takzvané mince. „Jistěže, když s sebou člověk tahá něco takovýho."

Položil minci na nedaleký kámen destičkou se spoji směrem nahoru a popadl druhý, menší kámen. Chtěl tu věc rozbít napadrť a kameny využít jako kladivo a kovadlinu. Už zvedl jednu pěst. Chtěl kamenem třísknout a soustředit do rány všechnu potlačovanou zlost a spalující pocit zrady, ale vtom ho zastavila čísi ruka.

„Nedělej to. Je i lepší způsob." Byla to Irina Narovová. „Všechna sledovací zařízení mají baterie. A taky mají vypínač." Natáhla se k přístroji a zmáčkla malinké tlačítko. „Teď je to vypnuté. Žádný signál." Pohlédla na něj. „Otázka zní, kde jsi k ní přišel?"

Jaeger kroutil mincí v prstech, jako kdyby ji hodlal rozmáčknout. „Od pilota C-130. Kecali jsme a on říkal, že je veterán jednotky SOAR. Night stalker. Znám SOAR dobře, lepší jednotka není. Taky jsem mu to řekl." Odmlčel se. Tvářil se ponuře. „Pak mi dal tuhle minci."

„Takže dovol, abych sestavila scénář," řekla Narovová hlasem tak studeným a prázdným jako zamrzlá arktická pustina. „Ten pilot C-130 ti podstrčil sledovací zařízení. To už je jasné. My, čili ty a já v tandemu, jsme se při seskoku zachytili. Jeho posádka – jeho seskokoví dispečeři – nám to udělali záměrně, abychom se roztočili. A taky ti uvolnili zbraň, aby nás ještě víc destabilizovali."

Narovová se odmlčela. „Posádka C-130 nás prostě měla buď zabít, nebo někomu umožnit, aby nás sledoval. A ten někdo nás nyní sleduje pomocí té mince a zároveň se nás snaží zlikvidovat."

Jaeger pokyvoval a uznával, že scénář Narovové je jediný, který dává smysl.

„Kdo se nás tedy snaží zabít?" pokračovala Narovová. „To je řečnická otázka. Nečekám, že odpovíš. Ale zrovna v tuhle chvíli je to otázka za milion."

V tónu Narovové bylo něco, co Jaegerovi lezlo na nervy. Chvílemi jednala tak studeně a mechanicky, jako robot. Bylo to hrozně znepokojující.

„Jsem rád, že nečekáš odpověď," zachrčel. „Protože víš co? Jestliže mi pilot C-130 mohl podšoupnout sledovací zařízení, tak už nemám ani to nejmenší vodítko, kdo je kamarád a kdo nepřítel."

Ukázal směrem k indiánům. „Asi jediní lidi, o nichž vím, že jim můžu věřit, je tenhle kmen amazonských indiánů. A pokud jde o nepřátele, vím jenom to, že mají po ruce hodně seriózní výzbroj – Predator, sledovací zařízení a bůhví co ještě."

„C-130 a posádku najal Carson?" zeptala se Narovová.

„Jo."

„Pak je právě Carson podezřelý. Stejně jsem ho nikdy neměla ráda. Je to arogantní *Schwachkopf*." Podívala se na Jaegera. „Jsou dva typy. Milí *Schwachkopf* a pak ti, kterými bezvýhradně opovrhuju. Ty seš z těch milejších."

Jaeger na ni zlostně hleděl. Ta Narovová mu nešla do hlavy. Flirtuje s ním, nebo si s ním hraje jako kočka s myší? Soudil, že to klidně mohl být nepřímý kompliment.

Potom se vedle něj zjevil Alonzo. „Asi budeš muset zavolat do společnosti Hybrid Air Vehicles," navrhl velký Afroameričan. „Airlandera. Provádějí stálý dohled nad širokou oblastí, že? Teď už by to měli mít rozběhlý. Zeptáme se jich, co viděli."

„Na něco zapomínáš," namítl Jaeger. „Já zavolám a v tu ránu budeme mít u zadku hellfire."

„Pošli údaje," doporučil mu Alonzo. „V nárazovém režimu. Predatoru trvá dobrých devadesát vteřin, než zjistí, vystopuje a zaměří cíl. V nárazovém režimu je zpráva pryč mrknutím oka."

Jaeger o tom chvilku přemýšlel. „Jo. To by mohlo fungovat." Nakoukl ke kraji rokliny. „Ale udělám to támhle. Sám."

Potom zapnul svůj telefon Thuraya. Napsal krátkou zprávu. Věděl, že je v bezpečí. Až bude chtít zprávu odeslat, kontakt se satelity bude možný jedině mimo prales.

Zpráva zněla: *Souřadnicová síť 964864. Komunikace odposlouchávány. Tým zacílen: Hellfire. Dotaz – dron? Komunikace nyní jen šifrovaná v nárazovém režimu. Co viděl Airlander? Konec.*

Jaeger vyšel na okraj říční propasti.

Vynořil se zpod korun stromů, podržel telefon na délku paže a díval se, jak na obrazovce pípají ikonky satelitů. Zpráva odešla v okamžiku, kdy zachytil použitelný signál. Hned potom Jaeger telefon vypnul a pospíšil zpátky do džungle.

Čekal se svým týmem ve stínech stromů. Počítali vteřiny, napětí by se dalo krájet. Uběhla minuta a žádná střela Hellfire se neobjevila. Dvě minuty – a pořád nic.

„Už je to tři minuty, kámo," zavrčel Alonzo konečně, „a pořád nic. Zdá se, že nárazový režim funguje."

„To jo," potvrdil Jaeger. „Co ted?"

„Nejdřív ti ošetřím hlavu." To byla Leticia Santosová. „Je moc hezká na to, aby zůstala tak potlučená."

Jaeger dovolil Santosové udělat, co chtěla. Vyčistila mu odřeniny na pažích a dezinfikovala je jódem. Potom mu ovinula čelo tlustou vrstvou gázy.

„Díky," řekl jí, když skončila. „A víš co? Pokud jde o zdravotníky, jsi ohromná změna oproti všem těm zarostlým chlapům, na které jsem zvyklý."

Přešel k Puruwehuovi a asi minutku nebo dvě mu vysvětloval, co se stalo. Jen málo indiánů mělo ponětí, co by střela Hellfire vlastně mohla být. Taková smrt z nebes by taky mohl být blesk, seslaný jejich bohy. Jedině Puruwehua, který viděl pár válečných filmů, nějakým způsobem chápal.

„Povězte svým lidem, co to znamená," řekl mu Jaeger. „Chci,

aby plně pochopili, proti čemu stojíme. Proti Predatoru jsou foukačky a šípy naprosto neúčinné. Pokud se rozhodnou pro návrat zpět, nemůžu jim nic zazlívat."

„Na mostě jste nás zachránil," odpověděl Puruwehua. „Dlužíme vám za náš život a chceme ten dluh splatit. Kdykoli jdeme bojovat, vypravují nás naše ženy s takovým rčením. Dalo by se to přeložit asi jako: Vraťte se jako vítězové, nebo mrtví. Bylo by pro nás velkou hanbou nedosáhnout vítězství ani nezemřít a pak se vrátit do vsi. Jdeme s vámi, o tom není pochyb."

59

Jaegerovi zazářily oči úlevou. Ztratit indiány zrovna teď by byla pěkná rána. „Jedno by mě teda zajímalo. Povězte mi, jak jsem proboha přežil ten pád na mostě?"

„Byl jste v bezvědomí, ale vaše ruce zůstaly zaklesnuté kolem *pyhama*." Puruwehua se podíval na svého bratra. „Gwaihutiga a já jsme slezli dolů, abychom vás vynesli. Můj bratr vás nakonec vypáčil a vyzvedl do bezpečí."

Jaeger užasle vrtěl hlavou. Indián používal příliš mírné výrazy, ve skutečnosti musel být celý proces naprostá hrůza.

Hleděl na mladého válečníka Amahuaků. Puruwehua už teď byl v Jaegerových očích něco víc než jen překladatel. „Podle toho, co mi říkáte, Puruwehuo, jste ta nejstatečnější žába v celé džungli, a i já vám dlužím za svůj život."

„Ano," potvrdil indián prostě.

„Ale proč Gwaihutiga?" zeptal se Jaeger. „Chci tím říct, že přece právě on nás chtěl nejvíc ze všech zabít."

„Můj otec rozhodl jinak, Koty'are."

„Koty'are?"

„Koty'ar, tak vás pojmenoval můj otec. Znamená to ‚vytrvalý druh', přítel, který je vždycky na vaší straně."

Jaeger zakroutil hlavou. „To spíš vy jste *koty'ar* pro nás všechny."

„Skutečné přátelství jde oběma směry. A Gwaihutiga to vidí tak, že teď patříte k našemu kmenu." Puruwehua letmo pohlédl na Narovovou. „Stejně jako *ja'gwara*, ten malý muž z Japonska a ten velký vousatý z vašeho týmu."

Jaeger si připadal pokořený. Popošel kousek ke Gwaihutigovi. Válečník Amahuaků uviděl, že se blíží, a vstal. Přišli až k sobě, hleděli si do tváře, byli stejně vysocí, stejně širocí. Jaeger natáhl ruku. Chtěl ji Gwaihutigovi podat jako gesto upřímné vděčnosti.

Indián na ruku chvíli hleděl, pak zvedl oči k Jaegerově tváři. Jeho pohled byl jako temné jezero nicoty. Zase.

Jaeger se dlouhou dobu bál, že bojovník jeho gesto odmítne. Ale pak se Gwaihutiga natáhl a vzal obě Jaegerovy ruce do svých.

„*Epenhan, koty'ar,*" prohlásil Gwaihutiga. „*Epenhan.*"

„Znamená to vítej," vysvětlil Puruwehua. „Uvítání pro přítele, který je vždycky na naší straně."

Jaeger cítil, jak mu v hrudi bouří emoce. Věděl, že takovéhle chvíle jsou vzácné. Stál tváří v tvář vůdci válečníků, muži, který nasadil život, aby zachránil úplného cizince, člověka zvenčí. Popadl Gwaihutigu na chvilku do náruče a pak se odtrhl.

„Tak, chlapi, povězte mi, máte nějaký nápad, jak se odsud dostat?" zeptal se Jaeger, protože nevěděl, co jiného říct. „Provazový most je na půlky."

„O tom jsme právě mluvili," vložil se do toho Puruwehua. „Řeku není možné nijak překročit a odsud žádná cesta dolů nevede. Jediná možnost je trasa, kterou jste původně plánoval. Ale je to oklika na tři dny, možná i na déle. K cíli se dostaneme až dlouho po těch, které zkoušíme předběhnout…"

„Pak nesmíme marnit čas," přerušil ho Alonzo. „Lidi, když to bude potřeba, poběžíme celou cestu. Tak vyrazíme."

Jaeger zvedl ruku, aby si zjednal ticho. „Vteřinku. Jen jednu."

Rozhlédl se po tvářích lidí, seřazených před ním. Na jeho obličeji hrál bujný úsměv. U speciálních jednotek platil nepsaný zákon, že vojáci se vždycky musí snažit dělat nekonvenční a nečekané věci, aby nepřítele přelstili. A Jaeger se chystal provést nečekanou věc největšího formátu. Právě teď.

„Ve skrýši máme padáky, ne?" zeptal se. „Je jich osm, a když vyčleníme náhradní padáky, tak dvakrát tolik." Odmlka. „Dělal někdo z vás seskoky s padákem z pevné základny?"

„Já pár," ozval se Joe James. „Je to skoro stejně šílený jako dávka ze šňupací dýmky Amahuaků."

„Já jsem taky skákala," řekla Leticia Santosová. „Je to dobré, ale rozhodně ne tak vzrušující jako tancování na karnevalu. Proč se ptáš?"

„Seskoky z pevné základny jsou v podstatě zkrácenou verzí seskoků z devíti tisíc metrů. Akorát skáčete třeba ze skalní stěny nebo z výškové budovy, a ne z otevřené rampy C-130. A taky oproti nim máte jen nepatrnou vzdálenost na zatažení šňůry od padáku."

Jaegerovy oči svítily vzrušením. „A my přesně tohle uděláme. Vezmeme ze skrýše padáky a přeskočíme Devil's Falls."

Než si lidi z týmu uvědomili, co vlastně říká, chvíli to trvalo. Hiro Kamiši vznesl první, zcela rozumnou námitku.

„A co Amahuakové? Puruwehua, Gwaihutiga a jejich bratři válečníci? Nebylo by… moudré nechávat je tady."

„Nás je sedm, čili zbývá devět náhradních padáků. Navíc jich hodně můžeme vzít do tandemu." Jaeger se podíval na Puruwehuu. „Chtěl jste někdy létat? Jako ten jestřáb, o kterém jste mi vyprávěl. *Topena*, viďte? Bílý jestřáb, který dokáže ukrást z vesnice kuře."

„*Topena*, potvrdil Puruwehua. „Když jsem si šňupl *nyakwany*, létal jsem stejně vysoko jako *topena*. Létal jsem nad oceány a daleko do hor, ale to jsou hory mé mysli."

„Jistě, tehdy jste rozhodně létal," rozplýval se Jaeger nadšením. „Ale dneska, přímo teď, se naučíte létat doopravdy."

Puruwehuův pohled zůstal bez výrazu. Zcela postrádal jakýkoli náznak strachu. „Pokud je to jediná a nejrychlejší cesta dolů, pak skočíme."

„Sedm vás můžeme vzít dolů určitě, a jestli někteří seskočí sami, tak i víc," vysvětloval Jaeger. „A takhle se aspoň snad dostaneme k tomu vraku jako první."

„Seskočíme," oznámil Puruwehua zkrátka. „Ti, kdo nemohou, sejdou po dlouhé cestě, stezkou, a odsud budou pronásledovat Temnou sílu, aby ji udolali. Takto na ně udeříme ze dvou stran."

Gwaihutiga pronesl několik slov a na dotvrzení zahrozil zbraní.

„Můj starší bratr říká, že po dnešku za vámi půjdeme kamkoli, i přes vodopády," překládal Puruwehua. „A použil pro vás nové jméno. Kahuhara'ga. Znamená to ‚lovec'."

Jaeger zavrtěl hlavou. „Díky, ale tady v džungli jste skuteční lovci vy."

„Ne, já myslím, že Gwaihutiga má pravdu," vpadla do hovoru Narovová. „Koneckonců v němčině Jaeger taky znamená ‚lovec'. A dnes, tady v džungli, jsi to jméno dostal už podruhé. Navíc ti ho dal válečník Amahuaků, který nemohl znát význam původního jména. To musí něco naznačovat."

Jaeger mávl rukou. „Tak jo. Jenže já se teď spíš cítím jako ten, kdo je loven. V tuhle chvíli bych se radši vyhnul boji s kýmkoli z nich. To znamená, že se k tomu vraku musíme dostat první, a existuje jen jediný způsob, jak to udělat." Podíval se směrem k vodopádům. „Tak jdeme na to."

„Možná je tady jeden problém," odhodlala se Narovová. „Samotný seskok je v pohodě, ale přistání teda ne. Nechci skončit zase tak, že budu viset ze stromů a palovčík mě sežere zaživa. Kam máš v úmyslu dopadnout?"

Jaeger ji místo odpovědi zavedl k samému okraji Devil's Falls.

Podíval se přes kraj a ukázal dolů. „Vidíš to? To jezírko, vyhloubené v džungli na úpatí vodopádů? Když jsme expedici plánovali, brali jsme ho jako alternativní místo pro dosednutí. Pak už jsme ho z mnoha důvodů nebrali v úvahu. Ale teď nemáme na výběr, takže přistaneme právě tam. Jeden z důvodů, proč jsme ho zavrhli," pokračoval pak, „byl ten, že by mohlo být plné kajmanů. Jsou tam kajmani, Puruwehuo? Myslím v jezírku na úpatí vodopádů?"

Puruwehua zavrtěl hlavou. „Ne. Kajmani tam nejsou."

Jaeger se na něj upřeně zadíval. „Ale je tam zato něco jiného, že jo?"

„Je tam *piraihunuhua*. Jak jí to říkáte? Černá ryba, co žere větší ryby. Někdy i velká zvířata.“

„Piraňa?“

„Piraňa,“ potvrdil Puruwehua a rozesmál se. „Kajmani tam nejsou kvůli piraním.“

„Lidi, jak já ty zpropadený ryby nesnáším,“ vrčel Alonzo. „Nenávidím je. Seskočíme z útesu, poletíme kolem vodopádu, dopadneme do řeky a tam nás sežvejkají nejvražednější ryby na světě. Jaegerova klasika.“

Jaegerovi svítily oči. „Ale ne. Budete se držet blízko mě a dopadnete do stejného místa ve vodě jako já. Bude to dobré. Všichni budeme v pohodě. Neloudejte se tam, jelikož na koupel stejně není moc času. Ale věřte mi, to zvládneme.“

Každému členovi týmu věnoval krátký pohled. Jejich obličeje hyzdily pruhy potu a špíny, štípance od hmyzu a rýhy ze stresu a vyčerpání. U kameramana se zastavil. Jediný Dale, který nebyl bývalý voják, jako by měl skryté zdroje síly, nehledě na řádnou dávku odvahy a odhodlání.

Neuvěřitelné. Jako by ten chlap snad ještě nikdy neokusil porážku.

„Ještě ta náhradní kamera,“ vzpomněl si Jaeger. „Pořádně zkontrolujeme, jestli je vypnutá funkce zobrazování data, času a polohy. Když podnikáme tohle, chci, aby kamera běžela. Chci, abys natáčel. A chci, abys odteď nafilmoval všechno, co můžeš. Potřebuju záznam všeho, pro případ nejhoršího.“

Dale pokrčil rameny. „Natočím nejdřív vás. Nechám kameru běžet, až budete skákat z Devil's Falls.“

60

Jaeger stanul na samém okraji.

Za ním se namačkal jeho tým. Níže po jeho levé ruce pěnilo přes kraj vodopádů ohromné množství vody a kámen pod jeho nohama byl kluzký. Při pohledu přes stěnu padající vody to vypadalo, jako by se hýbala sama země.

Obrátil se k té prázdnotě a spatřil jen vířící masu mlhy a točící se vodní páru, s níž stoupal vzhůru teplý tropický vzduch.

A taky tu byl Puruwehua, těsně přivázaný v tandemu k Jaegerovi.

Každý člen týmu kromě jednoho skákal v tandemu s jedním válečníkem Amahuaků.

Joe James, jeden z nejsilnějších a nejzkušenějších v seskocích z pevné základny, měl ten krátký let absolvovat s nákladem navíc. Přivázali k němu skládací kajak. Narovová dostala neotřelý nápad, jak by mohli po seskoku z Devil's Falls kánoi využít.

Poslední měl jít Dale, poněvadž všechno natáčel. Nebyl voják, takže byl i nejméně zkušený parašutista, navíc musel splnit už tak dost náročný úkol – nafilmovat všechny skoky. Jaeger mu to chtěl trošku usnadnit, a tak navrhl, aby skákal sám.

Teď se Jaeger nahnul dál nad prázdný prostor a postrčil Puruwehuu kupředu. Poslední pauza, hluboký nádech a pak už minuli bod, odkud není návratu. Skočili do toho rovnýma nohama.

Jak Jaeger předvídal, nemuseli se odrazit moc daleko od skalního výběžku, na němž stáli. Přesah byl dostatečný, a jakmile skočili, Jaeger je oba držel ve stabilní poloze. Ve prospěch Puruwehuy taky hovořilo, že nepanikařil a nezmítal sebou – jinak by se mohli snadno roztočit. Převážila zkrátka jeho klidná mentalita válečníka.

Jak zrychlovali, polapil je stoupající teplý vlhký vzduch a hnal je pryč od skalní stěny do vířící masy neprůsvitné běloby.

Jednadvacet, jednadvacet… počítal Jaeger v duchu. „A zatáhnout!"

Měl BT80, což nebylo zrovna ideální. Chvilku se bál, že se padák nerozvinul. V takovém případě by s Puruwehuou velmi rychle skončili hodně mokří a hlavně hodně mrtví. Ale pak ucítil známé vlnivé škubnutí. Ohromná plocha padáku zachytila vzduch, jeho jednotlivé panely brzdily rychlost pádu o horké ovzduší plné páry.

Jaegerovi se v uších rozléhalo hřmění valící se vody. Pak ucítil, jak ho to i s Puruwehuou táhne za ramena nahoru, a nato už se vznášeli v lepkavé vlhké běli, sto padesát metrů pod okrajem vodopádů.

Jaeger chviličku zíral do stěny duhových barev. Byl to sloupec vodní tříště z padající vody, který odrážel ostré sluneční paprsky. Chvíle však vzápětí pominula a Jaeger už se otáčel pryč od vodopádů směrem k rozlehlé džungli.

Zatočil řídicími kolíky doprava a padák se několikrát lehce pootočil. Jaeger dával bedlivý pozor, aby se vyhnul husté vodní tříšti z masy zpěněné vody, padající vedle nich.

Kdyby do ní vlétl, padák by splaskl a to by znamenalo jejich konec.

Spirálovitě padal k jezírku. *Piraně.* Will Jaeger se nebál skoro ničeho, ale nechat se sežrat pokroucenými čelistmi ryb, černých jako uhel, toho se děsil. Piraňa má vzhledem ke své velikosti o něco silnější stisk čelistí než Tyrannosaurus rex, a dokonce třikrát silnější než kajman.

Jaeger se podíval na nebe nad sebou. Napočítal ve vzduchu už čtyři padáky, pátý pár právě skákal ze skalní stěny. Členové týmu letěli dobře a těsně za sebou, přesně tak, jak chtěl.

Podíval se dolů.

Voda se prostírala nějakých sto dvacet metrů pod ním a rychle se přibližovala.

Jaeger si rozepnul vak na hrudi a sevřel prsty studenou ocel granátu.

Během těch tří ztracených let na Bioku se dokonale naučil málo oceňovanému umění, jak zabíjet čas. Například ve volných chvílích pátral po osudu *Duchessy*, záhadné nákladní lodě z druhé světové války. Británie podle všeho neskutečně riskovala, jen aby se jí zmocnila.

Dalším způsobem zabíjení času byl rybolov.

Na ryby vždycky vyrážel ve společnosti loďkařů z vesnice Fernao. Tradiční sítě nebo vlasce vesničané příliš nepoužívali a mnohem raději lovili ryby dynamitem. Příroda tím samozřejmě trpěla a ochranáři by se asi zbláznili. Jinak to ovšem byla nesporně efektivní metoda, kdy úlovek doslova vyletěl z vody.

Jaeger vyndal granát z vaku a zuby vytrhl pojistku. Kovovou aktivační páčku držel v dlani přitisknutou k plášti. Za těch pár granátů, které měl s sebou, vděčil plukovníku Evandrovi. Nikdy si však nepředstavoval, že některý z nich použije způsobem, který hodlal aplikovat právě teď.

Když usoudil, že má správné načasování i vzdálenost, upustil granát a pružina vyskočila.

Odjištěný granát se řítil k úpatí vodopádu. Vybuchnout měl za šest vteřin. Jaeger spočítal, že za tu dobu se ponoří sto osmdesát centimetrů pod hladinu, možná i víc.

Viděl, jak dopadl. Jezírko zčeřily drobné vlnky a za vteřinu či dvě granát explodoval. Vyvrhl do vzduchu sloupec zpěněné vody, který se vzápětí zhroutil zpět pod rozvířenou hladinu.

Zatímco Jaeger směroval let k epicentru výbuchu, zbývalo mu dost času na to, aby vypustil ještě jeden granát. Když při jedné demolici nevěděl, kolik výbušniny použít, instruktor mu řekl, že zkratka PE pro *plastic explosives* neboli plastické trhaviny ve skutečnosti znamená *„plenty everywhere"* – „všude hodně".

I druhý granát vybuchl. Vodní sprcha tentokrát vyletěla skoro až k Jaegerovým nohám. A vzápětí uviděl, jak na hladině plavou břichem vzhůru omráčené ryby. Urputně se modlil, aby to fungovalo.

Jeho boty dopadly na hladinu. V tom okamžiku Jaeger trhl za uvolňovací řemeny, což mu umožnilo zbavit se postroje padáku. Ve stejnou chvíli vyprostil i Puruwehuu. Po jeho levé straně právě přistála na vodě Irina Narovová, napravo Leticia Santosová. Za chvilku před ním dopadl Alonzo a vzadu Kamiši, každý z nich v tandemu s jedním válečníkem Amahuaků.

Pět lidí tedy bylo dole, s indiány deset.

Byl čas vyrazit na břeh.

Ještě když byli nahoře, Puruwehua si jezírko pozorně prohlédl a přesně Jaegerovi poradil, kde přistát. Zvolil bod sousedící s *evi-gwou*, místem, kde do řeky vybíhal pruh pevniny, zakončený prudkým srázem do hluboké vody.

Stačilo několik mocných záběrů rukama i nohama a Jaeger byl na souši. Vylezl z vody a obrátil se, aby zkontroloval situaci za sebou. Na hladinu vyskakovaly stále další omráčené ryby a část jeho týmu i s indiány mířila už k pevnině.

Nad ním se ještě točila nezaměnitelná silueta Joea Jamese. Měl přistát jako předposlední. K němu byl připoutaný Gwaihutiga a na provaze pod ním visel skládací kajak. Ten dopadl první, pak teprve James a po něm indián. Oba se odepnuli a zamířili na břeh, James táhl kajak těsně za sebou.

Poslední měl být Dale.

Zůstal na výčnělku a natáčel skoky, dokud nezmizel poslední muž. Pak vypnul kameru, nacpal ji do vodotěsného vaku, aby byla v suchu a bezpečí, a ten strčil hluboko do svého batohu.

Jaeger se díval, jak Dale skáče, zatahuje za šňůru od padáku a plachtí k hladině jezírka.

Najednou se ozval varovný výkřik: „*Purug!* Ryby! Skáčou!"

Byl to Puruwehua. Jaeger se podíval, kam ukazuje. A skutečně, hladinu rozčeřila lesklá černá ryba a vyskočila vysoko nad ni. V blyštivé vodě zahlédl její doširoka rozevřenou tlamu, lemovanou dvěma řadami děsivých pilovitých zubů, a vyvalené oči, černé jako smrt.

Ryba vypadala jako miniaturní, ďábelský žralok s kulatou hlavou, silným tělem a řádně vyzbrojenými čelistmi. Za okamžik začalo místo, kde Jaeger s týmem přistál, pěnit a vařit.

„*Piraihunuhua!*" křičeli indiáni.

Jaeger ale varování nepotřeboval. Viděl, jak se černé piraně zakusují do umírajících ryb, které vyvrhl výbuch granátu. Byly jich stovky a Dale mířil do samotného jejich středu.

Jaeger zlomek vteřiny zvažoval, že hodí třetí granát, jenže Dale už byl moc nízko a exploze by ho zasáhla.

„Piraně!" zařval na něj Jaeger. „Piraně!" Plácal rukama do vody u svých nohou. „Přistaň tady! Tady! Vytáhneme tě!"

Chviličku ho obcházela hrůza, že Dale neslyšel a skočí rovnou do středu té krvavé hostiny, kde ho ryby za pár vteřin ohlodají na kost.

Dale však v poslední chvíli prudce – bohužel až příliš prudce – zabočil doleva a už svištěl k místu, kde stál Jaeger s týmem. Blížil se moc rychle a ve špatném úhlu, takže jeho padák se zasekl o stromy, které se v těch místech nakláněly nad vodu.

Nejvyšší větve se pod nárazem ulomily a Dale uvízl nad vodou, kde zůstal viset a houpal se sem a tam.

61

„Musíme ho dostat dolů!" křikl Jaeger. Jeho slova však zanikla v ohromném praskotu, který se shora ozval. Hlavní větev, zadržující Dalea, praskla a kameraman se řítil dolů. Padák se mu při pádu roztrhl a za okamžik už Dale dopadl do vody.

„Vytáhněte ho!" řval Jaeger. „Vytáhněte ho nahoru!"

Všude kolem Dalea bylo vidět velké černé stíny, jak pod hladinou těkají sem a tam jako šipky. Chtělo to jen jedno kousnutí, okusit chuť krve, a piraňa by okamžitě pochopila, že Dale je kořist. Pod vodou by pak vyslala signál celému hejnu: *Pojďte a jezte, pojďte a jezte!*

Alonzo s Kamišim stáli nejblíže. Hbitě se ponořili do vody.

Jakmile se dotkli hladiny, vyrazil Dale ustrašený skřek. „Do prdele! Kurva! Kurva! Vytáhněte mě! Vytáhněte mě!"

Pár temp přes jezírko stačilo. Muži popadli Dalea za postroj a vlekli ho ke břehu, kde řvoucího kameramana s očima vykulenýma hrůzou a bolestí vytáhli z vody.

Jaeger se sehnul a prohlížel ho. Dale byl pokousaný hned na několika místech a bílý jako stěna, hlavně vlivem šoku. Jaeger mu nemohl nic zazlívat. Ještě pár vteřin a ryby by ho sežraly. Požádal Leticii Santosovou, aby ho ošetřila výbavou z lékárničky, zatímco Alonzo a Kamiši hlásili svoje škody.

„Lidi, ta proklatá ryba mě kousla do prdele!" stěžoval si Alonzo. „Co je to za rybu, co tohle dělá?"

Joe James si hladil ohromný plnovous. „Piraňa, vole. Už se do vody nevracej. Znají teď tvou chuť, a až tam vlezeš, hned tě ucítí."

Kamiši zkoumal ránu na svém stehně. Pak vzhlédl. „Rád bych věděl, jestli ta ryba chutná tak dobře, jak si zjevně myslí, že chutnám já." A hleděl na Jaegera. „Jednu bych si chytil a snědl, nejradši s trochou omáčky wasabi."

Jaeger si nemohl pomoci a usmál se. Navzdory všemu se morálka v jeho týmu zdála být velmi dobrá. I když je honil Predator a piraně, byli v klidu a pohodě.

Přikročil tedy k dalšímu úkolu. „Teď s Narovovou a Jamesem připravíme člun."

Společně rozložili kajak od Advanced Elements, nafoukli ho a spustili na vodu. Naplnili ho několika kameny, aby měl zátěž, a kvůli objemu přidali pár sbalených padáků. Nakonec hodila Narovová do člunu svůj batoh i zbraň a vlezla dovnitř.

Už se chystala odpádlovat k místu, kde se Rio de los Dios klikatila ke stěně hustého pralesa, když vtom se obrátila na Jaegera. Zahleděla se na šátek, který měl uvázaný kolem krku. Byl to šátek Santosové z karnevalu.

„Potřebuju to do něčeho zabalit," řekla. „Myslím sledovací zařízení, abych ho ochránila před nárazy. Je choulostivé a potřebuje mít kolem sebe tlumicí vrstvu." Natáhla ruku po šátku. „Tohle je nepotřebný kus ozdoby, ale mně se hodí dokonale."

Jaeger zavrtěl hlavou. „To nemůžu, obávám se. Leticia mi povídala, že je to talisman pro štěstí. Že prý, když ztratíš můj šátek, zlatíčko, přinese to smůlu nám všem. Mluvila portugalsky, takže ti to asi ušlo."

Narovová se zamračila a ve tváři se jí usadil nasupený výraz.

Jaegera to povzbudilo. Popichoval ji, protože se jí chtěl dostat pod kůži. Přišel na to, že je to jediný způsob, jak začít rozkrývat záhadu jménem Irina Narovová.

Tolik věcí okolo ní nesedělo. Její podivný vztah k noži, plynulá němčina, podle všeho encyklopedické znalosti všeho, co se týkalo nacistů, zuřivá nenávist k Hitlerovu odkazu, nulová emocionální gramotnost či empatie vůči ostatním. Jaeger se prostě rozhodl zjistit, co Irinu Narovovou pohání.

Beze slova se dotčeně otočila a zanořila pádlo do vody zamořené piraněmi.

Jakmile odplula dostatečně daleko a dostala se do míst, kde proud začal zuřivě trhat za její kajak, zamířila na břeh. Vylezla z člunu, vytáhla z kapsy minci Night Stalkers, zapnula sledovací zařízení a obě půlky mince slepila k sobě černou izolační páskou.

Pak ji vsunula do uzavíratelného vodotěsného sáčku a zastrčila ho do jedné z úložných schránek kajaku. Už se chystala postrčit kajak do středu řeky, ale ještě na okamžik zaváhala.

Hlavou jí proběhl impulzivní nápad, až se jí rozsvítily oči. Prohrabala batoh a vytáhla z něj jeden z malých mobilů, které nosila v příruční tašce. Měla tyto telefony bez paušálu pro případ nouzové komunikace, kdyby se někdy ocitla na útěku.

Zapnula mobil a vložila ho do sáčku ke sledovacímu zařízení. Pochybovala, že je někde v okruhu tisíce kilometrů nějaký mobilní vysílač. Ale na tom možná ani nezáleželo. Třeba bude stačit pouhé vyhledávání signálu, aby mobil někdo zachytil, sledoval a vystopoval.

Pak Irina odstrčila kajak od břehu.

Proud ho zachytil a ve chvilce jej smetl pryč. S trojitým pláštěm, šesti nafukovacími komorami a plovacími vaky by měl kajak zůstat na hladině bez ohledu na to, co ho na cestě po proudu potká. Může se převrhnout i proděravět na kamenech, a přesto popluje pořád dál, což znamená, že sledovací zařízení bude stále vysílat signál.

Narovová si hodila batoh na záda, vzala svou zbraň a vydala se na cestu zpátky k týmu. Držela se přitom v bezpečné vzdálenosti od vody, v zákrytu džungle.

Za deset minut už byla zpět u Jaegera.

„Hotovo," oznámila. „Řeka Rio de los Dios tady uhýbá na sever. Naše trasa vede téměř přímo na jih. Když vyšleme sledovací zařízení opačným směrem, vyvoláme mezi nepřáteli pořádný zmatek."

Jaeger se na ni podíval. „Ať je to kdokoli."

„Ano," souhlasila Narovová, „ať je to kdokoli." Odmlčela se. „Přidala jsem k tomu ještě poslední detail, mobil, který se taky veze v kánoi. Předpokládám, že ho bude možné vystopovat, i když tady nikde nezachytí signál."

Jaeger se pousmál. „Hezké. Doufám, že to vyjde."

„Šedý vlku, tady Šedý vlk šest," monotónně odříkával něčí hlas. „Šedý vlku, Šedý vlk šest."

Ten, kdo mluvil, se skláněl nad stejnou vysílačkou jako předtím, ve stejném maskovacím stanu, umístěném na kraji téže hrbolaté, ale připravené přistávací dráhy. Ze všech stran ho obklopovaly husté a členité okraje džungle. Prašnou dráhu lemovala řada neoznačených černých vrtulníků a všude kolem se vypínaly a zase klesaly temné hory.

„Šedý vlku šest, tady Šedý vlk," potvrdil jiný hlas.

„Pane, na dobrou hodinu jsme je ztratili. Výpadek signálu sledovacího zařízení." Operátor vysílačky hleděl do laptopu. Byla na něm počítačová mapa Serra de los Dios s rozličnými ikonkami rozesetými po obrazovce. „Znovu se vynořili na úpatí Devil's Falls a míří po řece do džungle."

„Což znamená?"

„Podařilo se jim zdolat vodopády. Pohybují se po vodě, takže pravděpodobně na kánoi, ale míří na sever. Válečný letoun leží víceméně na jih od jejich pozice."

„Což znamená?"

Člověk pokrčil rameny. „Míří špatným směrem, pane. Nemám ponětí proč. Navedl jsem k jejich pozici Predator, a jakmile budeme mít vizuální kontakt s jejich plavidlem, pošleme video záběry. Pokud jsou to oni, tak s nimi na místě skoncujeme."

„Co tím myslíte – pokud jsou to oni? Kdo jiný by to mohl být?"

„Pane, na tom úseku řeky se nikdo jiný nepohybuje. Jakmile získáme video záznamy, budeme si dvojnásob jistí a provedeme likvidaci."

„Už je na čase. Teď mi ukažte fotky toho posledního úderu. Toho útoku na mostě."

„Jistě, pane." Ruce se rozběhly po klávesnici laptopu a na obrazovce vyskočil nový obrázek.

Zrnitý záznam ukazoval, co Predator nafilmoval při nedávném úderu střelami Hellfire. První střela zasáhla provazový most. Pak se obraz ztratil a nějakou dobu jen zrnil, než se znovu ustálil. Na okamžik se jasně ukázal obličej jediné postavy, která zůstala na mostě.

„Vraťte to," přikázal hlas. „Pozastavte film na záběru té postavy. Podíváme se, proti komu tady stojíme."

„Ano, pane." Operátor udělal, co po něm žádali. Zastavil obraz, zarámoval postavu a zvětšil ji.

„Ještě mi udělejte několik políček okolo tohoto bodu." Hlas ztvrdl a zněl teď ostřeji. „Pošlete mi je zabezpečenou cestou. Za minutu, prosím."

„Ano, pane," odpověděl operátor.

„A Šedý vlku šest, rád bych, abyste mi při naší příští komunikaci sdělil slova ‚mise skončena'. Rozumíte? Nerad dlouho čekám a nerad zažívám opakovaná zklamání."

„Rozumím, pane. Příště Predator nemine."

„A pamatujte, že ten letoun, to válečné letadlo, nikdy nelétalo. Ani nikdy neexistovalo. Musíte vymazat všechny stopy po něm. Koneckonců, to, co jsme hledali, už jsme vyzvedli."

„Rozumím, pane."

Operátor ukončil hovor.

Člověk na druhém konci, s krycím jménem Šedý vlk, se opřel a jeho myšlenky se zatoulaly. Zadíval se na zarámovanou fotografii na svém pracovním stole. On a muž ve středním věku v šedivém proužkovaném obleku. Arogantní, sebejisté oči, vyzařující absolutní moc – a ta podoba, až neobyčejně nápadná.

Nebylo těžké představit si ty dva jako otce a syna.

„Je vidět, že je velmi těžké je zabít," mumlal muž. Skoro to vypadalo, jako kdyby mluvil s oním člověkem na fotce.

V elektronické poště se objevila zpráva. Byl to zabezpečený e-mail od Šedého vlka šest. Muž se naklonil a klepl na klávesnici. Klikl na přílohu a na obrazovce se vynořil nehybný video záběr postavy na mostě.

Muž na něj dlouho hleděl a soustředěně zrnitý obrázek prohlížel. Jeho tvář potemněla.

„Je to on," zabručel. „Určitě."

Udeřil prsty do klávesnice a pustil se do psaní soukromého e-mailu. Místností se rozléhalo zuřivé klapání.

Ferdy,

něco mi dělá starosti. Pošlu ti fotografie. Obličej jednoho z terčů z blízkosti *Adlerflug IV*. Vypadá nepříjemně povědomě. Obávám se, že je to Will Jaeger.

Řekl jsi, že ho napadli tvoji lidé, působící v Londýně. A tvrdil jsi, že jsi ho nechal žít, abys ho „mučil ztrátou jeho rodiny". Já jsem rozhodně pro odplatu, *Herr Kamerade*. Vskutku, u takových jako Jaeger pomsta nejlíp chutná zastudena.

Nicméně teď se zdá, že je v amazonské džungli a pátrá po našem válečném letounu. Doufejme, že nepřevzal úlohu svého dědy.

Jak víš, Jaeger senior nám způsobil nekonečné potíže.

Zkušenost mě naučila nevěřit v náhody. Pošlu ti ty fotografie.

Wir sind die Zukunft.

HK

Stiskl tlačítko odeslat.

Poté se pohledem vrátil k fotce na své obrazovce. Jeho oči byly přitom zahleděné do vlastního nitra. A vypadaly jako hrozivá jezera temnoty.

62

Les se třpytil vlhkostí.

Všude kolem zurčela, odkapávala a stékala voda. Mraky pluly nízko nad korunami stromů a prudce a hustě pršelo, takže se na zem nedostávalo skoro žádné světlo.

První pásmo bouří, které se z hor přihnalo, hodně ochladilo vzduch. Po několika hodinách neustávajícího deště panovala tma a vlhko a zem pod nohama prosakovala vodou. Navíc bylo překvapivě chladno.

Jaeger byl promočený až na kůži, ale popravdě tyhle podmínky spíš uvítal. Z lemu jeho klobouku, určeného do džungle, stékala voda, ale on za ni tiše děkoval. Puruwehua ho varoval, že tohle je *kyrapo'a*, těžký déšť, který nepřestává mnoho dní. Na rozdíl od mnoha jiných typů dešťů, které tu mají.

Bývá tady *kyrahi'vi*, lehký déšť, který rychle pomine, *ypyi*, bičující, větrem hnaný déšť, *kyma'e*, déšť, který netrvá déle než den a rychle po něm přijde horko, *kypokaguhu*, mrholivý, nesouvislý déšť – ten je spíš jako mlha. Taky *japa*, déšť se sluncem dohromady, a spousta dalších.

Každý, kdo prošel výběrem britských speciálních jednotek, se stal přímo znalcem deště. Jižní velšské hory jsou pochmurná, zamračená a větrem šlehaná masa kopců, kde snad prší tři sta šedesát čtyři dní v roce. Ve skutečnosti, aspoň podle Jaegerovy zkušenosti, disponují tyhle nepřátelsky vyhlížející vrchy stejným množstvím druhů dešťů jako amazonská džungle. Byl šťastný, že je lidská kůže nepromokavá.

Tohle však, soudil Puruwehua, je určitě *kyrapo'a*, čili déšť, který trvá celé dny bez konce. A Jaeger za něj byl rád.

Piraním kousancům Dalea, Alonza a Kamišiho ovšem mokro neprospívalo. Vlhké a špinavé oblečení, které se třelo o mokré a zamazané obvazy, hojení ran příliš nepomáhalo. Ale toho se zrovna teď Jaeger obával nejméně.

Ještě předtím, než odešli od piraněmi zamořeného jezírka na úpatí Devil's Falls, riskl Jaeger převzetí zprávy od Airlanderu. Vzkaz byl poslaný v nárazovém režimu. Raff ho napsal stručně, jasně a věcně.

Potvrzuji tvé souřadnice: 964864. Přesun, monitoring. 10 kilometrů severně od tvé pozice zjištěn Predator. Sleduj Krále, Narovovou. Odposlech. Konec.

Po dekódování se ze zprávy dalo vyčíst, že se Airlander přesouvá na orbit nad jejich pozicí. Určitě měli nad sebou nejméně jeden dron Predator, ačkoli fakt, že je deset kilometrů severně od nich, ukazoval, že nejspíš sleduje jejich vějičku – neobsazený kajak plovoucí po řece. „Odposlech" znamenal, že Raff bude čtyřiadvacet hodin denně sledovat jakékoli vzkazy od Jaegera, poslané v nárazovém režimu. Navíc ještě Jaegera varoval, kdo z jeho týmu je podezřelý: Král a Narovová.

Před odjezdem ze Spojeného království nedostal Jaeger téměř možnost prověřit minulost členů týmu. Po smrti Andyho Smithe měl přinejmenším právo to udělat, ale tlačil ho čas. Nechal to na Raffovi, aby trochu zapátral, a jako podezřelí z toho zjevně vyšli ti dva, Král a Narovová.

Jaeger sice za čas roztál vůči Daleovi, ale vskrytu duše jeho část sympatizovala i se slovenským kameramanem, který byl ve společnosti Wild Dog Media jen člověkem z davu. Králova minulost však zřejmě ukrývala něco, kvůli čemu Raff vztyčil pomyslný výstražný praporek.

A v koutku Jaegerovy mysli navíc hlodala drobná obava při vzpomínce, jak Král opomněl vyřadit z činnosti zařízení GPS na Daleových kamerách. Co když to udělal záměrně? Jaeger netušil a Král tu nebyl, takže se ho nemohl zeptat.

A pokud šlo o Narovovou, to byla hádanka v hádance, stejně jako vrak letadla. Jaeger měl pocit, že by vyvedla z míry i samotného Winstona Churchilla. Připadalo mu, jako by o ní teď věděl ještě méně, než když se setkali poprvé. Tak či tak byl odhodlaný rozbít její tvrdou slupku a dostat se k jádru toho, co leželo uvnitř.

Ale zpět k dešti.

Prospíval jim, protože pršet logicky nemůže bez mraků, a ty teď kryly prales před vším, co se možná vznášelo vysoko nad ním. Pod dešťovými mračny se Jaeger cítil mnohem bezpečněji, skrytý před nepřátelskýma očima, které po nich slídily z oblohy. Dokud nechají s týmem všechna komunikační zařízení vypnutá, neměl by je nikdo spatřit ani odhalit.

Jaeger se na chvilku vcítil do mysli nepřátelského velitele, ať už to byl kdokoli. Poslední jednoznačnou stopu své kořisti, Jaegera a jeho týmu, zaznamenal na kraji vodopádů Devil's Falls. Zachytil tam signál sledovacího zařízení v minci a k tomu video signál systému GPS z kamery.

Potom následoval hodinový výpadek a pak už sledovací zařízení a možná i mobil vysílaly signál během plavby po Rio de los Dios.

Nepřátelský velitel tedy musel předpokládat, že Jaeger a jeho tým jsou na vodě. Jiné informace, z nichž by mohl vycházet, neměl. Jaeger vsázel na trik, který vymyslela Irina Narovová. Z velké části na něm stála jejich budoucnost.

Zároveň věděl, že každý chytrý velitel – a Jaeger nepřítele nikdy nepodceňoval – by si raději všechno zkontroloval. Sledoval by kajak, počkal, až se mraky protrhnou, a ověřil si, kdo a co na něm pluje. Pak teprve by podnikl závěrečný útok střelami Hellfire.

Avšak souběžně s tím by své pozemní jednotce přikázal, aby zdvojnásobila rychlost postupu k vraku letadla, a dostala se tak k cíli co nejdřív.

Závod začal. A podle Puruwehuových výpočtů měl Jaeger s týmem dobře jednodenní náskok. Vrak letounu leží necelých osmnáct hodin chůze od nich. Pokud všechno půjde dobře, dostanou se k němu příštího rána. Jaeger si ovšem rozhodně nemaloval, že cesta odsud dál bude snadná.

Déšť odhalil z džungle to nejhorší.

V průběhu cesty jim Puruwehua ukazoval všechny změny, které liják způsobil. Některé byly očividné. Jaeger a jeho lidi se chvílemi brodili až po pás zaplavenými úseky pralesa. V mělčinách čvachtali, cákali a klouzali nedefinovatelní tvorové a mezi stíny se proplétali vodní hadi, hrající duhovými barvami.

Puruwehua ukázal na jednoho obzvlášť ďábelsky vyhlížejícího hada. Byl pruhovaný černě, modře a dvěma odstíny červené. „Tohohle se nemusíme tolik bát," vysvětloval. *„Mbojovyuhua*, ten žere žáby a malé ryby. Kouše, ale jeho kousnutí nezabíjí."

Obrátil se k Jaegerovi. „Na pozoru se musíte mít před hadem *mbojohua*. Je dlouhý jako pět ležících lidí a tlustý je jako kajman. Má na sobě černé a bílé tečky. Popadne vás do čelistí, pevně ovine a sevře. Tlak rozdrtí každou kost ve vašem těle a had vás nepřestane mačkat, dokud neucítí, že už vám nebije srdce. Potom vás celého spolkne."

„To je hezké," zamumlal Jaeger. „Škrtič se skutečně drsným chováním. Po piraních můj nejoblíbenější."

Puruwehua se usmál. Jaeger nedokázal říct, zdali indiánovi dělá vskrytu duše radost, že jeho tým pořádně vyděsil.

„Ještě horší je *tenhukikīuhūa*," varoval Puruwehua. „Znáte ho? Je to šedý ještěr asi o velikosti divokého prasete, s černými čtverci po celém hřbetě. Nohy má spíše jako ruce, s přísavkami. Jeho uštknutí je velmi jedovaté. My říkáme, že je horší než jakýkoli had."

„Ještě mi řekněte," odfrkl si Jaeger, „že vylézá, jedině když prší."

„Je to ještě horší. Žije jenom v zaplaveném lese. Je dobrý plavec a skvěle leze po stromech. Má bílé oči jako duch, a když ho zkusíte chytit za ocas, ten ocas se ulomí. To je jeho způsob útěku."

„Proč byste ho jako chtěl chytat?" vložil se do hovoru mužský hlas. Byl to Alonzo. Urostlého Američana ta věc s ještěrem očividně znechutila stejně jako Jaegera.

„Abyste ho snědl, samozřejmě," odpověděl Puruwehua. „Když se dokážete vyhnout uštknutí, chutná velmi dobře. Něco mezi kuřetem a rybou."

Alonzo pohrdavě zafuněl. „Smažený kuře Kentucky! To učitě!"

Říkat, že potrava nutná k přežití, chutná jako kuře, bylo obvyklé klišé. Jaeger i Alonzo dobře věděli, že je to tak málokdy, pokud vůbec.

Další změny, které déšť lesu přinesl, už byly méně zjevné. Věděli o nich pouze indiáni. Puruwehua lidem z týmu například ukázal díru v lesní půdě. Jaeger předpokládal, že je to nora nějakého hlodavce. Ale Puruwehua jim vysvětlil, že jde o domov *tairyvuhuy*, ryby, která žije pod zemí, hibernuje v bahně a ožívá, pouze když prší.

Hodinu před setměním zastavili kvůli jídlu. Jaeger týmu ustanovil „tvrdý režim". Nedovolil žádné ohně ani vaření, protože chtěl zanechat co nejméně stop. Tvrdý režim však nikdy není moc příjemný. Obnáší konzumaci instantních vojenských přídělů z pytlíků, zastudena a v pochmurné náladě.

Utiší sice hlad, ale morálku moc nepozdvihnou.

63

Jaeger seděl na kládě a žvýkal to, co mělo být kuře s těstovinami, ale chutnalo to jako ztuhlé lepidlo. Hlavou mu letěly vzpomínky na mrkvový koláč hipísačky Annie, který dělávala na svém říčním člunu v Londýně. Nejspíš tam taky prší, řekl si sklesle.

Večeři zakončil hrstkou sušenek, ale stejně cítil, jak mu žaludek svírá hlad.

Alonzo shodil batoh a sedl si vedle Jaegera. „Au!" Třel si zadnici v místech, kam ho kousla piraňa.

„Jaký to je, když tě přetrumfne ryba?" škádlil ho Jaeger.

„Zpropadená piraňa," vrčel Alonzo. „Nemůžu se ani vykadit bez pomyšlení na ty debilní rybí kousance."

Jaeger se rozhlížel po vegetaci, z níž kapala voda. „Aspoň to vypadá, že se na nás konečně usmál osud."

„Myslíš ten liják? Ten pitomej deštnej prales dělá čest svýmu jménu. Jenom doufejme, že vydrží."

„Puruwehua říká, že tohle je déšť, který trvá celé dny."

„Puruwehua to musí vědět." Alonzo se chytil za břicho. „Ty vole, já bych vraždil za McDonalda. Dvojitej hamburger se sýrem, hranolky a trojitej čokoládovej shake."

Jaeger se usmál. „Až odsud vypadneme, tak platím já."

„Dohodnuto." Alonzo se odmlčel. „Víš, přemýšlel jsem. Nic moc se neděje, tak jsem tomu věnoval víc pozornosti. Pronásleduje nás Predator. S takovým typem vybavení operuje jen pár vlád na světě."

Jaeger přikývl. „Brazilci to být nemůžou. I kdyby Predator měli, o čemž pochybuju, plukovník Evandro nám kryje záda."

Koukl stranou na Alonza. „Nejpravděpodobnější scénář je ten, že jsou to tví kolegové Američani."

Alonzo se zašklebil. „Ty vole, já nevím. Jižní Amerika je naše domácí území. A vždycky byla. Ale víš, jak to je. Hodně agentur tam odsud jsou poloviční grázlové." Chvíli mlčel. „Ať s tím Predatorem manévruje kdokoli, co udělá s Airlanderem? Přemýšlel jsi o tom?"

„Je to dobře pokryté," odpověděl Jaeger. „Plukovník Evandro mu přidělil status speciální mise B-BSO. Tady je to pořád ještě neprozkoumané území a Brazilci už několik měsíců letecky mapují hranice. Airlander s brazilskou vlajkou a v barvách B-BSO je něco jako pověřovací listina průzkumné mise."

„Myslíš, že to bude fungovat? Že ti padouši neucítí podraz, když je usazenej přímo nad náma?"

„Airlander se vznáší ve výšce tři tisíce metrů. Predator obíhá tak dvakrát výš. Airlander bude jasně vidět, ukrytý všem na očích, řekl bych. Navíc nemusí být nikde blízko nás. Má PWAS, čili takové technologie, že nás může sledovat ze vzdálenosti několika kilometrů."

„Sakra, Jaegere, doufám, že máš pravdu, jinak jsme na škvarek."

Jaeger se na Alonza zadíval. Američan se právě pustil do instantního jídla. „A máš někoho, komu bys mohl zavolat?" zkusil to. „Třeba na speciální operace? Že by zkusil zjistit, kdo to po nás sakra jde? A jestli je možné přesvědčit toho, kdo vypustil své válečné psy, aby je zase odvolal?"

Alonzo pokrčil rameny. „Jsem záložák SEAL, hodnost štábní seržant. Znám lidi z toho světa. Jenže víš, kolik je tam po jedenáctým září agentur pro zvláštní operace?"

„Stovky?" odhadl Jaeger.

Alonzo si odfrkl. „V tuto chvíli je padesát tisíc osm set Američanů s povolením k přísně tajným věcem. Na tajných projektech pracuje dvanáct set vládních agentur, nejčastěji protiteroristických, plus dva tisíce smluvně zavázaných soukromých společností."

„Tomu… se dá jen těžko uvěřit," kroutil Jaeger hlavou. „Je to postavený na hlavu."

„Ne, hochu, není. Tohle samotný ne. Teprve to, co přijde teď, je skutečně neuvěřitelný." Alonzo přejel Jaegera pohledem. „V roce 2003 přiměli prezidenta podepsat prezidentský nařízení. Poskytlo souhlas všem těm padesáti tisícům a osmi stům chlápkům, aby si mohli parádně dělat, co chtějí, takže organizují operace, aniž by museli mít povolení. Jinými slovy jednají bez jakýhokoli dohledu prezidenta."

„Takže ten, kdo nasadil Predator, může být jeden z těch tisíců různých týmů?"

„Jo, přesně tak," potvrdil Alonzo. „Právě takhle oni makaj, pěkně skrytě, jako ten zkurvysyn, kterej se nás snaží vyřídit. Věř mi, že nikdo netuší, co tady dělají. A když existuje takovýhle prezidentský nařízení, každej si myslí, že nemá právo cokoli zpochybňovat nebo se byť jenom ptát."

„Šílený."

„To teda jo." Alonzo se na Jaegera znovu podíval. „Takže jo, mohl bych zavolat několika lidem. Ale upřímně, bylo by to chcaní proti větru." Odmlčel se. „Můžeme si naposledy projít naši strategii?"

„Ber Airlandera jako ohromnou vzducholoď ve tvaru bonbonu," začal Jaeger. „Má čtyři propulzní motory, v každém rohu jeden. Díky nim může provést přímý výpad a odlítnout jakýmkoli směrem: nahoru, dolů, dozadu, dopředu, do stran. Vzletová paluba je situovaná doprostřed spodní strany, mezi vzduchové polštáře přistávacího systému – v podstatě jsou to dvě mini vznášedla, instalovaná na každé straně trupu."

Vzal jednu nesnědenou sušenku. Měla představovat vzducholoď. „Může se pohybovat nebo vznášet v jakékoli nadmořské výšce, kterýmkoli směrem. Má vestavěné navijáky a jeřáby, tudíž může nakládat i vykládat. Navíc hlavní kabina uveze padesát pasažérů. Při nejlepším možném scénáři my na zemi potvrdíme, že

Airlander může bezpečně přiletět. Snese se do nízké výšky, bude se vznášet nad džunglí, my kolem válečného letounu uvážeme několik popruhů pro zdvih a pak nás Airlander odtud vyzvedne spolu s letadlem. Takový je plán, pokud si před nepřítelem udržíme bezpečný náskok," pokračoval Jaeger. „A pokud se prokáže, že se nebezpečí na zemi dá zvládnout. Airlander je pomalý. Letí rychlostí zhruba dvě stě kilometrů v hodině. Ale má dolet tři a půl tisíce kilometrů. To je víc než dost na to, aby nás dopravil zpátky do Cachimba na sraz s plukovníkem Evandrem."

Jaeger pokrčil rameny. „No a při nejhorším možném scénáři nás Airlander nebude moct vyzvednout a my budeme na útěku bojovat o život."

Alonzo si zamyšleně mnul bradu. „Jenom doufám, že nesměřujeme ke scénáři číslo dvě."

„*Evo'ipeva*," zavolal náhle čísi hlas. Byl to Puruwehua. Mezi prsty svíral cosi tmavého a krvavého. „Neznám anglické slovo. Objevují se při dešti a sají krev."

„Pijavice," zabručel Jaeger.

Alonzo se otřepal. „Jo, a pěkný obludy, podle toho, jak vypadají."

Puruwehua ukázal na svoje nohy a oblast třísel. „My Amahuakové nenosíme kalhoty, takže pijavice uvidíme a odtrhneme. Ale vy… vy se budete muset prohlédnout."

Jaeger s Alonzem se na sebe podívali.

„Šarže má přednost před krásou," prohlásil Alonzo. „A s tou mojí dlouhou hadicí si budou mít na čem pochutnávat."

Jaeger váhavě vstal. Sundal si kalhoty i opasek a shodil spodky. I v šeru viděl, že má na nohou a na slabinách plno svíjejících se lesklých tělíček, která vypadala jako krátká tlustá chapadla. Tygří pijavice. Bože, jak je nenáviděl. Černá těla s ostře žlutými pruhy, každé napité tak, že pětkrát přesahovalo svou běžnou velikost.

Když Jaegerovi vklouzla do nohavice první pijavice a hledala něco teplého a vlhkého, kam by se mohla přisát, nebyla větší než malé víčko od pera. Ale teď, po několika hodinách sání, vypadaly všechny jako tlusté fixy. Vypasené potvory, naplněné jeho krví.

„Chceš zapalovač?" nabídl mu Alonzo.

Nejuspokojivější způsob, jak se těch bastardů zbavit, je upálit je. Druhá nejpříjemnější metoda je postříkat je repelentem proti hmyzu a dívat se, jak se kroutí a svíjejí.

Jaeger natáhl ruku po zapalovači. „Díky."

Věděl, že správně by to neměl dělat. Pijavice vylučují ve slinách anestetikum, takže oběť jejich zakousnutí necítí. Jakmile se přichytí, napumpují do žil oběti hirudin, enzym, který brání srážení krve a umožňuje jim krmit se a krmit.

Když pijavici ožehnete otevřeným plamenem, okamžitě se smrští, vytáhne zuby a pustí se, jenže při tom taky vypustí většinu obsahu svých vnitřností zpět do vašeho krevního řečiště. Jinými slovy, vyzvrací vám všechnu krev zpátky do žil, včetně chorob, které může přenášet.

Jaeger ale tygří pijavice mimořádně nesnášel a nedokázal odolat nutkání pomstít se jim. Škrtl zapalovačem, stáhl plamen a už sledoval, jak se první napité černé chapadlo škvaří, svíjí a hoří.

„Snaží se nás tady rozmašírovat na sračky rakety Hellfire…, tak já zas klidně můžu risknout upálení několika těchhle šmejdů."

Alonzo se rozřehtal. „Jo, tuhle bitvu můžeme vyhrát."

Po několika vteřinách pijavice odpadaly a nechaly po sobě jenom proužky krve, stékající po Jaegerových nohou. Rány budou chvíli krvácet, ale Jaeger spokojeně konstatoval, že to stálo za to.

Umučil pijavice rovnou dvěma způsoby. Za prvé, přišly o drahocenný zdroj potravy, a za druhé, z popálenin už se nikdy nevzpamatují.

64

Ve chvíli, kdy skončil s upalováním pijavic, světla v džungli rychle ubývalo. Jaeger rozhodl, že postaví tábor tam, kde právě jsou, a sdělil to svému týmu. Avšak když už mezi tmavými zmáčenými stromy visely sítě a cyklistické pláštěnky, všiml si Jaeger, že jeden člen týmu má potíže.

Přešel k Daleovi, který se ještě nepřevlékl z mokrého oblečení. Kameraman vyhodil nohy do sítě a ležel na zádech, připravený ke spánku. Filmařskou výbavu držel přitisknutou k hrudi a pomocí plechovky se stlačeným vzduchem se snažil ofoukat z kamery nejhorší nečistoty a vlhkost.

V těchto podmínkách bylo těžké uchovat vybavení tak, aby fungovalo. Dale svůj čisticí rituál každý večer nábožně opakoval a po mnoho nocí vyčerpaně usínal s kamerou v náručí jako dítě s medvídkem.

„Dale, nevypadáš moc dobře," oslovil ho Jaeger.

Přes okraj sítě vykoukla hlava. Kameramanův obličej byl děsivě bledý a ztrhaný. Jaeger nepochyboval, že Dale záhy objeví svou vlastní nálož pijavic při výměně mokrého oblečení.

„Jsem jenom totálně vyřízenej," zamumlal Dale. „Musím vyčistit kameru a vyspat se."

Devět dní v džungli už si vybíralo svou daň. A na Daleovi dvakrát, poněvadž musel celou výpravu natáčet, a navíc být její součástí. Zatímco ostatní si našli čas alespoň na základní tělesnou hygienu, Dale trávil každou volnou chvíli čištěním své výbavy, vyměňováním baterií a ukládáním natočených záběrů na záložní disk.

A ještě k tomu tahal zátěž navíc v podobě celého filmového vybavení. Jaeger se už několikrát nabízel, že mu s nákladem pomůže, ale Dale odmítal. Prý potřebuje mít svoje věci stále po ruce. Jaeger však došel k závěru, že ve skutečnosti je Dale prostě hrdý a odhodlaný profesionál, a respektoval to.

„Měl by ses převlíct do suchých hader," řekl mu. „Když to neuděláš, je po tobě."

Dale na něj zíral a v jeho očích se zračila zdrcující únava. „Dostal jsem se do slepý uličky. Doopravdy."

Jaeger zalovil v jedné z kapes a vytáhl energetickou tyčinku, součást svého nouzového proviantu. „Na, sněz to. A ještě je tady další věc, se kterou se budeš hned teď muset vypořádat. Nemůžu ti to říct nijak jemně. Jde o pijavice."

Bylo to Daleovo první blízké setkání s těmito hnusnými parazity a ukázalo se, že značně šokující. Dale měl totiž ve zvyku pravidelně kvůli natáčení zastavovat a také se často krčil na vlhké lesní půdě, aby získal záběr zespodu. Proto představoval ten nejsnadnější terč. Výsledkem bylo, že na něm pijavice měly žně.

Jaeger mu nabídl zapalovač. A zatímco zděšený Dale upaloval pijavice, Jaeger navázal hovor, aby odvedl jeho pozornost od prováděné činnosti.

„Tak co, jak je bez Krále?"

Dale se na něj letmo podíval. „Popravdě?"

„Popravdě."

„Nevýhoda je ta, že musím tahat větší množství nákladu, protože s Králem jsme si ho rozložili mezi nás dva. A výhoda, že s sebou nemám toho škaredýho parazita, kterej věčně jenom kritizuje a furt je zahořklej, nasranej a sebestřednej. Takže po zralé úvaze je mi líp bez něj." Unaveně se usmál. „Ale přišlo by mi vhod, kdyby nebyli tihle paraziti."

„Jedna věc je jistá. Vy dva jste měli vratkou půdu pod nohama od samého začátku. Co to s vámi, chlapi, bylo?"

„Něco vám povím," zavrčel Dale a přiložil plamen k další tlusté pijavici. „Narodil jsem se v Austrálii, ale táta mě poslal do uhlazené anglické internátní školy. Tam ze mě spolu s přízvukem vymlátili všechno australský, co ve mně zbývalo. Škola byla proslulá svým sportovním zaměřením. Problém byl v tom, že já jsem tyhle věci nesnášel – ragby, hokej i kriket, a sral jsem na ně. Zkrátka, otce jsem obrovsky zklamal. Skvělej jsem byl jenom ve dvou věcech: v lezení po skalách a při práci s kamerou. Měl jsem tam kámoše, taky nadšenej lezec. Tahle dovednost se mi teď při téhle hře může hodit. Táta je ctižádostivej právník ze Sydney," pokračoval Dale. „Když jsem odmítl jít v jeho stopách, nešel na práva a místo toho si zvolil mediální kariéru, reagoval, jako kdyby mě chytili za dealerství drog nebo co. Odřízl mě. A tak jsem se vrhl mezi žraloky v londýnských médiích, čímž jsem si to u něj pohnojil dvakrát. Neměl jsem jinou možnost než se utopit, plavat nebo se nechat sežrat. Vybral jsem si specializaci na vysoce riskantní filmování odlehlých oblastí. Ale je to existence z ruky do huby. Doslova. Král si mohl dovolit utéct při prvním náznaku potíží. To já nemůžu. Ne, pokud chci negativistům, mýmu fotrovi, dokázat, že se spletli. A tak dělám riskantní natáčení. Kdybych odešel, protože je to moc rušný, co mi zbude? Nic." Dale zabodl do Jaegera velmi otevřený pohled. „Takže k čertu s Králem i s jeho roztrpčením a závistí. Ale abych řekl pravdu, jsem tady z toho pěkně posranej."

Pak Dale konečně dobojoval s pijavicemi a Jaeger mu navrhl, že za něho převezme hlídku, aby mohl spát celou noc. Australan pro jednou nabídku pomoci přijal. Vypadalo to, že se stala ta nejméně pravděpodobná věc. Mezi oběma muži se začalo utvářet přátelství.

Jaeger držel hlídku jako první. Hleděl do potemnělého pralesa a sám sebe přistihl, že uvažuje o tom, zda toho chlapa nepodcenil. Dale patřil mezi nezávislé samorosty a uměl samostatně přemýšlet. A to byly vlastnosti, kterých si Jaeger v armádě u svých mužů cenil.

Kdyby šli každý jinou životní cestou, mohlo se klidně stát, že by Jaeger jednou skončil jako válečný kameraman a Dale jako bojovník elitních jednotek.

Jaeger víc než kdo jiný věděl, jak se osud člověka umí otočit.

65

Když Jaegerovi skončila hlídka, zjistil, že v táboře nespí ještě někdo. Leticia Santosová.

Chvíli bloumal a pak si řekl, že jí připomene, aby se prohlédla kvůli pijavicím. Santosová už mezitím problém zvládla, takže ji jeho očividné rozpaky ohromně pobavily, hlavně když navrhl, že by možná potřebovala zkontrolovat ženské partie.

„Osm let u B-BSO, pět u brazilské agentury pro amazonské indiány," připomněla mu. „Jsem na prohledávání těchhle partií zvyklá!"

Jaeger se usmál. „Tak to se mi ulevilo. Proč teda ta změna?" zeptal se a dřepl si vedle ní. „Honíš zloduchy, abys zachránila indiány?"

„Důvody jsou dva," odpověděla Santosová. „Za prvé jsem pochopila, že drogové gangy nemůžeme zastavit, dokud neochráníme džungli. Tam totiž pašují drogy a tam se i schovávají. A abychom to mohli udělat, potřebujeme pomoc amazonských kmenů. Brazilský zákon říká, že jejich zemi, jejich lesní domov, je třeba chránit. Takže pokud se nám podaří kontaktovat a ochránit indiány, je to zároveň klíč k záchraně Amazonie."

Hleděla na Jaegera. „Kdyby to byla tvoje země a vlastnil jsi ten velký zázrak – amazonský deštný prales –, taky bys ho chtěl chránit, ne?"

„Samozřejmě. A jaký je ten druhý důvod?" připomněl jí Jaeger.

„Kvůli práci u B-BSO jsem přišla o manželství," odpověděla Santosová potichu. „Kariéra u speciálních jednotek se s dlouhým a šťastným manželstvím neslučuje, viď? Jsi pořád v pohotovosti. Máš plno tajemství. Nikdy si nemůžeš nic naplánovat. Zažiješ tolik zrušených dovolených, narozenin, výročí. Můj manžel si stěžoval, že nikdy nejsem s ním." Odmlčela se. „Nechci, aby mě moje dcera obvinila z toho samého, až vyroste."

Jaeger pokyvoval. „To chápu. Odešel jsem z armády krátce poté, co jsem založil rodinu. Ale je to tvrdé, to je jisté."

Santosová se podívala na Jaegerovu levou ruku. Jedinou její okrasou byl jednoduchý zlatý kroužek. „Ty jsi ženatý, že? A máš dítě?"

„Jsem. Mám syna. Ale… no, to je dlouhý příběh." Jaeger uhnul pohledem a zadíval se do tísnivé džungle. „Řekněme to takhle – jsou pro mě ztracení…" Slova mu odumřela na rtech.

Santosová se natáhla a položila mu ruku na paži. S neskrývanou vroucností mu hleděla do tváře. „Být sám je těžké. Kdybys někdy potřeboval přátelské ucho, se mnou můžeš počítat."

Jaeger jí poděkoval a vstal. „Musíme si trochu odpočinout. *Dorme bem*, Leticie. Sladké sny."

O hodinu později se Jaeger probudil.

Jeho síť se divoce zmítala sem a tam a on sám sebou zuřivě trhal. Jako vřeštící, propocený uzlíček bojoval s příšerami, které ho ve snech tak často přepadaly.

Zase se opakovala ta noční můra, kterou naposledy zažil ve svém bytě ve Wardour Castle. Znovu se vrátil do okamžiku, kdy mu někdo sebral manželku a dítě – a hned potom už byla neproniknutelná zeď.

Rozhlédl se. Kolem panovala taková tma, že sotva viděl před obličejem svou vlastní ruku. A pak to uslyšel. Nějaký pohyb. Něco – nebo někdo – se plížil hustým křovím.

Jaegerova ruka vyklouzla ze sítě a nahmatala brokovnici.

Vtom k němu ze tmy promluvil mužský hlas. „To jsem já, Puruwehua. Slyšel jsem vás křičet."

Jaeger se uklidnil.

Vlastně ho nepřekvapilo, že jeho křik indiána probudil,

Puruwehua si totiž zavěsil síť vedle něj. A bylo mnohem lepší, že ho slyšel právě on, a ne někdo z ostatních, protože tomuhle válečníkovi Amahuaků teď Jaeger věřil téměř jako nikomu.

Puruwehua si dřepl vedle něj. „Ztracené vzpomínky. Jsou tam, Koty'are," poznamenal tiše. „Musíte sám sobě dovolit je odhalit, jít tam."

Jaeger hleděl do tmy. „Každý bývalý voják a zkrachovalý otec má noční můry."

„Přesto v sobě nosíte příliš mnoho temnoty," řekl mu Puruwehua. „Hodně bolesti."

Dlouho bylo ticho.

„Máte světlo?" promluvil znovu Puruwehua.

Jaeger zapnul čelovku, ale držel ji uvnitř sítě, aby vydávala jen slabou nazelenalou zář. Puruwehua mu podal pohárek plný tekutiny. „Vypijte to. Je to léčivý prostředek z džungle. Pomůže vám."

Jaeger si vzal pohárek a Puruwehuovi poděkoval. „Mrzí mě, že jsem vás probudil, můj příteli válečníku. Odpočineme si, ať jsme zítra připravení."

Šálek vypil. Avšak klid, který očekával, nepřišel.

Místo toho mu hlavou okamžitě projela bolest, jako kdyby ho někdo surově kopl do očního důlku. Za chvilku začaly jeho smysly selhávat. Cítil, jak ho drží dvě ruce, a slyšel Puruwehuův osobitý hlas, jak v jazyce Amahuaků mumlá uklidňující slova.

Pak náhle jakoby vnitřní strany Jaegerových víček vybuchly kaleidoskopem barev. Postupně bledly, až zbylo jasně žluté plátno.

Obraz se zaostřil a zjasněl. Jaeger ležel na zádech ve stanu. Dva spací pytle byly připnuté zipy k sobě a jemu bylo teploučko a příjemně se ženou a dítětem po boku. Najednou ho však něco probudilo a vytáhlo z hlubokého spánku do studené reality velšské zimy.

Přejížděl čelovkou po žlutém plátně nad sebou a snažil se odhalit nebezpečí. Zničehonic se do tenké stěny stanu zanořilo dlouhé ostří. Jaeger chtěl reagovat a snažil se vymotat ze sevření spacáku, jenže vtom se z hadice, zastrčené do otvoru, ozvalo zasyčení.

Stan zaplnil silný plyn, který Jaegera srazil zpět a ochromil jeho končetiny. Viděl, jak dovnitř sahají ruce, nad nimi se ze tmy vynořily tmavé obličeje s dýchacími maskami. A za okamžik už jeho ženu i dítě vlekli ven z tepla do tmy.

Nemohli ani křičet, protože plyn je ochromil stejně jako Jaegera. Byl opravdu bezmocný a nedokázal se bránit, natož aby mohl ochránit svou ženu a syna.

Pak uslyšel vrčení silného motoru, křik hlasů, bouchání dveří, jak něco – spíš někoho – táhli k autu. S nadlidskou silou vůle se připlazil k trhlině ve stěně stanu a vystrčil hlavu ven.

Zahlédl jen málo, ale stačilo to. Ve světle reflektorů ozařujících bílý prašan uviděl, jak na zadní sedadla auta se čtyřkolovým pohonem cpou dvě postavy. Jednu drobnou, chlapeckou, a druhou s ladnými křivkami, ženskou.

V příští chvíli ho někdo surově chytil za vlasy. Přinutil ho vzhlédnout. Jaeger zíral přes zasklené otvory plynové masky do očí plných nenávisti. Pak ze tmy s obrovskou silou vyrazila ruka v rukavici a udeřila jednou, dvakrát, třikrát do Jaegerovy tváře, až se krev z jeho rozbitého nosu vyřinula na sníh.

„Dívej se pozorně,“ syčel ten za maskou, zatímco jeho ruce Jaegerem smýkaly k autu. Slova zněla přidušeně, ale Jaeger přesto zachytil jejich význam. Hlas mu zněl hrozivě povědomě. „Ať se ti tahle chvíle pořádně vryje do mozku. Tvá žena a děcko odteď patří nám.“

Maska se ještě přiblížila, takže předek respirátoru tlačil na Jaegerovu zakrvácenou tvář. „Nikdy nezapomínej, že jsi nedokázal ochránit svou manželku a dítě. *Wir sind die Zukunft!*“

Oči za zasklenými otvory byly doširoka otevřené, zorničky rozšířené adrenalinem. Jaegera ohromilo, že tu tvář se zuřivým pohledem zná. Znal ji, ale zároveň neznal, poněvadž k těm nenávistí zkřiveným rysům nedokázal přiřadit jméno. Za chvíli děsivá scéna a nevyslovitelné vzpomínky zmizely, ale až poté, co v Jaegerově mysli neodvolatelně uvízl jeden obraz…

Když konečně přišel ve své síti k sobě, cítil se naprosto vy-čerpaný. Ten přetrvávající obraz ho vlastně nijak nepřekvapil. V koutku duše ho spíš očekával, děsil se ho. Bál se, že je tam, zasazený do temnoty onoho zasněženého velšského úbočí.

Do jílce nože, jenž protnul stan, byl vyrytý temný kultovní symbol: říšský orel – *Reichsadler.*

66

Puruwehua po všechny bezútěšné noční hodiny držel hlídku vedle Jaegerovy sítě. On jediný chápal, čím Jaeger prochází. Nápoj, který mu podal, byl totiž smíchaný s *nyakwanou*. A ta je klíčem, jenž odemyká mnoho významných obrazů, skrytých hluboko v mysli. Puruwehua dobře věděl, že to bílým mužem otřese do hloubi duše.

Za rozbřesku už ani jeden z nich o té události nemluvil. Prostě nebylo třeba slov.

Jaeger se však celé ráno cítil rozmrzele. Připadal si vyčerpaný a uvězněný v ulitě vzpomínek, které se vynořily na povrch. Jeho tělo sice během cesty vlhkou a kapající džunglí šlapalo krok za krokem, ale v duchu byl úplně někde jinde. Vědomí bylo pohřbené v roztrhaném stanu na ledovém úpatí jedné velšské hory.

Členové týmu si samozřejmě všimli změny jeho nálady, ačkoli málokdo chápal důvod. Tak blízko vraku letadla, objev mají skoro na dosah – čekali by, že Jaeger bude plný energie a povede výpad. Ale stal se pravý opak. Velitel se uzavřel na nějakém temném a osamělém místě, kam nikoho jiného nepouštěl.

Ode dne, kdy jeho manželka a dítě zmizely, už to byly skoro čtyři roky. Jaeger tehdy trénoval na Pen y Fan Challenge, čtyřiadvacetikilometrový závod ve velšských horách. Byly zrovna Vánoce a on, Ruth a Luke se rozhodli strávit je neobvykle, utáboření v předhůří hor Walesu. Byla to dokonalá záminka pro společný pobyt v horách. Malý Luke to miloval a Jaeger si tak alespoň mohl přidat trochu výcviku navíc. Byla to jejich rodinná dobrodružná skupina, jak žertem řekl Ruth.

Utábořili se poblíž místa, odkud měl závod startovat. Pen y Fan Challenge je inspirován výběrem u britských speciálních jednotek. V jedné z nejtěžších etap musí kandidáti vystoupat na téměř kolmou stěnu Fanu, slézt po provazovém žebříku, pak se prorvat nerovnou, starou římskou cestou, na jejímž konci se dostanou k bodu obrátky. Potom dělají všechno znovu, ale pozpátku.

Závod vešel ve známost jako „Fan Dance" a byl to brutální test rychlosti, vytrvalosti a fyzické zdatnosti, čili věcí, které byly Jaegerovi dány od přírody. I když už z armády odešel, tu a tam si rád připomínal, čeho je schopný.

Tu noc šli spát. Jaegera po tvrdém celodenním tréninku bolelo celé tělo a žena se synem byli vyčerpaní pochodem po zasněžených nížinách. Příští Jaegerova vědomá vzpomínka byla až ta, když o týden později přišel na jednotce intenzivní péče k sobě a dozvěděl se, že Ruth a Luke jsou pohřešovaní.

Plyn, který na ně zločinci použili, byl identifikován jako kolokol-1, málo známá ruská látka, která člověka vyřadí během vteřiny až tří vteřin. Následky většinou nejsou fatální, pokud oběť není vystavena působení plynu po dlouhou dobu v uzavřeném prostoru, avšak Jaegerovi i tak trvalo několik měsíců, než se plně zotavil.

Policie zjistila, že kufr Jaegerova auta byl napěchovaný vánočními dárky pro jeho rodinu. Dárky, které už nikdy nikdo nerozbalí. Kromě stop pneumatik onoho auta s pohonem na čtyři kola se nenašly žádné stopy po jeho manželce a dítěti. Vypadalo to jako únos bez motivu nebo možná i vražda.

I když Jaeger nebyl hlavní podezřelý, občas o tom kvůli směru, jímž se výslechy ubíraly, pochyboval. Čím víc policii unikal motiv a vodítka, tím víc toužili hledat důvody v Jaegerově minulosti. Důvody, proč možná chtěl, aby jeho žena a syn zmizeli.

Hrabali se v jeho záznamech z armády a zdůrazňovali jakékoli extrémní zážitky, které u něj třeba mohly spustit posttraumatickou stresovou poruchu. Zkrátka cokoli, co by mohlo vysvětlovat takové očividně nevysvětlitelné chování. Vyslýchali taky jeho nej-bližší přátele. A tvrdě dusili i jeho rodinu, konkrétně rodiče, a vy-ptávali se, zda měl v manželství nějaké problémy.

To částečně uspíšilo přestěhování jeho rodičů na Bermudy. Chtěli tomu bezdůvodnému obtěžování uniknout. Chvíli čekali, aby synovi pomohli z nejhoršího, ale když tajně zmizel a uletěl na Bioko, i oni využili šance na nový začátek. V té době už stopa stejně dávno vychladla. Ruth s Lukem byli pohřešovaní už sko-ro rok a předpokládalo se, že jsou mrtví. Jaeger sám se kvůli ne-únavnému pátrání málem zničil.

Trvalo to dny, měsíce a teď i roky, než se skryté vzpomínky na onu zlou noc začaly vynořovat zpět na povrch. A najednou tohle. Objevila se jedna z posledních vzpomínek, zarytá nejhlou-běji, a to přičiněním válečníka Amahuaků a pořádné dávce nápoje s *nyakwanou*.

Samozřejmě že to, co viděl na rukojeti nože, nebyl žádný starý *Reichsadler*. Měl stejný vzhled jako ten, který připadal jeho pra-strýčkovi Joeovi z chaty ve skotských horách tak hrozně děsivý. Když se teď Jaeger plahočil promočenou džunglí, projela mu pra-strýcova slova hlavou. A taky si vybavil čiré zděšení, které se staré-mu pánovi na okamžik objevilo v očích.

A pak si sem přijde tady tenhle kluk, můj drahý klučina tam s tím. Ein Reichsadler! To zatracené prokletí! Vypadá to, že zlo se vrátilo…

Podle náčelníka Amahuaků byl podobný *Reichsadler* vyřezaný do těl dvou jeho zajatých bojovníků. Udělala to stejná jednotka, která Jaegerovi a jeho týmu připravila boj na život a na smrt.

Nejvíc ho však mátlo to, že asi poznal hlas, který na něj syčel zpoza plynové masky. Jenže ať si lámal hlavu jakkoli, žádné jméno ani podoba se mu nevybavily.

Pokud hlavního mučitele znal, jeho identita zůstávala stále skrytá.

67

Blížilo se poledne jejich desátého dne v džungli. Teprve teď z Jaegera začala opadávat malátnost. Z temné a znepokojivé minulosti ho vytáhlo vědomí, že už se blíží doba, kdy dorazí k vraku letadla.

Navzdory rannímu neklidu Jaeger pořád svíral v ruce svoje oblázky i kompas. Odhadoval, že jsou přibližně dva tisíce sedm set metrů od hranice, kde se les začne ztrácet. Za touhle hranicí už bude jen vybělené, mrtvé a jedovaté dřevo, které je dovede k samotnému vraku.

Vešli do obzvlášť promáčeného úseku džungle.

„*Yaporuamuhūa*," oznámil Puruwehua, když se začali bořit hlouběji. „Zaplavený les. Když je tolik vody, piraně sem rády plují z řek. Živí se vším, co najdou."

Temná voda vířila Jaegerovi kolem pasu. „Díky za varování," zabručel.

„Agresivní jsou pouze tehdy, když mají hlad," pokoušel se ho Puruwehua uklidnit. „Po takových deštích by měly mít spoustu potravy."

„A co když mají hlad?" zeptal se Jaeger.

Puruwehua se podíval na nejbližší strom. „Pak musíte vylézt z vody. Rychle."

Vtom Jaeger v mělčinách vedle sebe zahlédl něco lesklého a stříbřitého. A další a další tvorové se míhali kolem něj, přičemž jeden nebo dva se mu otřeli o nohy. Jejich těla byla na hřbetě hedvábně zelená, měli velké žluté oči, obrácené nahoru, a dvě řady zubů, silných jako ostny.

„Jsou všude kolem nás," zasyčel Jaeger.

„Těch není třeba se bát, jsou dobré. Moc dobré. *Andyrapepo-tiguhũa.* Upíří ryba. Žere piraně. Nabodává je svými dlouhými zuby."

„Paráda, tak je musíme držet u sebe, aspoň než se dostaneme k válečnému letounu."

Vody ještě přibylo. Sahala jim teď téměř k hrudníku. „Brzy budeme muset plavat jako *pirau'ndia*," poznamenal Puruwehua. „To je ryba, která se drží svisle, s hlavou vystrčenou nad hladinu."

Jaeger neodpověděl.

Měl už na celý život dost té páchnoucí vody, moskytů, pijavic, kajmanů a rybích čelistí. Toužil jen zavěsit to letadlo na hák, vytáhnout ho i se svým týmem odsud a pak začít znovu pátrat po své ztracené rodině.

Nastal čas ukončit expedici a začít znovu. Cítil, že na konci téhle šílené cesty bude tak nebo onak znát osud své ženy a syna. Anebo pokud ne, aspoň zemře s tím, že se pokusil ho zjistit. Život v pološeru nebyl žádným životem. To mu probuzení jasně odhalilo.

Kráčeli tiše dál a Jaeger na sobě cítil Puruwehuovy oči.

„Máte nyní jasnější mysl, můj příteli?"

Jaeger přikývl. „Je čas vyrvat vládu těm, kdo chtějí zničit váš i můj svět, Puruwehuo."

„My tomu říkáme *hama*," podotkl Puruwehua chápavě. „Osud nebo úděl."

Chvíli se brodili vodou v družném tichu.

Jaeger ucítil ve vodě vedle sebe něčí přítomnost. Byla to Irina Narovová. Stejně jako ostatní členové týmu i ona se pohybovala vpřed se zbraní zdviženou vysoko nad hlavou. Chtěla svou odstřelovačku Dragunov uchovat čistou a suchou. Byla to vyčerpávající činnost, ale protože vrak letounu už byl velmi blízko, poháněla Irinu neochabující energie.

Zrovna Dragunov byla podivná volba zbraně pro džungli, kde se neustále bojuje zblízka. Avšak Narovová trvala na tom, že je to zbraň přesně pro ni. Chytře si vybrala SVDS, kompaktní a lehkou variantu téhle odstřelovačky.

Jaegerovi ovšem neuniklo, že právě tyhle dvě Irinou zvolené zbraně, nůž a odstřelovací puška, jsou často zbraněmi atentátníků. Úkladných vrahů, samotářů. Na Narovové bylo něco, čím se lišila od ostatních, to bylo jisté. Jaegerovi ale přitom ty rysy připadaly podivně známé.

Jeho syn měl na škole nejlepšího kamaráda. Chlapec se jmenoval Daniel a vykazoval podobné vlastnosti jako Narovová. Mluvil podivně věcně a přímo, někdy jeho mluva hraničila až s neomaleností. Často nezaznamenal společenské narážky, které většina dětí zachytí přirozeně. A taky pro něj bylo bolestně těžké udržet oční kontakt. Odhodlal se k němu, teprve až dotyčného skutečně znal a věřil mu.

Danielovi trvalo dost dlouho, než uvěřil Lukeovi, ale jakmile se to povedlo, stal se z něj ten nejvěrnější a nejstálejší přítel. Soupeřili s Lukem ve všem. V ragby, ve stolním hokeji, a dokonce i v paintballu. Ale bylo to jen přátelské soupeření mezi nejlepšími kamarády, kteří bránili jeden druhého před všemi cizáky.

Když pak Luke zmizel, Daniela to zdrtilo. Přišel o svého jediného opravdového druha, kamaráda do boje. Stejně jako Jaeger.

Jaeger a Ruth se spřátelili i s Danielovými rodiči. Ti jim svěřili, že Danielovi diagnostikovali buď Aspergerův syndrom, nebo vysokofunkční autismus, ani odborníci nevěděli přesně. Jako mnoho takových dětí i Daniel byl posedlý jedinou věcí. Matematikou. A byl v ní skvělý. A taky ho okouzlovala zvířata.

Jaeger si vzpomněl na blízké setkání s *Phoneutrií*. Něco ho tehdy zarazilo, ale nevěděl co. Narovová jednala, jako kdyby měla s jedovatými pavouky nějaký bližší vztah, jako kdyby jim rozuměla. Nechtěla žádného z nich zabít, až když neměla jinou možnost.

A přitom jistě existovalo něco, čím byla Narovová posedlá a vynikala v tom, a Jaegera napadlo, co by to asi mohlo být. Lov a zabíjení.

Vtom jeho myšlenky přerušil Irinin hlas. „Jak je to daleko?“ zeptala se.

„Jak daleko je co?“

„Vrak letadla přece. Co jiného?“

Jaeger ukázal dopředu. „Asi osm set metrů. Vidíš, jak světlo proniká korunami stromů? Tam začíná les odumírat.“

„Tak blízko,“ zašeptala.

„*Wir sind die Zukunft*,“ zopakoval Jaeger větu, kterou slyšel v závěru vize navozené *nyakwanou*. „Ty umíš německy. Co znamená *Wir sind die Zukunft?*“

Narovová zůstala stát jako přimražená. Dlouho na něj hleděla a její oči studily jako mráz. „Kde jsi to slyšel?“

„To je takový echo z mé minulosti.“ Proč tahle žena vždycky musí odpovídat na otázku otázkou? „Tak co to znamená?“

„*Wir sind die Zukunft*,“ opakovala Narovová pomalu a velmi rozvážně. „My jsme budoucnost. Byl to bojový pokřik *Herrenrasse*, nadřazené nacistické rasy. Kdykoli Hitlera omrzelo *Denn heute gehort uns Deutschland, und morgen die ganze Welt*, zkusil trochu *Wir sind die Zukunft*. A lidi to zbaštili.“

„Jak to, že o tom tolik víš?“ zeptal se Jaeger.

„Poznej svého nepřítele,“ odvětila Narovová záhadně. „Vědět je má práce.“ Vrhla na Jaegera pohled, který ho zasáhl. Byl totiž skoro žalující. „Otázka spíš zní – jak to, že ty víš tak málo?“ Na okamžik zaváhala. „Tak málo o své vlastní minulosti.“

68

Než Jaeger stačil odpovědět, ozval se zezadu vyděšený výkřik. Otočil se a uviděl jen záblesk strachu ve tváři Leticie Santosové. Vzápětí ji něco stáhlo pod vodu. Pak prolomila hladinu se zoufale rozhozenýma rukama, v obličeji výraz zděšení, a hned nato znovu zajela do vody.

Jaeger na okamžik zahlédl, co ji drží. Byl to onen ohromný vodní had, před nímž ho varoval Puruwehua. Škrtič. Jaeger vyrazil mělčinou, vrhl se po smrtícím hadovi a popadl ho za ocas. Přitom se horečně snažil odmotat smyčky z Leticiina těla.

Brokovnici použít nemohl. Kdyby vystřelil, zasáhl by jak hada, tak Santosovou. Voda se vlnila a bublala a Santosová a had tvořili jen rozmazanou šmouhu. Hadí kůže se proplétala s lidskými končetinami a Leticia sváděla bitvu, kterou nemohla nikdy sama vyhrát. Čím víc Jaeger s hadem bojoval, tím těsněji a vražedněji škrtič ženu svíral.

A pak za sebou Jaeger náhle uslyšel lupnutí. Typický zvuk odstřelovací pušky. Ve stejnou chvíli cosi v té změti člověka a hada vybuchlo. Dalekonosná střela zasáhla svůj cíl a do vzduchu vyletěla krev a rozdrcené maso.

Vteřinu po skončení boje už hadí hlava visela bezvládně dolů. Jaeger viděl, že v místě, kde byla odstřelena velká část hadovy lebky, zanechala vysokorychlostní střela z odstřelovačky čistý průstřel. Začal jednu po druhé odvíjet smrtící smyčky a spolu s Alonzem a Kamišim Santosovou osvobodili.

Když se pak všichni tři pokoušeli vypumpovat jí vodu z plic, podíval se Jaeger na Narovovou. Stála pořád v močálu, dragunova na rameni pro případ, že by bylo potřeba vypálit ještě druhou ránu.

Santosová přišla k sobě. Zoufale kašlala a hruď se jí namáhavě zvedala a klesala. Jaeger se ujistil, že je stabilizovaná. Byla však z toho napadení těžce v šoku a stále se třásla hrůzou. Alonzo a Kamiši se dohodli, že ji ten poslední kousek k letadlu ponesou. Jaeger se v čele skupiny znovu připojil k Narovové.

„Dobrá trefa," poznamenal ledově, jakmile se znovu dali do pohybu. „Ale jak sis mohla být jistá, že ustřelíš hlavu hadovi a ne Leticii?"

Narovová se na něj chladně podívala. „Kdyby někdo nevystřelil, byla by teď mrtvá. I s tvou pomocí to byl prohraný boj. S tímhle," poklepala na dragunova, „jsem aspoň měla šanci. Sice jenom padesát na padesát, ale pořád lepší než nic. Někdy kulka dokáže zachránit život. Nestřílí se vždycky jen proto, aby život brala."

„Takže sis hodila mincí a zmáčkla spoušť..." Jaeger se odmlčel.

Neuniklo mu, že Irinina kulka mohla zrovna tak snadno jako Santosovou trefit jeho, a přesto před takovou střelou ani nezaváhala. Takové riziko! Jaeger najednou nevěděl, jestli je Ruska ta nejdokonalejší profesionálka, nebo psychopatka.

Narovová se přes rameno ohlédla k místu, kde hada skolila. „Toho škrtiče je škoda. Dělal jen to, co je pro něho přirozené, snažil se chytit potravu. *Mbojohua. Boa constrictor imperator.* Je v příloze II na seznamu chráněných druhů CITES, což znamená, že je vysoce ohrožený vyhubením."

Jaeger na ni mrkl. Zdálo se, že jí větší starosti dělá mrtvý had než Leticia Santosová. Soudil, že pokud je úkladná vražedkyně, je to pro ni mnohem snazší, protože ji doopravdy zajímají jedině zvířata.

Přiblížili se k mrtvé zóně a terén se zdvihl.

Vpředu Jaeger viděl, že se vegetace na všech stranách vytrácí. Nahradily ji řady holých kmenů stromů, vybělených sluncem. Vypadaly jako zástupy náhrobních kamenů. Nad nimi se rozkládalo mřížoví mrtvého dřeva, které kdysi bývalo zeleným baldachýnem. A nad tím vším opět hradba nízkých, šedivých mraků.

Všichni se shromáždili na kraji zóny, kde odumřel veškerý život.

Jaeger slyšel, jak vpředu bubnuje ohlušující liják. Tam už nekapalo z vrstvy listí vysoko nad hlavami. Znělo to jaksi nepřirozeně a oblast mrtvé zóny vyhlížela děsivě prázdně a obnaženě.

Ucítil, jak se Puruwehua chvěje. „Les by neměl nikdy umřít," řekl indián prostě. „Když umře les, umřeme my Amahuakové s ním."

„Teď nám neskomírejte, Puruwehuo," zabručel Jaeger. „Jste přece *koty'ar*, ne? Potřebujeme vás."

Zírali do mrtvé zóny. Daleko vpředu Jaeger rozeznával něco tmavého a velkého, napůl zakrytého mezi kostnatými kmeny, trčícími k nebi. Zrychlil se mu tep. Byla to sotva rozeznatelná silueta bojového letounu. Navzdory vizi z minulé noci, nebo možná právě díky ní, toužil vlézt dovnitř a odhalit jeho tajemství.

Zadíval se na Puruwehuu. „Vaši lidé by nás varovali, kdyby byl nepřítel někde blízko, že? Máte své muže, kteří Temnou sílu sledují, je to tak?"

Puruwehua přikývl. „Máme. A pohybujeme se rychleji než oni. Budeme o nich vědět dlouho předtím, než se sem dostanou."

„Takže kolik času podle vás máme?" otázal se Jaeger.

„Mí lidé se nás pokusí varovat den dopředu. Jeden východ slunce a jeden západ a musíme tady být hotoví."

69

„Fajn, takže teď pozor," svolával Jaeger svůj tým. Shlukli se ve stínu posledních několika metrů žijícího pralesa. Stáli teď na vyvýšeném místě. Nezdálo se, že by se záplavová voda někdy dostala až tam.

„Za prvé, nikdo nepůjde blíž bez protichemického vybavení. Musíme identifikovat ohrožení a až pak budeme vědět, jak vážné je to, s čím se máme potýkat. Jakmile budeme znát míru toxicity, vypracujeme si režim tak, abychom proti ní byli lépe chránění. Máme tři protichemické obleky. Rád bych šel nejdřív na palubu. Vezmeme tam vzorky vody, vzduchu a všeho, co ještě najdeme. Pak si můžeme ochrannou výstroj všichni střídat, ale i tak musíme snížit riziko nepřímé kontaminace na minimum.

Tady postavíme základní tábor," pokračoval. „Sítě si zavěste dostatečně daleko od mrtvé zóny. A pochopte, že nás tlačí čas. Puruwehua totiž předpokládá, že do návštěvy zlých chlápků nám zbývá čtyřiadvacet hodin. Jeho lidi by nás měli včas varovat, ale já stejně chci kolem tohohle místa mít bezpečnostní kordon. Alonzo, to bys mohl zvládnout ty."

„Jasně," ujistil ho Alonzo. Kývl směrem k válečnému letounu. „Ty vole, ta věc mi nahání hrůzu. Snad ti nebude vadit, když dovnitř polezu jako poslední."

„Jsi v pohodě?" zeptal se Jaeger Leticie Santosové. „Nebo ti máme pláštěnku a síť zavěsit my? Ten had, s kterým jsi zápasila, byl fakt děsnej."

„Hlavně že jsem venku z vody," odpověděla Santosová statečně. Pak se podívala na Narovovou. „A že ta kozácká holka míří tou svou odstřelovačkou někam jinam."

Narovová se soustředila na něco jiného. Vypadala naprosto fascinovaná a nedokázala odtrhnout oči od vzdálené siluety bojového letadla.

Jaeger se obrátil k Daleovi. „Předpokládám, že tohle budeš chtít natočit. A nezvorej to, chci to mít řádně zdokumentované. První vstup do toho letounu po sedmdesáti letech, to je potřeba zaznamenat. Vezmeš si ten druhý protichemický oblek, abys mohl jít za mnou dovnitř."

Dale pohodil rameny. „Jak moc to může být nebezpečný? Určitě to nemůže vycházet hůř než čumění zblízka na hejno piraní nebo rozkrok plnej pijavic."

Přesně takovou odpověď od něj Jaeger čekal. Dale se samozřejmě vskrytu bál, ale to ho neodradilo, aby dělal, co je třeba.

Pak se Jaeger zadíval na Narovovou. „Mám pocit, že o tom letadlu víš víc než kdokoli jiný. Takže si vezmeš třetí oblek. Provedeš nás tím, co tam najdeme."

Narovová kývala, ale pohled pořád upírala na letoun.

„Puruwehuo, vy odveďte své muže hluboko do lesa a vytvořte síť včasného varování pro případ potíží. Ostatní zůstanou v Alonzově bezpečnostním kordonu. A nezapomeňte, nepoužívat žádné komunikační prostředky ani GPS. Poslední, co potřebujeme, je vyslat varovný signál tomu, kdo nás sleduje."

Po domluvě Jaeger vytáhl obleky proti jaderné, biologické a chemické hrozbě. Nebezpečí otravy toxickými materiály, unikajícími z letounu, hrozilo hned dvojí. Jednak vdechnutím a za druhé vstřebáním skrze kůži.

Všechno vybavení si museli nést sami, takže s sebou mohli vzít pouze tři celé protichemické obleky. Vyráběla je britská společnost Avon. Byly lehké a chránily tělo před kapičkami nebo i párou, která mohla přetrvávat v ovzduší.

K obleku patřila také maska Avon C50, která měla jen jednu očnici, vysokou schopnost ochrany a přiléhavé provedení. Díky tomu byla naprosto nedostižná. Maska samozřejmě obsahovala respirátor, takže nejen kryla obličej a oči, ale i chránila plíce před vdechnutím jakékoli jedovaté látky.

Když si obleky správně navlečou, budou mít ochranu před chemickým, biologickým, jaderným nebo radiologickým ohrožením, a navíc před jedovatými průmyslovými chemikáliemi. Tohle všechno na ně mohlo na palubě válečného letounu číhat.

Bonusem každé masky od Avonu byl zabudovaný vysílač, což znamenalo, že mohli mezi sebou na kratší vzdálenost komunikovat pomocí interkomunikačního zařízení.

Jaeger se nasoukal do těžkopádného obleku a chvíli odpočíval. Řekl si, že by měl zapnout satelitní telefon a podívat se, jestli nedostal nějaké vzkazy v nárazovém režimu. Jakmile si natáhne objemnou masku a rukavice, už nebude tak snadné satelitní telefon použít.

Podržel ho tedy pod otevřeným nebem a na obrazovce se ihned objevila ikonka zprávy. Stáhl se zpátky do džungle a četl Raffův vzkaz:

0800 zulu – volány všechny satelitní telefony. Jeden +882 16 7865 4378 se ozval, pak hned položil. Zadal identifikační volací znak (?), znělo jako Bílý vlk (?). Hlas s východoevropským přízvukem. KRÁL?? Objevena komunikace – naléhavě třeba potvrdit lokaci a stav.

Jaeger vzkaz četl třikrát a pokoušel se pochopit jeho význam. Raff si zjevně dělal starosti s jejich polohou a situací, jinak by neriskoval hlasové volání. Jaeger mu musel poslat rychlou odpověď, aby ho uvědomil o tom, že jsou všichni v pořádku u vraku letadla.

Tedy všichni až na jednoho – Štefana Krále.

Po tom vzkazu od Raffa Jaeger cítil, jak se na jejich chybějícího slovenského kameramana snáší temný mrak.

Procházel čísla, uložená na rychlém vytáčení, a hledal ta, která náležela ostatním členům jeho týmu. Teoreticky by s sebou měli mít jen tři satelitní telefony. Jeho, Alonzův a Daleův. Zbytek zůstal ve skrýši nad Devil's Falls.

A opravdu, číslo +882 16 7865 4378 patřilo telefonu, který s sebou neměli.

Jaeger si vzpomněl na časovou souřadnici 0800 zulu toho rána. Zrovna sklidili tábor a vyrazili znovu na cestu. Nikdo z jeho týmu nemohl Raffovo volání přijmout. Ale pokud Král ukryl mezi svým vybavením i thurayu, docela dobře mohl volání na mýtince ve vsi Amahuaků vzít.

A klidně mohl i sám volat.

Otázka zněla – proč satelitní telefon schovával? A proč, pokud ho Raff správně zachytil, to krycí jméno, Bílý vlk? A proč hovor hned položil, jakmile zjistil, že je od Raffa z Airlanderu?

Jaeger cítil, jak se ho zmocňuje hrozivé podezření. Když si to dal dohromady s tím, jak Král nevypnul zařízení GPS na Daleových kamerách, vycházel mu z toho jediný závěr. Nepřítelem v jejich řadách je právě tenhle Slovák. Jaeger si připadal dvojnásobně podvedený. Pokud je zrádcem skutečně Král, naletěl mu taky na jeho úskok s rodinnými těžkostmi.

Zavolal k sobě Puruwehuu a co nejrychleji mu vysvětlil, co se stalo.

„Může se jeden z vašich mužů vrátit do vesnice a varovat náčelníka? Ať mu vyřídí, aby Krále zadržel do doby, než ho budeme moci vyslechnout. Neříkám, že je určitě vinen, ale všechny důkazy tomu nasvědčují. A všechno kromě nejnutnějších věcí mu vezměte, aby nezkusil utéct."

„Pošlu jednoho muže," ujistil ho Puruwehua. „Takového, který se umí rychle pohybovat. Pokud je tamten muž vaším nepřítelem, je i nepřítelem mých lidí."

Jaeger indiánovi poděkoval. Pak poslal Raffovi nejnovější informace, a pak se vrátil k nejbližším úkolům.

Nachýlil ramena dopředu, roztáhl zadní část plynové masky Avon a přetáhl si tu věc přes hlavu. Poté se ujistil, zda mu guma vzduchotěsně přiléhá ke kůži na krku. Utáhl popruhy a ucítil, jak mu maska přilnula na tvář.

Přiložil ruku k filtru respirátoru a dlaní ho neprodyšně zacpal. Prudce vdechl a přisál si masku ještě těsněji k obličeji. Tím se podruhé ubezpečil, že spoj dobře těsní. Potom filtrem několikrát nasál vzduch. Slyšel, jak mu vlastní dech rachotí v uších.

Přetáhl si kapuci obleku přes hlavu a elastické těsnění přes okraj masky. Na boty do džungle si navlékl veliké gumové galoše, aby je úplně obalily, a těsně je zavázal okolo kotníků. Pak si ještě natáhl tenké bílé spodní rukavice z bavlny a přes ně tlusté palčáky.

Jeho svět se nyní zúžil na to, co viděl skrz plynovou masku. Dvojitý filtr posunul kousek vlevo, aby mu nepřekážel ve výhledu, ale už teď se cítil stísněně a horko a dusno se začínalo stupňovat.

Potom už z džungle vykročily tři postavy v oblecích a vstoupily do pustiny.

70

Namísto zelené a bohatě olistěné džungle, plné štěbetajícího ptactva a bzučícího hmyzu, je teď čekala mrtvá zóna. Jejich vstup do ní byl až strašidelně tichý. Jaegerovy nádechy a výdechy doprovázelo neměnné bubnování deště do jeho kapuce. Terén všude okolo vypadal jako bez života.

Pod nohama jim čvachtaly ztrouchnivělé větve a kůra.

Jaeger viděl, že v místech, kde galoší tyhle trosky odkopl, začal mrtvou zónu znovu osidlovat hmyz. Roje mravenců s krunýři, jež vypadaly jako pancíře, mu rozčileně cupitaly pod nohama. A navíc se tu objevili i jeho staří známí z vězení Black Beach. Švábi.

Mravenci a švábi. Kdyby někdy propukla světová válka s použitím nukleárních nebo chemických zbraní, zemi by pak s velkou pravděpodobností obydlel právě hmyz. Je totiž do značné míry imunní vůči člověkem vyrobeným toxickým hrozbám a nejspíš by byl odolný i vůči té, která prosakovala z onoho válečného letadla.

Tři postavy postupovaly mlčky dál.

Jaeger cítil, jak z Narovové po jeho boku sálá napětí. Krok dva za nimi kráčel Dale a filmoval. Měl však potíže udržet obraz v zorném poli, když kameru obsluhoval v neforemných rukavicích a vidění mu omezovala plynová maska.

Zastavili patnáct metrů před cílem a pokoušeli se vstřebat ohromnost toho, co leželo před nimi. Letadlo z poloviny zakrývaly mrtvolně bledé kmeny odumřelých stromů, zbavené listí i kůry. Nebylo pochyb, že hladké, elegantní linie gigantického letounu leží skryté v džungli už víc než sedm desetiletí.

Po divoké výpravě, po celé té cestě až sem, dokázali jen tiše zírat.

Dokonce i Dale přestal natáčet a hleděl před sebe.

Co všechno se odehrálo, než přišla tahle chvíle. Tolik výzkumů, tolik plánování, instruktáží, spekulací o tom, čím letoun doopravdy je. A co teprve těch posledních několik dní, tolik úmrtí a utrpení na cestě, a navíc ta chladnokrevná zrada!

Jaeger nevěřícně hleděl na letadlo a žasl nad tím, jak nedotčeně vypadá. Skoro mu připadalo, že by stačilo jen doplnit palivo, které letounu tolik let chybělo, a pak už jen nastartovat motory a může se znovu vznést k nebi.

Chápal, proč Hitler o tomhle letounu hrdě mluvil jako o svém bombardéru pro Ameriku. Jak prohlásil archivář Jenkinson: Vypadal jako vyrobený na zakázku, aby shazoval bojový plyn sarin na New York.

Jaeger ohromeně stál a civěl.

Co tu proboha dělá? Jakou mělo misi? A pokud to byl poslední ze čtyř takových letů, jak jim prozradil náčelník Amahuaků, co všechny ty letouny vezly?

Fotku Junkerse Ju-390 viděl Jaeger jenom jednou.

Byl to starý černobílý snímek, který mu Jenkinson poslal e-mailem. Jedna z mála fotek tohoto letounu, které existovaly. Zachycovala tmavé a hladké letadlo se šesti motory, tak obrovské, že vojáci a bojoví piloti, kteří se kolem pohybovali, oproti němu vypadali jako horda mravenčích dělníků.

Kuželovitá přední část vyhlížela z profilu jako krutá orlí hlava a svažující se, aerodynamický kokpit po stranách lemovalo plno kulatých okýnek. Jediný rozdíl mezi letounem na fotce a tím, který nyní ležel před nimi, byla poloha a označení.

Fotografie zachycovala Ju-390 na posledním známém místě. Na zamrzlé, haldami sněhu obklopené přistávací dráze v Praze v okupovaném Československu, mrazivého únorového rána roku 1945. Na obou obrovitých křídlech i na zádi trupu letadla se skvěly charakteristické tvary černého kříže na bílém pozadí. Znak německé luftwaffe.

Letoun, jenž nyní ležel před Jaegerem, stavěl na odiv stejný kruh, jenže uvnitř byla pěticípá bílá hvězda na červenobílých pruzích. Nezaměnitelný znak amerického letectva. Tyhle kruhy časem vybělilo slunce a lijáky je téměř smyly, ale Jaeger i členové jeho týmu je stále jasně rozeznávali.

Ohromné pneumatiky osmi kol ztěžely a částečně splaskly, avšak i tak sahaly Jaegerovi až do výše ramen. Soudil, že kokpit kdysi nejméně ze třetiny dosahoval k tomu, co dřív bývalo baldachýnem džungle. Teď zde místo džungle zbývala jen odumřelá síť větví vysoko nad jejich hlavami.

Bylo to skutečně tak, jak Carson v londýnské kanceláři Wild Dog Media sliboval. Letoun zastiňoval i dnešní letadlo C-130 Hercules, kterým sem Jaeger se svým týmem letěl. Kromě seschlých lián a popínavých rostlin, které obtáčely trup, a popadaného dřeva, ležícího na padesátimetrovém rozpětí křídel, vypadalo letadlo až neuvěřitelně nedotčeně. Jasný důkaz, že zde kdysi opravdu přistálo.

Účinky sedmdesáti let v džungli se samozřejmě nezapřely. Jaeger viděl, že některé nýty, držící pohromadě vnější plášť, už zrezivěly, a z motoru tu a tam odpadla kapotáž nebo kryt. Křídla i trup pokrýval promočený koberec plísně a na povrchu hřbetu se válely zbytky odumřelých stromových kapradin a epifytů.

Vady však byly většinou spíš kosmetické.

Vypadalo to, že konstrukčně je letadlo neporušené. Stačilo by dát je rychle do pořádku a skoro by i mohlo létat, pomyslel si Jaeger.

Vtom se shora ozvalo hlasité skřehotání a kostrou pralesa proletělo hejno duhově se lesknoucích, zelených papoušků. Jaegera to vytrhlo ze zasnění, podobného transu.

Obrátil se k Narovové. „Je jen jedna cesta dovnitř." Jeho slova sice utlumila plynová maska, ale díky vestavěnému interkomunikačnímu zařízení byla slyšet. Rukou v rukavici naznačil linii od ocasu letounu podél trupu až k pilotní kabině.

Narovová se na něj podívala přes masku. „Já půjdu první."

71

Záďové kolo letounu bylo splasklé, takže výškové plochy ležely Narovové na dosah. Musela však vylézt nahoru po odumřelém kmenu stromu. Chytila se horní plochy trupu, vytáhla se a za chvilku už stála na vodorovné ocasní ploše.

Za ní šel Jaeger. Počkal na Dalea, vzal kameru, kterou Dale podával nahoru, a pomohl mu na plošinu. Narovová spěchala dopředu. Pelášila po hřbetu letounu, až jim zmizela z dohledu.

Spodní část trupu Ju-390 byla plošší, vrchní se zužovala do tupého hřebene. Jaeger na něj vylezl a šel za Narovovou po páteři letadla. Prolezl kolem astrodomu, umístěného v zadní části kokpitu. Tam sedával navigátor, obklopený ze všech stran řadou skleněných panelů. Z této pozice mohl zaměřovat hvězdy a navigovat letadlo přes tisíce kilometrů oceánu a džungle. Jaeger zaznamenal, že některá gumová těsnění okolo oken astrodomu už zteřela a jeden nebo dva skleněné panely zapadly dovnitř.

Dorazil ke kokpitu. Tam sklouzl dolů a připojil se k Narovové, usazené na samém předku letounu. Byla to ošidná pozice. Země ležela nějakých dvanáct metrů pod nimi. Příď letadla byla hladká a měla aerodynamický tvar, ovšem po sedmdesáti letech v džungli na ní ulpíval nános špíny. Jaeger to nejhorší očistil botou, aby měl na čem stát a neuklouzl.

Nahoře se objevil Dale s kamerou v ruce a pustil se do natáčení.

Jaeger vytáhl z vaku svého protichemického obleku kus parašutistické šňůry, hodil ji Daleovi a uvázal jej za stožárovou anténu, vyčuhující ze zadní části kokpitu. Dale mu hodil šňůru zpět a Jaeger na ní udělal dvě smyčky, aby se s Narovovou mohli na něco zavěsit.

Narovová nakukovala dovnitř jedním ze dvou předních okenních panelů. Když se pokoušela očistit rukavicemi nejhorší špínu, prach a plíseň, zůstaly po ní na skle rozmazané šmouhy. Na chvilku pohlédla jeho směrem. „Myslím, že to boční okno zůstalo nezajištěné. Vlezeme tudy dovnitř."

Sáhla levou rukou k pravému boku a popadla svůj nůž. Hbitě zanořila čepel do napůl shnilé gumy, která tvořila těsnění okna, a zatlačila. Většina takových letadel měla posuvná okna, takže pilot mohl shora hovořit s posádkou na přistávací dráze.

A právě tohle okno se Narovová pokoušela vylomit.

Centimetr po centimetru je páčila dozadu, až vznikla mezera dost široká na to, aby se jí protáhla. Chytla se jedné z Jaegerových smyček a zhoupla se kolem boku kokpitu. Nohama přeběhla po boku letadla, pak je vkopla dovnitř. Mrštně jako kočka vkroutila boky a tělo do otevřeného okna a byla pryč. Na Jaegera sotva pohlédla.

Jaeger se chytil parašňůry a zhoupl se za Narovovou. Jeho boty s hrubým zařinčením dopadly na holou, kovovou podlahu letounu.

Očím trvalo několik vteřin, než si v šeru zvykly.

Jako první ho napadlo, že se ocitl v jakési časové schráně. Necítil samozřejmě zápach, protože respirátor všechno přefiltroval, ale dokázal si živě představit zatuchlý, plesnivý puch kožených sedadel, smísený se štiplavým pachem rozleptaného hliníku, z něhož bylo vyrobeno množství ciferníků na obrovském letovém panelu.

Za ním spočívalo čelem dozadu sedadlo letového asistenta, napasované ve stísněném výklenku. Před ním bylo opět plno číselníků a pák. Za tímhle sedadlem stálo ještě sedadlo navigátora, vystrčené vysoko do astrodomu, a ve stínech se skrývala přepážka oddělující kokpit od nákladního prostoru.

Interiér letadla vypadal až děsivě nedotčený. Jako kdyby ho posádka opustila teprve před pár hodinami. Vedle pilotova sedadla ležela cínová láhev a vedle ní hrnek, v němž Jaeger poznal usazenou kávu, přilepenou ke dnu.

Na pilotově sedadle ležely sluneční brýle, pilotky. Jako kdyby je tam pohodil a odešel na záď poklábosit s posádkou. Na Jaegera to celé působilo jaksi strašidelně, ale co vlastně čekal? Nad sedadlem pilota bylo přišroubované něco, co přitáhlo jeho pohled. Podivné, skoro mimozemsky vyhlížející zařízení, uchycené na otočném spoji. Jako by se mělo spouštět pilotovi přes oči. Jaeger mrkl na sedadlo druhého pilota. Nad jeho místem bylo zařízení taky.

Cítil, že Narovová hledí přímo na něj.

„Je to to, co si myslím?" zeptal se Jaeger.

„Zielgerät 1229 – Vampir," potvrdila Narovová. „Infračervené noční vidění, jak bychom to nazvali dneska. Pro přistávání a vzlétání v naprosté tmě."

Vampir ji očividně nijak nepřekvapil. Jaeger však do té doby věřil, že noční vidění vynalezla americká armáda teprve před několika desetiletími. Vidět fungující zařízení tohoto typu v německém letounu z druhé světové války bylo ohromující.

Na panelu navigátora za sebou objevil zbytky zplesnivělého diagramu spolu s tužkou a odpichovacím kružítkem. Navigátor býval zjevně silný kuřák, jelikož v popelníku vedle balíčku vyškrtaných zápalek z eráru luftwaffe ležela hromada napůl rozložených cigaretových špačků.

Ze zchátralé složky s navigátorovými záznamy čouhal starý zažloutlý obrázek. Jaeger se po něm natáhl. Šlo o leteckou fotografii a Jaeger téměř ihned poznal, že zobrazuje přistávací dráhu, jak musela vypadat, když ji před sedmdesáti lety vysekali v džungli.

Fotku označovala různá německá slova, přičemž u jednoho z nich, u slova *Treibstofflager*, byl nakreslený barel na pohonné hmoty. *Treibstofflager* tehdy došel a uvěznil tu tenhle bojový letoun navždy.

Jaeger se otočil, aby fotku ukázal Narovové, ale ta stála zády k němu. V jejím postoji bylo cosi kradmého. Skláněla se nad leteckou koženou brašnou a horečně listovala ve svazku jakýchsi dokumentů. Už z řeči těla Jaeger vyčetl, že našla to, pro co sem přišla, a že ji od obsahu té brašny nic neoddělí.

Ucítila na sobě jeho oči. Beze slova shodila batoh, nacpala tašku hluboko do něj a obrátila se k nákladnímu prostoru. Podívala se směrem k Jaegerovi. Z toho, co dokázal vyluštit z její tváře za maskou, se zdála být zrudlá vzrušením. Ale zároveň v jejích očích postřehl i jakousi vyhýbavost, jako by se před ním chtěla ochránit.

„Našla jsi, co jsi hledala?" zeptal se jí kousavě.

Narovová jeho otázku ignorovala. Místo toho ukázala na zadní část letounu. „Pokud chceš skutečně vidět tajemství tohohle letadla, tak tudy."

Jaeger si v duchu umínil, že si to s ní ohledně brašny s dokumenty vyříká, jakmile odsud letadlo vyzvednou. Teď na takovou konfrontaci nebyl čas.

72

N arovová ukázala na přepážku. Byl v ní obdélníkový průlez, který se natěsno zavíral pomocí kliky, zafixované ve svislé poloze. Šipka ukazovala dolů a vedle ní byla vyražena německá slova: *ZU OFFNEN.* Nepotřebovala překlad. Jaeger sáhl na kliku, ale ještě nakrátko zaváhal. Zalovil v kapse na hrudi a vytáhl čelovku Petzl. Povolil popruhy a přetáhl si ji přes kapuci i masku. Pak znovu hmátl po klice a otočil ji do vodorovné polohy. Těžké dveře se zhouply a otevřely.

Ve velké a prázdné zádi Ju-390 panovala jen tma.

Jaeger nahmatal rukou v rukavici sklo čelovky a zapnul ji. Z dvojice xenonových žárovek vystřelilo zářivé modré světlo. Dvojité paprsky probodly šero a zahrály si v interiéru jako laserová show. Přejížděly silné vrstvy prachu ležícího léta v nákladním prostoru. Připomínalo to mlhu.

Mlha dosáhla až k Jaegerovi, všude kolem něj se rozlézaly přízračné cáry.

Nahlédl hluboko dovnitř. Zde, daleko vpředu, dosahovalo Ju-390 nejméně výšky dvou dospělých mužů. A základna byla ještě širší. Vypadalo to, že celý prostor trupu je zaskládaný nákladními bednami. Každou držely u podlahy letounu ocelové příchytky, aby se náklad během letu neposouval.

Jaeger udělal první opatrný krok dovnitř. Protichemickému obleku Avon sice plně věřil, ale přesto ho vstupy do takovýchhle neznámých, nebezpečných míst znepokojovaly. Neexistovala žádná známá toxická látka, která by tyto ochranné obleky a masky dokázala porazit, ale co kdyby byla v nákladním prostoru válečného letadla nastražená výbušnina?

Trup se směrem od něj svažoval, v zadní části letadlo sedělo víc při zemi. Jak se Jaeger rozhlížel, všiml si, že světlo baterky zachytilo stříbrné vlákno, natažené z jedné strany prostoru na druhou. Nejdřív si myslel, že objevil schované nástražné dráty, které tu nechal ten, kdo letoun opustil. Možná jsou uvázané k výbušninám.

Pak ale zjistil, že každé vlákno tvoří součást většího komplexu geometrických vzorů, vinoucích se směrem k tmavé kupě v samém středu prostoru.

Pavouci.

Proč jsou všude vždycky pavouci?

„*Phoneutrii* se taky říká potulný pavouk,“ ozval se v interkomunikačním zařízení hlas Narovové. „Dostanou se všude. Buď opatrný.“

S nachystaným nožem se přesunula před něj.

I když ji *Phoneutria* už jednou kousla, zdálo se, že se nebojí. Obratně se prosekávala pavučinami a srážela je dolů, aby si probila cestu. S ladností baletky dělala piruety ze strany na stranu, řezala hedvábná vlákna a cvrnkala z cesty tělíčka pavouků.

Bylo to úchvatné. Jaeger sledoval její postup a pozoroval tu nefalšovanou odvahu. Byla stejně jedinečná – stejně nebezpečná? – jako *Phoneutria*. A stejně jako ona dokázala na kdekoho vyzrát.

Vydal se za ní cestou, kterou prosekala, a šátral nohama, zda na podlaze přece jen neleží nějaké nástražné dráty. Pak jeho pohled přitáhla veliká bedna, která stála přímo před ním. Byla tak ohromná, že se kolem ní musel protáhnout, aby mohl pokračovat dál do letadla. Chvíli uvažoval, jak ji do trupu asi dostali. Dokázal si představit jenom to, že museli mít těžká auta, na nichž bednu dovezli až k zadní rampě letadla.

Jaeger si ji prohlížel a světlo baterky zachytilo nápis na jejím boku:

Kriegsentscheidend: Aktion Adlerflug
SS Standortwechsel Kommando
Kaiser-Wilhelm-Gesellschaft
Uranprojekt – Uranmaschine

A pod ním nezaměnitelně temný obrys – *Reichsadler.*
Některá slova i symbol dokázal Jaeger okamžitě rozeznat, ale chybějící články musela dodat Narovová. Klekla si před bednu a sledovala slova, ozařovaná světlem baterky.

„To mě vůbec nepřekvapuje…" začala.

Jaeger si dřepl vedle ní. „Některá slova znám," poznamenal.

„*Kriegsentscheidend* znamená přísně tajný. *SS Standortwechsel Kommando* je přemisťovací komando SS. Co to další?"

Narovová četla a překládala slova a světlo z Jaegerovy baterky se odráželo od skleněné očnice její masky. „*Aktion Adlerflug* – operace Orlí let. *Kaiser-Wilhelm-Gesellschaft* je Společnost císaře Viléma, špičkový nacistický podnik pro nukleární výzkum. *Uranprojekt* – projekt Říše pro nukleární zbraně. *Uranmaschine* je jaderný reaktor."

Otočila se k Jaegerovi. „Komponenty jejich jaderného programu. Nacisti experimentovali s atomovou energií a s jejím využitím pro výzbroj takovým způsobem, jaký si vůbec nedovedeme představit."

Narovová se přesunula ke druhé bedně, kde se skvěl podobný nápis a druhý *Reichsadler.*

Kriegsentscheidend: Aktion Adlerflug
SS Standortwechsel Kommando
Mittelwerk Kohnstein
A9 Amerika Rakete

„První dva řádky jsou stejné. A pod tím: Mittelwerk byl podzemní komplex, proražený pod pohořím Kohnstein v samém středu

Německa. Právě tam Hitler pověřil Hanse Kammlera, aby špičkovou nacistickou raketovou techniku a balistické střely přestěhoval, protože výzkumné centrum v Peenemunde vybombardovali Spojenci. Během zimy roku 1944 a jara 1945 zemřelo při budování Mittelwerku dvacet tisíc nuceně nasazených dělníků z blízkého koncentračního tábora Mittelbau-Dora – vyčerpáním, hladem a kvůli chorobám. Buď se udřeli k smrti, nebo je popravili, když už byli příliš slabí na to, aby mohli sloužit dalším užitečným účelům."

Narovová ukázala na bednu. „Jak vidíš, ne všechno zlé z Mittelwerku s koncem války zaniklo."

Jaeger četl poslední řádek nápisu. „Co je A9?"

„Pokračování V-2. *Amerika Rakete* je raketa pro Ameriku, sestrojená tak, aby uletěla skoro pět tisíc kilometrů za hodinu a zasáhla americkou pevninu. Ke konci války vyvinuli funkční verze v aerodynamických tunelech, a dokonce provedli i úspěšné zkušební lety. Očividně nechtěli, aby spolu s Říší umřela i A9."

Jaeger viděl, že Narovová ví mnohem víc, než přiznává. A bylo to tak od samého začátku expedice. Učinili teď několik úžasných objevů. Utajené německé válečné letadlo opatřené americkými výsostnými znaky, ztracené dlouhá desetiletí v Amazonii. A napěchované tím, co by se s klidem dalo nazvat nákladem nacistických hrůz.

Nicméně Irinu Narovovou nic z toho nepřekvapovalo, ani ji nevyvádělo z míry.

73

Pronikali hlouběji do tmy.

Uvnitř trupu vládlo dusivé horko a nepohodlí ještě zvyšoval těžkopádný oblek a maska, ale Jaeger vůbec nepochyboval o tom, že protichemický a protiatomový úbor je pro ně absolutní spása. Kdyby on, Narovová nebo Dale zkusili vejít do letadla bez téhle ochrany, hrozilo by jim už teď plno nebezpečí, ať už letadlo naplňovaly jakékoli toxické výpary. Tím si byl jistý.

Na okamžik se otočil, aby zkontroloval Dalea.

Zjistil, že kameraman právě upevňuje na svou kameru přenosnou lampu na baterky. Chtěl mít na natáčení dostatek světla. Vzápětí Dale lampu rozsvítil a interiér válečného letadla ozářilo chladné, ostré světlo, jasně vymezující stín.

Ze všech koutů hleděly hrozivé, zářící dvojtečky. Oči palovčíků.

Jaeger tak trochu čekal, že oslnivé světlo spíš probudí duchy posádky letounu, kteří se vztyčenými pistolemi Luger postoupí kupředu, aby své temné záhady hájili do posledního dechu.

Zdálo se skoro nepředstavitelné, že by letoun mohl být tak vyloženě opuštěný i se všemi skrytými tajemstvími.

Narovová dřepěla před třetí bednou. Jaeger téměř okamžitě ucítil změnu v jejím chování. Při čtení nápisu přiškrceně lapala po dechu a Jaeger pochopil, že se vyskytl element, který ani ona úplně nečekala.

Sehnul se a četl slova, vyrytá do boku bedny.

Kriegsentscheidend: Aktion Adlerflug
SS Standortwechsel Kommando

Plasmaphysik – Dresden
Röntgen Kanone

„Tak tohle jsme nečekali," mumlala Narovová. Pohlédla na Jaegera. „Každý řádek je jasný, ale co ten poslední? A rozumíš třetímu řádku?" Jaeger přikývl. „Plazmová fyzika – Drážďany."

„Přesně," potvrdila Narovová. „A pokud jde o *Röntgen Kanone*, tak tam není možný přímý překlad do angličtiny. Lze to přeložit jako smrtící paprsek nebo přímá energetická zbraň. Střílí svazek částic, elektromagnetickou radiaci, nebo dokonce zvukové vlny. Zní to sice jako vědeckofantastický výplod, jenže o náccích se dlouho povídalo, že mají takovou zbraň a že ji použili na sestřelení letounu Spojenců."

Pohled Narovové se skrz masku setkal s Jaegerovýma očima. „Vypadá to, že to byla pravda. Chránili si svůj *Röntgen Kanone* do poslední chvíle."

Jaeger cítil, jak mu po tváři stéká pot. Horko se stupňovalo na neúnosnou úroveň a pot se začal srážet uvnitř masky, čímž mu zamlžoval vidění. Měli by zajít dozadu a zkusit otevřít jedny z bočních dveří, které se nacházely v zadní části u vodorovné ocasní plochy.

Jak se prodírali dál, Narovová ukazovala na další bedny s množstvím neuvěřitelně pokročilých zbraní. „Klouzavá bomba BV 246. Měla dolet dvě stě kilometrů a mířila na radarový signál cíle… Řízená bomba Fritz-X s vyhledáváním tepla nebo s hlavicí naváděnou radarem či vysílačkou. V podstatě jsou to předchůdci našich dnešních chytrých bomb."

Přikrčila se vedle řady dlouhých, nízkých beden. „Rheintochter R1, řízená střela země–vzduch na sestřelování spojeneckých bombardérů… X4, střela vzduch–vzduch, vedená na cíl pilotem. Feurlilie čili Ohnivá lilie, řízená protiletecká raketa…"

Zastavila se před skupinkou menších přepravních beden. „Seehund, zařízení pro aktivní noční vidění, používané v kombinaci s infračerveným světlometem. Mělo neomezený dosah… A tady, radarem nezachytitelné materiály, které dělal IG Farben pro jejich program Schwarzes Flugzeug, Černé letadlo. Bylo předchůdcem našich moderních radarem nezachytitelných válečných letounů. A tohle – materiály pro potahování jejich ponorky XXI. Povlak pohltil radar i sonar, takže XXI nebylo možné detekovat." Koukla na Jaegera. „Bylo to něco tak převratného, že kopie čínského námořnictva, ponorka kategorie Ming, operuje až dodneška. Taky ruský Project 663, ponorka třídy Romeo, byla přesnou kopií XXI. Vydržela po celou dobu studené války."

Setřela prach z další bedny a odhalila na ní vyražená slova. „Sarin, tabun a soman. Průkopnické nervové plyny. Hlavní světové velmoci si pořád udržují zásoby. V roce 1945 jsme proti nim neměli účinnou obranu. Žádnou. A z velké části proto, že jsme ani nevěděli, že existují."

Narovová se prudce nadechla. „A tady vedle je bedna s biologickými látkami. Hitler dal svému programu pro biologické zbraně krycí název Blitzableiter. Bleskosvod. Bylo to duchovní dítě nacistického vědce Kurta Bloma. Vždycky existenci toho programu popírali a maskovali ho jako výzkumný program pro léčbu rakoviny, jenže my máme nevyvratitelný důkaz, že Blitzableiter existoval. Mor, tyfus, cholera, antrax a látky způsobující zánět ledvin. Očividně chtěli po skončení války pokračovat."

Když se dostali do ocasní části letounu, Jaegerovi už se točila hlava. Jednak z dusivého horka a také z toho všeho, co objevili. Hitlerova absolutní víra v techniku, která by navzdory všemu vyhrála Říši válku, nesla své ovoce. A to takovými způsoby, jaké si Jaeger jen stěží dokázal představit.

Ve škole i v bojovém výcvikovém středisku královské námořní pěchoty, kde dokončil důstojnický výcvik, Jaegera učili, že Spojenci nacistického nepřítele předčili jak vojensky, tak technologicky. Ale pokud by měl vycházet z toho, co obsahoval tenhle válečný letoun, tak je učili všechno, jen ne pravdu.

Naváděné rakety a střely, chytré bomby, radarem nezachytitelná letadla i ponorky, zařízení pro noční vidění, chemické a biologické zbraně, dokonce smrtící paprsky. Důkaz neskutečného nacistického pokroku spočíval tady, v bednách nacpaných ve velkém nákladním prostoru tohoto válečného letadla.

74

Ukázalo se, že nákladní prostor Ju-390 je typickou ukázkou solidního německého inženýrství. Na každé straně byly sto osmdesát centimetrů vysoké dvojité dveře, které se otevíraly ven. Zajišťovaly je dvojité kovové tyče, táhnoucí se po celé délce středem dveří. V podlaze i ve stropě pak tyče zapadaly do příslušných otvorů. Panty a zámkový mechanismus vypadaly, že jsou dobře promazané. Jaeger zjistil, že se s nimi dá snadno manipulovat. Zatlačil na jednu z pák. Ta ani nezavrzala, vyjela nahoru a dveře uvolnila. Jaeger se do nich opřel a ony se vzápětí se zhoupnutím otevřely. V tom okamžiku začala tlustá vrstva usazenin, ulpívající uvnitř letadla, unikat dveřmi ven.

Jaegera překvapilo, že se ta mlha zdá být těžší než vzduch. Proudila ven, táhla se k zemi a vytvářela tam jezírko, které vypadalo jako nějaká jedovatá polévka. Když plynný mrak zasáhl sluneční paprsek, zdálo se, jako by zevnitř prosvítal s podivným kovovým třpytem.

Jaegerovi to připomnělo, že má taky za úkol donést odsud nějaké vzorky, aby se stanovila míra toxicity unikající z letounu. Průzkum ho tak zaujal, že na to málem zapomněl.

Ale později bude času dost.

V téhle chvíli už totiž přímo sálal. Potřeboval pár minut oddychu a trochu vzduchu, a tak si sedl na sedadlo u otevřených dveří. Narovová zaujala pozici naproti němu. Jaeger koutkem oka viděl Dalea, jak natáčí a snaží se zachytit všechny záběry tohoto úžasného objevu objektivem své kamery.

Ve světle, které dvířky proudilo dovnitř, si Jaeger všiml něčeho, co vypadalo jako obraz MANPADu. Byl nastříkaný přes šablonu na nedaleké bedně. Sehnul se, aby ho prozkoumal. A opravdu se zdálo, že je to střela země–vzduch, která se odpaluje z ramene.

Narovová četla nápis na boku bedny. „Fliegerfaust. Doslova to znamená naváděcí pěst. První střela země–vzduch s odpalováním z ramene na světě. Měla sloužit k sestřelování spojeneckých válečných letadel. Opět naštěstí přišla příliš pozdě na to, aby změnila výsledek války."

„Neskutečný…" mumlal Jaeger. „Tolik prvenství… Bude trvat věky, než se sepíšou všechna ta tajemství, která tady kolem leží."

„Co přesně tě tak překvapuje?" zeptala se ho Narovová s pohledem upřeným do bílých větví odumřelé džungle. „To, že nacisti měli takovou technologii? Měli tohle a ještě mnohem víc. Prozkoumáme to letadlo pořádně, kdo ví, co ještě objevíme."

Odmlčela se. „Nebo tě snad udivuje, že tohle letadlo má americké značení? Spojenci nácky podporovali v jejich usilovném přesouvání výzbroje – jejich *Wunderwaffe* – do vzdálených koutů země. Ke konci války jsme stáli proti novému nepříteli, proti bolševickému Rusku. To byl případ, kdy se z nepřítele mého nepřítele stal můj přítel. Spojenci to nacistické přesouvání požehnali na nejvyšší úrovni, proto má tenhle letoun barvy letectva USA. Spojenci, Američani, tehdy ovládali vzdušný prostor a nikdo je o tu vládu nemohl připravit.

Ke konci války to byl proti Rusům závod s časem," vyprávěla Narovová. „Tím, že jsme se zmocnili nacistických tajemství, čili jejich technologie a předních vědců, jsme byli schopni vyhrát studenou válku, nemluvě o závodech v dobývání vesmíru. Tehdy jsme to všechno takhle ospravedlňovali."

„My?" přerušil ji Jaeger. „Vždyť jsi Ruska. Sama jsi říkala, že na konci války jste byli nepřátelé."

„Nic o mně nevíš," zabručela Narovová. Dlouho pak mlčela. „Možná vypadám jako Ruska, ale má krev je britská. Narodila jsem se ve tvé zemi. Moje vzdálené kořeny jsou německé. A teď žiju v New Yorku. Jsem občanka svobodného světa. Dělá to ze mě nepřítele?"

Jaeger napůl omluvně pokrčil rameny. „Jak jsem to měl vědět? Neřekla jsi mi vůbec nic o sobě ani o…"

„Na to teď není čas," vpadla mu Irina do řeči a ukázala na nákladní prostor Ju-390.

„Dobře. Tak mluvme o letadle."

„Vezmi si například podzemní podnik Mittelwerk," navázala nit Narovová. „Na začátku května 1945 ho zabraly americké jednotky a první dva raketové systémy V-2 hned poslali lodí do Spojených států. A za pár dní dorazili důstojníci sovětské armády a komplex převzali. Ležel totiž v sovětské okupační zóně. Přistání amerického Apolla na Měsíci se uskutečnilo díky technologiím, jaké měla V-2. Nebo co třeba Kurt Blome, ředitel Blitzableiteru. Jedním z důvodů, proč měl nacistický program pro biologické zbraně takový úspěch, byl ten, že ho testovali na tisících obětí z koncentračních táborů. Na konci války Blomeho zajali a měl soud v Norimberku. Ale nějakým podivným způsobem ho zprostili viny, pak ho Američani najali na práci pro svůj Armádní chemický sbor. Tam dělal na přísně tajném zbrojním programu. Takže jsme uzavřeli dohodu," prohlásila Narovová a nedokázala skrýt hořkost v hlase. „Ano, uzavřeli jsme dohodu s těmi, kteří byli nepopsatelní, s těmi nejhoršími z nacistů." Upírala zrak na Jaegera. „Nikdy jsi neslyšel o operaci Paperclip?"

Jaeger zavrtěl hlavou.

„To byl americký krycí název pro projekt na přesun nacistických vědců do Států. Tam dostali nová jména, nové identity a vlivné pozice, pokud dělali pro své nové šéfy. Vy jste měli podobný program, akorát jste ho s typickou britskou ironií nazvali operace Darwin. Přežití nejschopnějších. Oba projekty byly přísně tajné," hovořila Narovová dál. „K operaci Paperclip neměl přístup ani americký prezident." Odmlčela se. „Utajení však sahalo ještě hlouběji. *Aktion Adlerflug*, operace Orlí let. Tohle je vyražené na každé přepravní bedně v nákladním prostoru tohohle letounu. *Aktion Adlerflug* bylo krycí jméno pro Hitlerův plán na přemístění nacistických technologií do míst, kde je bude možné využít k obnovení Říše. Tenhle projekt jsme my, Spojenci, podpořili, jelikož oni s námi pracovali proti Sovětům.

Zkrátka, sedíš na palubě letadla, které stojí v samém středu nejtemnějšího spiknutí světa. Bylo a je to tak tajné, že většina britských i amerických složek nějak souvisejících s touhle činností zůstává pořád uzavřených. A to nemluvím o ruských složkách. Pochybuju, že vůbec někdy budou otevřené."

Narovová pohodila rameny. „Pokud tě tohle všechno překvapuje, tak by nemělo. Ti údajní klaďasové prostě udělali dohodu s ďáblem. Mysleli si totiž, že je to potřeba pro vyšší dobro svobodného světa."

75

Jaeger mávl rukou směrem k bednám vyskládaným v nákladním prostoru Ju-390. „Díky tomuhle je to všechno ještě mnohem neuvěřitelnější. Tohle letadlo je určitě největší sbírka nacistických válečných tajemství, jaká kdy byla shromážděná. A my to odsud vyzvedneme a zavezeme to někam, kde…"

„Kde co?" skočila mu do řeči Narovová a upřela na něj své studené oči. „Kde to budeme moci sdělit světu? Hodně z těchhle technologií už teď máme zdokonalených. Třeba *Röntgen Kanone*, smrtící paprsek. Zrovna nedávno dovedli Američani takovou věc k dokonalosti. Má krycí jméno MARAUDER, tedy magneticky urychlený kruh k dosažení ultra vysoké řízené energie a radiace. V podstatě vystřeluje koule magneticky stmelené plazmy ve tvaru koblih. Něco jako kulové blesky. Je to tajný program," hovořila Narovová. „Jinými slovy, svatý grál všech tajemství. Stejně jako přímý předchůdce MARAUDERu, nacistiský *Röntgen Kanone*. Takže ne, pane Williame Edwarde Michaeli Jaegere, tenhle objev světu v dohledné době nepředstavíme. Ale to neznamená, že bychom pro jeho záchranu neměli udělat všechno, co je v našich silách. Máme k tomu dobré důvody."

Jaeger na Narovovou dlouho upřeně hleděl. *William Edward Michael Jaeger* – jak to, že použila jeho celé jméno?

„Víš co, mám asi tak milion otázek." Jaegerův hlas přehlušil i nádechy a výdechy skrz plynovou masku. „A většina se týká tebe. Co kdybys mi řekla, jak je možné, že toho tolik víš? Co kdybys mi pověděla všechno, co víš? Anebo kdo jsi? Odkud pocházíš? A pro koho pracuješ? Jo a co kdybys mi taky sdělila, jak je to s tím nožem commando?"

„Možná bych ti něco z toho řekla, až se odtud ve zdraví dostaneme. Až budeme skutečně v bezpečí. Ale teď…" odpověděla mu Narovová s pohledem upřeným na odumřelý prales.

„A taky ta brašna s těmi dokumenty," přerušil ji Jaeger. „Ta, cos ji sebrala v kokpitu letadla. Povíš mi, co v ní je? Letový seznam nákladu? Letecké mapy? Plánovaná cílová stanice tohohle letadla a dalších podobných letadel?"

Narovová otázku ignorovala. „Právě teď, Williame Edwarde Michaeli Jaegere, se můžeš dozvědět akorát tohle: znala jsem tvého dědečka. Byl to děda Ted, tak jsme mu říkali my všichni, kdo jsme ho znali. Byl inspirací a rádcem nás všech. Pracovala jsem s tvým dědou, nebo jsem spíš pracovala se vzpomínkou na něj, dělala jsem s jeho dědictvím." Narovová vytáhla svůj nůž. „To tvůj dědeček mi odkázal tohle. Byla jsem hrozně zvědavá na jeho živoucí dědictví, na tebe. A zůstávám zvědavá i nadále. Nevím, jestli je to živé dědictví tím vším, čím jsem doufala, že bude. Nebo jestli je vůbec něčím."

Jaeger nenalézal slov. Než si vůbec stačil rozmyslet vhodnou odpověď, promluvila opět Narovová.

„Byl to dědeček, kterého jsem nikdy neměla – nemohla jsem mít." Vůbec poprvé od jejich seznámení ho probodla velice přímým, pronikavým pohledem. Dívala se a neuhnula. „A víš ty co? Vždycky jsem ti zazlívala ten vztah, který jsi s ním měl… a štvalo mě, jak sis mohl svobodně jít za svými sny."

Jaeger zvedl ruce v obranném gestu. „Počkej, zadrž! Jak jsi na tohle přišla?"

Narovová se odvrátila. „To je dlouhý příběh. Nevím, jestli jsem připravená. A jestli jsi připravený ty… A teď…"

Její slova přerušil ustrašený výkřik, který zazněl z interkomunikačního zařízení. „Áááá! Sundejte to! Sundejte to!"

Jaeger se prudce otočil a uviděl Dalea, jak se potácí v místě, kde byly pavoučí sítě snad nejhustší. Kameraman se zřejmě tak soustředil na objektiv, že nedával pozor, kam šlape. Snažil se udržet kameru a zároveň smést dusivá hedvábná vlákna i hordy pavouků, a tak byl celý omotaný tuhými, lepkavými vlákny.

Jaeger mu vyrazil na pomoc.

Říkal si, že je malá pravděpodobnost, že by palovčíci svými kusadly prohryzli Daleovy rukavice nebo masku, a i protichemický oblek byl určitě dost tuhý na to, aby odolal kousnutí. Jenomže Dale tohle všechno nejspíš nevěděl a jeho zděšení bylo opravdové.

Jaeger rukama v tlustých gumových rukavicích odhazoval kroutící se masu pavouků a jejich měkká, syčící tělíčka létala daleko do tmy. S Irininou pomocí pak odtáhli Dalea, který stále zoufale svíral svou kameru. Teprve až ho vytáhli ze změti pavoučích sítí, zahlédl Jaeger skutečnou příčinu Daleova strachu.

Ve spleti pavoučích vláken ležela kostra. Tvář bez masa se strnule, hrozivě šklebila a kosti pořád ještě vězely v částečně rozložené uniformě důstojníka SS. Jaeger hleděl na mrtvého muže, nepochybně někdejšího pasažéra Ju-390, když vtom skrz interkomunikační zařízení uslyšel Daleův hlas.

„Mě nevyděsili ti posraní pavouci!" lapal Dale po dechu. „Ale to, že jsem se přimotal k nějakýmu dávno mrtvýmu náckovskýmu generálovi!"

„Já ho vidím," ujistil ho Jaeger. „A víš co? Vedle něj jsi skoro hezkej. Pojďte, vypadneme."

Jaeger si naléhavě uvědomoval, že už jsou v dusivém prostoru letadla zavření skoro hodinu. Byl čas odejít. Když ale vedl Dalea a Narovovou zpátky ke kokpitu, uvědomil si šokující věc. Napadlo ho, že tenhle válečný letoun může obsahovat klíč k odhalení osudu jeho ženy a dítěte.

Luke a Ruth. Jejich zmizení bylo neoddělitelně spjato s tím, co tady objevili. *Reichsadler*, symbol zla, se jednak vyskytoval po celém letadle a za druhé souvisel s únosem jeho rodiny.

A on už musí začít hledat odpovědi.

76

Jaeger stál na okraji džungle a mluvil ke svému týmu. Byli tu Lewis Alonzo, Hiro Kamiši, Leticia Santosová, Joe James, Irina Narovová a Mike Dale, který stále natáčel, a také Puruwehua, Gwaihutiga a ostatní indiáni. Jaeger si sundal plynovou masku, aby mohl mluvit, avšak zbylou část těžkopádného protichemického obleku měl pořád na sobě.

„Takže všichni znáte výsledek," prohlásil hlasem plným napětí a vyčerpání. „Začneme s vyzvedáváním. Posádka Airlanderu soudí, že potřebuje na uvolnění válečného letounu asi tak hodinu. Žádám vás, abyste tenhle čas získali pro nás. Udělejte všechno pro to, abyste zadrželi ty padouchy, ale zase žádné hrdinství. Úkol číslo jedna zní: všichni musí zůstat naživu. A nezapomeňte, jakmile budeme pryč, přerušte kontakty a vypadněte odsud."

Jaeger se podíval na obrovitou vzducholoď, která jako by nad nimi zaplňovala celou oblohu. Pohled na Airlander budil úžas. Vznášel se necelých třicet metrů nad polámanými větvemi odumřelého lesa a vypadal jako břicho nějaké veliké velryby, zavěšené v mracích.

Byl čtyřikrát delší a desetkrát širší než Ju-390, přičemž jeho baňatý trup naplňovalo devadesát pět tisíc kubických metrů helia.

Spolehlivě zastiňoval letadlo, které leželo pod ním.

Pilot Airlanderu už nemohl riskovat spuštění níž, protože nejvyšší větve mrtvého pralesa trčely k nebi jako rozeklané špice kopí. Vzducholoď se vyznačovala inteligentním pláštěm, který se sice v případě proděravění uměl sám zatáhnout, ale větší množství děr by mu způsobilo vážné problémy.

Navíc z Ju-390 unikal neznámý toxin a nikdo na palubě Airlanderu neměl chuť dostat se tak blízko nebezpečí. Podle Raffovy ranní zprávy se nikde v blízkém okolí nyní nevyskytovaly žádné drony. Jejich nástraha v podobě kajaku se sledovacím zařízením a mobilním telefonem zřejmě přetáhla monitorovací činnost dostatečně daleko na sever odsud. Predator se tak dostal mimo obrazový dosah Airlanderu, který však stejně nebyl ze země vidět, poněvadž jej kryla vrstva dvou a půl tisíce metrů mraků.

I tak bylo ovšem možné elektronicky zachytit radarovou signaturu vzducholodi, stejně jako sledovat infračervenou stopu žhavých ohnisek v jejím plášti, nemluvě o jejích čtyřech propulzorech. Stačilo by jedno nasnímání a Predator by byl v mžiku u nich. Proto nyní rozhodoval čas, a to nejvíc od začátku jejich expedice.

Bylo ráno jedenáctého dne, a pokud půjde všechno hladce, stane se i jejich posledním dnem před návratem do relativně civilizovaného světa. Či alespoň pro Jaegera, Narovovou a Dalea. V předešlých hodinách podnikal Jaeger s týmem závod s časem, a navíc ještě s neznámým nepřítelem.

Minulý večer dorazil osamělý běžec Amahuaků k táboru týmu se špatnými zprávami. Temná síla se nachází necelých osmnáct hodin od nich. Pokud budou padouši pochodovat i v noci, dorazí ještě dříve. Jednotka sestávala z více než šedesáti specialistů a všichni byli těžce ozbrojení.

Indiáni, kteří je sledovali, se pokusili jejich postup zmařit, jenže foukačky a šípy proti kulometům a granátometům nic nezmohly. Hlavní indiánská skupina je sledovala a sužovala i nadále, ale to bylo asi tak všechno, co mohla pro zastavení jejich postupu udělat.

Od té chvíle Jaeger i jeho posádka horečně pracovali a za uplynulou dobu vyšlo najevo několik věcí. Zaprvé, jedovatý koktejl, jenž prosakoval z letounu, byl zřejmě nějaká forma radioaktivní rtuťové plazmy. Přesněji ji však Jaeger identifikovat nemohl, protože pro jeho detekční zařízení představovala neznámou hrozbu.

Přístroj pracoval na bázi srovnávání zjištěných chemických signatur se známým indexem činidel. Tahle látka se zjevně nacházela mimo stupnici měření. A to znamenalo, že nikdo nemohl riskovat pohyb v její blízkosti bez maximálního ochranného vybavení.

Za druhé, Airlander sice mohl spustit dvojici zdvihacích popruhů s tím, že Jaeger se svými lidmi je zavěsí v bodech, kde se křídla Ju-390 pojila s trupem. Ale už nemohl z džungle vyzvednout Jaegerův tým.

Airlander měl samozřejmě prostředky na to, aby každou osobu vytáhl do výšky více než šedesáti metrů, kde se vznášel, jenže neměli tolik protichemických obleků ani dostatek času, aby je všechny dostali do vzducholodi. Indiáni vysílali běžce po celou noc. Poslední se vrátili těsně po prvních zablescích světla s varováním, že nepřátelská síla je dvě hodiny cesty od nich a rychle se blíží.

Jaeger byl nucen přijmout nevyhnutelné rozhodnutí. Jeho tým se musí rozdělit. Hlavní jádro – Alonzo, Kamiši, Santosová, Joe James a Puruwehua, Gwaihutiga a polovina válečníků Amahuaků – zaujme pozice mezi válečným letounem a zločinci.

Gwaihutiga se dobrovolně přihlásil, že povede útok. Odejde s většinou indiánských bojovníků provést první výpad ze zálohy. Puruwehua, Alonzo a ostatní utvoří druhou blokační skupinu blíž k vraku. Doufali, že tak získají onen tolik potřebný čas pro vyzvednutí letadla.

Jaeger, Narovová a Dale se měli vézt v Ju-390, až ho Airlander bude tahat z džungle. Aspoň tak zněl plán.

Dale byl jasná volba, jelikož někdo musel zdvihající se letoun nafilmovat. Jaegera vybrali proto, že vůdce výpravy musel setrvat u jejího cíle, válečného letadla. Leticia Santosová tvrdila, že třetí osobou v letadle by měla být právě ona, protože je Brazilka a letadlo se nepochybně našlo na brazilské půdě.

Narovová se však postavila proti Santosové a dala jasně najevo, že ji od jejího drahého letadla nikdo neodloučí. Jaeger celou věc ukončil se slovy, že Santosová by měla vytrvat u své dřívější mise, která obnášela záchranu indiánského kmene.

A taky vyzdvihl to nejdůležitější. Oni tři, tedy on sám, Dale a Narovová, už byli oblečení a převlékáním protichemických masek, rukavic a obleků by jen riskovali kontaminaci všech, kdo by se z nich vysvlékali, i těch, kdo by si je pak brali na sebe. Skutečně tu hrozilo nebezpečí. Navíc dávalo smysl, aby se letadlem vznesli právě ti, kdo už jsou v oblecích.

S tím Santosová neochotně souhlasila.

„Alonzo, předávám ti velení," pokračoval Jaeger v instruktáži. „Puruwehua slíbil, že udělá všechno, co může, aby vás odsud ve zdraví vyvedl. Vrátíte se do vesnice Amahuaků a pak půjdete na území sousedního kmene. Ten má spojení s vnějším světem, takže vás vypraví na cestu domů."

„Fajn," souhlasil Alonzo. „Puruwehuo, jsme ve vašich rukou."

„Dovedeme vás domů," odpověděl Puruwehua prostě.

„Když půjde všechno dobře, my tři dopravíme válečný letoun až do Cachimba," prohlásil Jaeger. „Cestou uvědomím plukovníka Evandra, aby připravil přistávací oblast, uzavřenou kordonem. Tam bude Ju-390 moci dosednout a můžou ho tak držet v izolaci aspoň do doby, než bude jeho náklad zajištěn. Cesta měří tisíc čtyři sta kilometrů, takže Airlanderu potrvá nejméně sedm hodin, navíc když potáhne tuhle věc." Jaeger ukázal směrem k Ju-390. „Pokud ho generál SS Hans Kammler a jeho kumpáni nepřetížili, měl by zdvih být proveditelný. V tom případě bychom do Cachimba dorazili dnes večer. Až se tam dostaneme, pošlu jednoslovnou zprávu v nárazovém režimu: ‚Úspěch'. Doufám, že někde po cestě zachytíte signál. Jestliže se žádná zpráva neobjeví, znamená to, že se něco podělalo, ale vaší jedinou prioritou stejně v té době bude dostat se bezpečně odsud a pak domů."

Jaeger mrkl na hodinky. „Dobrý, takže jdeme na to."

Rozchod se neobešel bez emocí, avšak čas nedovolil víc než jen krátké rozloučení.

Gwaihutiga se na chvíli zastavil před Jaegerem.

„Pombogwav, eki'yra. Pombogwav, kahuhara'ga.“

Pak se obrátil a byl pryč. Nasadil se svými muži svižný běh a z jeho hrdla se vydral válečný pokřik. Jeho druhové válečníci se přidali a křik se mocně odrážel mezi stromy.

Jaeger se tázavě podíval na Puruwehuu.

„Pombogwav znamená sbohem,“ vysvětloval Puruwehua. „Myslím, že nemáte slovo pro *eki'yra.* Je to ‚syn mého otce‘ nebo ‚můj starší bratr‘. Takže vlastně ‚sbohem, můj starší bratře‘. A co je *kahuhara'ga,* už víte. Tedy ‚sbohem, lovče‘.“

Jaeger se cítil dopravdy zahanbený, a ne poprvé od doby, co se s tímhle kmenem setkal.

Pak mu Puruwehua vnutil skvělý dar, svou foukačku. Jaeger se ocitl ve velké tísni a snažil se rychle vymyslet, co vhodného by mu dal na oplátku. Nakonec vytáhl svou dýku Gerber. Tu, s níž bojoval na Bioku na pláži vesnice Fernao.

„Tenhle nůž a já máme společnou historii,“ vysvětloval, zatímco popruhy dýky upevňoval kolem hrudi indiána Amahuaků. „Kdysi jsem s ním bojoval daleko v Africe. Zachránil život mně i jednomu mému blízkému příteli. I vás teď počítám mezi své nejbližší přátele. Vás i všechny vaše lidi.“

Puruwehua vytáhl nůž a zkoušel ostrost čepele. „V mém jazyce je to *kyhe'ia.* Ostrý jako podélně rozštípnuté kopí.“ Podíval se na Jaegera. „Tenhle *kyhe'ia* se smočil v krvi nepřítele. A udělá to znovu, Koty'are.“

„Puruwehuo, děkuju vám za všechno,“ řekl Jaeger. „Slibuju, že se jednou vrátím. Přijdu do vaší vesnice a dám si s vámi v duchovním domě pořádnou pečenou opici, ale jedině, když mě ušetříte *nyakwany*!“

Puruwehua se zasmál a souhlasil. V dohledné době žádné další psychotropní šňupání pro Williama Jaegera.

Jaeger popořadě promluvil s každým členem svého týmu. Pro Leticii Santosovou si nechal mimořádně hřejivý úsměv.

Ona se na něj na oplátku zazubila a poslala mu velkou brazilskou pusu.

„Buď opatrnej, jo?" zašeptala mu do ucha. „A hlavně dej pozor na toho… toho *ja'gwara* Narovovou. A slib mi, že mě o příštím karnevalu v Riu navštívíš! Opijeme se spolu a zatančíme si!"

Jaeger se usmál. „To vypadá jako rande."

Pak členové týmu, kterému velel Lewis Alonzo, ale vedli ho Amahuakové, sebrali své batohy i zbraně a zmizeli v džungli.

77

Raffova zpráva v režimu burst byla typicky krátká a věcná: *Airlander připraven. Zajistěte se. Zdvih začne za tři minuty, 0800 zulu.*

Vzkaz přišel celkem pozdě a právě toho se Jaeger obával. Během posledních několika minut zaslechl z džungle na severní straně střelbu. Tudy měla přijít Temná síla.

Najednou se ozvalo zuřivé rachocení samopalů, z čehož Jaeger usoudil, že jeho tým vyrazil do útoku. Avšak odvetná palba zněla děsivě pronikavě a rychlá kadence svědčila o tom, že používají automatické zbraně SAW. Rachot lehkých kulometů se mísil s výraznějšími salvami z něčeho, co znělo jako univerzální kulomety GPMG, a s dutými výbuchy granátů.

Taková výzbroj po sobě v džungli zanechá doslova spoušť.

Ať už tahle Temná síla sestávala z jakýchkoli lidí, bylo jasné, že jsou těžce ozbrojení a taky připravení i ochotní rozpoutat vražedný boj. A navzdory veškeré snaze týmu znepokojivě rychle obkličovali Jaegera i válečný letoun.

Čas běžel. Airlander měl zahájit zvedání za sto osmdesát vteřin a Jaeger se pro jednou nemohl dočkat, až se dostane do vzduchu.

Běžel potemnělým nákladním prostorem Ju-390 k zadním nakládacím dveřím. Trhl jimi, aby se zavřely, a zajistil je klikou. Potom vyrazil zase dopředu, kolem sotva rozeznatelných řad beden, načež zabouchl dveře v přepážce a pevně je za sebou uzamkl.

Dale s Narovovou mezitím násilím otevřeli boční okénka kokpitu. Jakmile se letadlo dá do pohybu, mělo by proudění vzduchu vyvětrat všechny toxické výpary. Jaeger zaujal pozici na sedadle kopilota a zapnul se do bezpečnostního leteckého pásu. Dale seděl vedle něj na sedadle pilota. Tohle místo si zabral pro sebe, aby mohl co nejlépe natočit válečné letadlo, až ho povlečou ven z džungle.

Narovová se hrbila nad stolem navigátora a Jaeger moc dobře věděl, do čeho je zabraná. Studovala jeden z dokumentů z brašny, kterou sebrala v kokpitu Ju-390. Jaeger na něj zběžně pohlédl. Text na zažloutlých stránkách byl v němčině, tudíž pro něj jen nesrozumitelná hatmatilka.

Slůvko nebo dvě na titulní straně však přece rozpoznal. Byla na ní běžná razítka Přísně tajné a slova *Aktion Feuerland*. Jaeger si matně pamatoval něco ze školní němčiny, a tak věděl, že *Feuer* znamená „oheň" a *land*, to bylo jasné. Operace Ohňová země. A pod tím bylo na stroji napsáno: *Liste von Personen.*

To nepotřebovalo žádný překlad, „seznam osob".

Pokud si Jaeger všiml, každá bedna v nákladním prostoru Ju-390 nesla označení *Aktion Adlerflug*. Operace Orlí let. Ale co je *Aktion Feuerland*, operace Ohňová země? A proč to Narovovou fascinuje tak, že skoro nevnímá nic dalšího?

Nyní však nebyl čas dumat nad takovými otázkami.

Zdvih nákladem napěchovaného letounu Ju-390, o který se měl Airlander pokusit, se mohl uskutečnit díky několika faktorům. Za prvé, působila tu aerostatická síla, a to kvůli prostému faktu, že heliem naplněný trup vzducholodi byl lehčí než vzduch.

Za druhé tah. Vzducholoď používala čtyři mohutné propulzory, každý poháněný plynovou turbínou o výkonu dva tisíce tři sta padesát koní, ovládající zároveň obrovskou soupravu vrtulí. Bylo to, jako kdyby k letadlu přivázali čtyři zdvižné helikoptéry.

A za třetí aerodynamický vztlak, protože Airlander měl laminovaný potah trupu. V průřezu vypadal jako běžné křídlo letadla, ovšem s plošší spodní stranou a zakřiveným vrchem. Samotný tvar poskytoval čtyřicet procent zdvihové síly, ale pouze když se Airlander pohyboval dopředu. Prvních několik set metrů se bude zvedat jen nahoru, takže všechno bude záviset výhradně na heliu a propulzorech.

Jaeger uslyšel zvuk Airlanderu. Nejdříve jen sotva slyšitelné vrnění a pak duté burácení, jak se vzducholoď připravovala na zdvih. Čtyři veliké nosné vrtule už byly nastaveny do vodorovné polohy, aby poskytly maximální svislý tah, až Airlander letoun zvedne.

Proudění vzduchu se už blížilo síle bouře a smršť polámaných větví létala všude kolem letadla. Jaegerovi to připadalo, jako kdyby stál za kolosálním žacím strojem, který si prokousává cestu polem obrovité pšenice a plevy mu vyplivuje do tváře.

Zabouchl svoje boční okno a pokynul Daleovi, aby udělal totéž, jelikož poryvy vzduchu dovnitř zanášely kusy shnilého dřeva. Nepochybně nastával nejriskantnější okamžik celého tohohle šíleného počinu.

Naložený letoun Ju-390 standardně vážil padesát tři tisíce kilogramů. Airlander mohl zvednout šedesát tisíc kilo, takže by měl přesun zvládnout. Pokud ovšem Hans Kammler a jeho kumpáni letadlo nepřetížili.

Jaeger bezvýhradně věřil síle popruhů, uvázaných pod křídly Ju-390. A stejně věřil i pilotovi Airlanderu Steveovi Mc-Brideovi. Záleželo však na tom, zda se jim podaří vymanit se z odumřelého lesa. To byla otázka za milion dolarů. A ještě tu šlo taky o důvěru, kterou vkládali do německého leteckého inženýrství. Odolalo sedmi desetiletím trouchnivění a rezavění v samém srdci džungle?

Jakákoli chyba by mohla znamenat katastrofu. Ju-390 a s ním možná i Airlander by se zřítili do pralesa jako žok.

V noci Jaeger a jeho lidi pokáceli několik největších stromů. Použili nálože s plastickými trhavinami, které naskládali do kruhů kolem kmenů, aby stromy vyhodili do vzduchu. Ale omezoval je čas a také počet náloží, které měli k dispozici. Nejméně padesát procent klenby odumřelého pralesa zůstalo nedotčených.

Výbuchem odstranili ty největší a nejméně shnilé kmeny stromů, poněvadž by kladly největší odpor. Spoléhali na fakt, že zbylé mrtvé dřevo je shnilé a rozpadne se, až Airlander válečný letoun zvedne.

Řev propulzorů se měnil v ohlušující hukot a proudění vzduchu se blížilo síle hurikánu. Jaeger odhadoval, že Airlander brzy dosáhne maximálního tahu. Ucítil, jak svrchu cosi padá, a vzápětí na kokpit dopadl rovný, tmavý stín.

Do míst, kde se setkávaly panely čelních skel Ju-390, udeřil ohromný kmen stromu. Svislá ocelová příčka, spojující panely, se pod nárazem ohnula a silné plexisklo se pod drtivým úderem zdeformovalo. Když se pak kmen rozlomil vedví a odpadl, na předním skle zbyl rozeklaný škrábanec, který vypadal jako rozvětvený blesk.

Ale naštěstí čelní sklo vydrželo – alespoň zatím.

Jaegerovi hřměl hluk v hlavě. Na kovový plášť Ju-390 pršely těžké kusy dřeva, hnané větrem. Jaeger měl pocit, jako kdyby zůstal uvězněný v nějakém ohromném kovovém bubnu.

Dlouho znějící vibrace rozechvívaly celý trup, jelikož turbulence z propulzorů rozkmitávaly silná zvedací lana ovinutá kolem letounu. Jaeger cítil, jak se každé vlákno vzducholodi napíná, aby se zdvih podařil, a že i ona sama s uvolněním jaksi bojuje.

A potom to hrozivě cuklo a už už se zdálo, že kokpit půjde k zemi, zatímco ocas Ju-390 vyletí nahoru a zlomí se. Zadní část trupu se zvedla a všechny spadané trosky a kmeny stromů, které na ní ležely, sjely na zem.

Teď držela letadlo u země čtyři dvojitá kola, osm obrovitých pneumatik. Gigantický letoun se kroutil a třásl jako obludný pták, který se snaží vyrvat drápy z močálu, aby mohl vzlétnout k nebi.

O chvíli později se ozval zvuk, jako kdyby se rozepínal ohromný suchý zip, a vzápětí se Ju-390 se zakymácením vznesl do vzduchu.

Odloupl se od země s takovou silou, že Jaegera zarazila do sedadla a trhla s ním dopředu proti bezpečnostním pásům. Několik vteřin stoupalo velikánské letadlo nahoru zdánlivě bez působení gravitace a plynule se přibližovalo k rozeklané klenbě džungle.

Vrchní část trupu se prodírala nejspodnějšími větvemi, přičemž odumřelé dřevo utvořilo kolem kokpitu pavučinu stínů. Pak se ozvala silná rána. Nečekaný náraz vyhodil Jaegera ze sedadla a popruhy výstroje se mu zaryly do ramenou.

Všude kolem pilotní kabiny trčely větve stromů, jako kdyby se nějaká ohromná ruka snažila prorvat dovnitř, vytrhnout Jaegera, Dalea i Narovovou a mrštit je na zem. Zatímco si válečné letadlo klestilo cestu vzhůru, prorazila boční okénko z plexiskla mimořádně tlustá větev, která Daleovi skoro vyrazila kameru z rukou a Jaegera málem připíchla na protější stěnu.

Naštěstí v poslední chvíli uhnul a rozeklaná větev se zabodla do jeho sedadla přesně v místě, kde ještě před chviličkou spočívala jeho hlava. Větev se po nárazu rozlomila a její část zůstala viset z okna letadla.

Jaeger ucítil, že rychlost zvedání letounu se zpomaluje. Odvážil se pohlédnout vlevo a uviděl obrovské vrtule levého křídla Ju-390, z nichž každá byla dvakrát tak vysoká jako dospělý člověk, zachycené ve větvích. Chvíli nato se holá klenba pralesa sevřela kolem letounu ještě víc a Ju-390 se se zachvěním zastavil.

Byli zavěšeni sedmadvacet metrů nad zemí a nevěděli, jak dál.

78

Ju-390 několik vteřin visel v hnízdě větví.

Shora Jaeger slyšel vytí propulzorů. Silný proud vzduchu se změnil ve slabý vánek. Jaeger dostal strach, že to pilot vzdává, že musel připustit porážku, kterou mu zasadilo odumřelé dřevo. V tom případě by on, Narovová a Dale velmi rychle stanuli před šedesátičlenným nepřátelským týmem.

Riskl to a zapnul thurayu. Okamžitě se objevila zpráva od Raffa v nárazovém režimu.

Pilot couvne, aby mohl vpřed. Vyzvedne vás vztlakem trupu. Čekej.

Jaeger satelitní telefon zase vypnul.

Trup Airlanderu už zvládl skoro polovinu zdvihu. Pomocí couvání a následného rozjezdu mohl svou tažnou sílu zdvojnásobit.

Jaeger varovně křikl na Narovovou a Dalea, aby se pevně drželi. Zanedlouho potom se směr síly, vyvíjené na Ju-390, náhle změnil a vzducholoď vyrazila na plný výkon dopředu.

Hrany křídel válečného letounu najely do odumřelého dřeva, ostrý kónus přídě se provrtával vpřed. Jaeger s Dalem se raději sehnuli pod letový panel, protože kokpit si právě razil cestu zamotanou stěnou větví a kmenů, vybělenou tropickým sluncem.

Po chvíli klenba stromů znatelně zeslábla a do kokpitu proniklo světlo. A nato se letoun s ohlušujícím trhnutím osvobodil a vymrštil se do vzduchu. Vlevo i vpravo se z jeho křídel i vršku trupu řítily kusy shnilého dřeva a svištěly dolů do pralesa.

Jakmile baldachýn džungle náhle válečné letadlo propustil, zhoupl se Ju-390 neohrabaně dopředu, mihl se bodem, v němž se nacházel přímo pod Airlanderem, načež se opět vychýlil dozadu.

Až potom se ustálil rovnou pod pilotní kabinou vzducholodi. Teprve když oscilace zpomalila tak, že byla zvladatelná, začal Airlander letoun vytahovat.

Silné hydraulické navijáky jej zvedaly tak dlouho, až se dostal pod stín vrhaný Airlanderem. Jeho křídla se přimkla ke spodní straně přistávacího systému ze vzduchových polštářů – byly to vlastně takové ližiny podobné těm, jaké mívají vznášedla. Ju-390 byl nyní spolehlivě uchycený ke spodku Airlanderu.

Po zajištění válečného letadla pilot Airlanderu pustil propulzory plnou parou vpřed. Natočil vzducholoď správným směrem a zahájil dlouhý výstup do letové výšky. Mířili do Cachimba a čekalo je téměř sedm hodin letu.

Jaeger se vítězně natáhl po sedmdesát let staré láhvi kopilota, vražené z boku do sedadla. Zamával s ní na Dalea a Narovovou.

Dokonce ani ona se neubránila letmému úsměvu.

„Pane, to letadlo tam není," zopakoval operátor známý jako Šedý vlk šest.

Hovořil do vysílačky na stanovišti u zapadlé a bezejmenné přistávací dráhy v srdci džungle. Poblíž stála řada vrtulníků se svěšenými listy vrtulí a čekaly na rozkazy, až budou moci vzlétnout do akce.

Operátorova angličtina se zdála být celkem plynulá, ale nešlo přehlédnout přízvuk, typický pro obyvatele východní Evropy.

„Jak to, že tam není?" vybuchl hlas na druhé straně.

„Pane, náš tým se nyní nachází na udané souřadnici. Jsou na tom fleku mrtvé džungle. Našli tam otisky něčeho těžkého. A všude kolem polámané odumřelé dřevo. Pane, vypadá to, že letadlo něco z té džungle prostě vyrvalo."

„A co ho jako vyrvalo?" nevěřícně se otázal hlas.

„To vůbec netuším, pane."

„Máte přece nad oblastí Predator. Sledujete ji. Jak můžete přehlídnout, že letadlo velké jako Boeing 727 zmizí náhle z džungle, a dokonce ho něco vyzvedlo?"

„Pane, náš Predator byl na orbitu severně odtud a čekal, až bude schopen jasně vidět polohu sledovacího zařízení. Do tří tisíc metrů sahá mrak, přes který není nic pořádně vidět. Ten, kdo letoun vyzdvihl, měl vypnutou veškerou komunikaci a kryla ho zamračená obloha." Odmlka. „Já vím, že to zní neuvěřitelně, ale věřte mi – to letadlo je pryč."

„Fajn, tak uděláme tohle." Hlas Šedého vlka teď zněl ledově klidně. „Máte k dispozici letku Black Hawků. Vzlétněte s nimi a prohledejte tamější vzdušný prostor. Ten válečný letoun prostě najdete, opakuji – najdete. Vezmete odsud všechno, co je třeba vzít. A pak letadlo zničíte. Je to jasné?"

„Rozumím, pane."

„Předpokládám, že jde o dílo Jaegera a jeho týmu, co?"

„To se můžu jenom domnívat, pane. Když byli u řeky, poslali jsme na ně rakety Hellfire, cílem bylo sledovací zařízení a mobil. Jenže…"

„Je to Jaeger," přerušil operátora Šedý vlk. „Určitě. Oddělejte je všechny. Žádný svědek nepřežije. Rozumíte? A naložte ten letoun tolika výbušninami, že se pak z něj nikdy nenajde ani kousíček. Chci, aby zmizel. Navždy. A tentokrát to nezvorejte, *Kamerad.* Vyčistěte to tam úplně ode všech. Všechny je pozabíjejte."

„Rozumím, pane."

„A hned vyrazte s Black Hawky. A ještě jedna věc, letím na vaši pozici. Je to příliš důležité, než abych to nechal… amatérům. Vezmu si jeden z tryskáčů agentury. Budu u vás za necelých pět hodin."

Operátor známý jako Šedý vlk šest zkřivil ret. Amatéři. Jak svým americkým mecenášem pohrdal. Ale peníze jsou dobré a stejně tak možnost mrzačit a vraždit.

A v následujících hodinách on, Vladimír Ustanov, ukáže Šedému vlkovi, čeho je se svými takzvanými amatéry schopen.

79

Jaeger vypnul svůj satelitní telefon. Právě si přečetl zprávu v nárazovém režimu, v níž stálo: *Plk. Evandro potvrzuje přípravu dezinfikované přistávací dráhy. Čas cca 1360 zulu. Plk. E. posílá leteckou eskortu pro krytí po zbytek cesty.* Jaeger zkontroloval hodinky. Bylo 0945 zulu. Než přistanou na oné části letiště v Cachimbu, kterou pro ně ředitel brazilských speciálních jednotek připravil, čeká je šest hodin a pětačtyřicet minut letu. Slovem „dezinfikované" Evandro myslel oblast, kde se Jaeger s posádkou budou moci v klidu dekontaminovat. A ve správný čas dojde řada i na letadlo. Plukovník dokonce vyslal i leteckou eskortu, která je doprovodí až na místo. Nejspíš to budou dva rychlé tryskáče.

Všechno probíhalo hladce.

Další hodinu vytrvale nabírali výšku, protože Airlander stoupal až do tří tisíc metrů. Čím výš se dostávali, tím byla atmosféra řidší a vzducholoď úspornější, což bylo nezbytné, aby se dostala do Cachimba.

Konečně vypluli z příkrovu mraků a okénky kokpitu prosvitlo slunce. Teprve nyní se Jaeger mohl pořádně podívat, jak úžasnou podívanou představují. Supermoderní vzducholoď a pod ní připojené elegantní letadlo z druhé světové války.

Jelikož Airlander měl zaoblený tvar, trčely pod ním špičky křídel Ju-390 dobrých patnáct metrů na každou stranu. Ke konci se zužovaly do úzkých ostrých hran. Jaeger usoudil, že jak se Airlander řítí vpřed rychlostí dvě stě kilometrů v hodině, vytvářejí křídla vlastní aerodynamický vztlak, a tím vzducholodi pomáhají dopravit je rychleji do cíle.

Narovová byla až po uši ponořená do svých dokumentů a Dale natáčel všechno, co stálo za to, takže Jaeger neměl nic na práci a mohl nerušeně obdivovat výhled. Pod nimi se až k horizontu táhla bílá deka z mraků, nad níž se rozpínalo modré nebe. Poprvé za hodně dlouhou dobu, která jemu samému připadala jako celá věčnost, mohl zhodnotit to, co se stalo, i události příští.

Řádné prošetření vyžadovala hlavně Narovová a její šokující odhalení – to, že znala jeho dědu a pracovala s ním, že s ní jednali skoro jako se členem rodiny. Tímhle zjištěním vyvstalo celé moře nejistot. Jakmile dostoupnou u Cachimba na zem a budou skutečně v bezpečí, jak to řekla Irina, musí si s ní pořádně promluvit. V šesti tisících metrech a skrze vysílačky a respirátory by to nebyl zrovna nerušený a příhodný způsob.

Jaegerovou prioritou číslo jedna teď muselo být vyřešení záležitosti s Ju-390 a jeho nákladem. Jejich mezinárodní expediční tým vyzvedl z džungle nacistické letadlo, v němž teď letěli, a tohle letadlo bylo napěchované Hitlerovými válečnými tajemstvími, neslo znaky amerického letectva a bylo objeveno zřejmě na brazilském území. Ale stejně tak to mohlo být i území Bolívie nebo Peru.

Otázka zněla: Kdo bude mít na letoun přednostní právo?

Za nejpravděpodobnější scénář Jaeger považoval, že jakmile objev odhalí zpravodajské služby, snese se jich na Cachimbo celá banda. Plukovník Evandro je však chytrý a Jaeger s jistotou věděl, že zvolil takovou část ohromného leteckého komplexu, která je daleko od slídivých očí veřejnosti i tisku.

Zpravodajské služby nejspíš budou vyžadovat informační embargo pro média do doby, než zhodnotí, jakou verzi příběhu předložit světové veřejnosti. Podle Jaegerových zkušeností se to tak většinou dělalo.

Americká vláda bude chtít zcela zaretušovat, že by ve sponzorování takového letu hrála nějakou roli, a stejnou věc udělají i její spojenci, kteří se na tom bezpochyby podíleli taky. Především Velká Británie.

Jak už naznačovala Narovová, alespoň některé z technologií z nákladního prostoru Ju-390 pravděpodobně stále podléhaly utajení, a určitě to tak bude muset zůstat i nadále. Z prohlášení pro veřejnost je bude třeba vyškrtnout.

Jaeger už dopředu věděl, jaký typ příběhu se nakonec do tisku dostane.

Po sedmdesáti letech, kdy letoun z druhé světové války ležel zapomenutý v amazonské džungli, byly výsostné znaky již sotva čitelné, avšak těchto ohromných letadel létalo jen pár. Neohrožení výzkumníci, kteří letadlo objevili, v něm ihned poznali Junkers Ju-390, ačkoli jen málokdo z nich si dokázal představit, jaký úchvatný náklad by letadlo mohlo obsahovat nebo co by nám mohlo napovědět o posledním tažení Hitlerova nacistického režimu…

Kammler a jeho kumpáni budou vylíčeni jako ti, kdo se snažili z popela Třetí říše zachránit to nejlepší ze svých technologií, přičemž jednali nezávisle na Spojencích. Nebo něco takového. A pokud jde o show pro televizi Wild Dog Media, Dale filmoval jako divý, poněvadž si uvědomoval, že získal příběh svého života.

Tahle napínavá, dobrodružná a záhadná historka předčí i *Indianu Jonese*, pomyslel si Jaeger. Hrát postavu Harrisona Forda mu sice zrovna nevonělo, ale Dale měl v rukávu velkou spoustu materiálu právě s ním.

Co bylo natočeno, bylo natočeno, a Jaeger uvidí v televizní sérii stejně jen retušovanou verzi, která zamete pod koberec aspoň něco z toho, co našli v letounu, o znacích amerického letectva ani nemluvě. I tak to bude jistě poutavá podívaná.

A další věc, kterou bude nepochybně třeba z Daleova filmu vystřihnout, je ona Temná síla, která je pronásledovala. Bohatě postačí drama „zapadlých kmenů" a ztraceného světa džungle, což jsou pro rodinné televizní publikum mnohem přijatelnější témata.

Jaeger se domníval, že Temná síla bude teď stíhání muset zrušit, protože kořist jí vyvázla ze spárů. Vzhledem k tomu, že mají nejméně jeden Predator a těžce ozbrojenou pozemní jednotku, jde bezpochyby o nějakou černou agenturu založenou v USA, která se stala nebezpečnou.

Když povolíte tolik tajných organizací a dáte jim plnou moc a nulovou zodpovědnost, musíte zákonitě očekávat „blowback", jak tomu říkají obchodníci.

V určitém bodě ztratíte veškerou kontrolu a jedna taková organizace překročí vymezené hranice.

80

I kdyby velitel Temné síly stíhání odvolal, Jaeger nic takového udělat nemohl. Jeho instinkt určitě hovoří neomylně a on na konci expedice jistě dopadne vrahy Andyho Smithe. Jaeger s jistotou cítil, že Smithe umučili k smrti právě proto, že se snažili dostat Temnou sílu k válečnému letounu první.

A stejná Temná síla vzala Jaegerovi dva další členy týmu, Clermontovou a Krakowa. Měl zkrátka nevyřízené účty s tím, kdo nařídil mučení a popravu jeho nejlepšího přítele, a pak ještě dvou členů jeho expedice. Jak slíbil Dulce v jejím a Andyho bývalém domově ve Wiltshiru: svoje přátele nikdy neopustí.

Nejdřív však musel ze Serra de los Dios bezpečně dostat zbývající část týmu, vedenou Lewisem Alonzem. Což znamenalo, že na jeho bedrech spočívalo něco jako noční můra logistiky. A mezi tím vším bylo třeba taky nějak najít čas na hledání odpovědí, které chtěl a potřeboval nejvíc. Odpovědí, které by ho zavedly ke ztracené ženě a dítěti.

Pořád v něm hlodala myšlenka, že Ruth s Lukem žijí. Hraničila s jistotou, i když neměl žádný jasný důkaz, jen vzpomínky, navozené douškem psychotropní látky. A stejně tak byl přesvědčený, že vodítko k jejich osudu leží někde v tom letadle.

Vtom mu někdo poklepal na rameno a přerušil jeho snění. Byl to Dale.

Kameraman se vyčerpaně usmíval. „Snad mi můžete věnovat pár slov? Bylo by třeba udělat tady v kokpitu letadla nějaký takový shrnutí, ať to ukážeme světu."

„Tak jo, ale ať je to krátký."

Dale právě připravoval záběr, když si Jaeger všiml, že Narovová prudce zvedla hlavu od panelu navigátora. Po stranách letounu byla zadní okénka a Irina napjatě hleděla z jednoho z nich ven.

„Máme společnost," oznámila. „Tři helikoptéry, Black Hawky."

„To je eskorta plukovníka Evandra," poznamenal Dale. „Musí být." Podíval se na Jaegera. „Jenom vteřinku. Mluvte a já udělám nějaký záběry."

Dale se přesunul na onu stranu letadla a začal natáčet. Jaeger šel za ním.

A opravdu, s Airlanderem držely krok tři černé vrtulníky. Letěly ve vzdálenosti asi sto padesáti metrů od pravoboku letounu. Jak je tak Jaeger sledoval, cosi ho udeřilo do očí. Něco tu nehrálo. Helikoptéry byly natřené jakýmsi matně černým, radarem nezachytitelným nátěrem a ani jedna z nich na sobě neměla jakékoli znaky.

S Black Hawky operovalo brazilské letectvo. Možná měli letku neoznačených vrtulníků, ale Jaeger především vrtulníky vůbec nečekal. Dávalo by smysl, kdyby plukovník Evandro vyrazil z Cachimba s tryskáči, nejspíš s F-16, aby je se vší pompou doprovodil ve zdraví domů.

Ale neoznačené Black Hawky, to Jaegerovi nesedělo.

Těžce ozbrojené vrtulníky jako tyhle se obvykle používaly k vojenskému transportu, a navíc ani neměly takový dolet, aby se dostaly až na leteckou základnu v Cachimbu. Bojový dolet vrtulníků byl šest set kilometrů, čili necelá polovina vzdálenosti, která je dělila od Cachimba.

Proto Jaeger neuvěřil, že by tohle mohla být eskorta plukovníka Evandra.

Obrátil se k Narovové a jejich oči se setkaly.

Jaeger znepokojeně zavrtěl hlavou. *Tak to není.*

Narovová reagovala stejně.

Zapnul satelitní telefon a vytočil Raffa. Teď už ztratilo význam udržovat komunikační zařízení vypnutá. Buď je to přátelská eskorta a v tom případě jsou v bezpečí, nebo je našla nepřátelská síla. Ať to bylo jakkoli, nadále se skrývat bylo zbytečné.

Ve chvíli, kdy satelitní telefon zachytil signál, uslyšel Jaeger vyzváněcí tón a vzápětí přišla odpověď. Avšak na lince se neozval Raffův hlas. Místo toho zaslechl cosi, co znělo jako příchozí rádiový hovor od člověka, jenž velel záhadné letce Black Hawků. Raff používal na doručování zpráv Jaegerovi a jeho týmu thurayu.

„Neoznačený Black Hawk volá Airlander otevřenou komunikací," monotónně odříkával cizí hlas. „Potvrďte, že mě přijímáte. Neoznačený Black Hawk volá Airlander. Potvrďte."

„Otevřená komunikace" znamenala nešifrovaný hovor na běžné rádiové frekvenci, kterou monitorují všechna letadla. Divné bylo, že pilotův hlas měl lehce východoevropský, zřejmě ruský témbr. Jednotvárný hrdelní přízvuk Jaegerovi na okamžik připomněl… způsob, jakým hovořila Narovová.

Ta byla přilepená k satelitnímu telefonu a napjatě poslouchala hřmotný hlas, který z něj vycházel. Na okamžik se však očima střetla s Jaegerovým pohledem. A on v nich uviděl výraz, jehož by se u ní nikdy nenadál.

Strach.

81

Jaeger vyťukal rychlý vzkaz. *Jsem na drátě.*
V okamžiku, kdy zprávu odeslal, uslyšel v telefonu hluboký hlas velkého Maora. „Black Hawku, tady Airlander. Slyšíme tě, potvrzujeme."

„S kým mluvím?" zeptal se velitel Black Hawku.

„Takavesi Raffara, operační důstojník, Airlander. S kým mluvím já?"

„Pane Raffaro, otázky kladu já. Mám v rukou všechny karty. Nechte mluvit pana Jaegera."

„Ne. Jsem operační důstojník toho letounu. Veškerá komunikace jde přese mě."

„Opakuji, předejte slovo panu Jaegerovi."

„Ne. Veškerá komunikace jde přese mě," opakoval Raff.

Jaeger viděl, že první Black Hawk zahájil palbu s použitím GAU-19, hrozivého šestihlavňového kulometu Gatling ráže 12,7 mm. Během třívteřinové salvy vzduch pod helikoptérou zčernal od prázdných plášťů nábojů. Za ty tři krátké vteřiny zbraň vypumpovala stovky průbojných střel, každou o velikosti malého dětského zápěstí.

Nápor střel se sice dostal tak dvě stě sedmdesát metrů před vzletovou palubu Airlandera, ale vyslaný vzkaz byl naprosto jasný. *Jsme schopni roztrhat vás na cucky stokrát po sobě.*

„Příští palba bude směřovat na kabinu vzducholodi," pohrozil velitel Black Hawku. „Předejte slovo Jaegerovi."

„Ne. Nemám Jaegera na palubě své lodi."

Raff velmi opatrně volil slova. Technicky vzato to byla pravda. Jaeger na palubě Airlanderu skutečně nebyl.

„Poslouchejte mě velmi dobře, pane Raffaro. Můj navigátor identifikoval vyčištěnou oblast sto padesát kilometrů na východ, na souřadnici 497865. Na této souřadnici přistanete. A nezvorejte to. Když to uděláte, bude za to zodpovídat každý člen vašeho týmu. Potvrďte, že jste rozuměl mým instrukcím."

„Čekejte."

Jaeger uslyšel na svém satelitním telefonu pípnutí příchozí zprávy. *Odpověď?*

Vyťukal ji. *Jakmile nás budou mít dole, je po nás. Po všech. Odmítni to.*

Znovu se ozval Raffův hlas. „Black Hawku, tady Airlander. Zamítá se. Pokračujeme k našemu cíli, jak bylo plánováno. Jsme mezinárodní tým, provádějící civilní expedici. Nezasahujte, opakuji, nezasahujte do tohoto letu."

„V tom případě se dobře podívejte na otevřené dveře našeho vedoucího vrtulníku," odpověděl velitel Black Hawku. „Vidíte tu postavu ve dveřích? Je to jeden z vašich milovaných indiánů. A jako bonus máme s sebou i některé členy vašeho týmu."

Jaeger zběsile přemýšlel. Nepřítel zřejmě předběhl jednu z jejich přepadových skupin a některé členy týmu zajal. Naložit je do helikoptéry bylo snadné, protože jako příhodné přistávací místo využili onen kus země, kde předtím spočíval Ju-390.

„Myslím, že někteří z vás toho divocha znají," promlouval jízlivě velitel Black Hawku. „Jeho jméno znamená ,velký prase'. Velmi výstižné. A teď se koukněte, jak poletí."

A za chvilku z prvního Black Hawku vypadla postava, rovná jako tyčka.

I z té dálky Jaeger viděl, že je to opravdu válečník Amahuaků, při pádu němě křičící. Masa mračen ho rychle pohltila, ale ještě předtím Jaeger stačil poznat kolem jeho krku obojek z krátkých per. *Gwyrag'waja* – každé pero značilo nepřítele, zabitého v boji.

Cítil, jak jím projela slepá zuřivost. Tělo Puruwehuova bratra zatím zmizelo z dohledu. Gwaihutiga zachránil na provazovém žebříku Jaegerovi život a teď ho vyhodili z vrtulníku kvůli tomu, že si on a jeho tým chtěli uhájit kůži. Jaeger praštil pěstí do stěny letounu. Měl hroznou zlost a pocit marnosti.

„Mám těch divochů ještě víc,“ pokračoval velitel Black Hawku. „Za každou minutu, kdy nebudete souhlasit se změnou kurzu a nezaměříte se na souřadnice 497865, vyhodíme dalšího z nich. A váš expediční tým půjde za nimi. Udělejte, co vám říkám. Změňte kurz. Jedna minuta a začnu odpočítávat.“

„Čekejte.“

Na Jaegerově telefonu opět pípla zpráva. *Odpověď?*

Jaeger se podíval na Dalea a Narovovou. Co má proboha odpovědět? Narovová v reakci na to zamávala brašnou plnou dokumentů.

„Chtějí něco z tohohle letadla,“ prohlásila. „Něco potřebují. Nemůžou nás sestřelit.“

Jaegerova ruka váhavě spočívala nad klávesnicí thurayi, sám sebe burcoval, aby napsal, co musí. Až zespodu břicha se mu zvedla vlna nevolnosti, ale přesto naťukal: *Potřebují letoun nedotčený. Nesestřelí nás. Odmítni.*

„Pokračujeme do cíle podle plánu,“ ozval se v éteru Raffův hlas. „A varuju vás, každý váš čin natáčíme a přenášíme živě na server, z něhož se všechno stáhne na internet.“ Samozřejmě to nebyla tak docela pravda, šlo o klasickou Raffovu improvizaci a trik. „Jste natáčeni a budete obžalováni a souzeni za své zločiny...“

„Kecy,“ přerušil ho nepřátelský velitel. „Jsme letka neoznačených Black Hawků. Nechápete to, vy debile? Prostě ne-e-xi--stu-je-me. Myslíte, že můžete vinit duchy z válečných zločinů? Jste kretén. Změňte kurz, jak jsem poručil, nebo ponesete následky. Máte na rukou krev...“

Z helikoptéry vypadla další prkenná postava.

A jak se řítila oslepující modří, snažil se Jaeger vymazat z hlavy myšlenku na Puruwehuu, rozpláclého v džungli hluboko dole. Nebylo možné přesně rozpoznat, kterého indiána posádka Black

Hawku vyhodila do řídkého vzduchu. Ale smrt jako smrt, vražda jako vražda.

Kolik krve bude mít na svých rukou?

„Zatím je to dobrý," ozval se zase velitel Black Hawku. „Vyčerpali jsme dva z naší zásoby divochů. Zbývá ještě jeden. Splníte mé rozkazy, pane Raffaro, nebo se i ten poslední bude muset učit létat?"

Raff neodpovídal. Kdyby změnili kurz a přistáli s Airlanderem a s Ju-390 na požadovaných souřadnicích, skončili by. Věděli to oba. Během výcviku krav maga Raffa i Jaegera učili, že jsou dva rozkazy, které nemají nikdy plnit. První byl nechat se přemístit a druhý nechat se svázat. Obojí je předzvěstí katastrofy. Kdyby nyní takový rozkaz poslechli, neskončilo by to dobře pro nikoho z nich.

Když sluncem ozářenou oblohou proletěla další postava, bezmocně se snažící zachytit se vzduchu, odvrátil Jaeger oči. Hlavou mu bleskla vzpomínka. Připomněl si Puruwehuovo vyprávění o tom, jak často létá jako *topena*, velký bílý jestřáb, jenž se vznáší nad horami.

Létal jsem vysoko jako topena, vyprávěl mu Puruwehua. *Létal jsem nad oceány a daleko do hor.*

Vzpomínka Jaegera tak mučila, že to skoro nemohl vydržet.

„A nyní, pane Raffaro, přejdeme ke skutečně zajímavé části. Dějství druhé, vaši kolegové z týmu. Nejdřív se podívejte na člověka v našich otevřených dveřích. Nevypadá, že by se mu moc chtělo učit lítat. Změňte kurz směrem k síti souřadnic, jak bylo zadáno, jinak se vydá bez zpátečního lístku na cestu do rekreačního střediska Bumbácgeddon." Velitel Black Hawku se zasmál vlastnímu vtipu. „Jedna minuta a začnu odpočítávat…"

Jaegerovi zapípal satelitní telefon. *Odpověď?*

Vtom uviděl, jak se ve slunci zalesky blonďaté až bílé vlasy postavy, kterou posádka přistrčila ke dveřím Black Hawku. Ačkoli měl za to, že Štefan Král je zrádcem v jejich řadách, absolutně jistý si být nemohl. Navíc při pomyšlení na Královu rodinu doma v Lutonu se mu dělalo zle.

Přinutil se vyťukat odpověď. *Varuj je, že plk. E. sem vyslal dva tryskáče. Nech ho mluvit.*

„Pokračujeme k cíli podle plánu," ozval se v éteru Raffův hlas. „A varuju vás, směřuje k nám eskorta tryskáčů brazilského letectva..."

„My o vašich kamarádech z B-BSO víme všechno," přerušil jeho řeč velitel Black Hawku. „Tak vy si myslíte, že máte přátele na vysokých místech!" Zasmál se. „Nevěřili byste, kde máme přátele my. V každém případě jsou plukovníkova letadla dobrých devadesát minut odtud. Splňte mé rozkazy, nebo zemřou další."

„Ne," opakoval Raff. „Pokračujeme k cíli podle plánu."

„Tak já přiletím trochu blíž," prohlásil velitel Black Hawku. „Tak budete svému příteli moci popřát příjemnou cestu."

Všechny tři vrtulníky se přiblížily. Utvořily těsnou formaci, až byly jen dvě stě třicet metrů od Airlanderu a Ju-390. Potom posádka přitáhla slovenského kameramana těsně na okraj otevřených dveří vrtulníku.

„Máte poslední šanci," zasípal velitel nepřátel. „Změňte kurz dle rozkazu."

„Ne," trval Raff na svém. „Pokračujeme k cíli."

Za okamžik Štefana Krále vyhodili ven.

Jeho tělo se řítilo k zemi, rotovalo oslepující modří a Jaeger slyšel, jak za ním Dale zvrací na podlahu. Jaeger byl úplně zničený.

Ať to byl zrádce nebo ne, takto by neměl končit ničí život, natož život mladého otce.

82

„Gratuluju, pane Raffaro," oznámil velitel Black Hawku. „Jistě jste rád, že jste viděl čtyři ze svých přátel zemřít. No a poslední kandidátkou na jízdu smrti je paní Leticia Santosová! Ano, ano – a všichni víme, jak se tyhle brazilské dámy rády vozí. Změňte kurz, pane Raffaro. Poslechněte mé rozkazy. Nebo vás smrt té rozkošné paní Santosové bude strašit po zbytek života."

Satelitní telefon pípl. *Odpověď?*

Jaeger zíral na obrazovku a myšlenky mu letěly závratnou rychlostí. Ať se na to díval jakkoli, už neměl žádné možnosti. Ale zabíjení muselo přestat. Nenechá Leticii napospas. Je tu nějaká alternativa?

Volnou rukou bezděčně nahmatal karnevalový šátek, který měl uvázaný kolem krku. A najednou ho napadlo něco, co se pevně zaseklo do jeho vědomí. Šílená, křivácká myšlenka, ale věděl, že je v tuto chvíli nejlepší, jakou mají.

Vyťukal na klávesnici zprávu. *Chovej se, jako kdybys mu chtěl vyhovět. Změň kurz. Čekej.*

V éteru zazněl Raffův hlas. „Souhlas, plníme vaše rozkazy. Měníme kurz na směr 0845 stupňů. Předpokládaný příjezd na vámi zadané souřadnice za patnáct, opakuji jedna-pět minut."

„Výborně, pane Raffaro. Rád vidím, že se konečně učíte, jak zachovat lidi při životě…"

Na poslední slova už Jaeger nečekal. Chytl Narovovou, otevřel dveře do nákladního prostoru Ju-390 a vyrazil k bedně, ležící daleko v zastíněné zadní části letadla.

Sehnul se nad kdysi dávno zabalenou bednou, v níž spočívaly střely Fliegerfaust s odpalováním z ramene. Sáhl pro nůž, ale pak si vzpomněl, že ho vlastně daroval Puruwehuovi. Za okamžik už vedle něj byla Narovová a řezala do bedny svou dýkou Fairbairn-Sykes s osmnácticentimetrovou čepelí.

Upevnění z tuhých lan odpadlo, a když vypáčili hřebíky, odtrhli společně i dřevěné víko.

Sáhli dovnitř a vyzvedli první ze dvou odpalovacích zařízení, zabalených v bedně. Bylo překvapivě lehké, ale Jaegera právě teď neznepokojovala jeho váha. Spíš mechanismus té zbraně. Nejmodernější zbraně s odpalováním z ramene využívaly elektronický palný systém na baterie. Pokud má Fliegerfaust něco podobného, jsou baterky dávno vybité a oni vyřízení.

Proto Jaeger spoléhal na to, že odpalovací zařízení pracuje pomocí jednoduchého mechanického systému. V tom případě by střely stále byly použitelné. Přejel očima rukojeť vpředu a mechanismus kohoutku vzadu. Položil si odpalovací zařízení na rameno a přiložil oko k chladné oceli hledí. Skládalo se z jednoduché kovové tyčky, vedoucí po části délky hřbetu zbraně. Zde se střelec díval a mířil.

Ovládací aparát Fliegerfaustu byl zjevně stoprocentně mechanický, přesně tak, jak doufal. Raketomety byly dobře naolejované a zdálo se, že na nich není ani flíček rzi. Dokonce i všechny hlavně vypadaly hladce a křišťálově čistě. Takže ani po sedmdesáti letech v bedně nebyl důvod, proč by neměly výborně fungovat.

Narovová znovu hmátla do bedny a vylovila devítirannou sadu střel. Byly to projektily ráže 20 mm, měřící zhruba dvacet centimetrů. Jaeger držel zbraň v klidu a Irina zasouvala náboje do hlavní odpalovacího zařízení. Když zajížděly na místa, vždycky hlasitě a dutě cvakly.

„Stiskneš spoušť, vypálí to dvě salvy," vysvětlovala Narovová naléhavým hlasem. „Jedna má čtyři střely, druhá pět. Ta druhá vyjde za zlomek vteřiny po první."

Jaeger přikývl. „Potřebujeme ale mít zafixované a nabité oba raketomety. Zvládneš to s tím druhým?"

Oči Narovové zazářily zabijáckým jasem. „S potěšením. To tě teda pojmenovali správně – Lovec."

Připravili druhé odpalovací zařízení a přesunuli se k nakládacím dveřím, umístěným v nákladním prostoru Ju-390. Teprve před necelou hodinou je Jaeger zavřel, když se připravovali na vyzvednutí z džungle. Ani náhodou si nepředstavoval, že je bude muset zanedlouho zase otevřít, a ještě kvůli takovéhle činnosti.

Popadl svou thurayu a vyťukal zprávu. *Napadnu Black Hawky od zádi Ju-390. Vrtulník se Santosovou nezasáhnu. Čekej.*

Pak jeho telefon jednou pípl. *Souhlas.*

Jaeger se podíval na Narovovou. „Připravena?"

„Připravena," potvrdila Narovová.

„Já vypálím na ten na devíti hodinách, ty na ten na třech hodinách. Nezasáhni helikoptéru se Santosovou."

Narovová krátce kývla.

„Jakmile vykopneme dveře," dodal Jaeger, „opři se do toho."

Natáhl se a uvolnil západku nakládacích dveří. Pak si sedl na podlahu válečného letounu a zapřel se botami o stěnu. Narovová udělala to samé. Jaeger ani na chvíli nevěřil, že by velitel Black Hawků tušil, že Ju-390 obsluhuje nějaká jednotka.

Přesvědčí se o opaku.

„*Teď!*"

Jaeger prudce kopl a Narovová taky. Dveře se rozletěly a Jaeger s Fliegerfaustem na rameni klekl na koleno. Nejbližší Black Hawk letěl ve vzdálenosti asi sto osmdesát metrů od nich. Jaeger srovnal jednoduché kovové hledí s kokpitem, vyslovil v duchu krátkou modlitbu, aby raketomet fungoval, a stiskl spoušť.

Vyšly čtyři střely. Zpětný náraz vehnal do nákladního prostoru Ju-390 ohnivý mrak dusivého dýmu. Jaeger mířil dál a o zlomek vteřiny později vyletělo k cíli pět zbývajících projektilů. Narovová vedle něj to rozpoutala taky a vyslala na druhý Black Hawk všech devět střel.

Rakety byly průbojné a vysoce výbušné, každou z nich stabilizovala série malých otvorů vyvrtaných okolo její koncové části. Malé množství spalin vycházelo právě těmito otvory a otáčelo projektilem okolo vlastní osy. Toto otáčení zajišťovalo, že raketa skutečně doletí k cíli stejným způsobem, jakým se díky drážkování v hlavni otáčí kulka, vystřelená ze zbraně.

Jaeger viděl, že pět jeho střel se hodně odklonilo, ale čtyři zbylé zasáhly terč. Jakmile špice průbojných střel pronikly do kovového pláště helikoptéry, zažehly dvacetimilimetrové projektily kolem boků Black Hawku šedivé obláčky kouře. A za vteřinu už vysoce výbušné nálože explodovaly a zasypaly vnitřek vrtulníku žhavými, ostrými šrapnely.

Výbuch vyrazil čelní sklo kokpitu a roztříštil i boční okna. Těla lidí uvnitř rozervaly střepiny. Za okamžik helikoptéra prudce vybočila z kurzu a začala strmě klesat. Za sebou zanechávala sloupec hrozivého šedivého kouře.

Terč číslo dvě, letící za ní, si vedl ještě hůř. Ve chvíli nejvyšší nouze se odstřelovač – nebo snad úkladný vrah? – v nitru Narovové dostal do popředí. Osm jejích střel zasáhlo cíl, pouze jeden jediný projektil terč minul.

Nejméně jeden dvacetimilimetrový projektil očividně prorazil nádrž Black Hawku. Určitě byla plná, aby palivo vydrželo na šestisetkilometrový let, takže k hoření toho bylo dost a dost. Z vrtulníku vyšlehl chuchvalec zuřivých oranžových plamenů a v mžiku jej změnil v obrovskou, oslnivou ohnivou kouli.

Jaeger cítil, jak se přes něj přelila horká vlna, a pás hořících šrapnelů se rozletěl daleko od epicentra výbuchu. Chvilku to vypadalo, že prudký požár ohrozí Airlander, ale pak se oblaka hořících trosek zřítila k hradbě mraků pod nimi a zmizela z dohledu.

Holá kostra druhého Black Hawku padala k zemi jako kámen. Z obou helikoptér zůstal jen temný mrak kouře, unášený tropickým vzduchem.

Zbyl tedy už jen jeden Black Hawk proti Airlanderu s Ju-390 hřmícímu volnou oblohou dál.

Poslední Black Hawk prudce odbočil, aby mezi sebou a případnými dalšími salvami raket udržel bezpečnou vzdálenost. Jaeger s Narovovou však už stejně další odpálit nemohli. Fliegerfausty došly. V každém případě byla na palubě onoho vrtulníku Leticia Santosová a Jaeger nebyl ochoten obětovat i její život.

„Pane Raffaro, vy budete ještě trpce litovat, že jste tohle udělal!" vřeštěl nepřátelský velitel zuřivým hlasem. „Zahajuju střelbu na vaše motory!"

„Když to uděláte, jdeme k zemi," opáčil Raff, „a s námi i váš drahocennej letoun. Roztříská se v džungli!…"

Raffova slova přerušila hrozivě precizní palba z GAU-19 zbývajícího Black Hawku. Střely se zavrtaly do propulzoru na předním pravoboku Airlanderu. V tom okamžiku Jaeger pocítil, jak se Ju-390 naklonil doprava, protože jeden z gigantických rotorů vzducholodi byl rozerván na kusy.

Posádka uvnitř Airlanderu se vší silou snažila udržet loď ve vzduchu i se třemi propulzory. Upravovala tah a pohon, aby vyrovnala zátěž zasažené vzducholodi, a pumpovala helium dopředu i dozadu mezi její tři ohromné trupy.

„Airlander Black Hawkovi." V éteru se ozval Raffův hlas. „Pokud nám prostřelíte další propulzor, nebudeme s touhle zátěží schopni letu, a budeme nuceni Ju-390 pustit. Tři tisíce metrů rovnou dolů. Stáhněte se, sakra."

„To si nemyslím," odpověděl velitel Black Hawku. „Máte na palubě toho letadla tým a já se nedomnívám, že ho necháte spadnout. Splňte mé instrukce, nebo zasáhnu druhý motor."

Jaegerovi opět pípl vzkaz. *Odpověď?*

Avšak Jaeger nevěděl, co má odpovědět.

Teď už doopravdy neměli žádné možnosti.

Dostali se do slepé uličky.

83

Black Hawk vypálil z kulometu GAU-19 potřetí. Ničivá salva se zaryla do zadního propulzoru na levé straně Airlanderu. Jaeger byl teď s Narovovou zpátky v kokpitu. Najednou ucítili, jak sebou Ju-390 po vyřazení druhé sady rotorů hrozivě smýkl doleva.

Několik šílených vteřin obří vzducholoď urputně bojovala, aby obnovila rovnováhu. Dva funkční propulzory, které ještě zbývaly na opačných koncích i stranách trupu, se pokoušely vyrovnat neúnosnou zátěž. A i když se Airlanderu podařilo jakous takous rovnováhu nabýt, bylo jasné, že nebude schopný letět v tomhle stavu se zátěží, jakou měl pod sebou.

Téměř vzápětí začala rychlost vzducholodi dramaticky klesat. Při poloviční hnací síle teď navíc ztrácela i výšku. Ju-390 ji neúprosně táhl do náruče smrti.

Black Hawk změnil pozici. Spustil se za záď vzducholodi, takže z kabiny letadla teď na něj nebylo vidět. Jaeger si ani na okamžik nepomyslel, že by snad nepřátelský velitel útok odvolal. K čemu se sakra chystá?

Na thurayi pípla příchozí zpráva. *BH se přemístil za vás. Blíží se ke špičce vašeho levého křídla. Chce snad vstoupit na palubu letadla???*

Jaeger na zprávu udiveně hleděl. Co to ten Black Hawk proboha dělá?

Vyhlédl z okénka na levé straně.

Opravdu, pilot vrtulníku pomaličku manévroval, aby přiblížil boční dveře stroje k levému konci křídla Ju-390. Jaeger viděl, že ve dveřích se shluklo nejméně deset po zuby ozbrojených mužů v černých protichemických oblecích s respirátory.

Ucítil, jak se po jeho boku objevila Narovová. „Jen ať si to zkusí!" zavrčela, když zahlédla černé postavy.

Vteřinku nato popadla odstřelovací pušku Dragunov. Byla připravená zabít každého, kdo se pokusí na palubu nastoupit.

„Ne!" Jaeger stlačil hlaveň její zbraně k podlaze. „Oni v tuto chvíli nemají páru, kde jsme. Když začneš střílet, našijou to do kokpitu a nadělají z nás fašírku."

„Tak mě aspoň nech vyřídit jejich pilota!" protestovala. „Aspoň toho jednoho!"

„Když sundáš pilota, řízení převezme kopilot a stejně na nás spustí palbu. A nezapomínej, že na palubě je Santosová."

„Někdy je nutné život vzít, abys život zachránil," odpověděla Narovová ledovým hlasem. „Nebo jako v tomhle případě, vezmeš jeden život a zachráníš jich mnoho."

„Ne!" Jaeger divoce vrtěl hlavou. „To ne! Musí existovat lepší způsob."

Zoufale se rozhlížel po kabině válečného letounu. Jeho pohled se zastavil na hromadě zaprášených batohů zastrčených pod sedadlem navigátora. Na každém bylo napsané *Fallschirm*. Německy sice neuměl, ale dal si dohromady, co to asi je. Natáhl se a jeden si vzal.

Dělej nečekané věci.

Zamával jím na Narovovou. „Padák, že?"

„Padák," potvrdila. „Ale přece…?"

Jaeger se podíval okénkem ven. Rychlost vzducholodi dramaticky poklesla. Najednou vidí, jak z otevřených dveří Black Hawku vyskakuje první černá postava a přistává v podřepu na obřím křídle Ju-390. Za několik vteřin se k ní připojila druhá. Plíživým krokem zamířily k trupu.

Jaeger vrazil jeden padák do rukou Narovové a druhý hodil Daleovi. Třetí si vzal pro sebe.

„Nasaďte si je!" zakřičel. „A budeme doufat, že jako většina německých věcí jsou vyrobené tak, aby vydržely!"

Zatímco se soukali do padákových postrojů, zapípala zpráva. *Nepřítel shromážděn u vašeho trupu. Klade trhaviny.* Černě oblečení záškodníci chtěli propálit díru do středové části trupu Ju-390 a dostat se tudy dovnitř.

Jaeger odepsal: *Až budou všichni nepřátelé na palubě, odřízni nás. Nech nás spadnout. A Raffe, žádný protesty. Vím sakra, co dělám.* Za chvilku pípla odpověď. *Souhlas. Uvidíme se v ráji.*

Jaeger děkoval bohu, že má na palubě Airlanderu Raffa. Nikdo jiný by takový rozkaz takhle bez námitek nesplnil. Oba muže spojovalo jedinečné pouto, které se zocelilo během mnoha let vojenské služby v těch nejextrémnějších podmínkách.

Jaeger zaznamenal tlumenou explozi v zadní části letadla. Ve chvíli, kdy nálož trhaviny vyrvala v jeho trupu díru o velikosti dospělého muže, se Ju-390 na okamžik zachvěl. Jaeger to v duchu úplně viděl – černě odění muži se hrnou do temného, zakouřeného nákladního prostoru připravení spustit palbu.

Několik vteřin jim potrvá, než se zorientují, pak začnou pročesávat záď a hledat Jaegera a jeho druhy. Když je nenajdou, přemístí se k přepážce a tam položí druhou várku trhavin. Musí se přes ni dostat jedině takhle, poněvadž zamčené dveře v přepážce nejdou otevřít jinak než zevnitř – z kabiny letadla.

Jaegerovi, Narovové a Daleovi i tak zbývalo jen několik vteřin.

„Fajn, takže teď náš plán," spustil Jaeger hlasitě. „Airlander nás každou chvilku odřízne. Jako každé dobré letadlo s trochou setrvačné energie nabere i naše při pádu rychlost a pak přejde do klouzavého letu. Jakmile nás odříznou, vyházíme všechny ostatní rance," bodl palcem směrem ke zbývajícím padákům, „a pak vyskočíme. Za šňůru netahejte dřív, dokud neklouzneme do husté vrstvy mraků," pokračoval Jaeger, „jinak nás Black Hawk bude moci sledovat. Snažte se držet se při pádu pohromadě a zkuste se pak chytit za ruce. Pořadí seskoku: Dale, Narovová, já. Připraveni?"

Narovová kývla. Její oči jen plály touhou po boji a v žilách jí proudil adrenalin.

Zato Dale byl bledý jako stěna a vypadalo to, že se mu už podruhé obrátí žaludek naruby. Přesto rozpačitě zvedl palce na znamení souhlasu. Jaeger ho musel obdivovat. To, čím si za tak krátkou dobu prošel, by vyvedlo z míry i většinu ostřílených vojáků – a on si v té zkoušce zatím vedl zatraceně dobře.

„Nezapomeň kameru, nebo aspoň paměťové karty," zavolal na něho Jaeger. „Ať se stane cokoli, nesmíme za žádnou cenu ztratit film!"

Vzal zbývající padáky a naskládal je k boční stěně kabiny. Pak otevřel obě okna dokořán, aby jim nic nebránilo vyskočit.

Otočil se k Narovové. „Nezapomeň na ty dokumenty, ať už je v nich cokoliv. Připni si tu brašnu na stehno a nenech si ji…"

Poslední slova musel spolknout, neboť Ju-390 se najednou prudce sesul a řítil se přídí k zemi. Jakmile je Airlander uvolnil, několik hrozivých vteřin to vypadalo, že bude padat svisle dolů jako kámen. Pak ale křídla nabrala vzduch a volný pád přešel v klouzavý, stále však dechberoucí let.

„Ven! Ven! Ven!" křičel Jaeger a začal oknem postupně vystrkovat zbylé padáky.

Fallschirmy jeden po druhém mizely v kvílející prázdnotě.

Dale se chytil okenního rámu, protáhl se půlkou těla ven a – najednou zkoprněl. Vzdušný proud za něj zuřivě rval, ale jeho nohy byly jako přibité ke kovové podlaze.

Nehýbal se.

Jaeger neváhal ani vteřinu. Spustil statná ramena, popadl Dalea za nohy a vší silou ho – křičícího – vystrčil do řídkého vzduchu.

Za přepážkou už slyšel halekání hlasů. Černí muži se chystali, že si cestu do kabiny prostřelí. Narovová vyskočila na sedadlo pilota, chytila se kraje střechy a vymrštila nohy z okna.

Ohlédla se za ním. „Jdeš taky, jo?"

Musela zahlédnout záblesk nerozhodnosti, který se Jaegerovi kmitl v očích. Na okamžik se totiž zase octl na tom horském svahu, kde mu sebrali ženu a dítě. Neudělal všechno, co mohl – vždyť sakra ještě neudělal nic! –, aby ve válečném letadle našel nápovědy, kdo mu je vzal a proč.

Jednu mučivou vteřinu mu ten hlas, který k němu mluvil za plynovou maskou – hlas, který zněl tak strašně povědomě –, spaloval mysl: „Nikdy nezapomínej, že jsi nedokázal ochránit svou manželku a dítě. *Wir sind die Zukunft!"*

Jaeger si najednou připadal jako přikovaný. Vůbec se nemohl hnout.

Hluboko v srdci zoufale prahl po odpovědích.

A pokud teď letadlo opustí, budou pro něj možná už navždy ztracené.

„Pojď k oknu!" křičela Narovová. *„Hned!"*

Jaeger náhle zjistil, že hledí do hlavně. Narovová vytáhla kompaktní pistoli Beretta s krátkou hlavní a namířila mu ji na hlavu.

„Já o tom vím všechno!" křičela. „Zabili tvého dědečka. Přišli si pro tebe a tvoji rodinu. Na základě něčeho, cos udělal. A takhle získáme odpovědi. Když teď ale půjdeš k zemi s tímhle letadlem, oni vyhráli!"

Jaeger se pokusil přimět nohy k pohybu.

„Vyskoč!" řvala na něj Narovová. Její prst na spoušti zbělel. *„Nedovolím, aby sis podělal život!"*

Vtom se vzadu rozlehla ohlušující rána. Přepážka se rozletěla a do kabiny se vyvalil oslepující, dusivý kouř. Tlaková vlna mrštila Jaegera proti bočnímu oknu a jen díky tomu se vzpamatoval. Natáhl se k oknu. Narovová zatím zahájila palbu z beretty do shluku černých postav, které se hrnuly otvorem do kokpitu.

Chvilku nato se už Jaeger vrhl ven – do řídké skučící modři.

84

Ve volném pádu se Jaeger divoce roztočil, stejně jako po se-
skoku z C-130, který ho málem stál život. Vší silou roztáhl
ruce do šířky a vyklenul tělo, aby se stabilizoval. Když se mu to
povedlo, přitiskl ruce k bokům a natáhl nohy za sebe, aby co nej-
rychleji vletěl do oblačné vrstvy.

S narůstající rychlostí pádu se proklínal, že se choval tak nesku-
tečně pitomě. Narovová měla pravdu. Kdyby ve válečném letadle
zahynul, komu by to prospělo? Nikomu, a nejméně ze všech jeho
manželce a synovi. Váhal jako idiot, a navíc tím vystavil ohrožení
Irinin život. Sakra, vždyť ani neví, jestli se z letadla dostala živá,
a v dané chvíli to ani nešlo zjistit. Rozhodně ne v šíleném víru
volného pádu.

Ju-390 zrychloval celou dobu od chvíle, kdy ho Airlander
pustil. Bude se řítit rychlostí tři sta kilometrů v hodině jako ob-
rovský strašidelný oštěp – a Jaegerovi nezbývalo než doufat, že
z něj Narovová vyvázla živá.

Za několik vteřin ho pohltily mraky a Jaeger cítil, jak ho obe-
střela hustá vodní pára. Natáhl se po rukojeti pro uvolnění pa-
dáku, mocně zatáhl a… modlil se. Pokud si někdy opravdu přál,
aby nacisté udělali něco, co vydrží, bylo to právě teď.

Nedělo se nic.

Jaeger se ohlédl, aby zjistil, jestli zatáhl za správnou věc. V tom
pološeru nešlo nic udělat jednoduše, zvlášť když sebou zmítal jako
hadrová panenka a všechno kolem mu splývalo v jediném víru.
Pokud však dobře viděl, hlavní padák se zasekl.

Zatímco země se bleskurychle přibližovala, hlavou se mu
mihla stará známá poučka, kterou jim před lety vtloukali do hlavy

jako nouzový plán pro případ, že by se při volném pádu zasekl hlavní padák.

Zásady stejné, jenom systém jiný, řekl si.

Sáhl po tom, co pokládal za záložní padák. Byl to sice starý systém, ale nebyl důvod, proč by nemohl stejně dobře fungovat. Země se s každým okamžikem neúprosně blížila, takže – teď, nebo nikdy. Jaeger škubl obzvlášť silně a záložní padák – velká plocha německého hedvábí, které sedmdesát let čekalo poskládané na svou šanci – se rozvinul na nebi nad ním.

Tento *Fallschirm*, tak jako většinu německých věcí, vyrobili s ohledem na kvalitu a otevřel se jako ve snu. Letět pod ním byla radost. Kdyby Jaeger zrovna nebyl v takové šlamastyce, možná by se i přistihl, že si ten let užívá.

Za druhé světové války používali Němci podobný padákový model jako u britských výsadkových jednotek. Měl vyklenutý, hřibovitý tvar a ve vzduchu byl stabilní a pevný – na rozdíl od plošších, rychlejších a ovladatelnějších vojenských padáků dnešní doby.

Zhruba ve sto padesáti metrech nad zemí se Jaeger vynořil z mraků. Ihned pomyslel na Dalea a Narovovou. Podíval se na západ a měl dojem, že na úrovni země rozeznává tvar splasknutého padáku. Tam zřejmě přistál Dale.

Když pohlédl na východ, z mračného příkrovu se právě vyloupl bílý záblesk.

Narovová. To musí být ona. Nějak se dostala z kokpitu Ju-390 a podle držení těla v popruzích pod padákem to vypadalo, že je stále naživu.

Jaeger si zapsal obě pozice do hlavy a potom se zaměřil na zem pod sebou.

Hustá džungle – a nikde žádné volné místo k přistání.

Už zase.

Zatímco se snášel dolů k lesu, pomyslel na Ju-390. Z výšky tří tisíc metrů může letící letadlo klouzat desítky kilometrů, ale stejně je od začátku odsouzeno k záhubě. Po odpojení od Airlanderu bude s každou další vteřinou získávat rychlost a ztrácet výšku.

Dřív nebo později se rychlostí víc než tři sta kilometrů za hodinu roztříští v džungli. Pozitivní na tom bylo, že s sebou vezme i ty černooděnce, jelikož poslední zbylý Black Hawk je v žádném případě nemohl z řítícího se letounu vyzvednout. A Jaeger všechny náhradní padáky vyházel z okna kabiny.

Smůla byla, že letadlo zmizí navždy ze světa i se všemi tajemstvími, která vezlo na palubě – nemluvě o jedovatém nákladu, který skončí v deštném pralese.

S tím však v tuhle chvíli nemohl Jaeger vůbec nic dělat.

Neoznačený Black Hawk přistál osamělý na odlehlé dráze v džungli.

Z vrtulníku vystoupil operátor s krycím jménem Šedý vlk šest – pravým jménem Vladimir Ustanov. Satelitní telefon měl přilepený k uchu. Ze ztrhaných rysů a popelavé barvy tváře bylo vidět, že zážitky z posledních hodin ho velice tíží.

„Pochopte situaci, pane," říkal do telefonu přiškrceným, vyčerpaným hlasem. „Z mé letecké jednotky jsem zbyl jen já a čtyři další muži. Na žádnou významnou operaci se už nezmůžeme."

„A válečné letadlo?" otázal se nevěřícně Šedý vlk.

„Dýmající vrak. Rozprášený v džungli na desítky kilometrů daleko. Přeletěli jsme nad ním ve chvíli, kdy se zřítilo."

„A co náklad? Ty dokumenty?"

„Zřítilo se to všechno s letadlem spolu s tuctem mých nejlepších mužů."

„Když je nemůžeme mít my, jen dobře, že jsou zničené." Odmlka. „Tak vida, Vladimire, konečně jste něčeho dosáhl."

„Pane, ztratil jsem dva Black Hawky plus tři tucty mužů…"

„Za ty výdaje to stálo," přerušil ho nelítostně Šedý vlk. „Dostali za tu práci zaplaceno, a to velmi dobře, takže ode mě žádný soucit nečekejte. Raději mi řekněte, vyvázl někdo z toho válečného letadla?"

„Viděli jsme vyskočit tři postavy. Ale v mracích se nám ztratily. Tak jako tak pochybuju, že to někdo z nich přežil. Jestli měli padáky, nevíme, ale i kdyby ano, tam dole je nezmapovaná džungle."

„Ale mohli přežít, že?" zasyčel Šedý vlk.

„To mohli," připustil Vladimir Ustanov.

„Mohli přežít, což znamená, že z toho letadla mohli docela dobře vyzvednout některé z věcí, po kterých jsme šli?"

„Mohli."

„Otáčím kurz letadla," vyštěkl Šedý vlk. „Vzhledem k tomu, že vám nezůstala žádná bojeschopná jednotka, nemá smysl, abych do operační zóny vůbec letěl. Chci, abyste si s kolegy, kteří přežili, udělali dovolenou na nějakém odlehlém a nenápadném místě. Ale nepokoušejte se zmizet. Udržujte kontakt."

„Rozumím."

„Ty, kteří přežili – pokud se to někomu povedlo –, bude třeba najít. A pokud mají to, co jsme hledali, musí nám to být vráceno."

„Rozumím, pane."

„Zůstanu s vámi v běžném kontaktu. A mezitím, Vladimire, byste mohl naverbovat pár nových pěšáků místo těch, o které jste tak lehkovážně přišel. Stejné podmínky, stejný úkol."

„Rozumím."

„Ještě poslední věc: pořád máte tu Brazilku?"

Vladimir pohlédl na postavu ležící na palubě Black Hawku.

„Máme."

„Tak si ji nechte. Třeba se nám ještě bude hodit. Do té doby ji můžete vyslýchat svým speciálním způsobem. Vytáhněte z ní všechno, co ví. Při troše štěstí by nás mohla dovést k ostatním."

Vladimir se usmál. „S potěšením, pane."

Z Learjetu 85 letícího vysoko nad Mexickým zálivem si velitel známý jako Šedý vlk zavolal podruhé. Hovor byl přesměrován do nevýrazné šedivé kanceláře v obezděném komplexu budov hluboko v pásu šedého lesa v zapadlé poklidné části Virginie, na východním pobřeží USA.

Jedna z těch budov byla napěchovaná nejmodernějšími odposlechovými a sledovacími systémy na světě. Mosazná destička vedle vchodu oznamovala: *CIA – Division of Asymmetric Threat Analysis (DATA)*, tedy oddělení analýzy asymetrické hrozby.

Ozvala se postava v elegantním, ale neformálním civilním oblečení. „DATA. Harry Peterson."

„To jsem já," ohlásil se Šedý vlk. „Blížím se na palubě Learjetu a potřebuji, abyste mi našel to individuum, o kterém jsem vám poslal složku. Jaeger. William Jaeger. Použijte všechny možné prostředky: internet, e-mail, mobilní telefony, rezervace letů, detaily z pasu – cokoliv. Poslední známé místo výskytu: západní Brazílie, nedaleko peruánsko-bolivijské hranice."

„Rozumím, pane."

Šedý vlk zavěsil.

Potom se vrátil na sedadlo. Jistě, v Amazonii se věci nevyvíjely příliš dobře, ale byla to jen taková šarvátka, uklidňoval sám sebe. Jedna z mnoha bitev v mnohem delší válce – ve válce, kterou on a jeho předci vedli a stále vedou už od jara roku 1945.

Ano, tohle znamenalo nezdar, ale zvládnutelný. A není to nic oproti tomu, co si přetrpěli v minulosti.

Natáhl se pro luxusní tablet ležící na stolku před ním. Zapnul ho a otevřel soubor se seznamem jmen v abecedním pořadí. Najel kurzorem dolů a vedle jednoho z nich naťukal několik slov: *Nezvěstný v boji. Je-li naživu, zlikvidovat. PRIORITA.*

Potom vzal diplomatku, kterou si dal předtím vedle sebe, položil ji na stůl a zasunul tablet dovnitř. S uspokojivým cvaknutím ji zavřel a nastavil na zámku kombinaci, aby do ní nikdo nemohl.

Na víku kufříku stálo drobným zlatým písmem: *Hank Kammler, náměstek ředitele CIA.*

Hank Kammler – alias Šedý vlk – jemně, uctivě přejel konečky prstů po vytlačeném nápise. Na konci války si jeho otec musel změnit jméno. Z oberstgruppenführera SS Hanse Kammlera se stal Horace Kramer – aby ho mohli snáze propašovat do Úřadu strategických služeb – OSS – předchůdce CIA. A zatímco stoupal po žebříčku CIA až do nejvyšších řad, Horace Kramer nikdy neztratil ze zřetele svůj skutečný cíl: ukrýt se všem na očích, aby dal opět dohromady a obnovil Říši.

Když byl pak život jeho otce předčasně ukončen, rozhodl se Hank Kammler převzít břímě zodpovědnosti a vstoupit do CIA. Nyní se Kammler nepatrně pousmál a jeho oči se posměšně zaleskly. Jako kdyby byl někdy spokojený s tím, že může v tichosti sloužit CIA a zapomenout na slávu svých nacistických předků.

Nedávno se rozhodl vzít si zpátky to, co mu právem náleželo. Rozený Hank Kramer si oficiálně změnil příjmení na Kammler – čímž se přihlásil k otcovu odkazu a vznesl nárok na své dědické právo.

A pokud šlo o něj, opětovné získání těch věcí bylo teprve na samotném počátku.

85

Jaeger se usadil na sedadle před krátkým spojovacím letem na letiště Bioko.

Let z Londýna do Nigérie – rychlý, přímý a pohodlný – proběhl přesně podle očekávání, ačkoli si tentokrát Jaeger se svým rozpočtem nemohl dovolit let první třídou. Na letišti Lagos nasedl na místní spoj, mimochodem pěknou rachotinu, s níž už to byl jen skok přes Guinejský záliv do ostrovní metropole Rovníkové Guineje.

Kontakt, který měl od Pietera Boerkeho, byl stejně nečekaný jako záhadný. Po nouzovém výskoku z válečného letadla, odsouzeného ke zřícení do džungle, se Jaeger asi po dvou týdnech dostal do relativního bezpečí letecké základny Cachimbo. A právě do Cachimba se mu nečekaně dovolal Boerke.

„Mám pro vás ty papíry," prohlásil Jihoafričan. „Sedmou stranu lodního nákladu, přesně jak jste chtěl."

Jaeger neměl to srdce říkat Boerkemu, že to poslední, co ho teď zajímá, je záhadná stará nákladní loď, která ke konci druhé světové války kotvila v přístavu na Bioku. Poprosil vůdce převratu, aby mu ty dokumenty oskenoval a poslal e-mailem. A nedostal zrovna odpověď, jakou by čekal.

„Ba ne, to nepůjde. Ani náhodou," sdělil mu Boerke. „Musíte se přijet podívat osobně. Protože, milý příteli, to nejsou jen papíry. Je to i něco hmotného. Něco, co nemůžu poslat e-mailem ani poštou. Věřte mi – musíte se na to přijet podívat."

„Můžete mi trochu napovědět?" zajímal se Jaeger. „Je to docela dlouhý let. Navíc, po posledních dvou týdnech…"

„Řekněme to takhle," přerušil ho Boerke. „Já nejsem nacista. Ve skutečnosti ty zasraný nácky nenávidím. Nejsem vnouček žádného z nich. Ale kdybych byl, vážil bych velmi dlouhou cestu – a to až na konec světa a nechal přitom pozabíjet spoustu lidí –, jen abych se postaral, že tohle nikdy nevyjde na světlo. Tohleto vám chci říct. Věřte mi, Jaegere, musíte být tady u toho."

Jaeger se zamyslel nad svými možnostmi. Vycházel z předpokladu, že Alonzo, Kamiši a Joe James jsou stále naživu a putují pod vedením zbylých indiánů na nějaké místo, kde se budou moci opět spojit s okolním světem. Byl si docela jistý, že Gwaihutiga je po smrti a že ho shodili z Black Hawku spolu s jejich kameramanem Štefanem Králem, který je podle všeho zradil.

A pokud šlo o Leticii Santosovou, byla stále pohřešovaná a nikdo nevěděl, co se s ní stalo. Plukovník Evandro slíbil, že udělá všechno pro to, aby ji našel, a Jaeger tušil, že jeho týmy při pátrací akci nenechají kámen na kameni.

Jaegerova lest s upuštěním Ju-390 nepochybně zachránila životy posádky vzducholodi včetně Raffa. Black Hawk musel vyrazit za válečným letounem, který se mu stále rychleji vzdaloval klouzavým pádem do džungle, a jen díky tomu se Airlander nakonec dopotácel do Cachimba.

Dale se zranil, když se mu zasekl padák o klenbu větví, a Narovová schytala střepinu do paže, když Temná síla prorazila do kabiny Ju-390. Naštěstí se však Jaeger s oběma na zemi spojil a pomáhal jim na pochodu džunglí – ačkoli bylo celou dobu velmi nejisté, zda se jim podaří vyváznout.

Oba mu svorně tvrdili, že s tak povrchovými zraněními další cestu džunglí v pohodě zvládnou. Jaeger však měl oprávněné obavy, poněvadž v horkém a vlhkém prostředí džungle, téměř bez možnosti odpočinku, správné výživy a lékařské péče, by se jim mohly rány zanítit.

Zároveň byla jen malá šance, že Narovová nebo Dale budou naslouchat jeho obavám. A i kdyby ano, stejně pro ně mohl udělat jen žalostně málo. Jaeger si uvědomoval jednu věc: buď se z džungle dostanou vlastními silami, nebo tam zemřou.

Našel malou říčku a dva dny podél ní šli, samozřejmě jen tak rychle, jak to jejich stav dovolil. Říčka se posléze vlévala do většího přítoku a ten zase do mohutnější řeky, která se ukázala být splavná. Jako by tomu štěstí chtělo, Jaegerovi se podařilo stopnout si nákladní prám s dřevem, který plul kolem – vozili tudy po řece kmeny stromů k níže položeným pilám.

Následovala třídenní plavba, během níž je potkalo jen jedno nebezpečí, Narovová se totiž pohádala s opilým brazilským kapitánem. Ale brzy se to podařilo zažehnat.

Jakmile Ruska s Dalem nastoupili na palubu lodi, stalo se přesně to, čeho se Jaeger obával – jejich infekce propukly naplno. Na konci plavby už oba spalovaly vysoké horečky. Jaeger je hned naložil do místního taxíku a dopravil na leteckou základnu Cachimbo a do tamní supermoderní, vysoce zabezpečené nemocnice.

Diagnostikovali jim otravu krve. Prudce zanícené rány způsobily sepsi celé oběhové soustavy. Přinejmenším v Daleově případě situaci ještě zhoršovalo akutní vyčerpání. Po okamžitém převozu na jednotku intenzivní péče se nyní oba pacienti léčili pod bedlivým dohledem plukovníka Evandra.

Když dostal z nejhoršího nebezpečí ty, které mohl zachránit, a protože Leticii Santosové teď stejně pomoct nešlo, Jaeger usoudil, že to může risknout a rezervoval si let z Brazílie na Bioko. Před odjezdem se s plukovníkem pro jistotu domluvil, že ho bude pravidelně informovat o průběhu léčby a veškerém dalším dění.

Jaeger slíbil, že se včas vrátí a vezme Dalea s Narovovou domů, jakmile cestu umožní jejich zdravotní stav. Udělal ještě další bezpečnostní opatření a posadil ke dveřím jejich nemocničního pokoje Raffa, aby byl neustále na stráži.

Před odjezdem si vyšetřil chvilku na rozhovor s Narovovou, kterou teprve před pár dny propustili z jednotky intenzivní péče.

Ještě když tam ležela, prošel si dokumenty, které zachránila z Ju-390. Němčinu však neovládal a většinu dokumentu *Aktion Feuerland* navíc tvořil sled zdánlivě náhodných čísel. Podle Narovové to musel být kód.

A bez rozluštění z něj nemohla ona, ani Jaeger celkem nic vyčíst.

Během návštěvy Jaegerovi řekla, ať ji zaveze do nemocniční zahrady, že se chce nadýchat čerstvého vzduchu a nastavit tvář sluníčku. Našli si koutek, kde měli trochu soukromí, a ona mu stručně objasnila aspoň něco z toho, co během posledních několika dní zažili. Jak se dalo čekat, musela začít druhou světovou válkou.

„Viděls tu technologii, co byla na palubě toho válečného letadla," řekla ochablým hlasem. „Na jaře 1945 prováděli nacisti zkoušky mezikontinentálních balistických střel. Do hlavic dali nervový plyn sarin, nemluvě o moru a botulotoxinu. Stačilo by jen pár takových zbraní – jedna na Londýn, jedna na New York a další na Washington, Toronto a Moskvu – a karty by se ve válce úplně obrátily.

My jsme proti tomu měli atomovou bombu, ale ještě jsme ji nedovedli k dokonalosti. A nezapomínej, že atomovku mohl doručit jenom těžkopádný bombardér, ne řízená střela, která letí mnohonásobně rychleji než zvuk. Naše obrana proti jejich raketám byla nulová.

Nacisti měli v rukou vrcholnou hrozbu a navrhli Spojencům dohodu, podle níž by měli mít Němci možnost přemístit Říši, i s tou jejich supermoderní výzbrojí, do vybraných bezpečných útočišť. Jenže Spojenci přišli s protinabídkou. ‚Tak fajn, jen přemísťujte,' řekli. ‚Všechny své *Wunderwaffe* si vezměte s sebou. Ale pod jednou podmínkou: přidáte se k nám ve skutečném boji – nadcházejícím celosvětovém tažení proti komunismu.'

Spojenci s nimi uzavřeli dohodu, že budou ty nejtajnější přesuny sponzorovat. Nemohli samozřejmě připustit, aby se nacistická kápa objevila na Britských ostrovech nebo v USA. To by veřejnost prostě nesnesla. A tak je posílali na svoje zadní dvorky – Američani do Jižní Ameriky, Briti do kolonií – Indie, Austrálie a jižní Afriky. Na místa, kde je mohli snadno ukrýt.

Tak se zrodil nový pakt. Utajený, o kterém nesmělo padnout ani slovo. Spojenecko-nacistický pakt." Narovová se odmlčela a hledala kdesi v hloubi duše sílu na to, aby mohla pokračovat.

„*Aktion Adlerflug* – operace Orlí let – byl Hitlerův krycí název pro plán na přemístění špičkové nacistické techniky a zbraní; proto ta razítka na bednách v nákladním prostoru Ju-390. *Aktion Feuerland* – operace Ohňová země – bylo zase krycí označení pro přemístění jejich pohlavárů."

Upřela na Jaegera oči plné bolesti. „Přesný seznam těch lidí jsme nikdy neměli. Nikdy, navzdory dlouholetému pátrání. A ty dokumenty, které jsem vzala ve válečném letadle – doufala jsem, že by to mohlo být tam. Jména a taky informace o tom, kde přesně ta technologie a lidi skončili."

Jaeger cítil pokušení zeptat se, proč na tom tak záleží. Stalo se to před sedmdesáti lety. Nic nového pod sluncem. A Narovová to musela vytušit.

„Existuje jedno staré přísloví." Naznačila mu, ať se nakloní blíž. Její hlas se chvěl únavou. „Mládě hada je pořád jenom had. Spojenci uzavřeli smlouvu s ďáblem. Čím déle se to drželo pod pokličkou, tím víc to sílilo a získávalo moc, až už to bylo skoro neotřesitelné. Domníváme se, že to přetrvává na všech úrovních ozbrojených sil, bankovnictví a světovlády – dokonce i dnes."

Musela vidět stín pochybností, který se Jaegerovi mihl v očích.

„Zdá se ti to přitažené za vlasy?" zašeptala vzpurně. „Tak se zeptej sám sebe, jak dlouho přetrvával odkaz templářských rytířů. Nacismus není starý ani sto let. A templářský odkaz přežil skoro tisíc let a pořád je tu s námi. Myslíš si snad, že nacisti zmizeli přes noc? Fakt myslíš, že ti, kteří byli přemístění do bezpečných útočišť, by nechali Říši zemřít? Domníváš se, že by se jejich děti zřekly něčeho, co pokládaly za své dědické právo? *Reichsadler* s tím podivným kruhovým symbolem pod ocasem – my jsme přesvědčení, že to je jejich symbol, jejich znak. A jak sám víš, orel zas začal zvedat hlavu."

Jaeger si chvíli myslel, že už skončila. Že ji umlčela únava. Ale ona ještě někde našla sílu na posledních několik slov.

„Williame Edwarde Michaeli Jaegere, pokud máš stále pochybnosti, pak by tě měla přesvědčit jedna poslední věc. Vzpomeň si na ty lidi, kteří se nás pokoušeli zastavit. Tři z našeho týmu zabili a indiánů mnohem víc. Měli k dispozici Predator, Black Hawky a bůhví co ještě. Makali v hlubokém utajení. Představ si, kdo by mohl vládnout takovou mocí nebo jednat s takovou beztrestností. Synové hadů povstávají. Mají celosvětovou síť a jejich moc sílí. A tak jako oni mají svou síť, existuje také síť, která je chce zastavit." Odmlčela se a z jejího obličeje zmizela všechna barva. „Tvůj dědeček ji před svou smrtí řídil. A každý, koho pozvali do svých řad, dostal nůž – symbol odporu –, podobný tomu, který u sebe nosím já.

Kdo si ale chce nechat vnutit tenhle otrávený kalich? Kdo? Síla nepřítele je na vzestupu, zatímco naše – slábne. *Wir sind die Zukunft.* Slyšel jsi jejich motto: *My jsme budoucnost.*"

Střelila pohledem po Jaegerovi. „My, kteří je lovíme, se obvykle nedožíváme vysokého věku."

86

„Pane, haló, pane! Dáte si před přistáním ještě něco k pití?" zeptala se letuška už potřetí.

Jaeger byl na míle daleko, v hlavě mu běžel onen rozhovor s Narovovou. O moc víc už toho neřekla. Zmoženou bolestí a vyčerpáním ji raději zavezl zpátky na lůžko.

Jaeger se na letušku usmál. „Bloody Mary, prosím. A hodně worcesterové omáčky."

Letiště Bioko se od jeho poslední návštěvy moc nezměnilo. Nová bezpečnostní služba a celníci nahradili zkorumpovanou a prohnilou gardu prezidenta Honoreho Chambary, ale jinak to tu vypadalo převážně stejně. V příjezdové hale na něj čekala důvěrně známá postava – Pieter Boerke v doprovodu několika statných chlapů, v nichž Jaeger poznal jeho ochranku.

Boerke právě svrhl despotického diktátora a očividně nevsázel na diskrétní, nenápadnou ochranu. Jihoafričan mu podal ruku na pozdrav, načež se otočil ke svým bodyguardům. „Tak, hoši, chopte se ho, sakra. A zpátky s ním do lochu Black Beach!"

Jaeger na okamžik ztuhl a chystal se k boji. Boerke však propukl v hlučný smích. „Jen klid, pane, jen klid. My Jihoafričani máme pěkně hnusnej smysl pro humor. Moc rád vás zase vidím, příteli."

Během jízdy do Malaba, hlavního města Bioka, mu Boerke vyprávěl, jak krásně se převrat vydařil. Informace, které jim poskytl bývalý Jaegerův žalářník major Mojo, se ukázaly být klíčem k úspěchu, což byl také další důvod, proč mu Boerke tak vehementně chtěl prokázat přízeň, kterou slíbil.

Dojeli do malabského přístavu Santa Isabel a zamířili podél nábřeží. Zastavili před velkolepou koloniální budovou, která shlížela na moře. Během tří let strávených na ostrově se Jaeger snažil působit pokud možno nenápadně a do těchto končin zavítal jen vzácně, protože k návštěvě úřadu vlády mnoho důvodů neměl.

Boerke ho zavedl k trezorům, kde předchozí vlády ukrývaly nejcitlivější státní dokumenty – ne že by jich v zemi jako Rovníková Guinea bylo kdovíjak moc. Když vešli, Boerke za nimi dveře od trezoru zavřel a zajistil je západkou. Bodyguardi zůstali stát venku a hlídali. V chladivém, potemnělém, zatuchlém interiéru zůstali jen oni dva.

Z nedaleké police vytáhl Boerke vybledlý lepenkový šanon, který byl přímo napěchovaný dokumenty. Položil ho před ně na stůl.

„To je ono," poklepal na složku prstem. „Věřte mi, že kvůli tomuhle stálo za to letět přes půl světa až sem."

Mávnutím ruky ukázal na regály lemující zdi. „Většinu z toho nemá ani cenu uchovávat: Rovníková Guinea žádnými státními tajemstvími neoplývá. Zdá se však, že ostrov sehrál určitou roli za války… a v jejím závěru, dovolte mi říci, se zde děly přímo šokující věci."

Boerke se odmlčel. „Fajn, takže teď trocha historie, kterou, jak předpokládám, znáte, ale bez níž by obsah této složky každopádně nedával moc velký smysl. Bioko tehdy byla španělská kolonie s názvem Fernando Po. Španělsko bylo za války, aspoň teoreticky, neutrální a to platilo i pro Fernando Po. V praxi byla španělská vláda v zásadě fašistická a chovala se jako spojenec nacistů. Zdejší přístav dominuje celému Guinejskému zálivu," pokračoval Boerke. „Kontrola nad tímto kusem oceánu byla klíčem k vítězství ve válce v severní Africe, protože zásobovací konvoje připlouvaly po téhle trase. Ve zdejších vodách slídily německé ponorky a chybělo jen málo k tomu, aby odstavily spojenecké loďstvo. Přístav Santa Isabel – to bylo jejich tajné středisko, kde ponorky doplňovaly palivo a výzbroj, samozřejmě že se souhlasem španělského guvernéra ostrova, který nenáviděl Brity. Na začátku března 1945 to začalo být velmi zajímavé." Boerkemu se teď třpytily oči. „V přístavu zakotvil italský nákladní parník *Michelangelo* a podle očekávání přitáhl pozornost zdejších britských špionů. Působili tady tři, nastrčení na britském konzulátu jako diplomati. Každý přitom sloužil jako agent u SOE – Ústředí pro zvláštní operace."

Podíval se na Jaegera. „SOE asi znáte, že? Říká se, že Ian Fleming vytvořil postavu Jamese Bonda podle skutečného agenta SOE."

Boerke otevřel složku a vytáhl starou černobílou fotografii. Zachycovala velkou parní loď, s jedním mohutným komínem trčícím kolmo uprostřed. „To je *Michelangelo*. Ale všimněte si, že je parník natřený barvami španělské lodní společnosti Compania Naviera Levantina. Ta byla založena nějakým Martinem Bormannem," pokračoval Boerke, „mužem známějším jako Hitlerův bankéř. A měla pouze jeden účel: odvážet nacistickou kořist do všech koutů světa pod vlajkou neutrální země – Španělska. Na konci války Bormann zmizel. Úplně beze stopy. Nikdy ho nikdo nenašel. Jeho hlavní úlohou bylo dozírat na drancování Evropy. Nacisté vozili do Evropy všechno zlato, peníze a umělecká díla, co se jim podařilo uloupit a ukrást. Ke konci války se z Hitlera stal nejbohatší člověk v celé Evropě – možná i na světě. A shromáždil největší uměleckou sbírku všech dob. Bormannovým úkolem bylo zajistit, že všechno to bohatství nevezme za své spolu s Říší."

Boerke bouchl dlaní do složky. „A vypadá to, že Fernando Po posloužilo jako tranzitní místo pro většinu nacistického lupu. Mezi lednem a březnem 1945 prošlo přístavem Santa Isabel pět dalších lodních zásilek, lodě byly napěchované až po strop kořistí. Překládalo se to na ponorky za účelem dalšího transportu a zdá se, že tady nám stopa vychladla. Agenti SOE zdokumentovali tu stopu velmi důkladně," vyprávěl dál Boerke. „Ale víte, co je na tom nejpodivnější? Spojenci neudělali podle všeho nic, aby nacisty zastavili. Veřejně sice prohlašovali, že budou ty lodě přepadávat. Ale neoficiálně se je vůbec nepokoušeli zastavit. Agenti SOE byli na potravinovém řetězci nízko. Nemohli pochopit, proč ty zásilky nikdy nikdo nezastaví. A ani mně to nedávalo příliš velký smysl, tedy aspoň do doby, než jste se dostal k těm posledním několika stránkám lodního nákladu. Tehdy jsme přišli na *Duchessu.*"

Boerke vytáhl ze šanonu další snímek. „Tady je – *Duchessa.* Ale všimněte si, jaký je mezi ní a předchozími loděmi rozdíl. Opět vyšňořená v barvách Compania Naviera Levantina, ale ve skutečnosti je to zaoceánský parník, jehož účelem je převážet zboží i lidi. Proč ale posílat osobní parník, když váš náklad sestává převážně z uměleckých děl nevyčíslitelné hodnoty a zlata nakradeného v celé Evropě?"

Boerke se na Jaegera pozorně zahleděl. „Já vám povím proč. Protože tahle loď vezla z velké části pasažéry." Poslal mu přes stůl arch papíru. „Sedmá stránka seznamu lodního nákladu *Duchessy.* Je na ní soupis dvou tuctů cestujících, ale každý je označený jenom řadou čísel. Žádná jména. Není to snad dost, drahý příteli, abyste vážil cestu přes půl světa až na Bioko? Naštěstí byli vaši agenti SOE velice vynalézaví."

Boerke vytáhl poslední fotografii a postrčil ji k Jaegerovi. Nevím, nakolik jste obeznámen s nacistickou elitou z jara roku 1945. Tohle bylo pořízeno na velkou vzdálenost, pravděpodobně z okna britského konzulátu, který shlíží na přístav. Nejsou ty uniformy k pomilování?" otázal se Boerke sarkasticky. „Dlouhé kožené kabáty. Kožené boty až po stehna. Smrtihlavové…" Prohrábl si hustý plnovous. „Problém je ten, že takhle oblečení vypadají všichni zatraceně stejně. Ovšem tihle hoši – to jsou zcela jistě nejvýš postavení nacisti. Musí to tak být. A pokud dokážete rozluštit kód, ve kterém jsou ta jména napsaná, prokáže se to."

„No a kam odsud sakra odjížděli?" zeptal se Jaeger nevěřícně.

Boerke snímky místo odpovědi otočil. „Na rubu je datum: devátý květen 1945 – dva dny poté, co nacisti Spojencům podepsali bezpodmínečnou kapitulaci. Jenže to je právě ta doba, kdy stopa vychládá. Nebo je to taky možná detailně uvedeno v tom kódu. Páni, kolik neděl jsem věnoval studiu tohohle šanonu. A když mi došlo, co to je – když jsem si poskládal dohromady, co všechno tohle znamená –, vyděsilo mě to k smrti."

Potřásal hlavou. „Jestliže je to všechno pravda – a složka uložená v tomhle trezoru nemůže být v žádném případě padělek –, přepisuje to všechno, co jsme si dosud mysleli, že víme. Celé poválečné dějiny. Je to doslova šokující. Snažím se na to nemyslet. A víte proč? Protože mi to nahání hrůzu. Takoví lidi nemají v povaze žít nenápadně a začít farmařit."

Jaeger na snímek dlouho hleděl. „Ale pokud je to složka SOE, jak mohla skončit v rukou španělského guvernéra na Fernando Po?"

Boerke se zasmál. „No to je na tom právě legrační. Guvernér si dal dohromady, že ti takzvaní britští diplomati jsou ve skutečnosti špioni. A tak si řekl – o co jde? Zinscenoval vloupání na konzulát a všechny složky jim ukradl. Nebylo to sice fér, ale nasazovat mu na ostrov špiony vydávající se za diplomaty nebylo taky zrovna férové. Víte, co říká jedno staré přísloví? Dávej pozor na to, co si přeješ." Boerke postrčil celou složku přes stůl k Jaegerovi.

„Příteli, chtěl jste ji. Teď je komplet vaše."

87

B oerke nedramatizoval a nepřeháněl. Složka z úřadu vlády ostrova Bioko byla stejně šokující jako obsažná. A když si ji Jaeger balil do příručního zavazadla, vybavilo se mu slovní spojení, které nedávno pronesla Narovová – „otrávený kalich".

Taška se šanonem ho hrozivě tížila v rukou. Představovala další dílek skládačky, nepochybně takový, kvůli kterému by Temná síla vraždila.

Jaeger se zavazadlem se připojil k Boerkemu. Jihoafričan mu nabídl okružní jízdu po ostrově, než bude muset na zpáteční let do Londýna. A slíbil také další mimořádná odhalení, ačkoli Jaeger si nedokázal představit, co by ještě mohlo překonat šanon z vládního trezoru.

Vyjeli z Malaba na východ, rovnou do husté tropické buše. Když Boerke odbočil na úzkou nezpevněnou cestu vinoucí se k pobřeží, Jaeger už věděl, kam jedou. Do Fernaa, rybářské vesnice, kde prožil tři dlouhé roky a kde učil děti angličtinu.

Nyní se zoufale snažil vymyslet, co řekne místnímu náčelníkovi, jehož syn, malý Mo, zahynul při přestřelce na pláži. Uběhly od té doby necelé dva měsíce, avšak Jaeger měl pocit, že už je to celá věčnost. Jako by se to stalo v jiném světě.

Boerke si musel jeho ustaraného výrazu všimnout. Jen se tomu zasmál. „Jaegere, hlavu vzhůru, člověče, tváříte se ještě vyděšeněji, než když jsem nařídil svým chlapům, aby vás strčili do Black Beach. Uvolněte se. Blíží se další velké překvapení."

Projeli poslední zatáčkou na cestě. Jaeger v úžasu viděl, že vpředu se snad koná nějaká uvítací ceremonie.

Přijeli blíž. Vypadalo to, jako by se dostavila skoro celá vesnice – ale proč? Aby ho uvítali? Po tom, co se tady stalo, si něco takového opravdu nezasloužil.

Všiml si podomácku vyrobeného transparentu, nataženého nad hliněnou cestou mezi dvěma palmami.

Stálo tam: *VÍTEJ DOMA, WILLIAME JAEGERE!*

Boerke zastavil a vůz v tu ránu obklopili Jaegerovi bývalí žáci. Cítil, že má knedlík v krku. Boerke s bodyguardy ho v tom nechali a malé ručky už ho táhly ven a strkaly směrem k náčelníkovu domu. Jaeger se obrnil, věděl totiž, že ho čeká hořkosladké shledání.

Vešel dovnitř. Po pobytu na ostrém slunci ho tmavý interiér na chvíli oslepil. Známý zvuk příboje z nedaleké pláže se rozléhal mezi tenkými hliněnými zdmi chýše. Podání ruky na pozdrav – a vzápětí už se octl v náčelníkově mohutném medvědím objetí.

„Williame Jaegere… Williame Jaegere, vítej. Vesnice Fernao bude navždy tvým domovem."

Vypadalo to, že náčelník nemá daleko k slzám. I Jaeger bojoval s přívalem pocitů.

„Inšalláh, cesta byla dobrá?" zeptal se náčelník. „Po vašem útěku jsme nevěděli, jestli jste se dostali přes moře – vy a váš přítel."

„Inšalláh," odpověděl Jaeger. „Raff a já jsme se přes moře dostali a potom jsme zažili ještě mnoho dalších dobrodružství."

Náčelník se usmál a ukázal do tmavého kouta chýše. „Pojď sem," přikázal. „Nechali jsme pana Jaegera hodně dlouho čekat."

Ze stínů vyskočila postava a vrhla se Jaegerovi do náruče. „Pane! Pane! Vítejte zpět! Vítejte zpět! A podívejte!" Malý kluk ukázal na sluneční brýle, které měl nasazené na čele. „Pořád je mám. Sluneční brýle od vás! Vaše oakleyky!"

Jaeger se smál. Stále tomu nemohl uvěřit. Malý Mo měl hlavu ovázanou obvazem, ale živý byl víc než dost!

Jaeger ho objímal a vychutnával si sladký zázrak chlapcova

přežití. Ale přitom ho píchlo u srdce nad nenahraditelnou ztrátou. Jeho synek by byl asi tak stejně starý jako Mo. Kdyby byl naživu...

Přesně v tu chvíli se k nim připojil Boerke a náčelník se pustil do vyprávění příběhu o tom, jak malý Mo zázračně přežil.

„Děkovat za to můžeme Bohu – a vám, pane Jaegere. Za tenhle zázrak... A přirozeně taky panu Boerkemu. Kulka vypálená v tu noc, kdy jste prchali, zasáhla mého syna. Zůstal tam ležet jako mrtvá oběť a my jsme se opravdu báli, že zemře. A poslat ho do nemocnice, kde by mu zachránili život, na to nebyly samozřejmě peníze. Potom přišel převrat a objevil se tenhle muž," ukázal náčelník na Boerkeho, „s kusem papíru a nějakými čísly. A tak jsme získali přístup k bankovnímu účtu, na kterém jste nám nechal... peníze. Díky těm penězům a s pomocí pana Boerkeho jsem malého Moa poslal do té nejlepší nemocnice v celé Africe, v Kapském Městě, a tam se jim ho podařilo zachránit. Byla to však hodně velká suma, a hodně peněz ještě zůstalo." Náčelník se usmál. „A tak jsem napřed koupil několik nových člunů místo těch, které sebrali nebo prostříleli. A potom jsme se rozhodli postavit novou školu. Pořádnou, aby se děti neučily pod palmou. A nakonec – bude-li paní Topeka tak laskavá a ukáže se nám – jsme najali natrvalo učitelku."

Předstoupila mladá, elegantně oblečená místní žena a plaše se na Jaegera usmála. „Všechny děti o vás mluví moc pěkně, pane Jaegere. Snažím se pokračovat v dobrém díle, které jste započal."

„Samozřejmě je zde stále místo i pro učitele vašich schopností," dodal náčelník. „A malý Mo moc postrádá vaše dovednosti v plážovém fotbale! Cítím však, že zřejmě máte nějakou práci, která vás zavedla do širého světa, a že je to pravděpodobně dobrá věc." Odmlčel se. „Inšalláh, Williame, nalezl jste svoji cestu."

Opravdu? Nalezl svou cestu?

Jaeger si vzpomněl na temné válečné letadlo, jehož trosky teď ležely roztroušené v džungli. Vzpomněl si na Irinu Narovovou a její

413

drahocennou dýku – a na Ruth a Lukea, svoji pohřešovanou ženu a své dítě. Zdálo se, že v tuto chvíli před ním leží mnoho cest, ale možná se všechny sbíhaly do jednoho bodu.

„Inšalláh," přisvědčil. Počechral vlasy malého Moa. „Ale udělejte pro mne, prosím, jednu věc – nechte to učitelské místo pro jistotu volné!"

Náčelník mu to slíbil.

„Nuže, nadešel čas," prohlásil. „Musíte si jít prohlédnout místo, které jsme vybrali pro školu. Je odtud pěkný výhled na pláž, přes kterou jste prchali, a my bychom byli moc rádi, kdybyste položil základní kámen. Přemýšlíme, že ji pojmenujeme Škola Williama Jaegera a Pietera Boerkeho, protože bez vás by žádná nebyla."

Boerke zavrtěl v údivu hlavou. „Jsem velmi poctěn. Ale Škola Williama Jaegera bude stačit bohatě. Já sehrál jen roli posla."

Návštěva pozemku školy byla zvláštní příležitost. Jaeger položil základní kámen, na němž měly vyrůst zdi, a jak se slušelo, chvíli se s Boerkem zdrželi na hostině. Nakonec se však museli rozloučit.

Boerke měl v plánu navštívit při okružní jízdě po ostrově ještě jedno místo a Jaeger musel chytit let.

88

Z Fernaa zamířil Boerke na západ a vraceli se k Malabu. Když odbočili na pobřežní cestu, Jaeger už nepochyboval o tom, kam jedou. Vjeli do komplexu věznice Black Beach. Bránu jim doširoka otevřela nová, mnohem efektivnější a od pohledu schopnější stráž.

Boerke zastavil ve stínu vysoké zdi.

Otočil se k Jaegerovi. „Jako doma, co? Pořád to slouží jako vězení, ale máme tady úplně novou partu chovanců. Navíc mučírny jsou prázdné, a tak žraloci šílí hlady." Odmlčel se. „Chci vám ukázat jednu věc a ještě pár dalších věcí, které vám musíme vrátit."

Vystoupili z auta a vešli do temného interiéru věznice. Jaeger nemohl popřít, že se cítí nesvůj – mířili zpátky do míst, kde mu den co den vytloukali duši z těla a švábi hodovali na jeho mozku. Ale co, možná je to způsob, jak se vypořádat s démony.

Vzápětí už věděl, kam ho Boerke vede: do jeho bývalé cely. Jihoafričan zabušil na mříže a postava za nimi se zvedla jakž takž do pozoru.

„Hele, Mojo, je načase seznámit se s novým bachařem." Ukázal na Jaegera. „No vida, jak se karta obrátila!"

Nový obyvatel Jaegerovy bývalé cely na něj nevěřícně hleděl a jeho rysy tuhly hrůzou.

„A jestli se nebudeš chovat moc, moc hezky," pokračoval Boerke, „nechám tady pana Jaegera zavést nové mučení určené výlučně pro tebe." Pohlédl na Jaegera. „Berete?"

Jaeger pokrčil rameny. „Jasně. Řek bych, že si ještě vybavuju pár hnusnějších kousků z doby, kdy byly role obrácené."

„Slyšíš to, Mojo?" zeptal se Boerke. „A povím ti ještě něco, chlape. Slyšel jsem, že ti žraloci už jsou fakt pořádně vyhládlí. Dávej si bacha, kámo. Velikýho bacha."

Opustili Jaegerova bývalého věznitele a zamířili do vězeňské kanceláře. Cestou se Boerke zastavil u postranní chodby vedoucí do bloku, kde drželi vězně v izolaci. Pohlédl na Jaegera.

„Víte, koho tam máme?" kývl směrem do chodby. „Chambaru. Chytili jsme ho na letišti, když se pokoušel pláchnout. Chcete ho taky pozdravit? Pokud se nepletu, právě tenhle hajzl vydal rozkaz k vašemu zatčení, je to tak?"

„Je. Ale nechme ho pěkně v izolaci. Když tak bych si vzal jednu z jeho jachet," dodal Jaeger s úsměvem.

Boerke se zachechtal. „Připíšu vás teda na seznam. Ale ne. My tady nejsme proto, abychom plenili a drancovali. Naším úkolem je obnovit tuhle zemi."

Stoupali po schodech do kanceláře, kde kdysi Jaegera přijímali do věznice Black Beach. Boerke řekl něco strážníkovi v recepci, který mu vydal malý uzlík s věcmi. Většinou šlo o oblečení, převázané opaskem, který tehdy Jaeger nosil.

Boerke ho podal Jaegerovi. „Myslím, že jsou vaše. Mojova banda všechny cennosti rozkradla, ale je tu pár osobních věcí, které byste si podle mě rád zase vzal."

Zavedl Jaegera do vedlejší místnosti a na chvíli ho tam nechal, aby si bývalý vězeň mohl projít své věci v soukromí.

Kromě svršků tam byla jeho stará peněženka. Všechny peníze a kreditní karty z ní zmizely, ale Jaeger se stejně zaradoval, že ji má zpátky. Byl to dárek od jeho ženy. V olivově zelené kůži, diskrétně napsané na zadní straně vnitřní chlopně, bylo motto SAS: „Odvážní vítězí."

Jaeger ji otevřel a zkontroloval tajnou přihrádku hluboko v podšívce peněženky. Díkybohu, že bachaře z Black Beach nenapadlo hledat i tam. Vytáhl malinkou fotografii. Hleděla na něj mladá a krásná zelenooká žena se zářícím miminkem v náručí: Ruth a Luke, krátce po jeho narození.

Za fotografií měl zastrčený kousek papíru. Obsahoval piny od jeho kreditních karet, ale napsané takovým způsobem, aby je nikdo nemohl rozluštit. Jaeger použil jednoduchou metodu šifrování: ke každému ze čtyř čísel přidal datum svého narození – rozložený rok 1979.

Z čísla 2345 se tak stalo 3.12.11.14.

Jednoduché.

Kódování.

V tu ránu si vzpomněl na starý vojenský kufr ležící v jeho bytě ve Wardour Castle a na knihu, která v něm byla schovaná. Byl to vzácný výtisk bohatě ilustrovaného středověkého textu napsaného nějakým dávno zapomenutým jazykem. Odtud se jeho myšlenky přehoupiy k rozhovoru s archivářem Simonem Jenkinsonem, který spolu vedli nad okoralým suši v kanceláři Wild Dog Media ve čtvrti Soho.

Existuje něco jako knižní kód. Krása spočívá v jeho absolutně čisté jednoduchosti. A taky v tom, že je naprosto neprolomitelný – pokud samozřejmě náhodou nevíte, na jakou knihu se dotyčný člověk odvolává.

Potom archivář napsal zdánlivě náhodný sled čísel…

Jaeger sáhl do cestovní brašny, vytáhl složku z malabského vládního trezoru a rozložil list papíru ze soupisu lodního nákladu *Duchessy*. Přejížděl očima seznam napohled náhodných čísel a přitom cítil, jak se mu tělem šíří vzrušení.

Irina Narovová mu potvrdila, že jeho děda Ted byl hlavním lovcem nacistů. Z toho mála, co mu směl prastrýc Joe prozradit, Jaeger věděl, že i on s dědou Tedem spolupracoval. Oba muži mívali ve své době neustále po ruce výtisky téže staré a vzácné knihy – Voynichova rukopisu.

Třeba je v tomhle napohled šíleném chaosu přece jen nějaký řád.

Třeba se kód luštil pomocí Voynichova rukopisu.

Třeba děda Ted s prastrýcem Joem připadli na nějaké nacistické dokumenty z konce války a v rámci svého pátrání luštili zakódovaný jazyk.

V tom případě by měl Jaeger odpověď, jak rozluštit šifry, které se k němu dostaly. Kdyby se on, Narovová a možná i Jenkinson sešli nad příslušnými knihami a dokumenty, mohlo by to všechno začít dávat nějaký smysl.

Jaeger se pro sebe usmál. Boerke měl pravdu: podniknout tuhle cestu na Bioko se vyplatilo mnohokrát.

Jihoafričan zaklepal a vešel do místnosti. „Vypadá to, že jste spokojený sám se sebou. Máte zřejmě radost, že jste sem nakonec jel, nemám pravdu?"

Jaeger přikývl. „Jsem vaším dlužníkem, Pietere, tisíceré díky."

„Tak to ani náhodou. Já jsem splatil svůj dluh vůči vám, to je vše."

Jaeger vytáhl z cestovní tašky telefon. „Potřebuju poslat dva krátké e-maily."

„Jen posílejte – pokud teda chytíte signál," odpověděl Boerke. „Pokrytí mobilním signálem kolem Malaba stojí někdy za starou bačkoru."

Jaeger zapnul telefon a přihlásil se na svůj e-mailový účet. Napsal první zprávu:

Simone,
    přesedám na let zpátky do Londýna, dorazím zítra ráno. Udělal byste si čas na krátké setkání, možná tak na hodinku? Přijedu za vámi, kam se vám to bude hodit. Je to naléhavé. Hádám, že to, co jsme objevili, se vám bude líbit. Ozvěte se co nejdřív, prosím.
    Jaeger

Zpráva v odchozí poště „čekala na signál", Jaeger zatím psal druhou.

Irino (smím-li vás tak oslovit),
    doufám, že se máte dobře a zotavujete se. Jsem
na cestě zpátky do Cachimba a brzy dorazím. Dobrá
zpráva: myslím, že jsem snad rozluštil kód. Podrobnosti,
až se uvidíme.
    Váš
    Will

Klikl na tlačítko „odeslat" a hned vzápětí telefon pípl na znamení, že zachytil signál přes nějakou místní síť s názvem Safaricom. Ikonka pro odesílání se několik vteřin otáčela, a najednou spojení vypadlo.

Jaeger chtěl telefon vypnout, zapnout a zkusit to znovu, když vtom mu displej zčernal sám od sebe. Potom se opět rozsvítil a na obrazovce se začala psát zpráva.

Otázka: Jak jsme vás našli?
Odpověď: Váš přítel nám řekl, kde hledat.

Chvilku nato displej zase zčernal a z té černi se pomalu vyloupl důvěrně známý obraz, ze kterého jej zamrazilo v zádech. *Reichsadler.*

Jenže tenhle říšský orel byl zobrazený na nacistické vlajce přišpendlené ke zdi. A pod ní – Andy Smith. Ležel zády na vykachlíkované podlaze, s pouty na zápěstích a kotnících. Přes obličej mu přehodili hadr a lili na něj z kýblu vodu. Waterboarding.

Jaeger na ten děsný obraz zíral jako ochromený.

Mohl jen předpokládat, že to vyfotili v pokoji hotelu Loch Iver, kde Smithy bydlel. Potom ho vyhnali do kopců bičovaných bouří, násilím do něj nalili láhev whisky a shodili ho do temné propasti. S největší pravděpodobností to byl Štefan Král, kdo Smithyho lstí přiměl otevřít mučitelům dveře pokoje.

Než zemřel, mohl jim Smithy říct jen velmi málo, snad jen obecnou polohu letadla. Plukovník Evandro v tu dobu ještě přesné souřadnice neuvolnil.

Pod obrázkem se sama napsala další slova.

Vrať nám, co je naše.
Wir sind die Zukunft.

Vrať nám, co je naše. Jaeger se mohl jen dohadovat, že myslí dokumenty z pilotní kabiny Ju-390. Jak ale věděli, že je Narovová vyzvedla a že neskončily v džungli spolu s letadlem? To Jaeger netušil... Ale potom ho něco napadlo: *Leticia Santosová.*

Očividně přinutili brazilskou zajatkyni mluvit. Leticia tak jako všichni z týmu věděla, že v kokpitu našli něco zásadně důležitého. A pod nátlakem nepochybně ty neúplné informace prozradila.

Jaeger za sebou uslyšel hlas. „Páni, kdo vám to proboha poslal? A proč?" Boerke zíral na obraz na displeji Jaegerova telefonu.

Jeho slova vytrhla Jaegera z transu. Najednou mu to došlo, jako když uhodí blesk z čistého nebe. Napřáhl se a vší silou mrštil telefon otevřeným oknem co nejdál do buše.

Pak popadl cestovní brašnu a otočil se na patě.

Zakřičel na Boerkeho: „Utečte! Všichni rychle ven. Hned!"

Vyrazili sprintem z kancelářského bloku a svolávali stráže. Když dorazili k bývalé mučírně v suterénu, Hellfire udeřil. Zaryl se do země v místě, kde ležel Jaegerův mobil, vyrval obrovskou díru v obvodové zdi věznice a zbořil přilehlou kancelářskou budovu – v níž Jaeger a Boerke ještě před chvílí seděli.

Dole v suterénu vyvázli oba muži bez zranění, stejně jako většina stráží. Jaeger si však už nic nenamlouval. Ve vězení, kde kdysi div že nevypustil duši, ho Temná síla znovu málem zavraždila.

A už to tu bylo zas – William Jaeger na útěku jako lovná zvěř.

89

V Malabu naštěstí bylo několik internetových kaváren. Na radu Boerkeho si Jaeger jednu vybral a podařilo se mu poslat hodně stručnou zprávu.

Vypnout veškerou otevřenou komunikaci. Přesun dle dohody. Návrat tak, jak byl odsouhlasen.
WJ

Jaeger měl i v civilním životě sklony jednat podle starého vojenského rčení: „Kdo selže v plánování, selžou mu plány."

Než odjel z Cachimba, stanovil alternativní uspořádání cesty i komunikace pro případ, že by hon pokračoval. Předpokládal, že nepřítel teď bude mít na pořadu dne dvě věci. Buď bude chtít dokumenty vrátit, nebo zabije všechny, kteří vědí o jejich existenci. Ideálně samozřejmě bude chtít dosáhnout obojího.

Na adresu, ke které mělo přístup jádro jeho týmu – Narovová, Raff a Dale –, chtěl umístit koncept e-mailu. Budou vědět, že si mají koncept přečíst, aniž by ho vůbec odeslal. Díky tomu bude naprosto nevystopovatelný.

E-mail obsahoval čas plánovaného setkání ode dneška za několik dní a domluvené místo. Když ve složce s koncepty nebude žádná zpráva s jiným zněním, setkání proběhne. Instrukcí „přesun dle dohody" se rozumělo, že Narovová, Raff a Dale poletí zpátky do Spojeného království na pasy, které jim laskavě poskytli partneři plukovníka Evandra z brazilské tajné služby.

V případě nutnosti budou cestovat s brazilskou diplomatickou imunitou. Tak moc byl plukovník odhodlaný dostat je bezpečně ze země a vyřešit konečně hádanku Ju-390.

Lety z Bioka do Londýna stihl Jaeger všechny podle plánu.

K žádným změnám v rezervaci nedošlo, lety měl zamluvené na „čistý" pas, který mu poskytl plukovník Evandro. Díky tomu byl i on nevystopovatelný.

Po příjezdu do Londýna jel expresem z Heathrow do Paddingtonu a pak nasedl do černého taxíku. Taxikáři řekl, aby ho vysadil necelý kilometr před přístavištěm Springfield, takže mohl do svého londýnského domova dojít poslední úsek pěšky. Bylo to další bezpečnostní opatření, aby ho nikdo nesledoval.

Život na lodi přinášel hned několik výhod. Jednou z nich byl nedostatek vypátratelných stop. Jaeger neplatil obecní daň, nefiguroval na seznamu voličů ani v katastru nemovitostí a taky si na přístaviště nezařídil žádnou poštovní adresu.

Sama loď byla registrována na anonymní pevninskou společnost a stejně tak kotviště. Zkrátka a dobře, tenhle člun na Temži byl na sjednání schůzky dobrým místem.

Po cestě do přístaviště ještě zaskočil do špinavě vyhlížející internetové kavárny. Objednal si černou kávu, připojil se a prověřil složku s koncepty. Byly v ní dvě zprávy. Jedna od Raffa, která jejich setkání o několik hodin posouvala. Potřebovali totiž dostatek času na to, aby se sem dostali.

Druhá zpráva byla prázdná, ale obsahovala vložený odkaz. Jaeger se jím proklikal a dostal se až do Dropboxu, online systému s úložištěm dat.

Složka v Dropboxu sestávala z jediného obrazu – složky ve formátu JPEG.

Jaeger na ni klikl.

Internetové spojení bylo pomalé. Stažená fotka na něj zapůsobila, jako kdyby ho někdo párkrát surově kopl do břicha. Objevila se na ní nahá, klečící Leticia Santosová se svázanýma rukama i nohama. S krví podlitýma, vytřeštěnýma očima hleděla do objektivu.

Za ní bylo něco, co vypadalo jako potrhané a krví potřísněné prostěradlo s naškrábanými, nyní už známými slovy:

Vrať nám, co je naše.
Wir sind die Zukunft.

Slova byla nahrubo nadrápaná čímsi, co připomínalo lidskou krev. Jaeger se ani neobtěžoval odpojit. Vyrazil z kavárny, kávu nechal nedotčenou.

Nějakým způsobem pronikli i do jejich komunikačního systému využívajícího koncepty e-mailů. Teď šlo o to, jak rychle se mu nad hlavou objeví dron vystřelující rakety Hellfire. Jaeger pochyboval, že nepřítel má finanční prostředky na to, aby jeden nasadil nad východní Londýn, nicméně domněnky jsou původcem všech průserů.

Instinktivně věděl, o co tady nepříteli jde.

Záměrně se mu vysmívali. Šlo o osvědčené prostředky vedení boje, které nacisté pojmenovali *Nervenkrieg* – válka nervů. Mučili ho podle precizního plánu v naději, že ho vyprovokují a on zůstane na vystopovatelném místě dostatečně dlouho na to, aby ho mohli najít a zneškodnit.

Anebo kdyby selhalo tohle, doufali, že ho přimějí k sólovému pátrání.

A pravda byla, že *Nervenkrieg* fungovala.

Když se díval, jak se fotka Leticie stahuje, musel vší silou odolávat pokušení jít vypátrat trapiče Santosové hned teď. A na vlastní pěst.

Měl mnoho vodítek, která mohl sledovat. Pro začátek třeba pilota C-130. Carson měl své rozpisy služeb v evidenci, a to by Jaegerovi stačilo. Mohl by ho hned začít sledovat. Navíc plukovník Evandro přislíbil celou hromadu nových stop, pocházejících z jeho vlastního pátrání.

Jenže Jaeger musel vydržet.

Potřeboval přeskupit svoje lidi, poučit se z věcí, které zjistili, prostudovat terén, nepřítele i ohrožení, vypracovat strategii a v souladu s ní pak jednat. Musel znovu zavést iniciativu a činit aktivní rozhodnutí, ne reagovat na okamžité podněty.

Zase tu šlo o ono staré rčení: *Kdo selže v plánování, selžou mu plány.*

90

Na večerní setkání měl jako první přijít archivář Simon Jenkinson.

Většinu dne strávil Jaeger na svém Triumph Exploreru a nenápadně navštívil i svůj byt ve Wardour Castle. Tam si vzal svůj výtisk Voynichova rukopisu, který mu odkázal jeho děda Ted. Se zbožnou úctou položil objemnou knihu na svůj stůl na člunu a očekával příchod Simona Jenkinsona.

Archivář přišel o dobrou půlhodinu dřív a vypadal jen o trochu méně jako hibernující medvídek kynkažu, než když ho Jaeger viděl naposledy. Na Jaegerovu prosbu se mu podařilo vypátrat kopii překladu Voynichova rukopisu. Nesl ji s sebou, pevně sevřenou pod paží.

Jaeger mu skoro ani nestačil nabídnout čaj a Jenkinson už si sedl před rukopis a složku z Bioka, načež vedle nich položil překlad. A pustil se do toho. S tlustými brýlemi na konci nosu se dal do práce na seznamu zdánlivě náhodných čísel z *Duchessy*. Luštil kód, nebo to Jaeger alespoň předpokládal.

O hodinu později archivář zvedl hlavu od svého úkolu a oči mu plály vzrušením.

„Mám to!" zvolal. „Konečně! Udělal jsem dvě, abych se ujistil, že nejde o náhodu. Takže... číslo jedna: Adolf Eichmann."

„To jméno znám," potvrdil Jaeger. „Ale připomeňte mi podrobnosti."

Jenkinson už zase skláněl hlavu nad knihami a papíry. „Eichmann – opravdu odporný případ. Jeden z hlavních strůjců holocaustu. Na konci války z nacistického Německa uprchl, teprve v šedesátých letech ho vystopovali v Argentině. A další: Ludolf von Alvensleben," hlásil Jenkinson.

Jaeger zakroutil hlavou. Tohle jméno mu vůbec nic neříkalo. „SS gruppenführer a masový vrah par excellence. Vedl Údolí smrti v severním Polsku, které se stalo hrobem tisíců lidí." Jenkinson střelil po Jaegerovi pohledem. „Taky zmizel v Argentině, kde žil až do vysokého věku."

Archivář se znovu sehnul nad knihami, listoval stránkami, až dekódoval třetí jméno.

„Aribert Heim," pronesl. „O tom jste určitě už slyšel. Vedlo se po něm nejdelší stíhání všech dob. Během války měl přezdívku Doktor Smrt. Vykoledoval si ji v koncentračních táborech, jelikož experimentoval na trestancích." Jenkinson se otřepal. „Rovněž se myslelo, že se skrývá v Argentině, ačkoli se nesly fámy, že už zemřel stářím."

„Zdá se, že se nám tu rozvíjí velké téma," poznamenal Jaeger. „Téma Latinské Ameriky."

Jenkinson se usmál. „Skutečně."

Než stačil odhalit další jména, dorazil zbytek skupiny. Raff zavedl Irinu Narovovou a Mikea Dalea do člunu. Poslední dva jmenovaní vyhlíželi po dlouhé cestě unaveně, ale přesto se pozoruhodně zotavili a očividně už teď měli mnohem lepší stravu, než když je Jaeger viděl naposledy.

Pozdravil každého zvlášť a představil všechny Jenkinsonovi. Raff, Narovová i Dale přiletěli do Londýna přímo z Ria, ještě předtím však absolvovali spojovací let do Cachimba. Takže cestovali už skoro osmnáct hodin a následující noc měla být taky pořádně dlouhá.

Jaeger uvařil silnou kávu a pak jim sdělil dobré zprávy. Knižní kód zřejmě funguje, aspoň tedy na dokumenty z Bioka.

Kolem Voynichova rukopisu a jeho překladu se shromáždilo pět postav a Narovová vytáhla tašku dokumentů, získaných z kokpitu

Ju-390. Atmosféra na palubě člunu byla nabitá dychtivým očekáváním. Vyjde konečně na světlo sedmdesát let temné a tajné historie?

Narovová vzala do rukou první sadu papírů.

Dale se vytasil s kamerou a mávl jí na Jaegera. „Nevadí vám to tady?"

„Co to do tebe vjelo?" popichoval ho Jaeger. „Přece nejdřív natáčíš a až pak se ptáš, ne?"

Dale pokrčil rameny. „Tady jste doma. To se trochu liší od filmování v divočině."

Jaeger cítil, že se ten chlap změnil. Vyzařovala z něho dospělost a upřímné obavy, jako kdyby ho zkoušky a strasti posledních týdnů jaksi proměnily.

„Dej se do toho," řekl mu. „Ať je to všechno zdokumentované."

Pod počátečním Jenkinsonovým vedením se pak Narovová pustila do dokumentu *Aktion Feuerland*, zatímco Dale natáčel a Raff s Jaegerem drželi vestoje neoficiální hlídku. Archivář byl opravdu nevšedně talentovaný a zvládal víc úkolů najednou. Netrvalo dlouho a přisunul Jaegerovi pod nos list, kompletně dešifrovanou sedmou stranu seznamu z *Duchessy*. Následně poukázal na některé nejvíce neblaze proslulé osoby.

„Gustav Wagner, lépe známý jako ‚Bestie'. Wagner založil program T4 na likvidaci zdravotně postižených a pak pokračoval vedením jednoho z předních vyhlazovacích táborů. Utekl do Jižní Ameriky, kde žil do vysokého stáří."

Jenkinson zabodl prst do dalšího jména na seznamu. „Klaus Barbie alias ‚Lyonský řezník'. Masový vrah, který si promučil a prozabíjel cestu Francií. Ke konci války…"

Jenkinson zvedl hlavu. Vchodem se protáhla Jaegerova sousedka Annie z vedlejšího člunu. Jaeger všechny představil.

„To je Annie z vedlejšího člunu. Je to… dobrá přítelkyně."

Vtom promluvila Narovová, která se skláněla nad svými dokumenty.

„To jsou všechny, ne? Ženský a Jaeger. Přitahuje je jako plamen svíčky můry. Tak to v angličtině říkáte, ne?"

„Každý, kdo umí dělat mrkvový koláč jako Annie, získá mé srdce," odpověděl Jaeger ve snaze zachránit trapnou situaci.

Ale Annie pochopila, že Jaeger a jeho přátelé mají plno práce, a ucítila i napětí. Proto podala Jaegerovi koláč, který přinesla, a rychle vycouvala. „A s tou prací to nepřehánějte, chlapi," zavolala ještě a zamávala.

Narovová se sehnula ještě níž nad papíry. Jaeger se na ni upřeně zahleděl. Podráždilo ho, co právě udělala. Jakým právem byla hrubá na jeho přátele?

„Díky, žes mi pomohla se sousedskými vztahy," poznamenal jedovatě.

Narovová ani nezvedla hlavu od svého úkolu. „Je to jednoduché. Pokud jde o to, co odhalí tyto dokumenty, neměli bychom věřit nikomu mimo tyhle čtyři stěny, teda pokud papíry rozluštíme. Nikomu, a nesejde na tom, jak dobrý přítel to je."

„Takže ten Klaus Barbie," navázal Jenkinson.

„Jo, povězte mi o ,Lyonském řezníkovi'."

„Na konci války chránila Klause Barbieho britská i americká tajná služba. Poslali ho do Argentiny jako agenta CIA pod krycím jménem Adler."

Jaeger povytáhl obočí. „Adler. Orel?"

„Orel," potvrdil Jenkinson. „Věřte nebo ne, ,Lyonský řezník' se stal celoživotním agentem CIA s krycím jménem Orel." Přejel prstem dál po listu papíru. „A tenhle. Heinrich Miller, bývalý šéf gestapa, vysoce postavený nacista, jehož osud zůstává naprostou záhadou. Většina lidí věří, že uletěl do… no, uhádl jste to. Do Argentiny. Pod ním je Walter Rauff, přední velitel SS. Vynálezce pojízdných prostředků, v nichž nacisté zplynovávali lidi. Uletěl do Jižní Ameriky. Dožil se vysokého věku a jeho pohřeb byl údajně významnou slavností všech nacistických monster. A konečně," pronesl Jenkinson, „sám Anděl smrti, Joseph Mengele. Prováděl nepopsatelné experimenty na tisících lidí v Osvětimi. Na konci války uletěl do – musím to říkat? Do Argentiny, kde podle informací pokračoval ve svých pokusech. Skutečný lidský netvor, pokud se vůbec dá nazývat lidským. Ach, a abychom snad nezapomněli, Bormann je na tom seznamu taky. Martin Bormann, Hitlerova pravá ruka…"

„Hitlerův bankéř," prohodil Jaeger.

„Jistě," zadíval se na něj Jenkinson. „Zkrátka, je to celá přehlídka nacistických lumpů. I když chybí hlavní darebák, strýček Adolf. Říká se, že zemřel ve svém berlínském bunkru, ale já sám jsem tomu nikdy nevěřil."

Jenkinson pokrčil rameny. „Většinu svého dospělého života jsem strávil v archivech výzkumem druhé světové války. Užasli byste, jaký humbuk kolem toho vyrostl. Avšak nikdy jsem nenarazil na nic, co by snad vzdáleně mohlo soupeřit s tímhle." Mávl rukou směrem k hromadě listin na stole. „A musím říct, že mě to těší. Nevadilo by vám, kdybych rozluštil další?"

„Jen pokračujte," pobídl ho Jaeger. „Na slečnu Narovovou je toho moc, za jednu noc to nezvládne. Mě ale zajímá, co se stalo se složkou Hanse Kammlera, kterou jste našel v Národních archivech? S tou, z níž jste mi pár stránek poslal."

Jenkinson jako by zlehka poskočil a do očí se mu vkradl ustaraný výraz. „Je pryč. Zmizela. Kaput. I když jsem prošel online úložiště, nezůstala tam ani stránka. Je to složka, která nikdy nebyla."

„Někdo teda udělal všechno pro to, aby se ztratila?" zjišťoval Jaeger.

„Přesně tak," potvrdil Jenkinson stísněně.

„Ještě jedna věc," dodal Jaeger. „Proč používáte něco tak elementárního jako knižní kód? Chci říct, že nacisté přece měli nejmodernější šifrovací stroje Enigma, ne?"

Jenkinson přikývl. „Ano, měli. Jenže díky Bletchley Parku jsme Enigmu rozluštili a nacistické vedení se to ke konci války dozvědělo." Usmál se. „Knižní kód je sice možná jednoduchý, ale taky naprosto nezlomný, pokud nemáte tu samou knihu. Nebo v tomto případě více knih. Na tom je tento kód založen."

A pak se přidal k Narovové a zaměřil svou vytříbenou mysl na luštění dalších dokumentů.

91

Výpočty opravdu nebyly Raffovou ani Jaegerovou silnou stránkou. Zaměstnávali se raději vařením a hlídáním venku na palubě. Jaeger tady v přístavišti sice nepředpokládal nějaké potíže, ale on i Raff byli stále ještě naživu a ve formě právě proto, že byli vycvičení očekávat neočekávané. Tím se v životě řídili.

Asi po hodině přišel Dale a přidal se k nim. Pořádně si lokl kávy. „Tolik dokumentů ke čtení by natáčel jenom šílenec."

„Když mluvíme o filmu, jak to jde?" zeptal se Jaeger. „Je Carson spokojen, nebo tě co nejdřív vykopne?"

Dale pokrčil rameny. „Je to divný, ale připadá mi plnej naděje ohledně toho všeho. Vlezli jsme do letadla a vyzvedli je z džungle tak, jak jsme slíbili. Fakt, že jsme ho po cestě ztratili, znamená jenom to, že nebude žádné další pokračování. Ale až tady skončím, pomažu rovnou do střižny a začnu tu sérii stříhat."

„Jak mě tam vykreslíš?" zajímalo Jaegera. „Vynecháš to moje ehm a ach?"

„Pochopitelně vás vylíčím jako největšího troubu," odpověděl Dale s kamennou tváří.

„Zkus to a budeš skutečně zítra na dlažbě."

„Zkuste to a žádný film nebude."

Rozesmáli se.

Teď už mezi těmi dvěma byl jistý druh přátelství, což by Jaegera při jejich prvním setkání rozhodně nenapadlo.

Když Narovová rozluštila první dokument, blížila se půlnoc. Voynichův rukopis poskytl sice klíč k rozlousknutí významu listiny, ale i tak to byla pomalá a mravenčí práce. Přišla pak za Raffem, Jaegerem a Dalem na otevřenou záď člunu.

„Mám hotových možná padesát procent," oznámila. „A už teď je to neuvěřitelné." Pohlédla na Jaegera. „Teď víme přesně, kam mířily první tři Ju-390, *Adlerflug I, II* a *III*, stejně jako to, kde by skončil náš letoun *Adlerflug IV*, kdyby mu nedošlo palivo. Což znamená, že víme, kde náckové měli své bezpečné útočiště. *Aktion Feuerland*," pokračovala. „Víte, proč to takhle pojmenovali? Po Ohňové zemi, Tierra del Fuego. A kde že leží? Je to kousíček pevniny, kde nejjižnější výběžek Argentiny klesá do Atlantiku... Mě samotnou ta Argentina nijak moc nepřekvapuje. Vždycky byla hlavním podezřelým, pokud jde o skrýš předních nacistů. Je ale ještě několik dalších míst, která právě tenhle dokument odhaluje. Další bezpečná útočiště. A to je skutečný šok." Narovová se odmlčela, měla co dělat, aby krotila radostné nadšení. „Víte, my jsme nikdy neměli finanční prostředky, tajnou službu ani odborné znalosti na to, abychom tohle dokončili. Prostě s tím skoncovali. Ale když rozluštím kódy, možná se nám to teď povede."

Než mohla Narovová pokračovat, ozval se zevnitř vítězný řev. Hlas patřil Jenkinsonovi a všichni na palubě usoudili, že musí jít o něco skutečně mimořádného, protože archivář jinak neměl v povaze příliš se rozvášňovat.

Pospíšili dovnitř.

Jenkinson držel list papíru. „Tady – to – je," koktal bez dechu. „Tohle všechno mění. Bylo tak snadné to přehlédnout – jeden zdánlivě obyčejný přehled čísel... Ale konečně to všechno začíná dávat smysl. Děsivý, hrůzostrašný smysl."

Zíral na ostatní čtyři lidi a jeho spodní ret se třásl... čím? Vzrušením, úzkostí, nebo hrůzou?

„Nemá samozřejmě význam posílat na lodi svou kořist, nejlepší lidi a *Wunderwaffe* – své zázračné zbraně – do čtyř koutů světa, pokud k tomu ovšem nemáte nějaký důvod. A rozvrh. Přímo mistrovský plán. Tohle," zamával papírem. „Tohle je ono. *Aktion Werwolf.* Operace Vlkodlak, detailní plán Čtvrté říše."

Podíval se na ně a jeho pohled byl poznamenán strachem. „Faktická poznámka: Čtvrté říše. Ne Třetí. Čtvrté říše."

Ohromeně se shlukli kolem archiváře a Jenkinson začal číst. „Začíná to slovy: ‚Na rozkaz Führera bude *Übermensch* z popela Třetí říše' – to je nadřazená rasa – ‚pracovat na zajištění toho, abychom znovu povstali…'"

Jenkinson postupně přečetl celý dokument. Nastiňoval plán na využití největší slabosti Spojenců proti nim. Touhle slabostí byla paranoia ze vzestupu Východního bloku a Sovětského svazu na výsluní moci. I v hodině vítězství Spojenců využili nacisté tuto paranoiu jako svého trojského koně, díky kterému přežijí a znovu povstanou, aby mohli dobývat.

„Pomocí obrovského bohatství, jehož nabyli během válečných let, prosadili do všech sekcí společnosti své ‚opravdové zastánce'." Objevovali se, aby zapřáhli svou technologii do služeb svých nových pánů, zatímco ve skutečnosti je rozvraceli. Nejslibnější technologie *Wunderwaffe* se dál vyvíjely, ale absolutně tajně a k užitku nacismu, znovu zrozenému pod Čtvrtou říší.

„‚Nikdo by neměl podceňovat úkol, který před námi nyní leží,'" přečetl Jenkinson z posledního odstavce dokumentu. „‚Operace Werwolf se neuskuteční přes noc. Musíme být trpěliví. Musíme znovu vybudovat svou moc a uspořádat naše síly. Führer, jemuž pomohou největší mozky Říše, bude stále pracovat v utajení. A až Říše povstane jako fénix z popela, už to bude globální a nezastavitelné. Mnozí z nás se toho dne nedožijí,'" pokračoval archivář, „‚avšak naše děti určitě ano. Zmocní se svého dědického práva. Osud *Übermensch* bude naplněn. A pomsta, pomsta bude konečně naše.'"

Jenkinson otočil list papíru a četl dál. „Zmiňují prosazení svých lidí do Úřadu strategických služeb, tedy předchůdce CIA, do americké vlády, britské tajné služby, do předních společností… seznam pokračuje dál a dál. A dávají si na to sedmdesát let, sedmdesát let od data jejich definitivní potupy, čili května roku 1945, kdy se bezpodmínečně vzdali Spojencům."

Jenkinson vzhlédl s ustrašeným pohledem. „Což znamená, že zrovna někdy teď má nová Říše povstat jako fénix z popela."

Otočil listiny tak, aby na ně Jaeger i ostatní viděli. Na spodu druhé strany bylo razítko známého znaku. *Reichsadler.*

„Tohle," ukázal na něj, „je jejich znak. Znak Čtvrté říše. Vidíte ten kruhový symbol pod ocasem orla? Ten nápis okolo je rovněž kódovaný. Vlastně je trojitě kódovaný, ale mně se ho stejně podařilo rozluštit. Stojí tam: ,*Die Übermensch des Reich – Wir sind die Zukunft.* Nadřazená rasa Čtvrté říše – my jsme budoucnost.'"

92

Jaeger hleděl přes teplou, modrozelenou vodu na Irinu Narovovou. „Tvoje vlna," vyzval ji. „Jestli si myslíš, že máš dost odvahy."

Za nimi se ke třpytivým bílým pískům valila ohromná vlna a cestou k pláži nabírala na síle i výšce.

„*Schwachkopf!* Závodíme!" smetla jeho výzvu.

Otočili se a začali zuřivě pádlovat směrem k pobřeží. Jaegerovi na chvilku naplnil uši hukot příboje a pak mocný nápor vody zvedl zadek jeho prkna. Pádloval rychleji a snažil se zachytit vlnu a stát se její součástí, zatímco se vlna s burácením hnala k tenkému proužku stříbrné země, který sloužil jako pláž.

Zrychloval. Surf bořil hladinu vody a Jaeger jediným plynulým pohybem vyskočil na nohy. Přikrčil se v kolenou, aby jízdu zmírnil. Jak se rychlost zvyšovala, ucítil důvěrně známý příval adrenalinu a provedl rychlý obrat, aby Narovovou stylově předjel.

Natočil ramena směrem k vlně a jel prknem po ní. Měřila na výšku tři a půl metru. Dosáhl pěnícího bílého hřebene a chtěl se přetočit, aby mohl sjet zase dolů. Jenže podcenil, jak moc ho ovlivnilo pět týdnů ve věznici Black Beach a následný skoro stejně dlouhý pobyt v Amazonii.

Když se pokusil přenést váhu na přední nohu, došlo mu, že má obě dolní končetiny pořád ještě ztuhlé. Ztratil rovnováhu a v příštím okamžiku ho to smetlo. Velká vlna ho pohltila, vsála pod sebe a drtila ho ve svých hřmících hlubinách.

Pocítil, jak nad ním přebírá vládu syrová síla oceánu, a vzdal se jí. Byl to jediný způsob, jak takový drsný pád přežít. Jaeger to řekl i svému synovi, když ho poprvé vzal na surf: „Jenom hezky zvolna. Představ si, že bys měl deset vteřin na záchranu světa. Vždycky pět vteřin využij na to, aby sis dal mlíko a sušenky." Takhle Lukea učil, aby v bouři uměl zůstat v klidu.

Jaeger věděl, že až se s ním vlna vypořádá, vyplivne ho na druhé straně.

A taky že ano, za několik sekund se vynořil.

Pořádně se nadechl a hmatal kolem sebe po šňůře surfu. Našel ji, přitáhl prkno k sobě, vylezl na ně a pádloval k pevnině. Narovová už čekala na písku a oči jí svítily nadšením z vítězství.

Od impozantního vyluštění kódu a objevu operace Werwolf na Jaegerově člunu uplynul týden. Nápad s návštěvou Bermud vzešel z jeho hlavy. Šlo o to strávit pár dní dobíjením baterek a děláním plánů, s laskavým svolením Jaegerových rodičů.

Takový odpočinek před bojem.

Bermudy, maličké britské zámořské teritorium přímo uprostřed Atlantického oceánu, se nacházely daleko od všech slídivých očí. Jaegerovi rodiče nežili v největším sídle na Main Islandu. Našli si domov v Horseshoe Bay, na úchvatném území Morgan's Point.

Dokonale izolované. Mimořádně krásné.

A daleko od pekla Serra de los Dios…

A kupodivu i Narovová, kterou mise a pronásledování tak přitahovaly, skočila po příležitosti k návštěvě tohohle malinkého ostrovního ráje. Jaeger navíc soudil, že až se ocitnou daleko od toho všeho, bude ochotná mluvit alespoň o své utajené minulosti nebo třeba i o pojítku s jeho dědou.

Už několikrát se pokusil nadnést tohle téma v Londýně, ale i tam zřejmě Narovovou sledovali démoni.

Výlet na Bermudy rovněž nabízel šanci na hovor s rodiči o tom, jak zemřel dědeček Ted. Tohle už měl udělat dávno. Jaeger měl podezření na násilný čin, třebaže tehdy byl moc mladý na to, aby něco takového zaregistroval.

Jelikož policie selhala a nenašla žádný důkaz, musela rodina přijmout verdikt sebevraždy a uvěřit mu. Podezření však zůstalo. Jak se dalo předvídat, máma s tátou si vyložili Jaegerův příjezd s Narovovou jinak, než jak to doopravdy bylo. Otec dokonce zašel tak daleko, že vzal Jaegera k sobě do pracovny na soukromý rozhovor.

Na adresu Narovové poznamenal, jak je navzdory svéráznému projevu působivě krásná a že je velmi osvěžující vidět syna, věnujícího se zase znovu... přítelkyni. Jaeger poukázal na to, že táta ignoruje jeden zcela klíčový fakt. On a Narovová přece spí v oddělených místnostech.

Jenže otec dal jasně najevo, že tomu ani za mák nevěří. Oddělené ložnice jsou podle něj prý pouze takové divadélko. Všechno jen pro efekt. A protože Jaegerova žena a syn už se pohřešují čtyři roky, bylo podle otce i matky načase.

Načase, aby se Jaeger posunul zase dál.

Jaeger měl svoje rodiče k smrti rád. Konkrétně otec mu předal lásku ke všemu divokému – k moři, horám, lesu. Jaeger se mu ani nepokoušel říct, že nikdy necítil větší jistotu, že Ruth s Lukem žijí. Neřekl to nejspíš proto, aby rodiče uchránil před další nejistotou a utrpením.

Nevěděl, jak si má své nově nabyté přesvědčení vysvětlit. Jak by mohl tátovi vykládat, že psychotropní koktejl, podaný rukou amazonského indiána – bratra válečníka –, mu navrátil vzpomínky a s nimi i naději?

93

Se surfováním toho rána už skončili a ploužili se k domu. Rodiče byli pryč a Narovová se šla osprchovat, aby si z vlasů a kůže smyla sůl. Jaeger zamířil do své ložnice a vzal iPad. Potřeboval se podívat na novinky od zbylé části týmu.

Od doby, kdy se ve zdraví dostali z Amazonie, ho znepokojovalo plánování dalších kroků. Jistě, odkryli mistrovský plán návratu Říše a převzetí globální moci nacisty, ale to ještě neznamenalo, že se to opravdu děje. Důkaz byl však až příliš pádný a Jaeger se obával nejhoršího.

Nejdřív zabili Andyho Smithe a pak pronásledovali Jaegera a jeho tým Amazonií. Temná síla se ze všech sil snažila s nimi skoncovat a pohřbít navždy tajemství letu duchů Ju-390. Očividně měli sítě po celém světě a k dispozici technologické a vojenské dovednosti na velmi pokročilé úrovni. Oficiální britská vládní složka zmizela, vypařila se z archivů.

Ať se na to Jaeger díval z jakékoli strany, synové Říše zřejmě skutečně povstávali. A nikdo si to zjevně neuvědomoval ani nedělal nic moc pro to, aby je zastavil. Kromě Jaegera a jeho malého, válkou unaveného týmu.

Když Jenkinson rozluštil papíry s operací Werwolf, měl Jaeger pokušení prozradit, že ve válečném kufru jeho dědy se našel dokument se stejným titulem. Něco ho však instinktivně zadrželo. Tohle byla karta, kterou si nechá v rukávu do doby, než přijde čas s ní hrát.

S pomocí plukovníka Evandra se mu podařilo zřídit systém bezpečné šifrované e-mailové korespondence, takže všichni přeživší členové týmu mohli komunikovat určitým způsobem bezpečně. Všichni až na Leticii Santosovou. Plukovník Evandro nasadil své nejlepší muže a k nim přizval specialisty na únosy, výkupné a vyděračství, ale všechno vyšlo naprázdno.

Jaeger zapnul iPad a přihlásil se na ProtonMail, šifrovací e-mailový systém, který teď používali. Čekal na něho jeden vzkaz od Raffa s dobrými zprávami. V posledních čtyřiadvaceti hodinách se vynořili Lewis Alonzo, Hiro Kamiši a Joe James. Pod vedením Puruwehuy a členů sousedního kmene Uru-eu-wau-wau se dostali ze Serra de los Dios.

Všichni tři byli dle očekávání v pořádku a Raff nyní pracoval s plukovníkem Evandrem na tom, aby zajistili jejich co nejrychlejší a nejbezpečnější přesun domů. Jaeger Raffovi odepsal a zeptal se na aktuální zprávy z pátrání po Leticii Santosové.

Věděl, že moc nápomocný být nemůže, ale přesto se jedna jeho část toužila vrátit do Brazílie a pomoci plukovníkovi Evandrovi v pronásledování únosců. Právě tohle chtěl udělat, až se vrátí z Bermud, pokud mezitím Santosovou nezachrání oni. Slíbil sám sobě, že ji najde a přivede ve zdraví domů.

A pak v jeho schránce čekala druhá zpráva od Pietera Boerkeho. Už na ni chtěl kliknout, když se ozvalo zaklepání na dveře.

Byla to Narovová. „Jdu si zaběhat.“

„Dobře,“ odpověděl Jaeger s očima stále upřenýma na obrazovku. „Až se vrátíš, mohli bychom uskutečnit ten dlouho odkládaný rozhovor o tom, jak jsi znala mého dědu. A proč mě tak nesnášíš.“

Narovová se zarazila. „Nesnáším? Teď už tolik ne. Ale jo, na tomhle místě bychom si snad mohli popovídat.“

Dveře se zavřely a Jaeger otevřel zprávu.

Nejdřív si stáhněte připojenou fotografii. Tu jsem v trezoru přehlédl. Až ji budete mít, spojte se se mnou přes Skype. I když jsem často pryč a v pohybu, mám ho na mobilu, takže mě vždycky zastihnete. Proveďte to ihned a nemluvte o tom s nikým jiným.

Jaeger udělal, jak Boerke nařídil. Fotka byla zrnitá a černobílá, pořízená na velkou vzdálenost. Očividně opět pocházela z *Duchessy* a zachycovala skupinu nejvyšších nacistických velitelů seskupených u zábradlí lodi. Nic ho hned neudeřilo do očí, a tak s fotografií na obrazovce pustil Skype a vytočil Boerkeho.

Jihoafričan se ozval. Jeho hlas sršel napětím. „Mrkněte na toho chlápka, čtvrtý zleva, v samém středu fotky. Máte ho, toho chlapa? Ta nasupenost, ten úděsný účes, to, jak se mračí. Nepřipomíná vám někoho? A teď si tu tvář představte s malým a příšerným knírkem ve stylu Charlieho Chaplina…"

Jaeger najednou nemohl dýchat. „To ne," lapal po dechu. „To nemůže být pravda. Rozluštili jsme kód a on na seznamu nebyl. Nejpřednější náckové jo, ale on ne."

„Tak to dobře zkontrolujte," odpověděl Boerke. „Protože jestli tohle není Adolf Hitler, tak já jsem čínskej bůh srandy! A ještě jedna věc. Na druhé straně fotky je datumové razítko, sedmý květen 1945. A předpokládám, že nemusím zdůrazňovat důležitost téhle věci."

Když Boerke hovor ukončil, Jaeger dvakrát klikl na kurzor a fotku přiblížil. Hleděl na rysy té postavy a neodvažoval se uvěřit důkazu před svýma očima. Avšak nebylo pochyb. Ta tvář jako by z oka vypadla Führerovi a svědčila o tom, že Hitler stál na palubě lodi v přístavu Santa Isabel přinejmenším týden poté, co se údajně zastřelil ve svém berlínském bunkru.

Trvalo dlouho, než byl Jaeger schopen vrátit se zase ke svým úkolům. Boerkeho odhalení, pravděpodobně poslední z temných tajemství *Duchessy*, ho totálně ochromilo. Jedna věc byla objevovat, že mnoho Führerových zástupců, vůdčích strůjců zla, přežilo konec války.

Ale najít důkaz o tom, že se to možná podařilo i samotnému Führerovi, to bylo úplně něco jiného.

Jaeger se přihlásil na ProtonMail a vstoupil do jejich schránky s koncepty e-mailů. Ačkoli už do ní nepřátelé pronikli, nemohl odolat touze jenom nahlédnout, když navíc věděl, že přes

ProtonMail jeho polohu pravděpodobně nevystopují. Proton-Mail se chlubil, že dokonce ani americká Národní bezpečnostní agentura, vybavená nejmocnější elektronickou sledovací sítí, se nedokáže nabourat do zpráv, které procházejí jejich servery, umístěnými ve Švýcarsku.

Ve schránce Jaeger našel jeden nový vzkaz.

Ležel tam už několik dní.

Jeho znepokojení vzrůstalo.

Stejně jako předtím, i nyní byla zpráva prázdná, poskytovala jen odkaz na složku v Dropboxu. S narůstající hrůzou Jaeger otevřel Dropbox a klikl na první soubor ve formátu JPEG. Čekal, že to bude další děsivá fotka Leticie Santosové, součást nepřítelovy pokračující *Nervenkrieg*.

Řekl si, že se musí podívat, protože na jedné z těch příšerných fotek mohl nepřítel neúmyslně zanechat vodítko, pomocí kterého by mohl určit místo jejich pobytu. A podle takového vodítka by je Jaeger s ostatními mohli začít pronásledovat.

Objevil se první obrázek. Pouze šest řádků textu.

Dovolená v ráji…
zatímco vaši blízcí umírají.

Otázka: Jak to, že víme tak mnoho?
Odpověď: Malý Lukie nám stále vypráví.

Doplňující otázka: Kde je teď malý Lukie?
Odpověď: *Nacht und Nebel.*

Nacht und Nebel – noc a mlha.

Jaegerovi bušilo srdce jako zvon. Klikl na druhou fotku ve formátu JPEG. Objevil se obrázek krásné ženy se zelenýma očima a dospívajícího chlapce. Měli vyhublé tváře, utrápené pohledy a kolem zapadlých očí tmavé kruhy.

Matka i chlapec klečeli v řetězech před jakousi nacistickou vlajkou, jíž dominoval *Reichsadler*. Drželi výtisk *International Herald Tribune*. Jaeger třesoucíma se rukama přiblížil palcový titulek novin. Datum dokazovalo, že nejsou ani týden staré. Byl to důkaz toho, že ještě před pěti dny oba žili.

Pod fotkou byly napsané dva řádky.

Vrať nám, co je naše.
Wir sind die Zukunft.

94

Jaeger se otočil a zvedl se mu žaludek. Zjistil, že se třese a cítí bolest, jakou ještě nikdy nezažil, ani při tom nejhorším mučení v Black Beach. Spadl ze židle a složil se k zemi. Ale i když ležel na podlaze, stále nedokázal odtrhnout oči od té otřesné fotografie.

V hlavě mu vířily představy tak trýznivé a temné, že mu bylo, jako kdyby mu měla puknout lebka. Dlouho tak ležel vedle stolu, stočený do klubíčka. Po tvářích mu stékaly slzy, ale on si jich vůbec nevšímal.

Ztratil pojem o čase.

Cítil se vyčerpaný a naprosto prázdný.

Konečně ho přivedl k sobě nějaký zvuk. Otevřely se dveře jeho ložnice.

Nějak se mu mezitím povedlo dostat se zpátky na židli. Seděl teď zhroucený před stolem a obrazovkou.

Obrátil se.

Za ním stála Irina Narovová. Kolem těla měla omotaný malý ručník, který jí končil těsně nad ňadry. Zřejmě se po běhu osprchovala a Jaeger nepochyboval o tom, že pod tím ručníkem je nahá.

Ale bylo mu to jedno.

„Když jsme tehdy uvízli ve vrcholcích stromů džungle, vysvětlila jsem ti, proč se dva lidi obvykle sblíží," podotkla Narovová tím svým podivným, monotónním a věcným stylem. „Blízkost je nutná ze tří důvodů," opakovala. „První je praktická nutnost, druhý sdílení tělesného tepla a třetí sex." Usmála se. „A zrovna teď bych byla ráda, aby se to stalo z důvodu číslo tři."

Jaeger neodpovídal. Moc ho ani nepřekvapila. Už věděl, že Narovová trpí téměř naprostou neschopností číst v citech druhých lidí. I výraz tváře a řeč těla jí jaksi podivně unikaly.

Přesunul iPad tak, aby viděla fotku na obrazovce.

Narovová si šokovaně přikryla rukou ústa. „Ach, panebože…"

„Datum na novinách je pět dní staré," přerušil ji Jaeger hlasem, který zněl, jako by přicházel z konce velmi dlouhého a tmavého tunelu.

„Můj bože," lapala Narovová po dechu. „Oni žijí."

Zahleděli se s Jaegerem na sebe.

„Oblíknu se," pronesla Narovová bez náznaku rozpaků nebo nesnází. „Máme práci."

Otočila se ke dveřím, ale pak se zarazila a ustaraně se na Jaegera zadívala. „Přiznávám, že jsem nešla jen běhat. Měla jsem taky sraz… Setkala jsem se s někým, kdo si myslí, že ví, kde drží Leticii Santosovou."

„Co že jsi udělala?" ptal se Jaeger a pokoušel se vypudit z hlavy zmatek. „Kde? A s kým, proboha? A proč jsi nevarovala…"

„Ty bys nechtěl, abych se s nimi setkala," utnula ho Narovová. „Kdybys věděl, kdo to je, tak ne."

„Zatraceně!" vyštěkl Jaeger. Bodl prstem směrem k fotce na obrazovce. „Stopa k Leticii by mě mohla zavést k nim!"

„Já vím. Teď to vím," ohrazovala se Narovová. „Jenomže ještě před hodinou jsem neměla ponětí, že žijí."

Jaeger vstal. Teď byl jeho postoj doopravdy nebezpečný. „Tak mi pověz, kdo byl sakra na tom tvým tajným setkání a co ti řekl?"

Narovová o krok ucouvla. Očividně byla ve střehu, ale tentokrát u sebe neměla svůj nůž. „Jednou z nejbližších možností přistání při letu na Bermudy je Kuba. Kuba je pořád ruské území, pokud jde o Kreml. Sešla jsem se s jedním ze svých kontaktů…"

„Ty ses sešla s nějakým zasraným agentem SVR, jo? A vyklopilas mu, co právě děláme?!"

Narovová vrtěla hlavou. „Ne, s ruským mafiánem. Je to pašerák drog nebo spíš jedna z klíčových osob v pašování drog. Mají své sítě rozprostřené po celém Karibiku. Znají všechno a každého. Musí, aby byli schopní protáhnout svůj kokain skrz tyhle ostrovy." Popuzeně hleděla na Jaegera. „Když chceš najít ďábla, musíš se někdy dohodnout s ďáblem samotným."

„A co ti řekl?" zavrčel Jaeger.

„Před dvěma týdny se prý na Kubě objevila skupina Východoevropanů. Začali rozhazovat prachy a flámovali jako šílení. Nic tak neobvyklého. Pozornost mého člověka ale upoutaly dvě věci. Za první to byli nájemní vojáci a za druhé s sebou měli ženskou, kterou drželi jako zajatkyni." V očích Narovové svítil vzdor. „Ta žena je Brazilka. A její příjmení je Santosová."

Jaeger si dlouho prohlížel Irininy rysy. Bylo podivné, že i když měla svou složitou psychologickou masku, zdálo se, že není schopná lhát. Dokázala dokonale hrát jakoukoli roli, ale když někomu svěřovala pravdu, vždycky z role vypadla.

„Tak jo, no," zabručel, „kašlu na to, jak jsi je našla." Vrátil se pohledem k fotce na obrazovce iPadu. „Nejdřív najdeme Leticii a pak..."

Do Jaegerových očí se vloudil ledově studený, neochvějný klid. Měl svůj tým, měl stopu, a navíc měl ten nejdůležitější úkol – zachránit svět a svou rodinu.

Obrátil se zpátky k Narovové. „Sbal si věci, vyrážíme na cestu."

„Jasně," potvrdila. „Will Jaeger a já. Je čas vyrazit na lov."

Will Jaeger se vrátí...

BEAR
GRYLLS
LET DUCHŮ

Z anglického originálu *Ghost Flight*
vydaného nakladatelstvím Orion Books, imprint The Orion Publishing
Group Ltd, v Londýně v roce 2015
přeložil Jan Kozák
Odpovědná redaktorka Kateřina Havelková Štěpančíková
Technický redaktor Petr Kovář
Obálka René Senko
Sazba Jan Cága
Tisk a knihařské zpracování Těšínské papírny, s. r. o., Český Těšín
Jako svou 2 438. publikaci
vydalo Nakladatelství JOTA, s. r. o.

Škárova 16, 612 00 Brno
tel.: +420 515 919 580
e-mail: jota@jota.cz
www.jota.cz
V Brně roku 2017
447 stran
Vydání první

ISBN 978-80-7565-233-1